TRATTATI D'AMORE CRISTIANI DEL XII SECOLO

Volume I

a cura
di Francesco Zambon

FONDAZIONE LORENZO VALLA
ARNOLDO MONDADORI EDITORE

Questo volume è stato pubblicato
grazie alla collaborazione del
Servizio nazionale
per il progetto culturale della CEI

ISBN 978-88-04-56237-5

I edizione maggio 2007
II edizione settembre 2008

www.librimondadori.it

INDICE

INTRODUZIONE GENERALE

Il problema dell'amore nel pensiero cristiano del XII secolo

يانسيم الريح قولي للرشا
لم يزدني الورد الا عطشا
لي حبيب حبه وسط الحشا
لو يشا يمشي على خدي مشا
روحه روحي وروحي روحه
إن يشا شئت وإن شئت يشا

O brezza! Di' al cerbiatto
Che bere fa solo aumentare la mia sete!
Ho un Amato il cui amore è dentro alle viscere
Mi percuota la guancia se vuole!
Il Suo spirito è il mio spirito, il mio spirito il Suo spirito
Se Egli vuole io voglio e se io voglio Egli vuole.

Mansûr Hosayn al-Hallâj

Il secolo dell'amore

Sotto il segno dell'amore si colloca quel grande rinnovamento spirituale e culturale di cui l'Europa fu teatro nel XII secolo. Dei maggiori fenomeni che ne caratterizzano la letteratura e il pensiero, l'amore è quasi il luogo geometrico, il punto di convergenza, il nucleo più intimo: nelle più diverse – e talvolta anche contrapposte – esperienze letterarie e filosofiche o teologiche che si svilupparono in questo periodo si incontra quasi fatalmente, declinato in senso religioso o in senso profano, il tema dell'amore. All'alba del secolo nasce nelle corti occitane, con Guglielmo IX e probabilmente con altri poeti di cui non ci sono pervenuti i componimenti, la poesia dei trovatori, al centro della quale sta la nuova concezione di un amore puro e tendente verso un piacere sempre negato o differito, la *fin'amor*. Prima del 1150, mentre i temi trobadorici si diffondono anche nel nord della Francia e in altri paesi europei, prende forma con la storia di Tristano e Isotta il grande mito medioevale dell'amore-passione, che trova le sue prime ma ormai definite espressioni nei romanzi, giunti a noi frammentariamente, di Thomas e di Béroul. Subito dopo la metà del secolo, inizia la straordinaria fioritura del romanzo cortese, incentrato sugli intrecci fra cavalleria e amore: fra il 1165 e il 1170 è composto *Erec et Enide*, il primo romanzo del suo geniale «inventore», Chrétien de Troyes, che sviluppa nella sua opera narrativa un'ampia riflessione sul rapporto fra amore e matrimonio, amore e dovere, amore e sentimento religioso. Pressappoco negli stessi anni la misteriosa Maria di Francia compone i suoi *Lais*, brevi racconti

in versi che affrontano ciascuno un diverso problema amoroso attingendo i materiali narrativi soprattutto dalla mitologia celtica. Non bisogna poi dimenticare che in questo periodo si diffonde – a ridosso delle università – anche la poesia latina dei goliardi, dominata da una concezione più sensuale e godereccia dell'amore, ma non priva di accenti sentimentali che la avvicinano alle coeve esperienze della lirica cortese. Verso la fine del secolo, Andrea Cappellano tentò una sintesi teorica di tutte queste esperienze nel trattato latino *de amore*, una sorta di manuale galante ispirato ai grandi modelli ovidiani dell'*Ars amatoria* e dei *Remedia amoris*, l'influsso dei quali permea del resto tutta la letteratura erotica e cortese del Medioevo.

È in un simile quadro che si sviluppa, su tutt'altro versante, anche una vasta e articolata riflessione monastica sull'amore – e sull'amore di Dio in particolare – che segna una fondamentale svolta nella storia del pensiero teologico medioevale. Avviata intorno agli anni Venti del XII secolo con Guglielmo di Saint-Thierry e Bernardo di Clairvaux, questa riflessione è al centro di numerosi trattati – di provenienza soprattutto cistercense e vittorina – che si propongono di illustrare, da un punto di vista cristiano, la natura dell'amore. I più importanti fra questi trattati – il *de contemplando Deo* e il *de natura et dignitate amoris* di Guglielmo di Saint-Thierry, il *de diligendo Deo* di Bernardo di Clairvaux, lo *Speculum caritatis* di Aelredo di Rievaulx, la *Epistola ad Seuerinum de caritate* di Ivo e il *de IV gradibus uiolentae caritatis* di Riccardo di San Vittore – sono compresi nel presente volume e in quello che gli farà seguito completando l'opera. Ma la riflessione teologica del XII secolo sull'amore non è circoscritta all'ambito dei trattati che gli sono espressamente dedicati. Essa attraversa anche altri generi di scrittura, dai commenti biblici agli epistolari, dai libelli polemici ai sermoni e alle opere dogmatiche e morali. In particolare, il tema amoroso domina da un capo all'altro – come è ovvio – i commenti al libro erotico per eccellenza della Bibbia, il *Cantico dei Cantici*. Il *Cantico* era stato sottoposto a interpretazioni spirituali o morali fin dai primi secoli cristiani: basti pensare ai magnifici commenti di Origene e di Gregorio di Nissa. Ma ora si assiste a una vera e propria moltiplicazione di opere a esso dedicate, fra le quali autentici capolavori come la *Expositio* di Guglielmo di Saint-Thierry e i *Sermones* di Bernardo – i due maggiori

trattatisti d'amore del XII secolo. Naturalmente, i temi sensuali e passionali del *Cantico* sono qui interpretati in chiave allegorica: lo sposo diventa così il simbolo di Cristo, il mistico amante, e la sposa quello della Chiesa oppure dell'anima innamorata. Salomone, considerato allora come l'autore del poema biblico, si affianca così all'altro grande maestro d'amore dell'epoca, Ovidio: quella che fu chiamata *aetas Ouidiana*, è anche, come ha osservato Jean Leclercq, una *aetas Salomoniana*[1]. Ovidio e Salomone rappresentano in qualche modo i due poli estremi – quello sensuale e quello spirituale – fra i quali si situa, nei suoi diversi livelli e con le sue molteplici sfumature, tutta la letteratura amorosa del XII secolo: «Nella letteratura monastica» osserva Leclercq, «il *Cantico* è molto più importante di Ovidio, mentre nella letteratura profana è Ovidio a tenere il primo posto»[2], ma in entrambe è riconoscibile in qualche misura la loro presenza. Per quanto riguarda la trattatistica cristiana, gli insegnamenti di Ovidio possono essere oggetto di aspra condanna, come nel *de natura et dignitate amoris* di Guglielmo di Saint-Thierry; ma possono anche essere seguiti come un modello autorevole, ad esempio nella descrizione dei sintomi dell'amore che si legge nel *de IV gradibus uiolentae caritatis* di Riccardo di San Vittore[3].

Se si volesse indicare una figura emblematica della complessa e anche contraddittoria esperienza amorosa del XII secolo, la scelta non potrebbe cadere che su Pietro Abelardo. La sua storia d'amore con Eloisa – quale è narrata nella prima lettera a lui attribuita, nota come *Historia calamitatum mearum*[4] – si conforma in gran parte a quelle della letteratura cortese contemporanea o di poco posteriore, dai romanzi di Tristano al *Pyramus et Tisbé* o

[1] Cfr. J. Leclercq, *I monaci e l'amore*, trad. it., Roma 1984 (ed. orig. Oxford 1979), p. 42.
[2] *Ibid.*, p. 109.
[3] Cfr. K. Ruh, *Storia della mistica occidentale*, I. *Le basi patristiche e la teologia monastica del XII secolo*, trad. it., Milano 1995 (ed. orig. München 1990), p. 453.
[4] L'autenticità delle lettere attribuite ad Abelardo e a Eloisa, come è noto, è stata più volte messa in discussione; per una ragionata presentazione del dibattito sulla loro autenticità, ved. C. Vasoli, *Introduzione* ad Abelardo ed Eloisa, *Lettere*, a cura di N. Cappelletti Truci, Torino 1982, pp. VII-XLVIII. Ma se anche si trattasse di un «romanzo» edificante costruito *a posteriori*, esso sarebbe non meno significativo dal punto di vista che qui ci interessa.

all'*Erec et Enide*, ai quali è stata spesso accostata. Per di più, lo stesso Abelardo riferisce nella *Historia calamitatum* di aver composto dopo l'incontro con Eloisa numerose canzoni d'amore, alcune delle quali – a suo dire – erano «diffuse e cantate in molti paesi»[1]. Lo conferma Eloisa nella *Epistola secunda*, dove Abelardo è descritto come un vero e proprio trovatore o troviero: «Componesti molte canzoni con verso e ritmo d'amore, che per la grande soavità e della parola e del canto si diffusero sempre più e facevan correre di continuo il tuo nome sulla bocca di tutti; e così la dolcezza della melodia faceva volar la tua fama perfino fra gli illetterati. Per questo soprattutto le donne sospiravano d'amore per te; e poiché la maggior parte di quelle poesie cantava il nostro amore, in breve io fui conosciuta dovunque, e sorse invidia di me in molte donne»[2]. La conclusione del rapporto erotico con Eloisa in seguito alla castrazione subita da Abelardo e il ritiro in convento di entrambi segnano il passaggio esemplare dall'amore carnale all'amore spirituale, tema centrale di tutta la trattatistica d'amore cristiana. In questo senso provvidenziale – come rimozione dello strumento della sua *concupiscentia* – Abelardo interpreta la propria sventura nelle lettere a Eloisa: «Tu sai bene» le scrive nella *Epistola quinta*, «come la mia sfrenata lussuria avesse condotto i nostri corpi a commettere tante bassezze che né il senso della dignità, né la reverenza di Dio mi trattenevano dal pantano di questo fango neppure nei giorni della passione del Signore o in qualunque altra solennità [...]. Ero attratto a te da una tale vampa di passione che a quelle misere e oscene voluttà, che ci vergogniamo perfino di nominare, posponevo tutto, anche Dio, anche me stesso. A questo punto, la clemenza divina non avrebbe potuto provvedere altrimenti che impedendomi del tutto e senza più speranza quelle voluttà. [...] Perché io potessi largamente rifiorire è stato giustissimo e provvidenziale che io sia stato privato di quella parte del corpo in cui regnava la libidine e che era stata l'unica causa

[1] Abelardo ed Eloisa, *Lettere* cit., p. 29. Questi *carmina amatoria* sono perduti; delle poesie di Abelardo ci restano solo gli *Hymni* scritti per le monache del Paracleto, il monastero da lui fondato e di cui Eloisa diventerà la superiora, i *Monita ad Astrolabium*, poema indirizzato al figlio, e alcuni *Planctus*.
[2] *Ibid.*, pp. 135-7.

della mia concupiscenza»[1]. La stessa Eloisa, del resto, accusa il suo antico amante di essere stato con lei non per vero amore ma solo per il piacere carnale: «Tu stavi con me più per concupiscenza che per amicizia, più per ardore di libidine che per amore. Quando dunque cessò in te il desiderio, svanì ugualmente tutto quell'amore che mostravi allo scopo di avermi»[2]. Di fronte alle esortazioni edificanti di Abelardo, Eloisa non si vergogna però di confessare il proprio desiderio appassionato e sensuale: «Dio sa bene» gli scrive nella *Epistola secunda* con accenti da eroina cortese, «che in te non ho mai cercato altro che te solo; ho desiderato esclusivamente te, e non le tue sostanze (*te pure non tua concupiscens*). Non miravo al matrimonio né alla ricchezza; e tu sai bene che sempre ho cercato di soddisfare non i miei piaceri e la mia volontà, ma unicamente i tuoi. E se il nome di moglie appar più sacro e più valido, per me è stato sempre più dolce quello di amica, o, se non ti scandalizzi, di concubina o di prostituta»[3]. Eloisa sembra assumere qui le parti della *concupiscentia*; ma quando nel suo commento alla *Lettera ai Romani* Abelardo teorizzerà – in termini per certi aspetti simili a quelli di Bernardo – la perfetta «gratuità» dell'amore che si deve rivolgere a Dio, egli non farà invero che trasferire sul piano della *caritas* questo ideale di un amore che si sacrifica completamente all'altro. Ha osservato Étienne Gilson: «Chi può avergli messo in mente l'ideale di un amore umano che si fissa al suo oggetto senza preoccuparsi di sapere se ne riceverà castigo o ricompensa, che accetta qualunque trattamento gli venga dal suo oggetto, perché così vuole l'essenza di un amore disinteressato? Quando si pone la domanda in questi termini, non ci può essere dubbio sulla risposta. È stata Eloisa. La descrizione

[1] *Ibid.*, p. 207. Per convincere l'antica amante ad accettare la sua nuova condizione monacale, egli la paragona in questa lettera proprio alla sposa del *Cantico*, immagine dell'anima contemplativa ma anche della monaca: «Lieta dell'onore di un simile privilegio esulta la sposa che parla nel *Cantico dei Cantici*, quella, dirò così, etiope, che Mosè prese in moglie: "Io sono nera, ma bella, o figlie di Gerusalemme. Per questo il re mi amò e m'introdusse nella sua stanza" [*Cant.* 1,4]. [...] E benché, generalmente, con queste parole si alluda all'anima contemplativa che è considerata la vera sposa di Cristo, tuttavia esse si addicono benissimo anche a voi, riguardo al vostro abito esteriore» (*ibid.*, pp. 185-7).

[2] *Ibid.*, p. 137.

[3] *Ibid.*, p. 131.

dell'amore disinteressato che ci propone Abelardo diventato teologo è proprio quella che Eloisa gli aveva amaramente rimproverato di non aver mai capito al tempo in cui pretendeva di amarla. La dottrina abelardiana dell'amore divino si riduce a questo: che non bisogna amare Dio come Abelardo amava Eloisa, ma come Eloisa amava Abelardo»[1]. In questa straordinaria vicenda a cavallo fra il romanzo e la teologia non si sa più dove incominci l'amore sacro e dove finisca l'amore profano. Ma la prospettiva sembra ribaltarsi nuovamente se osserviamo le cose dal punto di vista della poesia amorosa. È infatti molto probabile che proprio all'evirazione di Abelardo alluda – trasformando la metonimia in metafora – uno dei più grandi trovatori, Jaufre Rudel, in una sua celebre canzone, *Belhs m'es l'estius*, in cui sono paradigmaticamente illustrati i princìpî della *fin'amor* quale egli la intende[2]: cioè, per usare le parole di Leo Spitzer, come un «amore che non vuole possedere, ma godere di questo stato di non-possesso, amore-*Minne* che contiene tanto il desiderio sensuale di "toccare" la donna veramente "donna", quanto la casta lontananza, amore cristiano trasferito sul piano secolare che vuole "have *and* have not"»[3]. La storia di Abelardo ed Eloisa ci consente pertanto di osservare o almeno di intravedere, come da una sorta di crocevia privilegiato, le più importanti ramificazioni dell'esperienza amorosa nel XII secolo.

[1] É. Gilson, *La théologie mystique de Saint Bernard*, Paris 1986[5] (1ª ed. Paris 1934), p. 186. Cfr. anche Id., *Héloïse et Abélard*, Paris 1997[3] (1ª ed. Paris 1938), pp. 67-85.
[2] Ved. C. Bologna – A. Fassò, *Da Poitiers a Blaia: prima giornata del pellegrinaggio d'amore*, Messina 1991, p. 64 (questa parte è dovuta a Corrado Bologna): «Jaufre trasferisce dal piano metonimico a quello metaforico la soluzione proposta da Abelardo al conflitto fra "corpo" e "spirito", fra "amore carnale" e "amore intellettuale". Per operare questo passaggio applica l'invito evangelico a *capere* l'allegoria, "intendendola" appunto non *stricto sensu*, "metonimicamente", ma secondo l'esatto senso "metaforico": operando una riduzione non "nel corpo", secondo la soluzione origeniana e abelardiana, ma "nello spirito"». Il riferimento di Jaufre Rudel ad Abelardo sarà poi rovesciato, con intenzione parodistica, da Raimbaut d'Aurenga nella canzone *Lonc temps ai estat cubert*; cfr. L. Milone, *El trobar «envers» de Raimbaut d'Aurenga*, Barcelona 1998, pp. 176-8.
[3] L. Spitzer, «L'amour lointain de Jaufré Rudel», in Id., *Études de style*, Paris 1970, p. 82 (ed. orig. Tübingen 1959).

Immagine e somiglianza

In tutta la riflessione monastica di questo secolo intorno all'amore, dottrina cardinale è la creazione dell'uomo a immagine e somiglianza di Dio, secondo le note parole della *Genesi*: *Faciamus hominem ad imaginem et similitudinem nostram* (*Gen.* 1,26). Naturalmente questa idea, più volte ripresa nella stessa Scrittura, era già stata ampiamente sviluppata dalla tradizione patristica, spesso alla luce della speculazione neoplatonica. Da Padri greci come Gregorio di Nissa e Massimo il Confessore – oltre che da Agostino – sembrano infatti riprenderla, direttamente o indirettamente, sia Guglielmo di Saint-Thierry sia Bernardo di Clairvaux. Ma nelle loro concezioni essa viene ad assumere un rilievo e una originalità che toccano il cuore stesso della loro teologia mistica, e in particolare della loro «filosofia d'amore». La dottrina dell'immagine e della somiglianza racchiude infatti i principî essenziali che regolano l'intera esperienza amorosa dell'uomo, quelli che illuminano il cammino dell'anima innamorata verso Dio[1].

Questo rapporto è chiaramente indicato da Guglielmo in un passo sull'origine dell'amore nel *de natura et dignitate amoris* (par. 3): «Riguardo a questa nascita dell'amore» scrive, «occorre aggiungere che quando Dio Trinità creò l'uomo a sua immagine (*ad imaginem suam*), formò (*formauit*) in lui una certa somiglianza (*similitudinem*) della Trinità, nella quale risplendesse anche un'immagine (*imago*) della Trinità creatrice. Dato che il simile torna per natura a ciò che gli è simile, per mezzo di essa il nuovo abitante del mondo, se lo voleva, sarebbe rimasto indissolubilmente unito a Dio, suo principio e suo creatore; in tal modo, questa trinità creata e inferiore non sarebbe stata sedotta, attratta e distolta dalla varietà molteplice delle creature e non si sarebbe infranta l'unione con la Trinità suprema e creatrice». Nell'uomo è quindi impressa una *forma* che lo rende somigliante a Dio, e perciò alla Trinità nel suo insieme. Questa somiglianza non è evidentemente di tipo corporeo: essa risiede, come spiega lo stesso Guglielmo nell'*Aenigma*

[1] Su questo tema, dalle basi patristiche fino al XII secolo, ved. specialmente il fondamentale lavoro di R. Javelet, *Image et ressemblance au douzième siècle. De Saint Anselme à Alain de Lille*, I-II, Strasbourg 1967.

fidei (par. 6) usando una formula paolina, *in interiore homine*, cioè nella *mens*: «È nell'uomo interiore che si trova questa somiglianza, grazie alla quale l'uomo si rinnova di giorno in giorno nella conoscenza di Dio, conformemente all'immagine di colui che lo ha creato: gli diventiamo tanto più simili quanto più progrediamo nella sua conoscenza e nel suo amore». Il termine *mens*, malgrado una certa fluttuazione della terminologia, designa di norma nella psicologia cristiana del XII secolo – come in Agostino – la parte più nobile e più alta dell'anima, la sua testa o il suo occhio, la facoltà che ci mette direttamente in rapporto con Dio: «La mente» si legge ancora nel *de natura et dignitate amoris* (par. 28) «è una facoltà dell'anima grazie alla quale ci uniamo (*inhaeremus*) a Dio e godiamo (*fruimur*) di lui»[1]. Essa corrisponde grosso modo al νοῦς

[1] Questa idea di una parte suprema dell'anima, di una volontà pura e verginale che ci mette in contatto con Dio e in cui ha propriamente «luogo» l'esperienza mistica – quella facoltà spirituale che sarà indicata dai mistici successivi con i nomi di *principalis affectio*, *apex mentis* o *synderisis scintilla* («scintilla della coscienza») – è stata ricondotta da Marco Vannini alla concezione stoica dell'ἡγεμονικόν («egemonico»), cioè di un «centro dell'anima» o «scintilla» del fuoco divino da cui si irradia la forza vitale assumendo le più diverse funzioni senza identificarsi con alcuna di esse (cfr. M. Vannini, *Storia della mistica occidentale da Omero a Simone Weil*, Milano 2005², pp. 141-6). Tale concezione troverà la sua estrema espressione teorica nella nozione eckhartiana di *vünklin der sêle* («scintilla dell'anima») o *grunt* («fondo dell'anima»), con la quale Meister Eckhart designa la radice prima sia dell'amore che della conoscenza. Per Eckhart si tratta di qualcosa di «increato e increabile» che sta al di sopra di tutte le attività dell'anima: «È qualcosa» egli scrive «che sta sopra l'essere creato dell'anima, e che non è toccato da alcuna creaturalità – che è il nulla –; neppure l'angelo, che ha un essere puro e ampio, tocca questo qualcosa. Esso è imparentato alla natura divina, è uno in sé stesso, non ha nulla in comune con alcuna cosa [...]. Esso è lontananza e deserto, senza nome piuttosto di avere un nome, sconosciuto piuttosto che conosciuto. Se tu potessi annientarti per un solo istante, o anche per un tempo più breve di un istante, allora sarebbe tuo proprio tutto quel che esso è in sé» (*Ego elegi uos de mundo*, in Meister Eckhart, *Sermoni tedeschi*, a cura di M. Vannini, Milano 1985, p. 93). Secondo Vannini tale concezione fu trasmessa al pensiero cristiano da Origene, che la saldò con la nozione platonico-giovannea per cui l'ἡγεμονικόν (inteso come *logos* personale) è insieme il *Logos* divino che, fattosi uomo, «sta in mezzo a noi» (*Eu. Io.* 1,6). Conclude Vannini: «Questo comporta una modifica leggera ma importantissima del concetto di egemonico: da semplice designazione del principio spirituale e intellettuale dell'uomo (che, ovviamente, implica l'affermazione della divinità o della somiglianza con Dio di questo principio) diventa il nome per indicare uno strato più profondo dell'esistenza umana, dove si ha un diretto contatto con il divino, nella forma di una conoscenza che si distingue in modo essenziale dalla normale conoscenza del mondo e che ha il significato di un'intuizione dell'Assoluto» (*Storia della mistica occidentale* cit., p. 147).

dei Greci, ma include anche il valore semantico di πνεῦμα ed è spesso intercambiabile in Guglielmo con *spiritus* e anche con *animus*[1]. Nella più tarda *Epistola ad fratres de Monte Dei*, la sua terminologia diventa più precisa e si delinea chiaramente la tripartizione *anima-animus-spiritus*, che scandisce anche i tre momenti del progresso interiore dell'uomo: animale, razionale e spirituale. La *mens* è qui identificata all'*animus*, cioè all'anima che, divenuta razionale e liberatasi dalla sudditanza dei sensi corporei, perde la sua condizione «femminile» e dirige il suo sguardo verso Dio; ma è identificata nello stesso tempo allo *spiritus*, cioè alla facoltà interiore nella quale l'intelletto diventa visione e il pensiero diventa amore: *intellectus uero cogitantis efficitur contemplatio amantis* (par. 209). La natura ternaria dell'anima descritta nell'*Epistola* è in qualche modo il riflesso della Trinità divina nell'uomo. Nel paragrafo 3 del *de natura et dignitate amoris* Guglielmo era stato ancora più esplicito, indicando questa *forma* trinitaria nelle tre facoltà principali dell'anima distinte da Agostino: memoria, ragione (o intelletto) e volontà, che costituiscono – egli afferma – quasi una trinità umana, specchio di quella divina: «Queste tre facoltà sono un qualcosa di unico, ma triplice è la loro funzione: come nella Trinità suprema, dove una sola è la sostanza ma tre sono le persone. E come in questa Trinità il Padre genera, il Figlio è generato e lo Spirito Santo procede da entrambi, così dalla memoria è generata la ragione, dalla memoria e dalla ragione insieme procede la volontà». Nella *Expositio super Cantica Canticorum* (par. 88) è ripresa la stessa triade, ma ne è accentuato – come nella *Epistola* – l'aspetto dinamico, progressivo[2]. I sostantivi del *de natura* diventano qui dei verbi: «In questo l'uomo fu creato a immagine di Dio, che ricordando (*reminiscens*) devotamente Dio è stato condotto a conoscerlo (*ad intelligendum*), conoscendolo umilmente è giunto ad amarlo (*ad amandum*), amandolo ardentemente e sapientemente è giunto fino a provare la gioia del possesso (*ad fruendi affectum*)».

[1] Cfr. Javelet, *Image et ressemblance* cit., I, pp. 176-81; G. Como, *«Ignis amoris Dei». Lo Spirito Santo e la trasformazione dell'uomo nell'esperienza spirituale secondo Guglielmo di Saint-Thierry*, Roma-Milano 2001, pp. 100-2; M. Desthieux, *Désir de voir Dieu et amour chez Guillaume de Saint-Thierry*, Bégrolles en Mauges 2006, pp. 206-8.
[2] Cfr. Como, *«Ignis amoris Dei»* cit., pp. 182-3.

È perciò evidente che, nella concezione di Guglielmo, la nostra somiglianza interiore con Dio si manifesta tanto più pienamente quanto più si sia percorso il cammino che porta dalla semplice memoria all'amore – attraverso il quale si può accedere alla *fruitio*, cioè all'unione con Dio.

Proprio questo carattere dinamico della «trinità» umana dimostra come la facoltà mentale in cui traspare più chiaramente, nella sua purezza originaria, la *similitudo* con Dio, sia la *uoluntas*, che nel primo schema di Guglielmo corrisponde – si ricordi – alla persona dello Spirito Santo, ossia all'Amore divino. E ciò che caratterizza nella sua più intima essenza questa *uoluntas* è – tema fondamentale di tutto il pensiero cistercense – la libertà, vale a dire il dono del libero arbitrio, la facoltà di scegliere liberamente ciò che si desidera. Il libero arbitrio è quella «dignità regale»[1] che nella *mens* rappresenta l'immagine divina per eccellenza: l'uomo è stato creato *ad imaginem et similitudinem* precisamente in quanto è stato dotato del libero arbitrio. Certo, come Guglielmo spiega nel *de natura et dignitate amoris* (parr. 4 e 5), questa libera volontà può scegliere sia il bene sia il male, può orientarsi tanto verso Dio quanto verso le realtà carnali: «Di per sé, infatti, la volontà è un semplice sentimento (*affectus*), posto nell'anima razionale allo scopo di renderla capace tanto del bene quanto del male: si riempie di bene quando è aiutato dalla grazia, di male quando, abbandonato a sé, viene meno a sé stesso. In effetti, perché non mancasse qualcosa all'anima umana, il Creatore le ha dato una volontà libera (*libera uoluntas*) di andare in una direzione o nell'altra. Quando la volontà si trova in accordo con la grazia che la soccorre, assume la qualità e il nome di virtù e diventa amore (*amor efficitur*); quando invece, abbandonata a sé stessa, vuole godere a suo piacimento di sé, subisce in sé stessa la propria deficienza e riceve i nomi di tutti i vizi esistenti»[2]. Ma Guglielmo afferma ripetutamente che questa libertà resta intatta anche nell'uomo che sceglie

[1] Cfr. *de natura corporis et animae*, parr. 84-5.

[2] Analoga idea è espressa nel *de contemplando Deo* (par. 11): «[L'amore] per te solo creato con noi e incluso dentro di noi (*ad te solum concreatus et concretus*), quando resiste alla legge naturale e reclama, va chiamato lussuria, gola, avarizia e altre cose simili; quando invece è incorrotto e resta nella sua natura, è rivolto a te soltanto, Signore, cui è dovuto soltanto amore».

il male: nel fare ciò egli si allontana da Dio, certo, ma conserva nel più intimo di sé, nella *mens*, quella facoltà di scegliere che Dio ha donato a lui solo, unica fra tutte le creature. Questa libertà naturale, coessenziale al volere, è anche uno dei cardini del sistema di Bernardo, che ha dedicato alla questione un intero trattato, il *de gratia et libero arbitrio*, e che insiste più ancora di Guglielmo sulla sua natura di privilegio esclusivo e inalienabile. A proposito di essa, definita come *libertas a necessitate*, egli scrive nel *de gratia* (IV 9): «La libertà dalla costrizione conviene ugualmente e indifferentemente a Dio e a ogni creatura razionale, sia malvagia sia buona. Non viene perduta o diminuita né dal peccato né dalla miseria: non è più grande nel giusto che nel peccatore, né più piena nell'angelo che nell'uomo. Come infatti il consenso della volontà umana, quando è rivolto verso il bene per effetto della grazia, rende l'uomo liberamente buono e, nel bene, libero – perché lo è diventato volontariamente, non è stato costretto controvoglia – così, quando il consenso si dirige spontaneamente verso il male, colloca similmente l'uomo nel male in modo tanto libero quanto spontaneo – poiché è stato condotto a essere malvagio dalla sua volontà, non da qualche costrizione esterna [...]. Perciò la libertà della volontà rimane, anche se vi è cattività della mente: tanto piena nei malvagi quanto nei buoni, ma più ordinata nei buoni; tanto intera, secondo la sua modalità, nella creatura quanto nel Creatore, anche se più potente in questo». Da simili affermazioni si può già dedurre che la completa purificazione della *uoluntas*, la sua perfetta adesione alla *uoluntas* divina, coincide con la piena restaurazione della nostra originaria somiglianza con Dio.

La «regione della dissomiglianza» e la conversione

Ma con il peccato commesso in paradiso l'uomo ha perduto questa somiglianza. Facendo ricorso a una espressione di origine platonica – poi ripresa da Gregorio di Nissa, da Agostino e da altri scrittori cristiani – Guglielmo di Saint-Thierry afferma in vari suoi scritti che, in seguito al peccato originale, l'uomo – creato «a immagine e somiglianza» di Dio e posto dunque quasi *in regione similitudinis* – è stato esiliato nella «regione della dissomiglianza» (o anche «luogo della dissomiglianza», «abisso della dissomiglian-

za»), cioè in una condizione di lontananza da Dio e di sovvertimento dell'ordine naturale da lui voluto[1]. La caduta nel peccato, in effetti, non è altro che la perdita della *similitudo* originaria che l'uomo possedeva con Dio, il suo sfiguramento, la sua de-formazione[2]: oblio o offuscamento di quella *forma* che il Creatore aveva impresso in lui. Bernardo ha illustrato efficacemente in che cosa consista questa deformazione con la metafora – destinata ad avere grande fortuna – dell'*anima curua*. L'anima ha perduto la sua *rectitudo* quando, a causa del peccato, si è distolta dal desiderio di Dio – inscritto nella sua natura – e si è piegata verso il carnale e il terrestre, si è inclinata, *incuruata*. Questa curvatura è perciò un vizio della volontà, che ritorcendosi su sé stessa, sul *proprium*, diventando *uoluntas propria*, tradisce e sfigura la propria tendenza originaria verso Dio: in questo modo, come si vedrà, la *caritas* si trasforma in *cupiditas*[3]. Aelredo di Rievaulx compendia con chiarezza nello *Speculum caritatis* (I 4,12) la concezione bernardiana e cistercense: «L'uomo, dunque» egli scrive, «fece cattivo uso del libero arbitrio, distolse il suo amore dal bene immutabile e, accecato dalla propria cupidigia, lo rivolse verso ciò che era inferiore; e così, allontanandosi dal vero bene e abbandonandosi a ciò che non era in sé buono, trovò un danno dove andava in cerca di un vantaggio; e amando in modo perverso sé stesso, perdette sé e Dio. E così molto giustamente avvenne questo: colui che fortemente desiderava assomigliare a Dio andando contro Dio, quanto più nel suo insano desiderio di conoscenza volle diventare simile a lui, ne divenne tanto più dissimile a causa della sua cupidigia. Di conseguenza l'immagine di Dio si corruppe nell'uomo, pur senza esserne del tutto abolita. Egli ha ancora la memoria (*memoriam*), ma esposta alla dimen-

[1] Per questo tema ved. Javelet, *Image et ressemblance* cit., I, pp. 266-85.

[2] Cfr. Como, *«Ignis amoris Dei»* cit., p. 200: «Come la fedeltà alla propria natura di *imago Dei* comporta un processo di assimilazione al Creatore, in quanto Principio esemplare, e quindi l'esperienza di una *trasformazione*, così l'allontanamento da Dio e la dissomiglianza progressiva che l'uomo contrae possono essere letti anche come un movimento contrario alla trasformazione, come un processo di *de-formazione*, *de-figurazione*, di *de-strutturazione* dell'uomo che *nichil efficitur* allontanandosi da Dio».

[3] Cfr. Gilson, *La théologie mystique* cit., Paris 1986, pp. 72-6, e P. Delfgaauw, *Saint Bernard. Maître de l'amour divin*, Paris 1994, pp. 105-7. Sull'*anima curua*, ved. anche nota 159 al *de diligendo Deo* di Bernardo.

ticanza, e così la conoscenza (*scientiam*), ma soggetta all'errore, e perfino l'amore (*amorem*), ma incline alla cupidigia». Nelle tre facoltà qui elencate si riconosce senza difficoltà la «trinità» umana di Guglielmo di Saint-Thierry – *memoria*, *ratio*, *uoluntas* – che costituisce appunto l'*imago Dei* impressa nell'uomo.

«L'immagine di Dio» afferma Aelredo, «si corruppe nell'uomo, pur senza esserne del tutto abolita»: la perdita della somiglianza non comportò anche quella dell'immagine. Occorre a questo punto chiarire il diverso significato che assumono nella teologia monastica del XII secolo i due termini. Essi non sono infatti, come potrebbe sembrare a prima vista, dei sinonimi, ma indicano due aspetti ben distinti – anche se fra loro connessi – della relazione fra uomo e Dio[1]. Con «immagine» si intende, come si è già visto, una proprietà ontologica dell'uomo, la sua innata libertà interiore che lo rende capace di amare Dio e di unirsi a lui: una facoltà che non può essere perduta nemmeno se è usata per compiere il male. La «somiglianza», invece, è la piena attuazione di questo amore e di questa unione: rappresenta perciò sia la condizione iniziale dell'uomo appena uscito dalle mani di Dio, sia la condizione finale – il punto d'arrivo – cui egli perviene dopo aver restaurato, rinnovato, ri-formato in sé l'*imago*[2]. L'immagine è dunque potenzialità, capacità, vocazione; la somiglianza è atto, compimento, ritorno. Scrive Guglielmo nella *Epistola ad fratres de Monte Dei* (par. 259): «Per questo soltanto siamo stati creati e viviamo: per essere simili a Dio. A immagine di Dio infatti siamo stati creati». E altrove nella stessa

[1] Per una approfondita indagine semantica, ved. Javelet, *Image et ressemblance* cit., I, pp. 212-24.

[2] Se nella dottrina di Bernardo il punto d'arrivo della *conuersio* umana consiste nel pieno recupero della somiglianza perduta (cfr. Gilson, *La théologie mystique* cit., pp. 120-2), alcuni luoghi di Guglielmo sembrano lasciar intendere che al termine di questo cammino vi sia una certa novità: cioè che non vi sia una semplice restaurazione dell'immagine originaria, ma il suo compimento escatologico. Si legge per esempio nelle *Meditatiuae orationes* (I 5): «Per te noi siamo stati da te creati, e verso di te ci convertiamo (*ad te conuersio nostra*); ti conosciamo come colui che ci ha fatti e ci ha dato forma; adoriamo e invochiamo la tua sapienza nel disporre, la tua bontà e la tua misericordia nel tenere unite e nel conservare le cose. Portaci a compimento (*perfice nos*), tu che ci hai fatti; portaci a compimento fino alla forma piena della tua immagine e somiglianza (*usque ad formam plenam imaginis et similitudinis tuae*), in vista della quale ci hai formati». Cfr. in proposito Como, «*Ignis amoris Dei*» cit., pp. 194-6.

opera (par. 209): «L'animo grande e buono contempla, ammira, desidera ciò che è al di sopra di lui e, immagine fedele, corre a unirsi al suo modello (*similitudini suae*). Egli è infatti immagine di Dio (*imago Dei*) e, per il fatto di essere sua immagine, comprende di potere e di dovere unirsi a Colui del quale è immagine». Come osserva Giuseppe Como, questo binomio biblico non è «tanto una "fotografia dell'uomo interiore", ma la sua *storia*»[1]. Insomma, nell'arco che si stende fra immagine e somiglianza è compreso tutto quel cammino di «conversione» nel quale consiste il compito essenziale di ogni uomo e che deve riparare la «perversione» seguita al peccato; come il peccato è un atto che rende dissimili da Dio, così questo cammino è un processo di assimilazione: nella *similitudo* si compie quella unione, quella perfetta *adhaesio* dell'uomo al suo Creatore che fin dall'inizio era inscritta come un destino nella sua natura di *imago Dei*.

Nei paragrafi 260-3 dell'*Epistola*, Guglielmo descrive questa storia della *conuersio* umana distinguendo tre gradi di somiglianza con Dio, corrispondenti alla triade antropologica *anima-animus-spiritus* e quindi alle tre fasi del progresso spirituale dell'uomo descritti nell'opera. La prima somiglianza è quella «di cui nessun vivente si spoglia se non con la vita: il Creatore di tutti gli uomini l'ha lasciata a ogni uomo, a testimonianza della perduta somiglianza, migliore e più degna»; essa non comporta, agli occhi di Dio, alcun merito per l'uomo, in quanto non dipende dalla sua *uoluntas*, ma appartiene per natura alla sua *anima*: questa prima *similitudo* non è nient'altro, dunque, che l'*imago* impressa da Dio nell'uomo all'atto della creazione. La seconda somiglianza, «più vicina a Dio, in quanto volontaria», consiste nella pratica delle virtù, cioè nello sforzo dell'*animus* di «imitare la grandezza del sommo bene»; essa comporta quindi del merito, in quanto è un atto della libera volontà umana che cerca di conformarsi alla volontà divina. Il terzo e più alto grado della somiglianza è tanto singolare che non si può più parlare di somiglianza, scrive Guglielmo, ma di *unitas spiritus*: «Questa si ha quando l'uomo diventa una sola cosa con Dio, un solo spirito, non soltanto per l'unità di un identico volere, ma per una sorta di espressione più vera di una virtù che [...] non è capace di

[1] *Ibid.*, p. 192.

volere altro». Questo grado supremo consiste dunque nella perfetta realizzazione della *similitudo* con Dio: cioè nella partecipazione all'Amore fra il Padre e il Figlio, nell'unione mistica, nella *deificatio*. Analoga alla distinzione delle tre somiglianze proposta da Guglielmo è quella delle tre libertà, sviluppata da Bernardo nel *de gratia et libero arbitrio* (III 6-8). La prima è la *libertas a necessitate*, la seconda la *libertas a peccato*, la terza la *libertas a miseria*. La libertà dalla necessità o dalla costrizione, come si è già visto, non è altro che la *libera uoluntas* o la *uoluntaria libertas* della quale Dio ha dotato l'uomo in principio – cioè il libero arbitrio – e corrisponde esattamente alla prima «somiglianza» di Guglielmo. La libertà dal peccato, detta anche *libertas gratiae*, è quella con cui possiamo sottomettere la carne, liberarci dai vizi ed essere «riformati nell'innocenza»: si tratta cioè del *bonum uelle*, che non possiamo in alcun modo raggiungere con le nostre sole forze ma solo con l'aiuto della grazia e cioè per mezzo di Cristo, il solo tra i figli di Adamo ad averla pienamente posseduta. È una libertà che si sviluppa a poco a poco e che va di pari passo con l'estinzione della concupiscenza: la sua maturazione è parallela a quella dell'amore. Questa libertà corrisponde quindi alla seconda «somiglianza» di Guglielmo, consistente nello sforzo morale di compiere la volontà di Dio. La libertà dalla miseria, definita da Bernardo anche come *libertas uitae uel gloriae*, è quella che gli uomini raggiungono con la liberazione da ogni condizionamento carnale e materiale, cioè con il definitivo abbandono del corpo: si tratta di quella che la *Lettera ai Romani* (8,21) chiama «la gloriosa libertà dei figli di Dio». Essa realizza il *posse*, la beatitudine celeste, e – pur intravedendosi quaggiù nelle rarissime e fugaci esperienze dell'*excessus mentis* – è riservata alla vita futura. Corrisponde così alla terza «somiglianza» di Guglielmo, alla *unitas spiritus*. La sostanziale equivalenza dei due schemi conferma come la *similitudo* con Dio – nei suoi diversi gradi – consista essenzialmente nella progressiva realizzazione o restaurazione della *libertas*, del libero arbitrio. È lo stesso Bernardo ad affermarlo esplicitamente nel *de gratia* (IX 28): «Penso che in queste tre libertà sia contenuta la stessa immagine e somiglianza del Creatore secondo la quale noi siamo stati creati: l'immagine è impressa nella libertà dell'arbitrio, mentre nelle altre due libertà vi è una certa somiglianza bipartita». Come osserva Gilson, «queste due libertà costituivano la somiglianza divina nell'uomo; perderle, significava quindi

perdere questa somiglianza ed esiliarsi nel deserto della dissomiglianza, nel quale ancor oggi erra la folla degli uomini sfigurati»[1].

L'«affectus», essenza della volontà

Ma in che modo opera la *uoluntas*, in che cosa consiste la sua attività, quali entità o forze agiscono al suo interno? I moti o le funzioni della volontà – Bernardo usa spesso l'immagine delle mani e dei piedi oppure quella delle ruote di un carro – sono gli *affectus* o le *affectiones*[2]. Si tratta di termini fondamentali nel lessico cistercense e vittorino del XII secolo, abitualmente usati come sinonimi ma talvolta (come nel *de natura et dignitate amoris* di Guglielmo di Saint-Thierry) distinti nel loro significato. Impossibile è darne una adeguata traduzione in italiano: del tutto insufficienti, quando non addirittura fuorvianti, sono i termini «sentimento», «affetto», «affezione», «emozione», «attrazione» e altri che i traduttori sono stati costretti a usare. Gli *affectus* o *affectiones* sono i moti o le forze che costituiscono il dinamismo della *uoluntas* o della *mens*, le loro espressioni o manifestazioni dirette senza le quali esse non esisterebbero nemmeno. Bernardo non soltanto li colloca nella volontà (*affectio in uoluntate est*), ma spesso addirittura li identifica con la volontà: *affectus id est uoluntas*[3]. Questo vale già a riconoscere negli *affectus* quei moti liberi e spontanei che costituiscono la più intima natura della volontà quale è uscita dalle mani di Dio, cioè l'*imago* che egli vi ha impresso in origine. Essi hanno sede nella *mens*, anzi in quello che Guglielmo di Saint-Thierry chiama il *principale mentis*, la «sommità della mente»[4]: la loro natura non è di ordine sensibile, ma propriamente spirituale.

[1] Gilson, *La théologie mystique* cit., p. 70. Sulle tre libertà in Bernardo, ved. anche Delfgaauw, *Saint Bernard* cit., pp. 162-70.
[2] Su questa fondamentale nozione nella letteratura spirituale del XII secolo, ved. soprattutto Gilson, *La théologie mystique* cit., pp. 124-5 nt. 4; M.-M. Davy, *Un traité de la vie solitaire. Lettre aux frères du Mont-Dieu de Guillaume de Saint-Thierry*, Paris 1946, *Introduction*, pp. 156-7; Delfgaauw, *Saint Bernard* cit., pp. 75-88; J. Mc Evoy, *Les «affectus» et la mesure de la raison dans le Livre III du «Miroir»*, «CL» LV 1993, pp. 110-25; Como, *«Ignis amoris Dei»* cit., pp. 81-6.
[3] Cfr. Delfgaauw, *Saint Bernard* cit., pp. 86-7.
[4] Cfr. *supra*, nota 1 p. XVIII.

Nella loro purezza originaria, perciò, gli *affectus* sono gli impulsi spirituali che spingono l'anima umana verso Dio, di cui sono l'immagine per eccellenza. Per comprendere appieno questo aspetto bisogna tener presente il rapporto di *affectus* e *affectio* con il verbo *afficere*, usato specialmente nella forma passiva *affici*: *affectus*, in particolare, può essere sia sostantivo sia participio passato di *afficere*. Nella forma passiva, che si riferisce naturalmente al soggetto umano, il verbo significa «essere influenzato», «impressionato», «toccato», «mosso», «disposto», «attratto», «modificato», «trasformato». Esso indica quindi in primo luogo l'azione spirituale che l'anima subisce da parte di Dio e dalla quale essa è «disposta» e «trasformata» (*affecta*) in modo da diventare sempre più simile a lui. Indica cioè quello stesso processo che Guglielmo di Saint-Thierry descrive come passaggio dalla prima alla terza «somiglianza», e Bernardo come progressione dalla *libertas a necessitate* alla *libertas a miseria*. Osserva Pacificus Delfgaauw: «Il concetto di *affectus* si ricollega così con la dottrina dell'immagine. Non è forse mediante l'*affectus* che l'uomo, essere spirituale, si approssima indefinitamente a Dio, fino a diventare in qualche modo simile a Lui?»[1]. Perciò l'*affectus* altro non è in definitiva se non quell'amore che, giunto al suo più alto grado di purificazione, diventa *caritas* e dà accesso alla visione di Dio e all'unione con l'Amato: «Mirabile davvero e stupefacente» dichiara Bernardo nei suoi *Sermones super Cantica Canticorum* (LXXXII 8), «è quella somiglianza che accompagna la visione di Dio, anzi che è la visione di Dio; e io dico nella carità. La carità è quella visione, quella somiglianza»[2].

Nel *de diligendo Deo* (VIII 23), in effetti, Bernardo definisce l'amore come una *affectio naturalis*: «L'amore è una delle quattro affezioni naturali». Queste quattro *affectiones*, corrispondenti alle «passioni» degli stoici, sono per lui – con qualche variante riscontrabile nei suoi scritti – *amor*, *laetitia*, *timor*, *tristitia*[3]. Ma quella

[1] Delfgaauw, *Saint Bernard* cit., p. 79.
[2] Descrivendo la nozione di *affectus* in Bernardo, Julia Kristeva (*Histoires d'amour*, Paris 2002[2] [1ª ed. Paris 1983], p. 197) ne mette in luce tre diversi aspetti: «*Pathos*, se si tiene conto del suo aspetto passivo; *pulsione*, se si pensa al suo carattere primitivo e ribelle alla legge, di componente dei desideri; *amore*, se si considera il grado finale dell'affetto purificato».
[3] Ved. in proposito note 204 e 241 al *de diligendo Deo*.

che eccelle fra tutte, che in qualche modo le assume in sé e le unifica deponendole pacificamente in Dio, è appunto l'amore: «Questa affezione dell'amore» scrive ancora Bernardo nei *Sermones* (VII 2), «eccelle fra i doni della natura, specie quando ritorna al suo principio che è Dio». In questo senso va inteso anche l'aggettivo *naturalis* della definizione bernardiana: in quanto quell'*affectus* per eccellenza che è l'amore attrae e trasporta in Dio, suo principio, esso si conforma perfettamente alla *natura*, ossia alla volontà di Colui che lo ha creato e che, secondo le parole di Giovanni, è amore egli stesso: *Deus caritas est* (*1 Ep. Io.* 4,9). Bernardo giunge perfino a parafrasarle con la formula: *Deus affectio est*[1]. In Dio però il termine va inteso come qualcosa di stabile ed essenziale, mentre nell'uomo le *affectiones* sono soggette a modificazioni e in particolare agli influssi della grazia. Questa distinzione è formulata più chiaramente da Guglielmo di Saint-Thierry mediante il ricorrente bisticcio tra *affectus* ed *effectus* (o, correlativamente, tra *afficere* ed *efficere*). Esemplare è un passo del *de contemplando Deo* (par. 17) riguardante la presenza dello Spirito Santo nel cuore innamorato: «Quando ti amiamo» scrive Guglielmo, «il nostro spirito (*spiritus*) è certamente mosso (*afficitur*) dal tuo Spirito Santo: per mezzo di lui, che abita in noi, possediamo la carità di Dio diffusa nei nostri cuori. E quando il tuo amore, amore del Padre per il Figlio, amore del Figlio per il Padre, Spirito Santo che abita in noi, è per te ciò che è: l'amore che converte in sé e santifica tutta la cattività di Sion, cioè tutte le affezioni (*affectiones*) della nostra anima – allora noi ti amiamo, o meglio tu ti ami in noi: noi affettivamente tu effettivamente (*nos affectu, tu effectu*), rendendoci una cosa sola in te (*unum nos in te efficiens*) per effetto della tua unità, cioè del tuo stesso Spirito Santo che ci hai donato». L'amore divino è dunque *effectus*, realizzazione, operazione effettiva; quello umano è invece *affectus*, impulso, attrazione, trasformazione; in un certo senso «si può dire che l'*affectus* è l'*effectus* dell'azione divina»[2]. Ancora più esplicita è una dichiarazione della *Expositio super Cantica Canticorum* (par. 93), dove l'amore fra Dio e l'anima è rappresentato da quello fra lo

[1] Cfr. Delfgaauw, *Saint Bernard* cit., p. 77.
[2] Como, «*Ignis amoris Dei*» cit., p. 81 nt. 98.

sposo e la sposa del *Cantico*: «Mentre si svolge questo commercio amoroso, mentre esso progredisce in ogni senso e per gradi fino alla misura di perfezione concessa da Dio, lo Sposo e la Sposa conversano fra loro: la Sposa con un sentimento (*affectu*) di devozione, lo Sposo con l'efficacia (*effectu*) della grazia operante. In altri termini, il discorso dello Sposo è opera della grazia che agisce (*afficientis*); la risposta della Sposa è la gioia stessa della coscienza virtuosamente trasformata (*bene affectae*)». L'opposizione, qui schematizzata quasi didascalicamente, è dunque fra il carattere sostanziale, inalterabile, attivo della grazia divina e quello accidentale, mutevole, ricettivo della risposta umana.

Questa assimilazione dell'anima innamorata all'Amore divino, questa unione della Sposa e dello Sposo, avviene soltanto – e solo in parte durante la vita terrena – quando la sua volontà è aperta e disposta a ricevere la grazia, cioè quando è *bene affecta* o quando le sue *affectiones* sono *ordinatae*. Ma nella «terra della dissomiglianza» è sempre possibile che essa sia attirata verso il basso, verso la carne e la materia: gli *affectus* o le *affectiones* di cui si popolerà diventeranno allora malvagie, disordinate, corrotte. L'amore si degraderà così diventando *cupiditas*, «cupidigia», «brama». Questa inclinazione dell'anima verso il male è così descritta nella preghiera a Dio che apre la *Expositio super Cantica Canticorum* (par. 2): «Quando amiamo una creatura qualsiasi, non come un mezzo per giungere a te, ma come un oggetto di godimento in sé, l'amore non è già più amore, ma cupidigia (*cupiditas*), passione (*libido*) o qualcosa del genere: con la rovina della sua libertà, perde anche la grazia del suo nome; e l'uomo infelice si abbassa al livello degli animali senza ragione, diventando simile a loro. Tutto il suo peccato sta in questo: nel godere male, nell'usare male (*male frui, et male uti*); quando ama una cosa qualsiasi o il prossimo o sé stesso, lo fa, come si è detto, non per giungere a te, ma per goderli in funzione di sé stesso». Di qui la divaricazione delle due strade che può percorrere – nella sua libertà – la *uoluntas*, quella diretta verso l'alto e quella diretta verso il basso, secondo la chiara esposizione del *de natura et dignitate amoris* (par. 4): «Perché non mancasse qualcosa all'anima umana, il Creatore le ha dato una volontà libera di andare in una direzione o nell'altra. Quando la volontà si trova in accordo con la grazia che la soccorre, assume la qualità e il nome di virtù e diventa amore (*amor efficitur*); quando invece, abbandonata a sé stessa,

vuole godere a suo piacimento di sé, subisce in sé stessa la propria deficienza (*in seipsa patitur defectum*) e riceve i nomi di tutti i vizi esistenti». E subito dopo (par. 5) Guglielmo evoca il simbolo tradizionale della Y pitagorica. Con grande acume psicologico Bernardo descrive nel *de diligendo Deo* (VII 18-9) gli interminabili «giri viziosi» dell'*appetitus* umano che non si rivolge subito a Dio, ma insegue i beni terreni senza mai accontentarsi di nulla; si sostituisce così – egli osserva – una bella donna con una più bella e un vestito di pregio con uno ancora più prezioso; si aggiunge campo a campo, casa a casa, onore a onore: «E non c'è mai fine a tutti questi desideri, perché in essi non si può trovare nulla che sia eccelso o ottimo in assoluto». Paradossalmente, se coloro che corrono per queste «vie traverse» del desiderio riuscissero a possedere tutti i beni del mondo, giungerebbero infine a Dio, perché – una volta ottenuti e presto disprezzati questi beni – si rivolgerebbero al solo mancante, Dio appunto. Ma poiché ciò è impossibile a qualunque uomo, conclude Bernardo, «coloro che pretendono di raggiungere tutto ciò che desiderano si sfiancano in una vana fatica percorrendo un lungo cammino e non riescono mai a ottenere la soddisfazione di tutti i loro desideri».

Si badi, però: la contrapposizione fra *amor* (oppure *caritas*) e *cupiditas* non implica né in Guglielmo né in Bernardo una contrapposizione fra un amore «buono» e un amore «cattivo» o – nei loro termini tecnici – fra una *uoluntas* e un *affectus* naturalmente buoni e una *uoluntas* e un *affectus* naturalmente perversi. La volontà umana, che per essenza è libera, è in quanto tale immagine di Dio – l'immagine di Dio impressa dentro di noi – ed è quindi essenzialmente buona, indipendentemente dalla direzione buona o cattiva che essa decide di seguire. In questo i due teologi cistercensi, pur adottando talvolta un rassicurante lessico agostiniano, si rivelano fedeli discepoli di Origene (di cui entrambi meditarono insieme, in particolare, gli scritti sul *Cantico dei Cantici*) e più in generale della teologia «greca». Il fondamento della loro dottrina è perfettamente riconoscibile in queste riflessioni della *Seconda omelia sul Cantico* di Origene: «Tutti i moti (*motiones*) dell'anima, Dio, autore di tutte le cose, li ha creati per il bene; ma in pratica avviene spesso che le cose – buone per natura – ci conducano al peccato quando ne facciamo cattivo uso. Uno dei moti dell'anima è l'amore: ne facciamo buon uso per amare, se amiamo la sa-

pienza e la verità; ma quando il nostro amore si getta su cose inferiori, amiamo la carne e il sangue»[1]. Per comprendere appieno questa dottrina, che costituisce forse l'aspetto più originale e rivoluzionario della loro teoria, occorre partire dall'affermazione del carattere «naturale» dell'amore che Guglielmo di Saint-Thierry pone in apertura del suo *de natura et dignitate amoris* (par. 1) e che poi ribadisce più volte e illustra nel seguito del trattato: «L'arte dell'amore è l'arte delle arti. Del suo insegnamento si sono incaricati la stessa natura e il suo autore, Dio (*natura, et Deus auctor naturae*). Perché lo stesso amore, ispirato dal Creatore della natura, se la sua genuinità non è stata corrotta da qualche sentimento adulterino (*adulterinis aliquibus affectibus*), lo stesso amore – dico – insegna sé stesso, ma a coloro che sono disposti al suo insegnamento, all'insegnamento di Dio». E Guglielmo riprende qui il paragone agostiniano con il peso che porta ogni corpo verso il luogo che gli è proprio, attribuendogli però un significato molto diverso[2]. Poiché l'origine divina dell'amore lo porta verso il luogo che gli è proprio, cioè Dio, l'amore tende naturalmente verso Dio, anche quando è deviato dal peccato, perché cerca sempre la beatitudine: «In effetti, lo spirito è costantemente spinto verso il suo termine dal proprio peso naturale: desidera la beatitudine, sogna la beatitudine, non cerca nient'altro che essere beato». Ma non la troverà mai se la cercherà lontano dal luogo in cui essa si trova: «Perduto l'insegnamento della natura (*doctrina naturali*), ha perciò bisogno di un maestro che, istruendolo sulla beatitudine cercata naturalmente (*naturaliter*) con l'amore, gli insegni dove, come, in quale luogo e per quale via la si debba cercare». Questo maestro è Cristo, di cui il trattatista si propone allora di esporre la dottrina salvifica.

Non meno radicale è la posizione di Bernardo che, come si è visto, definisce l'amore come un *affectus naturalis*, intendendo per natura – come Guglielmo – ciò che è stato creato «a immagine e somiglianza» di Dio. Egli parte dalla concezione platonizzante dei Padri secondo cui il corpo è qualcosa di estraneo alla

[1] *Homiliae in Canticum* II 1 (secondo la versione latina di Rufino); cfr. anche nota 14 al *de natura et dignitate amoris*.
[2] Cfr. nota 4 al *de natura et dignitate amoris*.

nostra vera natura, che risiede esclusivamente nello spirito, nella *mens* (sede della *uoluntas* o dell'*affectus*). La nostra condizione carnale non modifica in nulla la natura essenziale di quell'*affectus* per eccellenza che è l'amore, ma lo rende in qualche modo *infirmus*, debole, condizionato com'è dagli oggetti sensibili, dalla materia; quello rivolto verso ciò che è carnale non è, di per sé, un amore intimamente perverso, ma un amore affetto da una sorta di malattia che deve essere guarita: «L'affezione (*affectio*), che langue nei desideri della carne, a poco a poco si ristabilisce (*conualescit*) in amore spirituale» egli scrive nel *de gratia et libero arbitrio* (XIV 49). Così nella descrizione dei gradi progressivi dell'amore inclusa nel *de diligendo Deo* (VIII 23), egli parte da quello che chiama *amor carnalis*, cioè da quello «con il quale l'uomo ama prima di ogni altra cosa sé stesso per sé stesso» (*quo ante omnia homo diligit seipsum propter seipsum*). Questo *amor carnalis* non è affatto un amore peccaminoso, che debba essere estirpato dal nostro cuore: «Infatti, chi ha mai odiato la propria carne?» domanda Bernardo alludendo a un passo della *Lettera agli Efesini* (5,29). Si tratta semplicemente di un *affectus* determinato dalla nostra condizione corporea, che ci rende impressionabili dagli oggetti sensibili: *amor carnalis* è, per esempio, anche quello che si riferisce al corpo umano di Cristo, perché ha come oggetto una realtà fisica[1]. Non solo esso non deve essere soffocato o soppresso, ma proprio da esso prende avvio la progressiva purificazione dell'amore che condurrà infine al suo quarto e più alto grado, quello con cui l'uomo ama sé stesso per Dio (*se propter Deum*). Unico è perciò, e in sé stesso buono in quanto «immagine» di Dio, l'amore umano, sia che assuma la propria natura genuina di *caritas*, sia che a contatto con le realtà materiali si snaturi e degeneri in *cupiditas*. Anche in questo Bernardo, al pari di Guglielmo, è fedele seguace della dottrina di Origene, che nega qualsiasi differenza di significato fra i verbi ἐρᾶν (*amare* nella versione latina di Rufino) e ἀγαπᾶν (*diligere*): «Non fa differenza» scrive Origene nel suo *Commento al Cantico dei Cantici*, «che si dica che Dio è amato o è desiderato, e non credo che si debba

[1] Cfr. Delfgaauw, *Saint Bernard* cit., p. 87 e nt. 4.

far carico a uno, se definisce desiderio (*amor*) Dio così come Giovanni lo ha definito amore (*caritas*)»[1].

Ragione e amore

Si presenta così quello che può essere considerato il problema teoretico fondamentale di tutta la riflessione cristiana sull'amore del XII secolo: che rapporto c'è fra la conoscenza razionale di Dio – compresa quella della ragione illuminata dalla fede, cioè quella costituita dalla teologia – e l'esperienza della *caritas*, dell'amore di Dio? In altri termini: la *caritas* comporta un qualche grado di conoscenza, conosce qualcosa di Dio? Anche se accenni a questo problema si trovano in molti autori cistercensi e vittorini (specialmente in Bernardo e in Riccardo di San Vittore), lo scrittore che gli ha dedicato la riflessione più ampia e originale è senza alcun dubbio Guglielmo di Saint-Thierry, la cui teologia mistica può essere riassunta tutta nella celebre formula: *amor ipse intellectus est*[2]. Il suo punto di partenza sta nella convinzione, innumerevoli

[1] *In Canticum, praef.*, trad. it. in Origene, *Commento al Cantico dei Cantici*, a cura di M. Simonetti, Roma 1976, p. 48; sul lessico dell'amore in Origene, ved. H. Pietras, *L'amore in Origene*, Roma 1988, in particolare pp. 19-42. Anche Aelredo, pur tendendo a spostare la sua attenzione dal piano metafisico a quello morale, non si distacca su questo punto dalla dottrina di Guglielmo e di Bernardo. Nel libro III dello *Speculum caritatis* (7,20), dopo aver definito l'amore «una sorta di forza o elemento naturale dell'anima razionale, grazie a cui essa ha per natura la facoltà di amare o di non amare qualcosa», egli precisa che di questa facoltà possono esservi due specificazioni, a seconda che venga usata per fare il bene o per fare il male: nel primo caso è chiamata *caritas*, nel secondo *cupiditas*. Ma aggiunge: «Quella forza o natura dell'anima grazie alla quale l'amore, o buono o cattivo, si esprime, è comunque un bene dell'anima e, sia nel bene che nel male, non può essere che buona (*numquam potest esse non bonum*). L'amore appartiene infatti alla natura di quella sostanza che proviene dal sommo bene (*pertinet quippe ad ipsius naturam substantiae, quae ab ipso summo bono est*), il quale certo ha fatto buona ogni cosa singolarmente e buonissime tutte le cose insieme».

[2] Su questa concezione, ved. in particolare J.M. Déchanet, *«Amor ipse intellectus est». La doctrine de l'amour-intellection chez Guillaume de Saint Thierry*, «RMAL» I 1945, pp. 349-74; M.-M. Davy, *Théologie et mystique de Guillaume de Saint-Thierry. I. La connaissance de Dieu*, Paris 1954, pp. 187-217; P. Verdeyen, *La théologie mystique de Guillaume de Saint-Thierry*, Paris 1990, pp. 28-42; Como, *«Ignis amoris Dei»* cit., pp. 134-76; Desthieux, *Désir de voir Dieu* cit., pp. 323-30 (e la bibliografia ivi indicata).

volte espressa e argomentata nella sua opera, che l'intelletto umano è impotente a raggiungere una vera conoscenza di Dio, cioè a conoscere Dio nella sua essenza: un'idea che sta anche alla base della sua accanita opposizione al «razionalismo» abelardiano, specie per quanto riguarda il tema della Trinità. In questo egli si rifà esplicitamente alla teologia apofatica o negativa dello pseudo Dionigi Areopagita e del suo interprete e continuatore latino, Giovanni Scoto Eriugena. Nell'*Aenigma fidei* (par. 67), per esempio, Guglielmo dichiara: «Mai in questa vita la divinità è meglio compresa dall'intelletto umano, di quando esso si rende conto che è più incomprensibile, cioè nella predicazione della Trinità». Ma Guglielmo non si ferma a questa constatazione «negativa», che farebbe sprofondare il cercatore di Dio nell'abisso della «tenebra di inconoscenza». Per comprendere la sua posizione bisogna partire dalla sua teoria della conoscenza, che si fonda sul principio – derivato dalla filosofia greca, da Empedocle e Democrito fino ad Aristotele – secondo cui solo il simile conosce il simile. Il processo cognitivo si svolgerebbe in tre tempi: capacità di conoscere (che implica una certa somiglianza ontologica con l'oggetto della conoscenza); visione (cioè incontro fra soggetto e oggetto della conoscenza); assimilazione (cioè conformazione del soggetto all'immagine dell'oggetto conosciuto). Per Guglielmo, così, ogni atto di sensazione – e perciò di conoscenza – implica, in una certa misura, la trasformazione di chi sente nell'oggetto sentito o nella sua immagine. Nello *Speculum fidei* (par. 97) egli distingue su questa base tre forme di sensazione o di conoscenza: il *sensus exterior*, che serve alla percezione corporea; il *sensus interior*, cioè l'*intellectus*, che conosce le realtà *rationabilia uel diuina*; infine, un *sensus* più grande e degno, con il quale l'uomo conosce Dio nella misura in cui gli è consentito: «Infatti» egli scrive, «come si comporta il senso esterno del corpo (*sensus exterior corporis*) nei confronti dei corpi e delle realtà corporee, così fa il senso interno dell'anima (*interior animae sensus*) nei confronti di ciò che gli è simile, cioè le realtà razionali e divine o spirituali. Il senso interno dell'anima è il suo intelletto (*intellectus*). Tuttavia il suo senso più grande e più degno (*maior tamen et dignior sensus eius*), il suo intelletto più puro è l'amore (*amor*), purché sia puro. Mediante questo senso il Creatore stesso è sentito (*sentitur*) dalla creatura, mediante questo intelletto è compreso (*intelligitur*), nel-

la misura in cui Dio può essere sentito o compreso dalla creatura». Questo terzo senso, superiore all'intelletto, corrisponde evidentemente a quell'*affectus* per eccellenza che è l'amore, cioè all'immagine di sé che Dio ha impresso nella nostra *mens*, nella nostra *uoluntas*. Ora, Guglielmo non solo distingue la conoscenza sensibile da quella razionale o intellettuale (che, al suo culmine, è quella della «fede illuminata»), ma opera un'ulteriore distinzione fra conoscenza razionale e amore, il terzo e più alto dei *sensus*, quello che permette di «sentire» il Creatore stesso. Questa distinzione è chiarita e approfondita altrove da Guglielmo; qualche paragrafo più avanti nello *Speculum fidei* (par. 105) egli scrive: «Altra è la conoscenza di Dio mediante la fede, altra quella che ci viene dall'amore o dalla carità (*amoris uel caritatis*). Ciò che è della fede appartiene a questa vita, ma ciò che è della carità appartiene alla vita eterna; o meglio, come dice il Signore, è la vita eterna. Altra cosa è conoscere Dio come un uomo conosce il suo amico, altra cosa conoscerlo come egli conosce sé stesso». E nella *Expositio super Cantica Canticorum* (par. 21) precisa: «Tale è infatti, quale che ne sia l'oggetto, il meccanismo abituale di ogni conoscenza comune: impressione nella mente o nella memoria di una immagine (*imaginem*) dell'oggetto conosciuto [...]. Ma quando si tratta della conoscenza di Dio da parte dell'uomo, benché nella mente si formi talvolta una grande somiglianza (*similitudo*) con la divinità in qualche modo conosciuta, in ciò non interviene alcuna rappresentazione immaginativa (*phantastica imaginatione*), poiché vi operano la purezza di un semplice moto interiore (*simplicis affectus*) e il senso dell'amore illuminato (*illuminati sensu amoris*): essi realizzano ciò che nella conoscenza comune delle cose è compiuto dalla loro rappresentazione (*imaginatio*) nella memoria di colui che conosce». Guglielmo distingue perciò, da una parte, il *phantasma* o la *phantastica imaginatio* – cioè la rappresentazione mentale o il concetto – grazie ai quali si attua la conoscenza sensibile e intellettuale, dall'altra la *similitudo* con Dio che si forma nell'anima quando lo si conosce nella semplicità dell'*affectus*, cioè mediante l'amore puro, la *caritas*.

Capitale, in questa teoria, è il fatto che la forma più alta della conoscenza di Dio, quella amorosa, sia considerata come un *sensus* e comporti dunque una percezione diretta, un'esperienza concreta – analoghe a quelle proprie dei sensi corporei – dell'oggetto

conosciuto. Un denso passo della *Expositio* (par. 99) è particolarmente significativo al riguardo: «Per azione dello Spirito Santo, infatti, lo spirito dell'uomo, il senso dell'amore illuminato – che talvolta giunge fin là [a un certo grado di unione con Dio] confusamente, fugacemente – assapora la dolcezza di un non so che di amato più che di pensato (*amatum potius quam cogitatum*), di gustato più che di compreso (*gustatum, quam intellectum*), che rapisce colui che ama. E per un certo tempo, per un'ora, questo non so che penetra (*afficit*) l'amante, ne attrae lo slancio, tanto che non più nella speranza, ma quasi nella realtà (*non in spe, sed quasi in re*), gli sembra ormai di vedere con i propri occhi, di tenere e di palpare con le proprie mani (*uidere oculis, et tenere ac contrectare manibus*) – grazie a una certa prova della fede che ne fa esperienza (*experientis fidei*) – la sostanza stessa di ciò che si spera riguardo al Verbo della vita». L'idea qui espressa presuppone la concezione dei «cinque sensi dell'anima» che Guglielmo illustra dettagliatamente nel *de natura et dignitate amoris* (parr. 15-20)[1]. Partendo da un luogo della *Lettera ai Romani* (12,2) in cui Paolo invita a rinnovare il *sensus* di questo secolo per discernere la volontà di Dio, egli distingue «sensi del corpo» e «sensi della mente»: «Infatti» scrive, «ci sono cinque sensi animali o corporei, mediante i quali l'anima conferisce la sensibilità al corpo che le appartiene: sono – per cominciare da quello inferiore – il tatto, il gusto, l'olfatto, l'udito e la vista. Parimenti, ci sono cinque sensi spirituali, mediante i quali la carità vivifica l'anima: sono l'amore carnale, cioè quello dei genitori, l'amore sociale, l'amore naturale, l'amore spirituale e l'amore di Dio. Con i cinque sensi corporei, il corpo è unito all'anima per mezzo della vita; con i cinque sensi spirituali l'anima è associata a Dio per mezzo della carità». I sensi spirituali sono cioè gli «amori» o *affectus* – gerarchicamente ordinati – che innalzano progressivamente l'uomo fino all'unione con Dio: dall'*amor carnalis* – che corrisponde al tatto perché è spontaneo in tutti, così come il corpo non può non avvertire la sensazione del tatto dovunque si volga – all'*amor diuinus*, che corrisponde alla vista perché – come la vista è il senso principale – così esso ha

[1] Su questa dottrina, cfr. K. Rahner, *La doctrine des sens spirituels*, «RAM» XIV 1933, pp. 263-99, e Davy, *Théologie et mystique* cit., pp. 187-217.

il primato fra tutte le *affectiones*. L'*amor diuinus*, cioè la *caritas*, è perciò la vista che Dio ci ha dato per contemplarlo. Come la vista fisica riassume in qualche modo in sé gli altri sensi, così quella spirituale governa e illumina tutti gli altri amori: infatti «è più chiaro del sole che non si deve amare nulla se non a causa di Dio, e che ciò che si ama non è la cosa in sé stessa, ma piuttosto colui per il quale si ama». La vista del corpo, inoltre, sembra quasi oltrepassare i sensi «animali» e imitare le facoltà della mente e della memoria: «Così anche l'amore illuminato di Dio (*illuminatus amor Dei*), quando prende dimora nell'anima cristiana, la innalza a una certa somiglianza (*similitudinem*) con la potenza divina, facendole apparire ogni creatura limitata ed effimera, se non addirittura inesistente, in confronto a Dio». Riappare qui il tema della «somiglianza», che consiste propriamente nell'*affectus* nella sua massima purezza e «semplicità» originaria: la visione di Dio si ha appunto quando il nostro *affectus*, la nostra *uoluntas* hanno restaurato in sé quella somiglianza con Dio che era stata perduta a causa del peccato. Non si tratta perciò di una semplice metafora: questa visione – secondo il principio che solo il simile conosce il simile, qui trasferito sul piano spirituale – comporta «presenza» reale, assimilazione effettiva a ciò che è conosciuto. Essa significa possederlo ed esserne posseduti. Il contatto diretto dell'anima con Dio nella *caritas* è simboleggiato nella *Expositio super Cantica Canticorum* (par. 175) dai momenti di vicinanza fra la sposa e lo sposo, contrapposti ai periodi di lontananza e di attesa, che rappresentano la conoscenza *per speculum in aenigmate*, cioè la fede: «Senza dubbio» scrive Guglielmo, «la Sposa sa (*scit*) che cosa avviene in lei, che cosa lo Sposo operi in lei, quando sono uno dell'altra (*inuicem sunt sibi*); ma finché non sono uno accanto all'altra (*inuicem non adsunt sibi*), la sposa non lo sente (*sentit*). Sono uno dell'altra mediante la fede, uno accanto all'altra mediante l'amore (*Sunt enim sibi fide, adsunt amore*) [...]. Certo, le cose vanno bene finché sono uno dell'altra; ma vanno benissimo (*optime*) quando sono uno accanto all'altra».

Intelletto d'amore

È perciò evidente che Guglielmo non solo attribuisce una reale capacità conoscitiva all'amore, ma considera questo *intellectus*

amoris come superiore all'*intellectus* razionale, alla *ratio fidei*. Già implicita nel *de contemplando Deo* e nel *de natura et dignitate amoris*, questa dottrina trova il suo massimo sviluppo nella *Expositio super Cantica Canticorum*. Guglielmo ne offre una prima e chiara formulazione proprio con riferimento al tema della presenza / assenza dello Sposo (par. 76): «Chi non sente la presenza del Dio che prega come si deve sentirla» scrive, «prega con ansia; ma chi ne afferra la presenza (*praesentem tenet*) gode di questa presenza, lo adora con gioia. Per questo la Sposa, quando si ricordava (*reminisceretur*) dello Sposo o pensava a lui per comprenderlo (*cogitaret ad intelligendum*), lo considerava assente, fino a quando non lo comprendeva allo scopo di amarlo (*non intelligebat ad amandum*). Ma la volontà buona è già un inizio di amore. E la volontà impetuosa (*uehemens*), tesa quasi verso un oggetto assente, è il desiderio; posseduta (*affecta*) da un oggetto presente, è amore (*amor*), quando ciò che ama è a portata dell'amante, nell'intelletto (*in intellectu*). Certamente l'amore di Dio si identifica con la sua stessa intelligenza (*Amor quippe Dei, ipse intellectus eius est*); non lo si conosce se non amato, non lo si ama se non conosciuto (*non nisi amatus intelligitur, nec nisi intellectus amatur*). Lo si comprende nella misura in cui lo si ama, e lo si ama nella misura in cui lo si comprende (*tantum intelligitur, quantum amatur, tantumque amatur quantum intelligitur*)». Si osservi come Guglielmo evochi qui in progressione le tre facoltà della *mens* o dello *spiritus* umano (impronta della Trinità): memoria (*reminiscetur*), ragione o intelletto (*cogitaret ad intelligendum*) e volontà o amore. Una vera conoscenza di Dio non è possibile se non si ha trasformazione dell'*intellectus* in *amor*: solo amando si ha davvero conoscenza, come solo conoscendo si ha davvero amore. Questa identificazione o fusione di *intellectus* e *amor* (*amor ipse intellectus*) è espressa fin dal *de natura et dignitate amoris* (par. 21), nel quadro della trattazione sui sensi spirituali, mediante la metafora dei «due occhi» della contemplazione o della carità. Nella *caritas*, che è la vista con cui si vede Dio, scrive Guglielmo, «vi sono due occhi, che palpitano sempre in una sorta di naturale tensione dello sguardo per vedere la luce che è Dio: sono l'amore e la ragione (*amor et ratio*). Quando uno dei due si mette all'opera senza l'altro, non fa grandi progressi; quando invece si aiutano a vicenda, possono fare molto perché diventano un solo occhio, quell'occhio di cui lo

sposo dice nel Cantico: "Hai ferito il mio cuore, amica mia, con uno solo dei tuoi occhi" (*Cant.* 4,9) [...]. La ragione ha una maggiore sobrietà, l'amore una maggiore beatitudine. Quando però, come ho detto, si aiutano a vicenda, quando la ragione istruisce l'amore e l'amore illumina la ragione, quando la ragione inclina verso il sentimento d'amore (*affectum amoris*) e l'amore accetta di essere trattenuto entro i limiti della ragione, allora insieme possono molto. Ma cosa possono? Come chi progredisce per questa via non può progredire e apprenderla se non grazie alla propria esperienza (*nisi experiendo*), così non può nemmeno comunicarla a chi non ha fatto la stessa esperienza». Il paragone è ripreso e sviluppato nella *Expositio super Cantica Canticorum* (par. 92), a proposito di un altro versetto del *Cantico*: «I tuoi occhi sono occhi di colomba» (*Cant.* 1,14). Commenta Guglielmo: «Due sono gli occhi della contemplazione: la ragione e l'amore (*Duo sunt oculi contemplationis, ratio et amor*). E secondo le parole del Profeta: "Le ricchezze della salvezza sono la sapienza e la scienza (*sapientia et scientia*)" [*Is.* 33,6], uno di essi scruta le cose umane seguendo i principî della scienza, l'altro quelle divine seguendo i principî della sapienza. Quando sono illuminati dalla grazia, si aiutano molto a vicenda: l'amore vivifica la ragione e la ragione rischiara l'amore. Il loro sguardo diventa come quello della colomba: semplice per contemplare, prudente per stare in guardia. Spesso questi due occhi diventano un solo occhio; ciò avviene quando collaborano fra loro con lealtà: quando nella contemplazione di Dio, opera soprattutto dell'amore, la ragione passa nell'amore (*ratio transit in amorem*) e si trasforma in una sorta di intelletto spirituale e divino (*in quemdam spiritualem uel diuinum formatur intellectum*), che trascende e assorbe (*superat et absorbet*) ogni ragione». Qui *ratio* è sinonimo di *scientia*, mentre *amor* è sinonimo di *sapientia* – termine che va compreso nella cornice della dottrina dei sensi spirituali, secondo l'etimologia proposta nel *de natura et dignitate amoris* (par. 28): «da "sapore", viene anche la parola "sapienza"».

L'ultima frase del passo mostra però come la collaborazione di *ratio* e *amor* divenuti un solo occhio (*amor ipse intellectus*) non vada affatto intesa come la fusione di due istanze – quella razionale e quella affettiva – che si troverebbero sullo stesso piano in quanto componenti parziali e limitate dell'animo umano, entrambe inca-

paci di raggiungere una vera conoscenza di Dio. È stato questo il grave errore interpretativo di Étienne Gilson il quale, interpretando l'*affectus* di Guglielmo nel senso – che assumerà solo più tardi – di semplice «emozione», scrive: «Di qualunque immagine si serva, Guglielmo non vuol mai dire che la carità ci dia la conoscenza, la vista o la visione di Dio che quaggiù è rifiutata all'intelligenza. Ciò che l'intelligenza non conosce, la carità lo conosce ancor meno, nel senso intellettuale del termine. Tutto ciò che Guglielmo vuol dire è che, in mancanza di una conoscenza che è e resta impossibile, l'amore ne fa per noi le veci, il che non significa che sia una conoscenza»[1]. Si tratta, come ha giustamente osservato Paul Verdeyen, di un vero e proprio accecamento davanti ai testi. Guglielmo afferma chiaramente che l'amore *superat et absorbet* (il binomio verbale ha quasi il valore dialettico di *aufheben*) la ragione, assumendo la forma di un *intellectum* spirituale o divino. L'amore diventa quindi una forma di intelligenza che comprende in sé quella razionale, ma la oltrepassa giungendo oltre nel processo intellettivo o, se si vuole, nella «visione» di Dio[2]. Se ogni conoscenza si basa sul principio che solo il simile conosce il simile, la *ratio* non potrà mai raggiungere un'adeguata conoscenza di Dio, poiché opera per mezzo di *phantasmata* o *phantasiae*, immagini o costruzioni logiche condizionate dalla nostra condizione corporea, regione della dissomiglianza. Ciò che in noi costituisce invece la perfetta *imago Dei*, ciò che in noi è propriamente divino, è l'*affectus*, la *uoluntas*, la libera e spontanea volontà da cui si sviluppa l'amore. Mediante l'amore, se puro, l'uomo può quindi assimilarsi a Dio – che è Amore – e pervenire a una effettiva conoscenza di lui: non una conoscenza di natura razionale, ma una conoscenza alla quale accede nella misura in cui è *affectus* da Dio, cioè nella misura in cui si lascia attrarre da Dio e si trasforma in lui. È il senso della formula sintetica di Bernardo e di Ivo: *sic affici est deificari*[3].

[1] Gilson, *La théologie mystique* cit., p. 228. Ved. in proposito le discussioni di Déchanet, «*Amor ipse intellectus est*» cit., pp. 369-70; Verdeyen, *La théologie mystique* cit., p. 263; Como, «*Ignis amoris Dei*» cit., pp. 154-8.

[2] Questo aspetto è bene illustrato da G. Beschin, «Il valore rivelativo dell'amore in Guglielmo di Saint-Thierry», in *Lineamenti di un personalismo teologico. Scritti in onore di Carlo Arata*, a cura di L. Malusa, Genova 1995, pp. 327-48, in particolare pp. 335-40.

[3] Cfr. *de diligendo Deo* 28, ed *Epistola ad Seuerinum de caritate* 9.

Un ispirato passo della *Expositio super Cantica Canticorum* (par. 94) illustra perfettamente il senso di questo *intellectus amoris* che comprende in proporzione alla sua *similitudo* con Dio. A proposito del dialogo amoroso fra lo Sposo e la Sposa, scrive Guglielmo: «Questa lode reciproca che lo Sposo e la Sposa alternamente si rivolgono è proprio ciò di cui stiamo trattando: la mutua somiglianza della loro bellezza, il mutuo godimento che provano l'uno dell'altra. Infatti non siamo noi soltanto a godere di Dio; ma anche Dio gode della nostra bontà, in proporzione al piacere che ne prova e al gradimento che si degna di averne. In rapporto alla misura del progresso spirituale e della somiglianza si determina la misura del godimento, poiché non vi può essere né somiglianza al di fuori del godimento che la pervade (*nisi in fruitione eam afficiente*), né godimento al di fuori della somiglianza che lo produce (*nisi in similitudine eam efficiente*). Ogni anima che riceve, a suo profitto, qualche grazia per dono di Dio, insieme a tale dono riceve anche la conoscenza (*intelligentiam*) del Donatore: questo perché l'uomo non sia ingrato nei confronti di Dio e sia invece costantemente rivolto verso il Donatore [...]. E quando si è fatto a somiglianza di Colui che lo ha fatto (*Cumque efficitur ad similitudinem facientis*), l'uomo è rapito da Dio (*Deo affectus*), cioè diventa un solo spirito con Dio, bello nella sua bellezza, buono nella sua bontà; e questo avviene in misura diversa, in proporzione alla forza della sua fede, alla luce del suo intelletto e alla grandezza del suo amore. Allora è in Dio, per grazia, ciò che Dio è per natura. Perché quando talvolta la grazia sovrabbonda fino a una sicura e manifesta esperienza di qualcosa di Dio, come di una cosa reale, in modo del tutto nuovo si fa improvvisamente sensibile al senso dell'amore illuminato (*sensui illuminati amoris*) ciò che nessun senso corporeo può sperare, nessuna ragione può pensare (*nulli rationi cogitabile*), nessun intelletto è capace di comprendere eccetto l'intelletto dell'amore illuminato (*extra intellectum illuminatis amoris*)». Indiscutibile è perciò il primato dell'amore nella teologia mistica di Guglielmo. Quell'essere in sé che l'intelletto razionale non può in alcun modo afferrare è realmente – si direbbe palpabilmente – alla portata di un'altra forma di intelligenza, che non procede per immagini o per concetti ma ha il suo luogo proprio nell'*affectus*, punto di contatto *in re* e di effettiva interazione fra l'uomo e Dio. In questo luogo – afferma Guglielmo nel-

la *Expositio super Cantica Canticorum* (par. 141), commentando il versetto: «La voce del mio diletto» (*Cant.* 2,8) – gli *affectus* e lo *spiritualis intellectus* si riducono a un solo verbo, il Verbo di Dio: «È preferibile però dire "voce" piuttosto che "verbo", perché non vi si distinguono sillabe e non è formulato dalla lingua: nasce da un puro sentimento (*affectu*) nell'intelletto illuminato (*in illuminato intellectu*), una volta sospesa o sopita ogni facoltà percettiva (*omni sensu*) del corpo e della ragione; tutta questa operazione è compiuta dallo Spirito Santo nell'intelligenza dell'amore (*in sensu amoris*)». Questa voce, questa rivelazione di Dio nel suo Verbo, ha dunque luogo solo quando il *sensus corporis* e il *sensus rationis* si sono interamente dissolti – e trascesi – nel *sensus amoris*[1].

Intelletto d'amore e teologia negativa

Non soltanto la conoscenza di Dio che si ottiene con l'amore – e che ci permette di *uidere oculis* e di *contrectare manibus*, cioè di conoscere mediante un contatto e una assimilazione – è superiore a quella razionale, ma essa ci fa addirittura accedere alla conoscenza di ciò che è al di là di ogni conoscenza possibile: «Mentre ti ama o cerca di amarti in misura adeguata a ciò che sei» afferma Guglielmo nella *Expositio super Cantica Canticorum* (par. 100), «il seno dilatato dell'amore, estendendosi quanto si estende la tua grandez-

[1] Guglielmo di Saint-Thierry ha qui accenti molto simili a quelli con cui Meister Eckhart descriverà la «nascita eterna» del Verbo divino nel *grunt*, nel fondo dell'anima (cfr. *supra*, nota 1 p. XVIII). Ved. per esempio il sermone *dum medium silentium tenerent omnia* ecc. (in Meister Eckhart, *Sermoni tedeschi* cit., pp. 139-42): «Vogliamo ora parlare di questa nascita, come essa avviene in noi e viene compiuta nell'anima buona, quando Dio Padre parla la sua parola eterna nell'anima perfetta [...]. Prendiamo dapprima la parola che suona: "In mezzo al silenzio mi fu detta una parola segreta" [*Sap.* 18,14]. Ah, Signore, dove è il silenzio e dove il luogo, in cui questa parola viene pronunciata? Noi diciamo [...]: è nella parte più pura che l'anima può offrire, nella parte più nobile, nel fondo, nell'essenza dell'anima, ovvero nella parte più segreta dell'anima; là tace il "mezzo", perché là non era mai giunta creatura né immagine, né là conosce l'anima l'operare o il sapere; là non sa niente di immagine alcuna, sia essa di sé stessa o di qualsiasi altra creatura [...]. Qui domina solo la quiete e la festa per questa nascita e per questa opera, perché Dio Padre parla là la sua parola. Questo fondo è infatti, per sua natura, accessibile soltanto all'essenza divina, senza mediazione, e a niente altro. Dio entra qui nell'anima con la sua interezza, non con una parte; Dio entra qui nel fondo dell'anima».

za, afferra ciò che non può essere afferrato, comprende ciò che non può essere compreso». *Incapabilem capit, incomprehensibilem comprehendit*: si presenta qui il grande problema che il pensiero cristiano, a partire dallo pseudo Dionigi Areopagita, ha affrontato attraverso la distinzione fra teologia affermativa (o «catafatica») e teologia negativa (o «apofatica»). Vi si riferisce direttamente lo stesso Guglielmo nel paragrafo del *de natura et dignitate amoris* in cui è sviluppato il tema dei due occhi della carità, *amor* e *ratio* (par. 21): «Questi occhi» egli scrive «si affaticano moltissimo, ciascuno a modo suo: uno di essi, la ragione, può vedere Dio soltanto in ciò che egli non è; l'amore invece accetta di riposarsi solo in ciò che egli è. Infatti, che cosa potrebbe afferrare o scoprire la ragione, per quanti sforzi faccia, di cui osi dire: questo è il mio Dio? Essa può scoprire ciò che egli è solo in tanto in quanto scopre ciò che egli non è. Inoltre la ragione possiede vie sicure e sentieri diretti per i quali avanza; l'amore invece progredisce di più grazie a ciò che gli manca, afferra di più grazie alla sua ignoranza (*sua ignorantia plus apprehendit*)». A prima vista, la *ratio* (che, non bisogna dimenticarlo, è *ratio fidei*, la scienza teologica) sembrerebbe corrispondere alla teologia affermativa di Dionigi, e l'*amor* alla teologia negativa: nell'espressione *sua ignorantia plus apprehendit* vi è anzi una precisa allusione alla formula (di Agostino oltre che di Dionigi) della *docta ignorantia*, che compare del resto in un passo della *Expositio super Epistolam ad Romanos* (V 497-511) dello stesso Guglielmo. Così interpreta, in particolare, Déchanet nel suo saggio dedicato all'*intellectus amoris*: «Così penetrato dall'amore, l'intelletto giunge a superarsi, a innalzarsi in qualche modo fino all'oggetto della volontà [...]. Allora non osa più affermare che Dio è la Verità, la Bontà, l'Intelligenza, la Sapienza, la Beatitudine; tanto è vero che ha coscienza del fatto che Dio supera infinitamente tutto ciò che rappresentano per lui queste parole. La cosiddetta teologia apofatica o negativa dello pseudo Areopagita è frutto dell'amore, della carità divina. È espressione di una intelligenza informata dall'amore divino, una intelligenza che proprio per mezzo delle sue negazioni afferma l'Inesprimibile, positivamente conosciuto mediante l'amore»[1]. Non vi è dubbio che la conoscenza razionale di Gugliel-

[1] Déchanet, «*Amor ipse intellectus est*» cit., p. 372.

mo corrisponda alla teologia affermativa di Dionigi: quella che, come illustra il trattato su *I nomi divini*, definisce Dio come Bene, Essere, Vita, Saggezza, Forza ecc.[1] Ma ciò non significa che si possa, automaticamente, identificare *intellectus amoris* e teologia negativa. La teologia negativa è la constatazione dello scacco della ragione, della sua impossibilità di definire l'essenza divina attraverso una serie, per quanto estesa, di nomi o di attributi: questi non riusciranno mai a esprimerla, perché – scrive Dionigi nella *Teologia mistica* – «è posta soprasostanzialmente oltre tutte le cose, e si rivela veramente e senza alcun velame soltanto a coloro i quali trascendono tutte le cose impure e quelle pure e superano tutta la salita di tutte le sacre vette, e abbandonano tutte le luci divine e i suoni e i discorsi celesti, e penetrano nella caligine dove veramente risiede, come dice la Scrittura, colui che è al di là di tutto»[2]. Con ragione Verdeyen osserva che Guglielmo ricorre alla teologia negativa per combattere il larvato razionalismo di Abelardo e affermare la deficienza della nostra ragione[3]. Sostenendo che Dio può essere definito meglio attraverso negazioni che attraverso affermazioni, cioè predicando di lui ciò che egli non è anziché ciò che egli è, la teologia apofatica dichiara semplicemente la nullità di ogni ragione e di ogni parola di fronte al divino, l'impossibilità per ogni *ratio* che non neghi sé stessa di averne una qualche conoscenza. Essa non dà accesso a una conoscenza effettiva, ma sancisce il fallimento di ogni intelligenza che proceda per concetti o per rappresentazioni: per *phantasmata*, direbbe Guglielmo. La Tenebra e la Caligine di Dionigi, come ha mostrato Henri-Charles Puech[4], non esprimono una visione *facie ad faciem* di Dio: non sono paragonabili alla *noche oscura* di San Juan de la Cruz o ad altre figurazioni di una reale esperienza mistica, ma sono soltanto metafore tradizionali riprese dall'esegesi biblica e assunte a significare i limiti della ragione, il suo drammatico accecamento quando si approssima alla luce abbagliante di Dio. Già nella *Vita di Mosè* di Gregorio di Nissa è det-

[1] Cfr. *Th. myst.* 3, *PG* III, 1033 A-B.
[2] *Th. myst.* 1,3, *PG* III, 1000 C; trad. it. in Dionigi Areopagita, *Tutte le opere*, trad. di P. Scazzoso, Milano 1981, p. 408.
[3] Cfr. Verdeyen, *La théologie mystique* cit., p. 33.
[4] H.-C. Puech, *Sulle tracce della gnosi*, a cura di F. Zambon, Milano 1985 (ed. orig. Paris 1978), pp. 149-70.

to chiaramente che la Tenebra da cui Dio appare circondato non è la rivelazione del volto divino, ma il segno della sua assoluta inconoscibilità: «La mente (νοῦς), procedendo e giungendo con attenzione sempre più intensa e completa alla conoscenza della dottrina delle vere realtà, quanto più si avvicina a questa conoscenza, tanto più avverte l'inconoscibilità (ἀθεώρητον) della natura divina [...]. In questo infatti è la vera conoscenza di ciò che ricerchiamo, in questo vedere nel non vedere (ἐν τούτῳ τὸ ἰδεῖν ἐν τῷ μὴ ἰδεῖν), perché ciò che cerchiamo supera ogni conoscenza, circondato da ogni parte dall'incomprensibilità (ἀκαταληψίᾳ) come da tenebre. Per questo anche il profondo Giovanni, che si è trovato in questa tenebra luminosa, dice che "nessuno ha mai conosciuto Dio" (*Eu. Io.* 1,18), affermando con queste parole che la conoscenza dell'essenza divina è irraggiungibile non solo agli uomini ma anche da ogni natura intellettuale. Perciò Mosè, dopo esser diventato più grande per la conoscenza, afferma allora di conoscere Dio nelle tenebre, cioè egli ha conosciuto che per natura la divinità è ciò che trascende ogni conoscenza e ogni comprensione»[1]. La Tenebra e la Caligine di Gregorio o di Dionigi sono essenzialmente ἀγνωσία, «inconoscenza». Come osserva Puech, esse simboleggiano «l'impossibilità in cui si trova l'unione mistica di esaurire un oggetto che resta del tutto inafferrabile, che anzi non può nemmeno essere appreso come oggetto. Esse segnano il limite imposto alla finitezza del soggetto creato dal carattere infinito di Colui che nell'estasi può essere soltanto avvicinato. Proprio a causa di questa distanza o di questa inadeguatezza mai colmate, Colui che è solo Luce, o meglio che è superiore alla Luce come all'Oscurità, appare come tenebra»[2]. Certo, questa ἀγνωσία non è pura privazione, essa è *docta ignorantia*; ma la γνῶσις che essa racchiude è la conoscenza di una non conoscenza: si tratta cioè di una esperienza della assoluta trascendenza divina[3].

Sebbene il punto di partenza sia lo stesso e non diversa sia la convinzione che Dio sia irraggiungibile da parte del νοῦς o dell'*intellectus*, vi è una distanza incolmabile fra la posizione di Gregorio

[1] *De Vita Moysis* II 163-4; trad. it. in Gregorio di Nissa, *Vita di Mosè*, a cura di M. Simonetti, Milano 1984, p. 155.
[2] Puech, *Sulle tracce della gnosi* cit., p. 157.
[3] Cfr. *ibid.*, p. 158 e i passi di Dionigi citati in proposito.

e quella di Guglielmo: fra il conoscere che la divinità «trascende ogni conoscenza e ogni comprensione», e il *capere* ciò che è *incapabile* o il *comprehendere* ciò che è *incomprehensibile* per mezzo dell'amore. L'*impasse* della ragione cui era pervenuta la teologia apofatica lascia insoddisfatto Guglielmo, lo sprofondamento nella Tenebra come semplice impossibilità di vedere il volto di Dio non lo appaga. «O volto, o volto!» egli esclama nel *de contemplando Deo* (par. 4), «Quanto beato il volto che, vedendoti, merita di essere trasformato (*affici*) da te [...]. Contemplando per dono della tua grazia ogni angolo ed estremità della mia coscienza, desidero unicamente ed esclusivamente vederti; così tutti i confini della mia terra vedranno la salvezza del Signore Dio suo e io amerò, dopo averlo veduto, colui che è vera vita per chi lo ama»[1]. Egli cerca così un superamento di quel limite invalicabile – ai confini della sua terra – su un altro piano, quello della volontà: dove non giunge la *ratio* giunge la *uoluntas* quando sia *uehemens* e *bona*, perfettamente purificata, cioè quando abbia raggiunto lo stato in cui è uscita originariamente dalle mani di Dio, creata a sua immagine e somiglianza. È proprio questa immagine impressa nella nostra *mens*, e mai perduta malgrado l'esilio nella «regione della dissomiglianza», a far sì che la volontà «impetuosa» o «ardente» – tutta tesa verso il suo Principio – possa diventare conoscenza effettiva, anche se non razionale: *intellectus amoris*, amore-intelligenza, cioè quella intelligenza grazie alla quale «la natura umana si innalza al di sopra delle capacità dell'uomo»[2]. Su questo terreno si situa la grande rivoluzione operata dalla teologia mistica del XII secolo: essa ricerca per mezzo dell'amore ciò che appare inaccessibile all'intelligenza razionale, lo esplora con l'*affectus* inteso non come semplice emozione ma come *sensus spiritualis* mosso e trasformato dalla stessa *uoluntas* divina, volontà creata che si lascia assorbire e assimilare dalla Volontà increata. Tale è quella che Guglielmo definisce nelle *Meditatiuae orationes* (XII 16) come *uoluntas illuminata et affecta*: «Dapprima sembra necessaria una volontà grande (*magna*), poi illuminata, quindi trasformata (*affecta*). In ogni ascesa essa è dapprima grande secondo il suo potere, poi illuminata secondo il tuo dono, infine

[1] Al desiderio di vedere il volto di Dio è dedicata anche quasi tutta la terza delle *Meditatiuae orationes*.
[2] *Expositio super Cantica Canticorum* 149.

trasformata a tua misura (*secundum modum tuum*). Grande quanto l'hai creata, illuminata per quanto l'hai resa degna, trasformata così come l'hai plasmata (*formatam*)»[1]. È vero che, fin dalla patristica greca, lo slancio amoroso è in qualche modo implicito nel momento in cui la ragione si arresta davanti alla trascendenza. In alcuni autori, anzi, la Tenebra divina in cui penetra Mosè è associata alla Notte del *Cantico dei Cantici*, il tempo dell'unione fra lo Sposo e la Sposa. Tale accostamento è sviluppato soprattutto nelle mirabili *Omelie sul Cantico dei Cantici* di Gregorio di Nissa. In particolare, nella *Omelia* 11 i tre successivi aspetti in cui Dio si mostra a Mosè secondo l'*Esodo* (luce, nube, tenebra) sono evocati nel commento al versetto 5,2 del *Cantico*: «Aprimi, mia sorella, mia amata, mia colomba, mia perfetta, poiché il mio capo è pieno di rugiada e i miei riccioli di gocce della notte». Dopo essere passata – spiega Gregorio – dalla luce della verità all'ombra del giardino in cui incontrerà lo Sposo (ombra assimilata alla nube dell'*Esodo*), l'anima penetra infine nella tenebra dell'unione mistica: «Poi è avvolta oramai dalla notte divina, nella quale giunge, sì, lo sposo, ma non appare. Come, infatti, potrebbe apparire nella notte quello che non si vede? E ciononostante egli procura all'anima una certa sensazione della sua presenza, ma sfugge a una chiara intelligenza, perché si nasconde nella invisibile natura sua»[2]. Qui la Tenebra della non conoscenza è dunque integrata nel quadro della mistica nuziale elaborata a partire dal *Cantico dei Cantici*; con una formula di sua invenzione Gregorio parla anzi, a proposito dell'avvicinarsi dello Sposo nella notte, di una certa «sensazione di presenza», cioè di una qualche forma di contatto o di conoscenza effettiva. Ma ben altro sviluppo, rispetto a questi accenni all'incontro notturno dello Sposo e della Sposa, assume la riflessione sull'amore elaborata da Guglielmo di Saint-Thierry e dagli altri teologi cistercensi e vittorini del XII secolo. La Tenebra in cui lo Sposo si unisce alla Sposa diventa qui il luogo nel quale opera il complesso dinamismo della volontà umana che, *illuminata* e *affecta* dalla grazia, si incammina verso la *caritas* divina percorrendo una successione di gradi o di tappe che vengo-

[1] Ved. anche il par. 76 della *Expositio super Cantica Canticorum*, citato in precedenza.

[2] *Hom. in Cant.* 11; trad. it. in Gregorio di Nissa, *Omelie sul Cantico dei Cantici*, a cura di C. Moreschini, Roma 1996², p. 227.

no descritti con minuzia e che coincidono essenzialmente, come si vedrà, con quelli della formazione spirituale del monaco. Questo progresso, che sia Guglielmo sia Bernardo descrivono come una *liberatio* e una *ordinatio* degli *affectus*, si realizza certo – come dice Guglielmo – per mezzo di una *ignorantia*, ma è considerato come un genere di intelligenza superiore alla conoscenza concettuale e rappresentativa, come una intelligenza capace di *apprehendere* in un certo modo – nell'ordine della pura volontà – ciò che è propriamente inconoscibile e inesprimibile. La teologia mistica del XII secolo cerca così di colmare con l'*intellectus amoris* l'abisso che la teologia apofatica aveva scavato fra ragione umana e trascendenza divina.

L'unione mistica

Benché lo sforzo della volontà umana sia indispensabile per questa intelligenza amorosa di Dio, essa non potrebbe nulla se non fosse mossa dalla grazia dello Spirito Santo. Nella sua essenza più pura l'*intellectus amoris* non è attività, ma passività: abbandono totale all'opera divina. Anche sotto questo aspetto la teologia mistica di Guglielmo si rivela senza dubbio la più originale e profonda fra quelle del XII secolo; ma idee simili alle sue si trovano, in particolare, in Bernardo e in Riccardo di San Vittore. I punti fondamentali della dottrina di Guglielmo sono già presenti in un denso passo del *de contemplando Deo* (par. 17): «Quando ti amiamo, il nostro spirito è certamente mosso (*afficitur*) dal tuo Spirito Santo: per mezzo di lui, che abita in noi, possediamo la carità di Dio diffusa nei nostri cuori. E quando il tuo amore, amore del Padre per il Figlio, amore del Figlio per il Padre, Spirito Santo che abita in noi, è per te ciò che è: l'amore che converte in sé e santifica tutta la cattività di Sion, cioè tutte le affezioni della nostra anima – allora noi ti amiamo, o meglio tu ti ami in noi: noi affettivamente tu effettivamente (*nos affectu, tu effectu*), rendendoci una cosa sola in te per effetto della tua unità, cioè del tuo stesso Spirito Santo che ci hai donato. Così, come per il Padre conoscere il Figlio non è altro che essere ciò che è il Figlio, come per il Figlio conoscere il Padre non è altro che essere ciò che è il Padre (da cui il detto evangelico [*Eu. Matth.* 11,27]: "Nessuno conosce il Padre

se non il Figlio, e nessuno conosce il Figlio se non il Padre") e come per lo Spirito Santo conoscere e comprendere il Padre e il Figlio non è altro che essere ciò che sono il Padre e il Figlio; così per noi che siamo stati creati a tua immagine e, dopo essere invecchiati lontano da essa a causa di Adamo, grazie a Cristo siamo rinnovati in essa giorno dopo giorno – per noi che amiamo Dio, amarlo e temerlo e osservare i suoi comandamenti non è altro che essere, ed essere un solo spirito con Dio».

Il punto di partenza di tutta questa riflessione – come di ogni dottrina cristiana sull'amore – è naturalmente il *Deus caritas est* di Giovanni. E se Dio è *caritas*, in lui si trova anche l'origine dell'amore umano, come dichiara Guglielmo in apertura al *de natura et dignitate amoris* (par. 3): «Il suo luogo di nascita è Dio. Là è nato, è stato allevato, è diventato adulto; là è cittadino, non straniero ma indigeno. Infatti da Dio soltanto è dato l'amore e solo in lui esso permane, perché non è dovuto ad altri che a lui e a causa di lui». Ma qual è il rapporto fra la *Caritas* divina – la *Caritas* che è Dio – e la *caritas* umana? La risposta di Guglielmo – come quella di Bernardo – dipende in modo evidente dalla teologia di Origene. Nella prefazione al suo *Commento al Cantico dei Cantici*, Origene scrive infatti: «Poiché Dio è amore e il Figlio, che è da Dio, è amore, egli ricerca in noi qualcosa di simile a sé, affinché per mezzo di questo amore, che è in Cristo Gesù, noi ci uniamo a Dio, che è amore, quasi in parentela e affinità derivata da questo amore»[1]. La carità, in tal modo, è insieme la realtà divina e il suo dono agli uomini: *res quidem Dei et munus eius esse caritas.* Così, per Guglielmo, il nostro amore per Dio non è altro che un suo dono che scende su di noi: è lo Spirito Santo che, inabitando nella nostra anima, la purifica di tutte le *affectiones* estranee o carnali e la unisce al suo Creatore. Esponendo questa dottrina nel *de natura et dignitate amoris* (par. 12), egli distingue la *caritas* come donatore e la *caritas* come dono secondo le categorie di «sostanza» e di «accidente»: «L'amore illuminato» scrive, «[...] è la carità: la carità è l'amore che viene da Dio, è in Dio e va verso Dio. Anzi, la carità è Dio: "Dio", dice la Scrittura, "è carità". Una lode breve, ma che comprende tutto. Tutto ciò che si può dire di Dio si può dire an-

[1] Origene, *Commento al Cantico dei Cantici* cit., p. 46.

che della carità. In questo senso, però: considerando la natura del dono e quella di chi dona, nel donatore la carità assume il nome di sostanza, in ciò che è donato il nome di qualità. Tuttavia, per enfasi, si può anche dire che il dono della carità è Dio, nel senso che la virtù della carità – superiore a tutte le altre virtù – è unita a Dio e gli è simile». Un passo dello *Speculum fidei* (par. 107) chiarisce ulteriormente questa distinzione: «Ma questo mistero si realizza in un modo nella divina sostanza, nella quale lo Spirito Santo è consustanzialmente (*consubstantialiter*) una sola cosa con il Padre e il Figlio, e in un altro modo nella materia inferiore; in un modo nel Creatore, in un altro nella creatura; in un modo nella natura propria, in un altro nella grazia; in un modo in chi dona, in un altro in chi riceve; in un modo nella immutabilità dell'eternità, in un altro nel mutamento temporale». Nelle sue opere più tarde Guglielmo sembra però abbandonare queste cautele, inclinando verso una perfetta identificazione fra la carità in quanto *donans* e la carità in quanto *donum*. Particolarmente esplicito, in questo senso, è un passo della *Epistola ad fratres de Monte Dei* (par. 263). Riguardo all'unione dell'anima con Dio, egli scrive infatti: «È detta "unità di spirito" (*unitas spiritus*), non solo perché lo Spirito Santo la realizza (*efficit*) o vi dispone (*afficit*) lo spirito dell'uomo, ma perché essa è effettivamente lo Spirito Santo (*ipsa ipse est Spiritus Sanctus*), Dio carità».

In questo modo, come Guglielmo affermava già nel *de contemplando Deo*, lo spirito umano penetra nel seno stesso della vita trinitaria. Nella Trinità lo Spirito Santo, che procede dal Padre e dal Figlio, è la *caritas* che unisce il Padre al Figlio e il Figlio al Padre; nello stesso tempo è la loro conoscenza reciproca. Quando la *gratia* dello Spirito discende nell'uomo, suscitando in lui l'amore per Dio, essa fa sì che l'uomo ami Dio con lo stesso amore con il quale Dio ama sé stesso nel mistero inaccessibile della Trinità: poiché il soggetto che ama non è un io prigioniero della sua miseria carnale, ma proprio lo Spirito Santo in quanto *caritas* di Dio, questo amore è in quanto tale – effettivamente – la *caritas* con cui il Padre ama il Figlio e il Figlio ama il Padre. Diventa chiara, così, l'affermazione del *de contemplando Deo* (par. 17): «Quando il tuo amore, amore del Padre per il Figlio, amore del Figlio per il Padre, Spirito Santo che abita in noi, è per te ciò che è: l'amore che converte in sé e santifica tutta la cattività di Sion, cioè tutte le affe-

zioni della nostra anima – allora noi ti amiamo, o meglio tu ti ami in noi: noi affettivamente tu effettivamente, rendendoci una cosa sola in te per effetto della tua unità, cioè del tuo stesso Spirito Santo che ci hai donato». E diventa chiara anche la tesi esposta precedentemente nello stesso trattato, secondo cui il vero amore di Dio è *amor amoris*: poiché Dio è amore, infatti, amarlo non può essere altro che amare l'amore. Ma colui che così ama l'amore non è un soggetto umano: è l'Amore stesso di Dio – lo Spirito Santo – che ama sé stesso in noi, facendoci pienamente partecipi della vita trinitaria. Questa concezione si salda, da una parte, alla dottrina della creazione «a immagine e somiglianza» di Dio; dall'altra, a quella secondo cui la *uoluntas* è il luogo in cui si può raggiungere la più alta intelligenza di Dio. Nel *de natura et dignitate amoris* infatti, come si è visto, Guglielmo afferma che l'immagine impressa da Dio nella *mens* umana è costituita precisamente da un'impronta della Trinità creatrice: alle tre persone divine – Padre, Figlio e Spirito Santo – corrispondono rispettivamente le facoltà della memoria, della ragione e della volontà. Per restaurare la primitiva *unitas* con la Trinità divina, infranta dal peccato, è necessario ricostituire in noi la *similitudo* con essa. Se la nostra memoria deve accogliere in sé Dio e la nostra ragione Cristo, la nostra volontà (cioè il nostro *affectus*, il nostro amore) deve aprirsi e assimilarsi allo Spirito Santo: quando esso inabiterà in noi – quando saremo *sic affecti* – si realizzerà la sua perfetta unione con il nostro *spiritus*, la nostra *deificatio*. E poiché è sul piano della volontà o dell'amore che l'uomo può raggiungere la massima *similitudo* con Dio, che è *caritas*, la discesa dello Spirito Santo suscita in noi anche la più alta conoscenza di Dio che ci sia consentita, superiore a quelle permesse alla ragione e alla fede, una conoscenza che partecipa effettivamente di quella che ha il Padre del Figlio e il Figlio del Padre: l'intelletto d'amore.

Tale amore – e al tempo stesso intelletto – con il quale l'uomo liberato ama e insieme conosce Dio come Dio ama e conosce sé stesso realizza quella che, con espressione di origine paolina (cfr. *1 Ep. Cor.* 6,17), Guglielmo chiama *unitas spiritus*, «unità dello spirito». La nozione è già perfettamente delineata in un passo del *de contemplando Deo* (par. 10): «Felice, immensamente felice quell'anima che merita di essere attirata (*affici*) da Dio verso Dio, tanto che in virtù dell'unità di spirito (*per unitatem spiritus*) ama in

Dio soltanto Dio, non un suo bene personale, e ama sé stessa solo in Dio [...]. Questo è il fine, questa la consumazione, questa la perfezione; questa è la pace, questa la gioia del Signore; questa è la gioia nello Spirito Santo, questo è il silenzio nel cielo». Idee simili si ritrovano, con vari sviluppi, in quasi tutte le opere successive di Guglielmo. Ma la riflessione più ampia e approfondita è quella che si legge verso la fine della *Epistola ad fratres de Monte Dei*, certo fra le ultime pagine scritte da Guglielmo. In due paragrafi (262-3) di cui si è già avuto occasione di citare qualche estratto e che ora è bene leggere per intero, egli scrive a proposito del terzo e più elevato grado di somiglianza dell'uomo con Dio: «Al di sopra di questa poi [cioè della seconda somiglianza] c'è ancora un'altra somiglianza con Dio [...], così propriamente singolare che non si può più chiamare ormai somiglianza, ma unità di spirito (*unitas spiritus*); e questa si ha quando l'uomo diventa una sola cosa con Dio (*unum cum Deo*), un solo spirito (*unus spiritus*), non soltanto per l'unità di un identico volere, ma per una sorta di espressione più vera di una virtù che [...] non è capace di volere altro. È detta "unità di spirito", non solo perché lo Spirito Santo la realizza o vi dispone lo spirito dell'uomo, ma perché essa è effettivamente lo Spirito Santo, Dio carità. Quando colui che è l'amore del Padre e del Figlio, la loro unità e dolcezza, il loro bene, il loro bacio, il loro abbraccio e tutto ciò che può essere comune a entrambi in quella somma unità della verità e verità dell'unità, diviene, a suo modo (*suo modo fit*), per l'uomo nei confronti di Dio ciò che, in virtù dell'unità consustanziale, è (*est*) per il Figlio nei confronti del Padre e per il Padre nei confronti del Figlio; quando la coscienza beata si trova in qualche modo al centro dell'abbraccio e del bacio del Padre e del Figlio; quando in modo indicibile e impensabile (*modo ineffabili, incogitabili*) l'uomo di Dio merita di diventare non Dio, ma tuttavia ciò che Dio è (*non Deus, sed tamen quod est Deus*) – allora l'uomo diventa per grazia (*ex gratia*) ciò che Dio è per natura (*ex natura*)». La *caritas* che realizza l'unità dello spirito viene qui esplicitamente identificata con lo Spirito Santo, con la *caritas* divina. Tale identità è limitata soltanto dalla differenza dei verbi *fit* ed *est* e dall'espressione *suo modo*. La prima indica che l'*unitas spiritus* si realizza nel tempo, mentre l'unità trinitaria è eterna; la seconda è spiegata nell'ultima frase del paragrafo 263: l'uomo diventa per grazia ciò che Dio è

per natura. Una ulteriore attenuazione può apparire la precisazione che con questa esperienza l'uomo diventa «non Dio, ma tuttavia ciò che Dio è». In realtà, la formula qui usata da Guglielmo è quella con la quale altrove egli designa l'eterna processione che si attua in seno alla Trinità (dal Padre al Figlio e dal Padre e dal Figlio allo Spirito Santo) pur nella distinzione delle persone: egli intende dire cioè che nell'unità dello spirito non vi è totale assorbimento e dissoluzione dell'anima in Dio; amante e Amato restano distinti, altrimenti non potrebbe nemmeno sussistere ciò che qui è essenziale: il rapporto d'amore. Ma in essa l'anima partecipa alla realtà divina, penetra nel profondo delle ineffabili e inconcepibili relazioni trinitarie[1]. E questa partecipazione, afferma ancora Guglielmo, si situa sul piano del *uelle*, è perfetta unità del volere con Dio. Come egli spiega infatti nella *Epistola ad fratres de Monte Dei* (par. 258), in Dio vi è assoluta identità tra *uelle* ed *esse*: «Volere ciò che Dio vuole è già essere simili a Dio; non poter volere altro se non ciò che Dio vuole è già essere ciò che Dio è (*esse quod Deus est*): per lui infatti volere ed essere sono la stessa cosa».

Nel passo appena citato della *Epistola* compaiono, a proposito dell'*unitas spiritus*, le metafore del bacio e dell'abbraccio fra l'anima e Dio. Ed è proprio nella *Expositio super Cantica Canticorum* che Guglielmo sviluppa, a partire dai temi dell'epitalamio biblico, tutta la mistica nuziale che esse sottintendono. Attraverso la simbologia dei rapporti fra lo sposo e la sposa nel *Cantico*, egli descrive le modalità e gli effetti dell'unione amorosa fra l'anima e Dio. Il luogo in cui essa avviene – ossia il luogo in cui lo Spirito Santo penetra e trasforma in tal modo la nostra volontà da far sì che essa ami Dio come Dio ama sé stesso – è qui rappresentata (par. 95) dal *lectulus noster floridus* di *Cant.* 1,6: «Il piccolo letto fiorito è la coscienza piena di delizia, è la gioia in essa dello Spirito Santo: è il perenne godimento della verità alla sua stessa fonte [...]. In esso si compie quella mirabile unione (*coniunctio*), quel mutuo godimento di dolcezza, di gioia incomprensibile e impensabile (*gaudiique incomprehensibilis et incogitabilis*) perfino per coloro nei quali esso si compie, fra Dio e l'uomo diretto verso Dio, fra lo spirito creato e quello increato verso cui è te-

[1] Ved. in proposito Verdeyen, *La théologie mystique* cit., pp. 73-9.

so. Essi vengono chiamati Sposa e Sposo, mentre la lingua umana cerca le parole per esprimere in qualche modo (*utcumque exprimi*) la dolcezza e la soavità di questa unione, che altro non è se non l'unità del Padre e del Figlio di Dio, il loro stesso bacio, il loro abbraccio, il loro amore, la loro bontà e tutto ciò che, in questa unità infinitamente semplice (*in illa simplicissima unitate*), è comune a entrambi. Tutto questo è lo Spirito Santo, Dio, carità, insieme donatore e dono (*idem donans, idem et donum*). Nell'intimità di questo letto infatti viene scambiato quell'abbraccio, quel bacio grazie al quale la Sposa incomincia a conoscere così come è conosciuta. E come nei loro baci gli amanti trasfondono reciprocamente le loro anime con un soave e mutuo scambio, così lo spirito creato si effonde tutto quanto nello Spirito che lo ha creato a questo fine: in lui lo Spirito Creatore si riversa, nella misura che vuole, e l'uomo diventa un solo spirito (*unus spiritus*) con Dio». Si tratta di quella estasi mistica – *excessus mentis*, visione del volto di Dio, *raptus* – che tante volte Guglielmo descrive nelle sue opere. Le metafore del bacio e della *coniunctio* alludono al tema fondamentale della presenza divina, di quella presenza che la semplice fede – conoscenza *per speculum in aenigmate* – non può ottenere. L'alternanza fra assenza e presenza dello sposo nel *Cantico* è interpretata nella *Expositio* come alternanza fra il tempo della ricerca razionale, che non riesce mai ad afferrare la vera essenza di Dio, e i rari e brevi momenti in cui Dio si manifesta nella grazia illuminante dello Spirito Santo: questa esperienza di beatitudine amorosa rappresenta una visione intellettuale che supera la fede, una conoscenza effettiva – anche se di ordine non concettuale – della realtà divina[1]. Nel bacio infatti la Sposa entra in contatto con lo Sposo, ne gusta il sapore, si fonde in qualche modo con lui in una perfetta reciprocità: se il bacio dello Sposo è il dono della *caritas* da parte dello Spirito Santo, quello della Sposa è la pratica della virtù e la disposizione interiore a ricevere questo dono.

Ma Guglielmo torna più volte sulla brevità di questa esperien-

[1] A torto, dunque, Marie-Madeleine Davy cerca di ridurla a «una descrizione immaginosa del senso dell'amore illuminato», a «una esperienza di sentimento extraconcettuale» che, con la sua dolcezza, incoraggerebbe l'uomo a perfezionare e a purificare il suo amore; cfr. Davy, *Théologie et mystique* cit., pp. 251-2.

za: «Finché siamo in questa vita» egli scrive nel *de contemplando Deo*, «il nostro sentimento (*affectus*) gode qualche volta del silenzio di questa pace beata nel cielo, ossia nell'anima del giusto che è sede della sapienza; ma per una mezz'ora o meno di mezz'ora» (par. 10). La fine dell'estasi, simboleggiata nella *Expositio* dalla partenza dello Sposo dopo le sue fugaci visite alla Sposa, lascia nell'anima un senso di vuoto e quasi di disperazione. Nel *de natura et dignitate amoris* (par. 10) questa reazione è paragonata a quella di una persona cresciuta in campagna e abituata a cibi rustici che, dopo essere entrata una volta in una reggia ed essersi seduta alla sua ricca tavola, ne sia poi scacciata: «Allora» scrive Guglielmo, «si rassegna malvolentieri a ritornare nella casa della sua povertà; così corre spesso alla porta della reggia e – molesta, sfacciata, insistente come una povera, come una mendicante – spera, sospira, scruta, alza gli occhi per vedere se le porgono qualcosa, se prima o poi le aprono». Ma uno stabile e definitivo godimento dell'unione con lo Sposo non è consentito in questa vita: la luce del volto di Dio, che egli mostra talvolta quaggiù ai suoi prediletti, è «come una luce chiusa fra le mani, che appare e scompare a piacimento di chi la porta»[1]. Lo Sposo, quasi giocando con la Sposa i giochi dell'amore lascivo, «sta dietro il muro e guarda dalle finestre, per eccitare il desiderio dell'innamorata lasciandosi vedere – ma non interamente (*sed non totus*) – con un'espressione invitante, facendo ascoltare – ma di lontano (*sed remotus*) – appelli e inviti»[2]. Le estasi e le teofanie di cui si può godere – raramente – in questo mondo, non sono infatti che anticipazioni, promesse, della visione piena ed eterna del volto di Dio, della visione *facie ad faciem*, che è riservata agli eletti nella vita futura: «Questo abbraccio» scrive Guglielmo, «incomincia quaggiù; ma dovrà essere completato altrove. Questo abisso chiama un altro abisso; questa estasi sogna ben altro da ciò che vede; questo segreto anela a un altro segreto; questa gioia immagina un'altra gioia; questa soavità prepara un'altra soavità. Di questa e di quella felicità, invero, identica è la materia, ma diverso l'aspetto; identica la natura, ma diversa la dignità; simile la sensazione

[1] *Epistola ad fratres de Monte Dei* 268.
[2] *Expositio super Cantica Canticorum* 180.

(*sensus*), ma diversa la maestà. Una è propria della condizione mortale, l'altra dell'eternità; una del viaggio, l'altra della destinazione; una del progresso spirituale, l'altra della perfezione raggiunta e della perfetta beatitudine. Quando la faccia sarà pienamente svelata alla faccia (*plene reuelabitur facies ad faciem*), quando si perfezionerà la reciproca conoscenza, quando la Sposa conoscerà così come è conosciuta, allora il bacio sarà completo (*plenus*), completo l'abbraccio [...]. La loro virtù sarà la sapienza di Dio, la loro dolcezza lo Spirito Santo, la loro perfezione il pieno godimento della divinità. E Dio sarà tutto in tutte le cose (*et Deus omnia in omnibus*)»[1].

Sul tema di Dio-carità la teologia mistica di Bernardo concorda, nelle sue linee fondamentali, con quella di Guglielmo. Anche Bernardo parte dal *Deus caritas est* di Giovanni; e anche per lui la *caritas* è il legame eterno che unisce la Trinità. Egli ne parla anzi, paradossalmente, come di una «legge» alla quale Dio stesso è sottoposto: «È chiamata legge del Signore sia perché egli vive di essa, sia perché nessuno la possiede se non per dono suo. E non sembri assurdo ciò che ho detto – che anche Dio vive di una legge – dato che non ho parlato se non della legge della carità. Che cosa infatti se non la carità mantiene la suprema e ineffabile unità nella suprema e beata Trinità? È dunque una legge – la legge del Signore – la carità, che in qualche modo stringe in unità la Trinità e la lega nel vincolo della pace» (*de diligendo Deo* XII 35). In quanto *caritas*, perciò, Dio è anche l'origine di ogni amore. Guglielmo di Saint-Thierry, citando un altro versetto di Giovanni (*1 Ep. Io.* 4,10: *Ipse prior dilexit nos*, «Egli ci ha amati per primo»), aveva scritto nel *de contemplando Deo* (par. 12): «Ed è così, è proprio così: ci hai amati per primo, perché noi ti amassimo. Non che tu abbia bisogno di essere amato da noi; ma noi non potevamo essere ciò per cui ci hai fatti se non amandoti». Questo versetto è il punto di partenza dal quale muove tutta l'argomentazione del *de diligendo Deo*, in risposta alla duplice domanda: «Perché e in quale misura si debba amare Dio» (I 1). Premesso che non trova «assolutamente altra ragione di amare Dio se non Dio stesso», Bernardo prosegue: «Ha certamente meritato molto per noi, lui che si è offerto a

[1] *Ibid.* 132.

noi senza che lo meritassimo. Che cosa poteva dare, egli stesso, meglio di sé stesso? Perciò, se nel cercare la ragione per la quale amare Dio si cerca quale sia il suo merito, il principale è questo: "Ci ha amati per primo"». Enumera quindi tutti i beni, materiali e spirituali, che Dio ci ha donato e che dovrebbero indurre anche i non credenti ad amarlo. Ma il suo dono più grande, per Bernardo come per Guglielmo, è quello del Figlio suo, che si è sottomesso alla carne e alla morte per amore degli uomini. E con il Figlio, è stata la Trinità tutta intera ad averci preceduti nel suo amore e a essersi offerta per la nostra salvezza (IV 13): «Insomma "Dio ha amato il mondo al punto da offrirgli il suo Figlio unigenito" [*Eu. Io.* 3,16]: non vi è dubbio che questa espressione si riferisca al Padre. Così "ha offerto sé stesso alla morte" [*Is.* 53,12]: e queste parole si riferiscono senza dubbio al Figlio. Ma si parla anche dello Spirito Santo: "Lo Spirito Paraclito, che il Padre invierà in mio nome, vi insegnerà ogni cosa e vi ricorderà tutto ciò che vi avrò detto" [*Eu. Io.* 14,26]. Dunque Dio ama e ama con tutto sé stesso, perché è tutta la Trinità ad amare, ammesso che si possa parlare di "tutto" a proposito di ciò che è infinito e incomprensibile o, in ogni modo, semplice». Così, anche il nostro amore – benché insufficiente e incommensurabile con quello divino – è stato creato e infuso nella nostra anima da Dio: è anzi, nel suo massimo grado di purezza, lo stesso amore di Dio che agisce dentro di noi. Come per Guglielmo, infatti, anche per Bernardo la *caritas* umana non è altro che la volontà *affecta* dallo Spirito Santo, il nostro *affectus* restaurato nella sua originaria somiglianza con Dio. Ma se Dio è causa efficiente dell'amore, ne è insieme la causa finale: Dio ama perché il suo amore gratuito (*gratuitus*) sia ripagato con un amore che gli è «dovuto» (*debitus*). Rispondendo alla seconda parte della domanda iniziale («in quale misura si deve amare Dio»), Bernardo afferma (*de diligendo Deo* VI 16): «Ebbene [...], la misura di amare Dio è amarlo senza misura. In fondo, poiché l'amore che si rivolge a Dio si rivolge all'immenso, all'infinito (essendo Dio infinito e immenso), quale mai, te lo chiedo, dovrebbe essere il limite o la misura del nostro amore? Quale, se teniamo presente che il nostro amore non è un'offerta gratuita, ma il rimborso di un debito?». Se raggiungerà questa intensità e questa veemenza, l'amore umano farà così ritorno al suo Principio, sarà riassorbito per opera della grazia in quello che è il suo luogo di nascita e la sua pa-

tria[1]. Continua Bernardo (VII 22): «Ho detto prima: la causa per cui si deve amare Dio è Dio stesso. Ho detto la verità, perché egli è la causa efficiente e quella finale. È lui a offrire l'occasione (*occasionem*), lui a far nascere il sentimento (*affectionem*), lui ad appagare il desiderio (*desiderium ipse consummat*). Egli ha fatto – o meglio si è fatto – in modo da essere amato; suscita in noi la speranza di poterlo amare un giorno più felicemente, perché il nostro amore per lui non sia vano. Il suo amore prepara e ricompensa (*et praeparat, et remunerat*) il nostro [...]. Si è dato per meritare il nostro amore, si conserva come ricompensa per noi, si costituisce come ristoro delle anime sante, si offre per riscattare le anime prigioniere [...]. In questo c'è qualcosa di meraviglioso: nessuno è capace di cercarti se prima non ti ha trovato. Perciò vuoi essere trovato per essere cercato, cercato per essere trovato». L'intero cammino dell'amore umano si inscrive dunque nella *caritas* divina: Dio è successivamente – nella prospettiva umana – *occasio*, *affectio* e *consummatio* dell'amore. Poiché in lui principio e fine coincidono, non si può amarlo se egli non si è amato in noi, non si può cercarlo se prima non lo si è trovato né trovarlo se prima non lo si è cercato.

Come per Guglielmo, amare Dio significa per Bernardo amare l'amore. È un tema da lui sviluppato soprattutto in uno degli ultimi sermoni sul *Cantico dei Cantici*, il *sermo* 83, un grande inno all'amore: «Esso basta a sé stesso, piace a sé stesso e per sé stesso. È merito e premio a sé stesso. L'amore non cerca fuori di sé né una ragione né un profitto: il suo profitto è la sua pratica. Amo perché amo, amo per amare. Grande cosa è l'amore, purché risalga al suo principio, purché ritorni alla sua origine, si riversi nella sua fonte e così da essa attinga sempre per scorrere senza interruzione. L'amore è il solo fra i moti dell'anima – sentimenti e affetti (*sensibus atque affectibus*) – in cui la creatura può contraccambiare il suo Artefice, se non da pari a pari, almeno da simile a simile [...]. Perché quando Dio ama, non vuole altro se non essere amato: non ama con altro scopo se non quello di essere amato, sapendo che per questo amore coloro che lo amano saranno beati» (83,4). Di qui, in

[1] Idea corrispondente a quella espressa da Guglielmo di Saint-Thierry all'inizio del *de natura et dignitate amoris* (par. 3), secondo cui l'amore è *ciuis* di Dio: «non straniero ma indigeno».

tutto il commento al *Cantico*, il tema delle nozze mistiche fra la Sposa e lo Sposo, con le conseguenti metafore del bacio e dell'abbraccio a indicare l'unione spirituale fra anima e Dio, la *unitas spiritus* con Dio o *excessus mentis* (talvolta designati anche con i termini *raptus*, «rapimento», ed *extasis*). Questa suprema esperienza è descritta raramente da Bernardo, anche se le sue parole lasciano intendere che egli l'abbia provata di persona. Il testo più significativo è sicuramente costituito dai paragrafi del *de diligendo Deo* in cui descrive il quarto e più alto grado dell'amore, quello in cui «l'uomo ama sé stesso per Dio». Scrive Bernardo (X 27): «Quando si può provare un sentimento (*affectum*) così profondo da far sì che lo spirito, inebriato dall'amore divino, dimentico di sé e diventato per sé stesso come un vaso gettato nei rifiuti, si slanci tutto intero verso Dio e unendosi a Dio diventi un solo spirito con lui [...] (*unus cum eo spiritus*)? Proclamerò beato e santo colui al quale è stato concesso di fare una simile esperienza durante questa vita mortale – magari di rado, o anche una volta sola – e questo fugacemente, per un istante appena. Perché perdere in qualche modo te stesso come se non esistessi (*tamquam qui non sis*), non avere più alcuna coscienza di te, svuotarti di te stesso (*a temetipso exinaniri*) e quasi annullarti (*paene annullari*) sono cose che appartengono alla condizione celeste, non alla sensibilità umana». Nella precedente lettera ai monaci della Certosa, inclusa alla fine del *de diligendo Deo*, Bernardo aveva messo in dubbio che un essere umano possa accedere al quarto grado dell'amore – alla perfetta *unitas spiritus* – durante questa vita (XV 39): «Certamente si rimane a lungo in questo grado [il terzo], anzi non so se qualcuno riesca in questa vita a raggiungere perfettamente il quarto, cioè quello in cui l'uomo ama sé stesso solo per Dio. Lo affermino quelli che ne hanno fatto esperienza, se ce ne sono; a me, lo confesso, sembra impossibile». Forse le sue estasi mistiche sono intervenute solo dopo la redazione di questo scritto[1]. In ogni caso, ciò che si produce al culmine di questo stato – raggiungibile solo nella condizione celeste – è de-

[1] Cfr. quanto osservano Ruh, *Storia della mistica occidentale* cit., pp. 316-8, e P. Verdeyen (in Bernard de Clairvaux, *L'amour de Dieu. La grâce et le libre arbitre*, introductions, traductions, notes et index par F. Callerot – J. Christophe – M.-I. Huille – P. Verdeyen, Paris 1993, p. 129 nt. 3). Ved. anche la nostra nota 279 al *de diligendo Deo*.

scritto come una vera e propria perdita di sé, uno svuotamento dell'io, quasi un autoannullamento. È il tema della *deificatio*, cui Bernardo dedica qui una delle sue pagine più famose (X 28): «O amore santo e casto! O dolce e soave sentimento (*affectio*)! O volontà (*intentio uoluntatis*) schietta e purificata, tanto più purificata e schietta in quanto non la intorbida più nulla di personale (*proprium*), tanto più soave e dolce in quanto tutto ciò che si sente è divino! Provare questo sentimento vuol dire essere deificati (*Sic affici, deificari est*). Come una minuscola goccia d'acqua versata in una grande quantità di vino sembra perdervisi completamente, assumendo il sapore e il colore del vino; come il ferro messo nel fuoco diventa incandescente e, spogliatosi della forma originaria che gli era propria, si confonde quasi con il fuoco; come l'aria inondata dalla luce del sole si trasforma nel fulgore del suo lume, tanto che non sembra essere illuminata ma sembra la luce stessa, così nei santi ogni sentimento (*affectionem*) umano dovrà dissolversi (*liquescere*) in una certa ineffabile maniera e riversarsi nel fondo (*penitus transfundi*) della volontà di Dio».

Fra Bernardo e Guglielmo di Saint-Thierry vi è dunque profonda consonanza nella concezione dell'*unitas spiritus*, dell'unione spirituale fra la Sposa e lo Sposo. Ma su un punto essenziale la loro dottrina diverge, tanto che qualche studioso ha ipotizzato che a partire da un certo momento vi sia stato, se non un vero e proprio scontro fra i due, almeno un progressivo raffreddamento dei loro rapporti: potrebbe essere questa la spiegazione – ma non ci sono prove storiche – del gesto inatteso con il quale Guglielmo, poco prima di morire, affidò la custodia delle sue opere ai certosini del Mont-Dieu anziché ai cistercensi[1]. Nel *sermo* 71 sul *Cantico dei Cantici*, Bernardo distingue chiaramente fra l'unità del Padre e del Figlio che si attua in seno alla Trinità e quella che si produce fra uomo e Dio nell'*excessus mentis* (71,7): «Il Padre» scrive «è nel Figlio, nel quale si è sempre compiaciuto; e il Figlio è nel Padre, dal quale come è sempre generato, così non è mai separato. Invece l'uomo è in Dio e Dio nell'uomo per mezzo della carità, come dice Giovanni: "Chi rimane nella carità rimane in Dio, e Dio in lui" [*1*

[1] Cfr. Verdeyen, *La théologie mystique* cit., p. 73.

Ep. Io. 4,16]. Questo implica un certo accordo (*consensio*) per il quale sono due in un solo spirito, anzi sono un solo spirito (*unus spiritus*). Vedi la differenza? Non è lo stesso avere una stessa sostanza e avere la stessa volontà (*consubstantiale et consentibile*). Se badi bene, puoi cogliere anche la differenza che esiste fra le due unità considerando quella fra "una cosa sola" (*unum*) e "uno solo" (*unus*): infatti, né il Padre e il Figlio possono essere detti "uno solo", né l'uomo e Dio "una cosa sola". Non possono essere detti "uno solo" il Padre e il Figlio, perché uno è il Padre e uno è il Figlio: vengono detti e sono invece "una cosa sola", perché hanno assolutamente la stessa sostanza, non una propria a ciascuno. Al contrario, poiché uomo e Dio non sono di una stessa sostanza o natura, non si può dire che siano una stessa cosa: si può però dire con certa e assoluta verità che sono un solo spirito, se si uniscono fra loro con il mastice dell'amore. Questa unità non si realizza con la fusione delle essenze (*essentiarum cohaerentia*), ma con l'accordo delle volontà (*uoluntatum consensio*)». Altrove Bernardo distingue analogamente la *caritas* come donatore, cioè lo Spirito Santo, e la *caritas* come dono, cioè la grazia con cui lo Spirito Santo illumina la mente: «Giustamente la carità è detta Dio e dono di Dio. Così la carità dà la carità: quella sostanziale dà quella accidentale. Quando significa il donatore è nome di sostanza; quando significa il dono, di qualità». È una distinzione del tutto simile a quella proposta da Guglielmo nel *de natura et dignitate amoris*: ma nelle opere successive e in particolare nella *Epistola ad fratres de Monte Dei*, come si è visto, quella identità che prima era considerata solo come un'espressione enfatica (*per emphasim*) diventa verità teologica. Per Guglielmo, l'*unitas spiritus* non è soltanto una condizione che lo Spirito Santo realizza o cui dispone lo spirito umano, ma «è effettivamente lo Spirito Santo, Dio carità»; «a suo modo, [lo Spirito Santo] diviene per l'uomo nei confronti di Dio ciò che, in virtù dell'unità consustanziale, è per il Figlio nei confronti del Padre e per il Padre nei confronti del Figlio»; e così, incomprensibilmente e ineffabilmente, l'uomo «merita di diventare non Dio, ma tuttavia ciò che Dio è: l'uomo diventa per grazia ciò che Dio è per natura». In questo passo della *Epistola* (par. 262), Guglielmo accosta deliberatamente le due espressioni che nel *sermo* 71 sul *Cantico dei Cantici* Bernardo distingue con tanto scrupolo: l'*unitas spiritus*, dichiara Guglielmo, «si ha quando l'uomo diventa una sola cosa con

Dio (*unum cum Deo*), un solo spirito (*unus spiritus*), non soltanto per l'unità di un identico volere, ma per una sorta di espressione più vera di una virtù che [...] non è capace di volere altro». Non soltanto dunque *unus spiritus*, come vuole Bernardo, ma anche *unum cum Deo*, «una cosa sola con Dio». Il conflitto fra i due teologi appare in tutta la sua evidenza: per Bernardo l'unità fra uomo e Dio si situa sul piano del *uelle* ma non su quello dell'*esse*; nella dottrina più matura di Guglielmo, invece, essa si situa tanto sul piano del *uelle* che su quello dell'*esse*, conformemente alla sua affermazione secondo cui in Dio *uelle et esse idipsum est*. Non vi è dubbio che su questo punto la posizione di Guglielmo sia più rigorosa e coerente di quella di Bernardo, giacché porta fino alle estreme conseguenze l'affermazione del primato ontologico dell'amore. Per entrambi i teologi infatti la libera volontà, il puro *affectus* è ciò che costituisce propriamente nell'uomo l'*imago* divina e in cui l'uomo può effettivamente conoscere o vedere Dio in sé stesso: è dunque ciò che costituisce l'essere dell'uomo in quanto creato «a immagine e somiglianza» di Dio. Introducendo di fatto, a proposito dell'*excessus mentis*, una distinzione fra un'unità di essenza o di natura – quella trinitaria – e una che deriva semplicemente da una *conniuentia uoluntatum*, da una connessione o congiunzione di due volontà che appartengono a essenze diverse, Bernardo spezza quella identità fra essere e volere che sta alla base della dottrina del libero arbitrio come immagine per eccellenza – immagine ontologicamente più alta – che Dio ha impresso nell'uomo.

Il tema del *raptus* mistico e dell'unione con Dio appare anche nei successivi trattatisti cistercensi e vittorini del XII secolo, ma solo sullo sfondo di riflessioni più attente agli aspetti psicologici dell'amore: come esperienza proiettata nella rarefatta lontananza della vita futura, senza che ne vengano affrontate le sconvolgenti implicazioni teologiche. Nella sua minuziosa illustrazione della natura e dei diversi aspetti dell'amore, Aelredo di Rievaulx non manca di trattare anche di quelle che chiama «visite», cioè delle gioie interiori o «compunzioni» con cui Dio agisce in qualche modo sull'anima umana. Nel secondo libro dello *Speculum caritatis* (II 9,20) egli distingue tre diverse visite: «La prima visita [...] scuote chi è indolente, la seconda conforta chi soffre, la terza accoglie chi sta per salire al cielo. La prima compunzione chiama alla santità, la seconda la conserva, la terza la premia. La prima spa-

venta chi disprezza Dio o attira chi lo teme; la seconda ritempra e stimola chi si sforza, la terza abbraccia chi sta arrivando alla meta. La prima è una sorta di sprone che corregge chi esce dalla retta via, la seconda è come un bastone che sostiene chi è debole, la terza è un lettino che accoglie chi si riposa». Se le prime due visite hanno soltanto lo scopo di risvegliare e di alimentare negli uomini l'amore di Dio, la terza corrisponde effettivamente alla beatitudine che si prova nella visione di Dio, nell'estasi. Poco più avanti (II 11,28), Aelredo la descrive in termini simili a quelli che si possono trovare in Guglielmo o in Bernardo: «In questo stato l'anima, abituata agli innumerevoli stimoli degli affetti (*affectuum*) celesti, a poco a poco viene trasportata a quel genere di visita sublime, sperimentata da pochissimi, in cui comincia a pregustare alcune primizie (*primitias*) della sua futura ricompensa, passando nel luogo del mirabile tabernacolo fino alla casa di Dio: dilatandosi al di sopra di sé, si inebria con il nettare dei misteri celesti e, contemplando con sguardo purissimo il luogo del suo futuro riposo, esclama col profeta: "Questo è il mio riposo per sempre; qui abiterò perché l'ho scelto" [*Ps.* 121,14]». Una descrizione della stessa esperienza, da un diverso punto di vista, è quella che si legge all'inizio del terzo libro (III 1,1) nel quadro di un altro schema ternario, particolarmente caro ad Aelredo, quello dei tre «sabati»: al sabato della settimana, che rappresenta l'amore di sé, e a quello del settimo anno, che rappresenta l'amore del prossimo, segue infatti – portandoli al loro pieno compimento – il «sabato dei sabati», che corrisponde al cinquantesimo anno e risulta quindi dalla moltiplicazione di sette per sette più l'unità: «E poiché nell'unità non c'è alcuna divisione, non ci sarà a quel punto alcun disperdersi della mente in diverse direzioni, ma essa sarà una nell'uno, con l'uno, grazie all'uno, tutta volta all'uno (*unum in uno, cum uno, per unum, circa unum*), sentirà e gusterà solo l'uno; e poiché esso sarà sempre l'uno, rimarrà sempre nel riposo e così celebrerà il sabato eterno». L'anima che raggiunge questo sabato, scrive ancora Aelredo (III 6,17), è quella che muove verso l'*amplexus* con Dio, verso la sua contemplazione diretta: «Così, infiammata da uno straordinario desiderio, va oltre il velo della carne, entrando in quel santuario nel quale Cristo Gesù è spirito davanti al suo volto, ed è assorbita completamente da quella ineffabile luce e da quella insolita dolcezza. Dopo che hanno fatto silenzio tutte le cose del

corpo, tutte le cose dei sensi, tutte le cose che mutano, l'anima fissa col suo sguardo penetrante Colui che è, Colui che così è sempre, Colui che è sempre sé stesso, Colui che è l'Uno e, ormai libera di vedere che il Signore è Dio, negli abbracci soavi della sua carità celebra senza alcun dubbio il sabato dei sabati». Ma della «terza visita» o del «sabato dei sabati» ci è dato gustare in questa vita solo qualche primizia e qualche assaggio (*sorbitiuncula*), che pur costituendo già una ricompensa hanno soprattutto lo scopo di confortarci e di rafforzarci nel nostro cammino verso Dio[1]. Manca in Aelredo qualunque riferimento al fondamentale problema speculativo di Guglielmo e di Bernardo: quello dell'*intellectus amoris*, del reale potere conoscitivo di queste esperienze spirituali.

Sensibilmente diversa è la posizione di Riccardo di San Vittore. Nei suoi scritti il tema della contemplazione di Dio e dell'*excessus mentis* assume grande rilievo. Nel *Beniamin minor* esso figura al culmine della minuziosa interpretazione delle storie bibliche di Lia e di Rachele come allegorie del progresso spirituale dell'anima: contemplazione ed *excessus* corrispondono infatti – rispettivamente – alla morte di Rachele, simbolo della *ratio*, e alla nascita del suo secondo figlio Beniamino, simbolo della *contemplatio*. Scrive Riccardo (cap. 82): «Al tuono della voce divina, colui che lo sente cade, perché dinanzi a ciò che gli è divinamente ispirato, l'intelletto (*sensus*) umano soccombe completamente e, se non abbandona gli stretti limiti del ragionamento umano, non allarga la capacità della sua intelligenza (*intelligentiae sinum*) per ricevere il segreto (*archanum*) della divina ispirazione. Qui, dove la ragione umana vien meno, chi ascolta cade. Qui Rachele muore, perché possa nascere Beniamino. Così, se non mi sbaglio, con la morte di Rachele e la caduta dei discepoli [di Gesù al momento della trasfigurazione] non è rappresentato altro se non il triplice cedimento (*defectus*) dei sensi, della memoria e della ragione. Infatti là dove svaniscono i sensi corporei, la memoria delle cose esterne e la ragione umana, la mente (*mens*), rapita sopra sé stessa, si eleva verso le altezze». Poco oltre (cap. 85) Riccardo sviluppa anche la simbologia nuziale, sebbene per lui – con inversione

[1] Ved. in proposito le considerazioni di Ruh, *Storia della mistica occidentale* cit., pp. 391-2.

della simbologia tradizionale – lo Sposo (Beniamino) sia lo spirito contemplante e la Sposa la divina *sapientia*: «Per quale ragione pensi che questo Beniamino indugi tutto il giorno nella camera nuziale? Per quale ragione vi riposa ininterrottamente, tanto da non volerne uscire nemmeno per un'ora? [...]. So soltanto una cosa: chiunque avvampi del desiderio di una simile amica, quanto più la conosce intimamente, tanto più ardentemente la ama, e quanto più spesso gode dei suoi abbracci, tanto più violentemente (*uehementius*) brucia del desiderio di lei [...]. Non c'è dunque da stupirsi se questo Beniamino resta per tutto il giorno in una sorta di camera nuziale, lui che gode della dolcezza di una simile Sposa e, riposando fra le sue braccia, trova un incessante diletto nel suo amore. Quante volte, puoi immaginare, è preso da trasporti della mente (*mentis excessus*), quanto spesso, rapito in estasi (*in extasim raptus*), è trascinato al di sopra di sé stesso, mentre, stupito dalla sua immensa bellezza, rimane sospeso nella sua ammirazione – e si compie senza alcun dubbio ciò che leggiamo di lui: "Beniamino, giovinetto nel trasporto della mente" [*Ps.* 67, 28]». Nel *de IV gradibus uiolentae caritatis* (cap. 38) questa esperienza è descritta in termini analoghi come propria del terzo grado dell'amore: «Il terzo grado dell'amore si ha quando la mente dell'uomo è rapita (*rapitur*) in quell'abisso di luce divina, tanto che in questo stato lo spirito umano, dimentico di tutte le cose esterne, perde completamente la coscienza di sé e passa interamente nel Dio suo [...]. In questo stato, l'anima che viene alienata da sé stessa, rapita fino al sacrario del mistero divino, circondata da ogni parte dall'incendio dell'amore divino, penetrata nel profondo, infiammata dappertutto, si spoglia completamente di sé stessa, si riveste quasi di un sentimento (*affectum*) divino e, conformatasi alla bellezza che ammira, passa tutta intera a una nuova gloria». Come si vede, qui Riccardo non è lontano dalle descrizioni di Guglielmo e di Bernardo. Di quest'ultimo riprende e sviluppa subito dopo anche una delle tre similitudini riferite all'annichilimento dell'anima in Dio, quella del ferro incandescente (cap. 39): «Quando [...] si getta il ferro nel fuoco, esso si mostra dapprima scuro e freddo. Ma dopo che è rimasto a lungo nella fiamma, si riscalda un poco alla volta, perde progressivamente il suo colore scuro e, diventando gradualmente incandescente, a poco a poco diventa simile al fuoco, fino a liquefarsi completamente,

a perdere tutte le sue proprietà (*a se plene deficiat*) e ad assumerne altre. Allo stesso modo l'anima, assorbita nel rogo dell'ardore divino e nella fiamma di un amore che penetra nel profondo, circondata da ogni parte da uno stuolo di desideri eterni, dapprima si riscalda, poi si arroventa, infine si liquefà completamente e perde tutte le proprietà del suo stato precedente».

Guglielmo di Saint-Thierry: il progresso dell'amore

La struttura dei trattati cristiani sull'amore del XII secolo si conforma per lo più alle fasi o alle tappe della *conuersio* della mente a Dio, cioè ai gradi progressivi della *ordinatio* o purificazione dell'amore fino alla restaurazione in essa della «somiglianza» con il Creatore, perduta a causa del peccato. Poiché questi trattati erano destinati principalmente ai monaci, i gradi dell'amore corrispondono di norma ai momenti successivi della formazione spirituale offerta dalla vita monastica: il convento infatti è, per eccellenza, *schola caritatis*[1]. Numero e contenuto di questi gradi variano a seconda delle diverse prospettive spirituali o delle esigenze espositive degli autori. Il piano del *de natura et dignitate amoris* di Guglielmo di Saint-Thierry segue lo schema evolutivo della vita umana, ed è chiaramente esposto all'inizio del trattato (par. 3): «Come [...], a seconda che l'età aumenti o diminuisca le forze, il bambino si trasforma in giovane, il giovane in uomo, l'uomo in vecchio – e a ciascuna età assume così un nome diverso in base al cambiamento delle caratteristiche – così, man mano che le virtù progrediscono, la volontà (*uoluntas*) si sviluppa in amore (*amor*), l'amore in carità (*caritas*), la carità in sapienza (*sapientia*)». Alla fine del trattato (par. 45), però, egli precisa che i gradi di questa ascesa «non sono come i gradini di una scala, nel senso cioè che alcuni singoli sentimenti (*affectus*) siano necessari

[1] Cfr. Guglielmo di Saint-Thierry, *de natura et dignitate amoris* 26: «Questa è la speciale scuola di carità (*specialis caritatis schola*). Qui si praticano gli esercizi per apprenderla, fervono le discussioni su di essa: le soluzioni non sono dettate tanto dai ragionamenti, quanto dalla ragione e dalla stessa verità delle cose e dall'esperienza». Cfr. in proposito il capitolo «Schola caritatis» in Gilson, *La théologie mistique* cit., pp. 78-107, e Davy, *Introduction* a Guillaume de Saint-Thierry, *Un traité de la vie solitaire* cit., pp. 101-21.

solo quando è il loro momento e non lo siano in altri momenti. Certo, ciascun sentimento ha il suo tempo e il suo luogo nel corso dell'ascesa [...]. Ma tutti concorrono e collaborano fra loro, tutti si precedono e si seguono: spesso gli ultimi diventano i primi e i primi gli ultimi». Il momento iniziale, corrispondente all'infanzia, è ancora quello della volontà assolutamente libera di dirigersi sia verso il bene sia verso il male, «come se si trovasse alla biforcazione rappresentata dalla lettera di Pitagora» (par. 5). Nel primo caso, essa si sviluppa in amore; nel secondo «sprofonda nell'inferno dei vizi», cioè degenera in *cupiditas*. Quando dunque, orientandosi verso il bene, la volontà «incomincia a volere con impeto (*uehementer*) ciò che vuole Dio e ciò che le suggeriscono di volere la memoria e la ragione [...], diventa amore. Perché l'amore altro non è se non una volontà impetuosa (*uehemens*) nel bene» (par. 4). Si passa così alla fase della giovinezza, caratterizzata appunto da questa veemenza, da questo ardore, i quali conducono a una sorta di spirituale ebbrezza o di «santa follia», in cui «chi più ama più deve correre» (par. 9). Ma colui che si trova in questa condizione deve anche saper frenare il suo entusiasmo con la preghiera, la meditazione assidua, le letture edificanti, la purezza del corpo e del cuore, la sobrietà della vita e soprattutto l'obbedienza ai superiori: il suo infatti è ancora un *caecus amor* che deve essere guidato da chi vede, allo stesso modo in cui «una persona che vede insegna un lavoro a qualcuno che non vede, lo prende a sé per istruirlo, lo fa piegare, lo rialza e lo mette nella posizione giusta, facendogli acquisire una certa pratica del lavoro da eseguire, piuttosto che la tecnica vera e propria» (par. 9). L'anima tormentata dal desiderio di Dio incomincia così a gustare già qualche briciola del banchetto celeste – «frequenti e improvvise teofanie e splendori» (par. 10) – ma è anche assalita dalle tentazioni, che possono ritardarne il cammino o addirittura riportarla indietro. Se persiste nella sua maturazione, l'amore incomincerà «a fortificarsi e a essere illuminato, a trasformarsi nel sentimento (*affectum*) di una virtù superiore, di una più alta dignità, e ad assumerne il nome». Questo nome è *caritas*: «L'amore illuminato (*amor illuminatus*), infatti, è la carità: la carità è l'amore che viene da Dio, è in Dio e va verso Dio. Anzi, la carità è Dio» (par. 12). In questa parte del *de natura et dignitate amoris* Guglielmo sviluppa la sua ampia trattazione sulla *caritas* o *amor diuinus*, sui sensi spirituali e in particolare sulla vista dell'anima, sui due occhi della contemplazione (ragione e amo-

re), sui benefici effetti della carità nella vita comunitaria del chiostro, che diventa in tal modo – afferma Guglielmo – un vero e proprio «paradiso celeste» (par. 25). Anche se tale aspetto resta nel *de natura et dignitate amoris* solo implicito, il passaggio dall'*amor* alla *caritas* è segnato essenzialmente dall'intervento dello Spirito Santo, che illumina l'amore: l'ascesa della mente verso Dio si rovescia cioè in discesa della grazia divina in noi. A un certo momento l'anima, ormai tutta tesa verso Dio, incomincia a considerare come un impaccio ogni preoccupazione terrena, anche quelle che derivano dalla carità verso gli altri e che Guglielmo designa con la metafora delle *sarcinae*, dei «bagagli». È l'ultima fase del progresso interiore, quella corrispondente alla vecchiaia, in cui la *caritas* si trasforma in *sapientia*. Non che la sapienza abbandoni la carità: «Tuttavia sente fatica [...] nel portare i bagagli della carità, perché essendo ormai protesa verso altre realtà cerca di prepararsi e di disporsi a entrare nella gioia del suo Signore» (par. 27). La *sapientia* (termine che Guglielmo, come si è visto, deriva da *sapor*) è appunto il gusto, cioè la *fruitio* – il godimento – di Dio. Qui lo scrittore colloca una lunga trattazione sul ruolo di mediatore svolto da Cristo, che facendosi uomo ci ha dato la capacità di gustare – cioè di comprendere pienamente – la sapienza, gli insegnamenti di Dio (par. 31): «Tale è il gusto che ci procura in Cristo lo spirito di intelligenza (*spiritus intellectus*), dell'intelligenza – voglio dire – delle Scritture e dei sacramenti di Dio [...]. Infatti, quando incominciamo non solo a comprendere ma anche, per così dire, a palpare e toccare (*palpare et tractare*) con la mano dell'esperienza il senso interno delle Scritture e la virtù dei segreti e dei sacramenti di Dio [...], solo allora la sapienza svolge la sua funzione». Questa *sapientia* è dunque esperienza diretta della divinità, *unitas spiritus*, amplesso della Sposa e dello Sposo. Già in questa vita essa fa pregustare la beatitudine della vita futura e avvertire qualcosa della glorificazione dei corpi; ma solo la morte – quando l'anima si libererà veramente dei «bagagli» – potrà far godere la perfetta unione con Dio (par. 44): «Infatti, una volta lasciato il corpo e tutti gli impacci e le preoccupazioni che ne derivano, essa dimentica ogni cosa tranne Dio; non interessandosi di nient'altro se non di Dio e quasi considerandosi sola con Dio solo, esclama: "Il mio diletto è per me e io sono per lui" [*Cant.* 2,16]». E su questa definitiva *conuersio*, su questo ritorno alla Patria celeste, alla «casa stessa di Dio», si conclude la vita spirituale esposta nel trattato.

In altri suoi scritti Guglielmo scandisce il progresso dell'amore di Dio in modo leggermente diverso nella terminologia, ma più o meno equivalente nella sostanza[1]. Anche nel *de contemplando Deo* (par. 7) egli aveva distinto quattro fasi successive: «C'è un amore di desiderio (*desiderii*) e un amore di godimento (*fruitionis*). L'amore di desiderio merita talvolta la visione (*uisionem*), la visione il godimento (*fruitionem*), il godimento la perfezione dell'amore (*amoris perfectionem*)». Analoghe «scale» degli affetti spirituali sono delineate in due luoghi della *Epistola ad fratres de Monte Dei*. Nel primo (par. 235) sono distinti successivamente: *amor*, che si ha quando la volontà si unisce alla verità e si muove verso l'alto; *dilectio*, quando essa è «allattata» dalla grazia; *caritas*, infine, quando «prende, afferra, gode». *Caritas* – come si è già visto – è qui sinonimo di *unitas spiritus* e addirittura di Dio, perché *Deus caritas est*. Nel secondo luogo (par. 257) i diversi gradini sono: *amor*, cioè la volontà fortemente tesa verso Dio; *dilectio*, il congiungimento, l'unione; *caritas*, il godimento (*fruitio*); a essa segue l'*unitas spiritus*, ossia la perfezione della volontà che si raggiunge quando l'uomo non può volere altro se non ciò che vuole Dio. Al di là delle sfumature, nella più matura terminologia di Guglielmo *amor* o *desiderium* rappresenta dunque lo slancio iniziale della volontà verso Dio, *dilectio* è l'illuminazione di questa volontà a opera della grazia o dello Spirito Santo, *caritas* la sua fusione o conformazione alla volontà di Dio (con possibili gradazioni interne: *uisio*, *fruitio*, *perfectio*, oppure *fruitio*, *perfectio*). Se si confronta questa terminologia con quella del *de natura et dignitate amoris*, si può giungere a uno schema articolato in quattro gradi successivi: 1. la volontà ancora indeterminata e libera di orientarsi verso il bene o verso il male (momento sottinteso nella *Epistola ad fratres de Monte Dei*); 2. la volontà ardente o impetuosa che si dirige verso Dio (designata con i termini *amor* e *desiderium*); 3. l'amore illuminato dalla grazia dello Spirito Santo (chiamato *caritas* nel *de natura et dignitate amoris*, *dilectio* nella *Epistola*); 4. il godimento amoroso o unione mistica con Dio (chiamato *sapientia* nel *de natura*, e *caritas*, *fruitio*, *perfectio*, *unitas spiritus* nella *Epistola*).

[1] Per una minuziosa analisi di questi passi, cfr. Como, «*Ignis amoris Dei*» cit., pp. 66-73.

Bernardo di Clairvaux: i quattro gradi dell'amore

La parte centrale del *de diligendo Deo* di Bernardo è strutturata secondo la successione di quattro gradi dell'amore, che conducono progressivamente l'anima dall'amore di sé fino alla deificazione. Dopo aver lungamente trattato dell'oggetto del nostro amore, cioè Dio, Bernardo intende spiegare da dove esso incominci e quale sia il suo progresso. Il suo grado iniziale, come si è detto, è l'amore di sé: quello con cui «l'uomo ama sé stesso per sé stesso». Si tratta di un *amor carnalis*, in quanto legato alla nostra condizione di uomini: ma questa espressione non implica una contrapposizione alla *caritas* o amore di Dio. Occorre tener presente la concezione di Bernardo secondo cui gli *affectus* o *affectiones* naturali dell'uomo sono essenzialmente buoni, in quanto creati a immagine e somiglianza di Dio. Anche l'amore dunque, culmine e sintesi di questi *affectus*, è naturalmente buono già nella sua espressione più elementare, quella appunto dell'amore di sé. Solo se questo amore si gonfia troppo ed eccede, esso diventa impuro e degenera in *cupiditas*; ma a evitare questo pericolo interviene il comandamento divino di amare il prossimo come sé stessi. L'amore per il prossimo non è una negazione di quello per sé, ma piuttosto una sua estensione o dilatazione che ne corregge gli eccessi e gli impedisce di chiudersi nel *proprium*: in tal modo, afferma Bernardo, l'*amor carnalis* diventa *amor socialis* (VIII 23)[1]. Si passa così al secondo grado, quello con cui «l'uomo ama Dio per sé stesso» e che costituisce il necessario compimento dell'amore per il prossimo: «E come altrimenti può amare il prossimo in modo disinteressato

[1] Per Bernardo, dunque, l'amore del prossimo non comporta una negazione dell'amore di sé, ma ne costituisce il naturale prolungamento. Il tema è limpidamente sviluppato nei *Sermones super Cantica Canticorum* (44,4): «L'amore fraterno trae origine dai più intimi sentimenti (*affectibus*) umani; e, da una certa tenerezza (*dulcedo*) verso di sé che la natura ha immesso nell'uomo, questo amore trae – come da una linfa terrestre – vigore e forza, grazie ai quali, sotto l'ispirazione della grazia, produce frutti di compassione. Così, per una sorta di diritto legato alla condizione umana (*iure quodam humanitatis*), non pensa di poter rifiutare a qualcuno che partecipa della sua stessa natura (*naturae consorti*), cioè a un altro uomo, ciò che l'anima desidera naturalmente per sé stessa». Un'altra estensione dell'*amor carnalis* – quasi gradino intermedio verso l'amore di Dio – è l'amore per l'umanità di Cristo, spirito che si è fatto carne per insegnare agli uomini carnali a farsi spirito. Cfr. in proposito Delfgaauw, *Saint Bernard* cit., pp. 181-5.

(*pure*) chi non lo ama in Dio?» chiede Bernardo. «Ma non può amare in Dio chi non ama Dio. Bisogna dunque prima amare Dio, per poter amare in Dio anche il prossimo» (VIII 25). Questo amore, tuttavia, è ancora motivato dal bene che l'uomo attende da Dio per sé e per i suoi simili: benché «distinguere ciò che si può fare da sé e ciò che si può fare con l'aiuto di Dio» (IX 26) sia già un grande passo in avanti, tale amore è ancora in parte egoistico, non è del tutto emancipato dal *proprium*. Ma esso ci fa gustare il Signore, ci fa sentire quanto egli sia dolce: «Accade così che ormai il gusto della sua dolcezza (*gustatae suauitas*) ci stimola ad amare Dio in modo disinteressato (*pure*) più di quanto non ci spingano a farlo le nostre necessità» (IX 26). È questo il terzo grado dell'amore, quello con cui «l'uomo ama Dio per Dio stesso». Si tratta di un sentimento ormai perfettamente gratuito, non diverso dall'amore con cui Cristo ha amato gli uomini. Chi giunge a questo grado non ama Dio per qualche ragione – fosse anche meritoria – estranea a Dio stesso, ma lo ama in quanto è Dio: «Chi rende grazie al Signore non perché è buono con lui, ma perché è buono in assoluto, è colui che ama veramente Dio in quanto Dio e non per sé stesso» (IX 26). In questa concezione Bernardo si avvicina notevolmente alla teologia dell'amore di Pietro Abelardo, quale è formulata in particolare nel suo commento alla *Lettera ai Romani* (scritto fra il 1136 e il 1140)[1]. Anche Abelardo afferma, citando Agostino, che non si deve amare Dio in vista della propria utilità o della beatitudine che si spera di riceverne in cielo, ma *gratis*, gratuitamente: «Che vuol dire gratuitamente? Vuol dire amarlo perché è buono, nient'altro che perché è buono»[2]. Egli giunge addirittura a sostenere che in qualunque modo Dio si comportasse con noi – se anche non ci ricompensasse ma ci punisse – dovremmo amarlo ugualmente soltanto perché «egli è tale da dover essere amato sopra ogni cosa»[3]. E conclude: «Di certo ameremmo Dio in modo disinteressato e sincero (*pure ac sincere*) se lo facessimo uni-

[1] Ved. in proposito l'illuminante *excursus* di Gilson in *La théologie mystique* cit., pp. 183-9.
[2] *Commentaria in Epistolam Pauli ad Romanos* III 514-5, in Petri Abaelardi, *Opera theologica*, I. *Commentaria in Epistolam Pauli ad Romanos. Apologia contra Bernardum*, cura et studio E.M. Bytaert, *CCM* 11, Turnholti 1969.
[3] *Ibid.*, III 519-20.

camente per lui stesso e non per nostro vantaggio; e se non badassimo a che cosa ci dona, ma a quel che egli è in sé stesso»[1]. Qui però la sua posizione si discosta nettamente da quella di Bernardo. Per Bernardo è impensabile che l'amore non abbia una ricompensa, anche se non la cerca: difatti l'amore, essendo di per sé esperienza mistica, *amplexus* della Sposa e dello Sposo, è già *fruitio*, godimento, ricompensa di sé stesso. Bernardo lo aveva dichiarato qualche pagina prima nello stesso *de diligendo Deo* (VII 17): «Non senza ricompensa infatti si ama Dio, anche se si deve amarlo senza aver di mira una ricompensa. Perché la vera carità non può rimanere a mani vuote, anche se non è mercenaria: sicuramente "non cerca il proprio interesse" [*1 Ep. Cor.* 13,5]. È un sentimento (*affectus*), non un contratto: non è in virtù di una convenzione che può essere acquisita o che guadagna qualcosa. Ci muove (*afficit*) spontaneamente e ci rende spontanei. Il vero amore è soddisfatto di sé stesso. Ha la sua ricompensa, che però è proprio l'oggetto amato [...]. Il vero amore non cerca una ricompensa, ma la merita». Il punto fondamentale è che, per Bernardo, l'amore è un *affectus* e non un *contractus* – un rapporto derivante da un calcolo razionale – e in quanto tale, cioè in quanto piena *affectio* dell'uomo da parte di Dio, è anche perfetta ricompensa a sé stesso[2]. Al quarto e supremo grado dell'amore, infine, quello con cui «l'uomo non ama più sé stesso se non per Dio» (X 27), è raro giungere finché si è su questa terra, afferma Bernardo. Esso corrisponde a quello svuotamento e quasi annullamento di sé in Dio che si realizza – come si è già visto – con l'*unitas spiritus*, con l'estasi mistica, e in seguito al quale «ogni sentimento (*affectionem*) umano dovrà dissolversi in una certa ineffabile maniera e riversarsi nel fondo della volontà di Dio» (X 28). È un'esperienza propria della condizione celeste; ma, secondo Bernardo, essa non sarà raggiunta dalle anime beate se non dopo la resurrezione dei corpi. Infatti, finché permane in loro il desiderio di ricongiungersi ai corpi di gloria, le anime sono ancora distratte in qualche modo da un interesse per sé, da un *proprium*, che impedisce loro di *transire in Deum*: «In realtà sono ancora legate ai corpi – anche se

[1] *Ibid.*, III 550-3.
[2] Cfr. Gilson, *La théologie mystique* cit., pp. 164-8.

non mediante la vita o la sensazione – almeno in virtù di un sentimento naturale (*affectu naturali*), tanto da non volere né poter giungere alla loro piena realizzazione senza di essi. Pertanto prima della restaurazione dei corpi non ci sarà quella dissoluzione degli spiriti che costituisce il loro stato perfetto e supremo, perché lo spirito non ricercherebbe più la compagnia della carne se potesse raggiungere la sua piena realizzazione senza di essa» (XI 30). Solo con questo ricongiungimento, conclude Bernardo, «si possiede ormai per sempre il quarto grado dell'amore, quando si ama al sommo grado Dio e soltanto lui: infatti non amiamo più noi stessi se non per lui, in modo che egli sia la ricompensa di coloro che lo amano, la ricompensa eterna di coloro che lo amano in eterno» (XI 33). Così, in un tempo che si situa ormai oltre il tempo, si conclude – senza soluzione di continuità – quel cammino che era incominciato con l'*amor carnalis*, con il naturale e ancora egoistico amore di sé stessi.

La descrizione dei quattro gradi dell'amore era già abbozzata nella lettera ai «santi fratelli della Certosa», che Bernardo aveva scritto qualche anno prima e di cui incluse un ampio estratto alla fine del *de diligendo Deo*. Ma in essa questo schema era preceduto da un'altra classificazione dei tipi di amore, fondata questa volta sui tre possibili comportamenti del fedele nei confronti di Dio: quello dello schiavo, quello del mercenario e quello del figlio. Tanto lo schiavo che il mercenario compiono talvolta la volontà di Dio; ma il primo lo fa solo per timore di lui, il secondo per proprio interesse, spinto dalla cupidigia. Solo il figlio ama Dio spontaneamente e in modo gratuito, mosso soltanto dalla carità. Né la legge del timore né quella della cupidigia sono assolutamente pure: «La carità invece converte le anime e le fa agire di loro spontanea volontà» (XII 34). Bernardo arriva ad affermare – per quanto paradossale ciò possa apparire – che Dio stesso è soggetto alla legge della carità, perché è la legge che «stringe in unità la Trinità e la lega nel vincolo della pace». E con parole che ispireranno Dante nel *Paradiso* prosegue: «Questa è la legge eterna che crea e governa l'universo. Grazie a essa sono state fatte tutte le cose con peso, misura e numero. Nulla è lasciato senza legge, perché la stessa carità – che è la legge di tutto – non è senza legge: ma una legge che non è altro se non lei stessa, con la quale – pur non essendosi creata – governa sé stessa» (XII 35). Perciò anche lo

schiavo e il mercenario sono soggetti a questa legge, cui nulla può sottrarsi; ma essi hanno voluto farsi da sé una legge propria, diversa da quella del Signore: «Ciascuno di loro vorrebbe governare sé stesso e fare a sé stesso legge della propria volontà». Questa separazione della *propria uoluntas* da quella di Dio è il «pesante e insopportabile giogo» che schiaccia gli uomini a causa della loro condizione carnale e del peccato; a esso, con l'aiuto della grazia, devono sostituire «il giogo soave e il lieve fardello della carità» (XIII 36) che, senza abrogarle, modera la legge dello schiavo e dà ordine a quella del mercenario[1]. Come si vede, il problema è quello – centrale nella speculazione di Bernardo – della liberazione della volontà, cioè della conversione del *proprium* in *commune*[2]. Commenta Gilson: «Grazie a essa il nostro volere si libera progressivamente della "contrattura" impostagli dal timore e dalla "curvatura" del volere proprio. In altri termini, anziché volere una cosa perché ne teme un'altra, o volere una cosa perché ne brama un'altra, avendo scelto il solo oggetto che si possa volere per sé stesso, essa può ormai tendere verso di lui con un movimento diretto, semplice; insomma, con un movimento "spontaneo" [...]. Desiderare una cosa per timore di un'altra, non è un movimento spontaneo; desiderare una cosa per ottenerne un'altra è ancora un movimento determinato dal di fuori; amare, invece, è volere quel che si ama, perché lo si ama, e in ciò consiste la spontaneità»[3]. Questa restituzione della volontà a sé stessa, nella sua purezza, è appunto l'amore filiale: «Quando per grazia di Dio» conclude Bernardo, «questa condizione sarà pienamente raggiunta, il corpo e tutti i beni corporei saranno amati solo per l'anima, l'anima solo per Dio, Dio solo per lui stesso» (XIV 38). Sono così delineati i gradi attraverso i quali l'*amor carnis* è progressivamente assorbito dall'*amor spiritus*, nella perfetta unione con Dio.

[1] La dolcezza e la leggerezza del giogo della carità sono il tema fondamentale sviluppato da Aelredo nel secondo libro dello *Speculum caritatis*.

[2] Sulla *caritas* come *communis uoluntas*, cioè come comunione con Dio e con gli uomini, cfr. Delfgaauw, *Saint Bernard* cit., pp. 109-19.

[3] Gilson, *La théologie mystique* cit., p. 112.

Aelredo di Rievaulx: i tre sabati

Lo *Speculum caritatis* di Aelredo, come già si è accennato, riflette fedelmente i punti essenziali della teologia di Bernardo. La finalità principale di Aelredo è però di ordine didattico e pedagogico, non speculativo: egli mira alla formazione del credente e in particolare del monaco, e dedica la propria attenzione soprattutto alla descrizione dei moti e delle reazioni interiori, ai problemi dell'anima in cammino verso Dio. Aelredo sviluppa una sottile e sistematica analisi psicologica, che culmina in quella vera e propria anatomia degli *affectus* che occupa gran parte del terzo libro. L'interesse per l'esperienza mistica in sé e per le fasi attraverso le quali sia possibile accedervi è pertanto nello *Speculum caritatis* piuttosto marginale, benché non assente. In alcuni punti della sua opera, tuttavia, anche Aelredo propone alcuni modelli di progresso spirituale e di distinzione dei gradi dell'amore. Uno di questi modelli è lo schema delle tre «visite» successive, cioè delle tre «compunzioni» o gioie spirituali che Dio invia agli uomini per condurli fino a lui[1]. Lo schema più importante è però certamente quello dei tre «sabati», che Aelredo illustra nella parte iniziale del terzo libro ma che struttura in profondità l'intero trattato. Già nel primo libro[2] lo scrittore aveva introdotto questo tema indicando nel sabato, giorno del riposo di Dio dopo i sei giorni della creazione, il simbolo della carità divina e perciò di Dio stesso: «Solo la carità è il suo immutabile ed eterno riposo cioè la sua eterna e immutabile tranquillità, il suo eterno e immutabile Sabato. Essa sola è la causa per cui ha creato ciò che doveva essere creato e per la quale regge, amministra, muove, fa progredire, conduce alla perfezione ciò che deve esserlo. Per questo, in modo assai appropriato il suo riposo è evocato là dove si mostra la perfezione di ogni cosa. Infatti la sua carità è la sua stessa volontà, è la sua stessa bontà; e tutto questo non è altro che il suo essere. Infatti per lui riposare sempre nella sua dolcissima carità, nella sua calmissima volontà, nella sua sovrabbondante bontà è essere sempre ciò che è. Perciò, come nel racconto della creazione la mutabilità della

[1] Cfr. *Speculum caritatis* II 8,20-13,32.
[2] Cfr. *ibid.* I 18,51-20,58.

creatura è espressa dalla successione dei giorni e dall'alternanza del mattino e della sera, allo stesso modo l'eternità di Dio è rappresentata giustamente da questo giorno in cui nulla accade, che nulla fa passare, al quale nulla segue, che non è limitato da un inizio né concluso da una fine» (I 19,56). E come nell'universo ogni cosa contiene un vestigio della carità di Dio, così tutte tendono in qualche modo verso il sabato, cioè verso il riposo spirituale. Più avanti, lo stesso schema è interpretato in una prospettiva morale. I sei giorni della creazione rappresentano così le virtù: il primo e il secondo giorno corrispondono alle prime due virtù teologali, la fede e la speranza; gli altri quattro, alle quattro virtù cardinali: temperanza, prudenza, fortezza, giustizia. Il settimo giorno, infine, è la terza e più alta virtù teologale, la carità: «Rimane il settimo giorno, cioè il Sabato, in cui tutte queste opere si compiono, in cui si riceve il vero riposo, in cui viene stabilito un termine e un fine alla nostra fatica. Questo Sabato è la carità, compimento di tutte le virtù, soave ristoro delle anime sante, onesta armonia dei comportamenti. Essa è la radice da cui hanno origine tutte le opere buone, che sono buone solamente grazie a essa, e nella quale tutte le opere buone giungono alla loro perfezione. Essa è il settimo giorno in cui la grazia divina ci ristora, essa è il settimo mese in cui, dopo il diluvio delle tentazioni, l'arca del cuore gode di un soave riposo» (I 32,92).

Nel terzo libro, Aelredo concentra tutta la sua attenzione su questo «sabato», cioè sulla *caritas*. Egli distingue così tre tempi consacrati al riposo sabbatico: «il settimo giorno, il settimo anno, e, dopo sette volte per sette anni, il cinquantesimo anno. Il primo dunque è il sabato dei giorni, il secondo degli anni, il terzo a buon diritto è definito il Sabato dei sabati» (III 1,1). Essi simboleggiano rispettivamente le tre *dilectiones*, le tre forme dell'amore: amore di sé, amore del prossimo, amore di Dio. Si perviene al primo sabato, cioè alla *sui dilectio*, quando si chiudono fuori della porta tutte le distrazioni esterne per dedicarsi soltanto all'esame dei propri tesori interiori e al quieto godimento dell'ordine spirituale, dono divino, che regna dentro di noi; questo sabato è preceduto dai sei giorni delle buone opere, compiute le quali si può riposare nella tranquillità della coscienza. Quando l'anima si sente unita alle anime di tutti i fratelli, si raggiunge il secondo sabato, la *fraterna dilectio*: se il primo dura un giorno perché riguarda una sin-

gola anima, questo dura un anno – cioè è fatto di molti giorni – perché unisce nel fuoco della carità molte anime. Aelredo assegna un significato allegorico anche ai sei anni che precedono il secondo sabato; essi rappresentano le sei categorie di uomini che devono essere amate, nel cammino verso una perfezione sempre maggiore: sono – in successione – i parenti, gli amici, coloro che fanno la nostra stessa professione religiosa (cioè i monaci), tutti i cristiani, coloro che hanno credenze diverse dalla nostra (pagani, giudei, eretici, scismatici) e infine i nemici. Fino a questo punto, perciò, Aelredo segue esattamente il modello del primo grado dell'amore descritto da Bernardo, che muove dall'amore di sé per estendersi a quello del prossimo. Agli altri tre gradi bernardiani, tuttavia, egli dedica minore attenzione, comprimendoli in qualche modo tutti nel suo terzo sabato, il «sabato perfetto» o «sabato dei sabati»: esso corrisponde al cinquantesimo anno e, come si è già visto, rappresenta il soave *amplexus* con Dio, la sua contemplazione senza veli. E Aelredo così sintetizza in conclusione il suo schema delle tre *dilectiones*: «Il settimo giorno rappresenta l'inizio della carità, il settimo anno il suo avanzamento, il cinquantesimo anno, che viene dopo il sette volte sette, ne è il pieno compimento. In ognuno di essi c'è il riposo, in ognuno c'è la liberazione, in ognuno c'è una certa celebrazione di un Sabato spirituale. Nel primo il riposo consiste nella purezza della coscienza, nel successivo nella unione dolcissima di molte menti, nell'ultimo nella contemplazione di Dio stesso. Nel primo sabato ci si libera dalla colpa, nel secondo dalla cupidigia, nel terzo da qualsiasi occupazione. Nel primo la mente gusta quanto dolce è Gesù nella sua umanità, nel secondo vede quanto è perfetto nella carità, nel terzo quanto è sublime nella divinità. Nel primo essa si raccoglie in sé, nel secondo si espande al di fuori di sé, nel terzo è rapita al di sopra di sé» (III 6,19). Ma occorre anche sottolineare come in Aelredo la gerarchizzazione delle tre forme di amore sia fortemente attenuata dall'idea di un loro costante intreccio e, in qualche modo, di una loro simultanea presenza nel nostro spirito: «Nonostante la distinzione fra questi tre amori sia evidente» egli avverte, «tuttavia l'intreccio tra loro è così straordinario che ogni singolo amore si trova in tutti gli altri e tutti si ritrovano in ognuno: uno non esiste senza gli altri e, se uno vacilla, anche gli altri vengono meno. Infatti non ama sé stesso chi non ama il suo prossimo e

Dio; e chi non si ama non ama neppure il suo prossimo come sé stesso» (III 2,3). Tutte e tre le *dilectiones* hanno pari dignità; così una qualche porzione di amore di Dio – anche se non la sua pienezza – deve precedere l'amore di sé e quello del prossimo, che senza di esso non sarebbero nulla: «Mi sembra» aggiunge ancora Aelredo «che l'amore di Dio sia quasi l'anima degli altri amori, perché vive pienamente in sé stesso e con la sua presenza infonde loro un'essenza vitale, mentre la sua assenza conduce alla morte. Perché dunque l'uomo ami sé stesso deve aver avuto inizio in lui l'amore per Dio; perché egli ami il prossimo, bisogna che esso prenda quasi corpo in un più largo grembo, così che il fuoco divino, scaldandosi a poco a poco, assorba in modo mirabile nella pienezza di sé gli altri amori come fossero scintille, conducendo tutto l'amore dello spirito al bene sublime e ineffabile. Qui uno ama sé stesso e il prossimo solo in quanto questi amori, staccandosi da sé stessi, si trasferiscono interamente in Dio» (III 2,4). Anche queste ripetute avvertenze confermano come l'interesse teorico di Aelredo sia in massima parte rivolto verso le manifestazioni individuali e sociali dell'amore, mentre la sua *plenitudo* nella perfetta unione con Dio resta solo sullo sfondo, oltre un lontano orizzonte.

Riccardo di San Vittore: i quattro gradi della violenta carità

All'opposto dello *Speculum caritatis* di Aelredo, la *Epistola ad Seuerinum de caritate* – un tempo attribuita a Riccardo di San Vittore e oggi assegnata a un non identificato *frater Yuo* – non mostra alcuna finalità didattica, ma è tutta un inno alla grandezza e alla forza dell'amore, forse il più alto inno all'amore di Dio che ci abbia lasciato il XII secolo. Partendo da una parafrasi del celebre passo sulla *caritas* della prima *Lettera ai Corinzi* di san Paolo (*1 Ep. Cor.* 13), Ivo ne addita il sommo esempio nella morte di Cristo per la nostra salvezza, esclamando: «O carità, forza insuperabile che hai superato lo stesso Insuperabile e hai, per così dire, sottomesso a tutti Colui al quale tutto è sottomesso, quando vinto dall'amore Dio "ha umiliato sé stesso assumendo natura di servo" [*Ep. Phil.* 2,7] ed è diventato non solo uomo, ma "obbrobrio degli uomini e oggetto di disprezzo per il popolo"! [*Ps.* 76,10]» (par. 3). Con un linguaggio intessuto di reminiscenze

bernardiane, Ivo prosegue descrivendo – dopo la insuperabilità – le altre due caratteristiche fondamentali della *caritas*: insaziabilità e inseparabilità. Malgrado il titolo *de gradibus caritatis* attribuito alla *Epistola ad Seuerinum* nelle edizioni a stampa delle opere di Riccardo di San Vittore, non si può assolutamente parlare di gradi, ma di proprietà o attributi che l'amore possiede nella sua forma più pura, quella di legame che unisce Dio e l'uomo oltre l'abisso che li separa. Alla fine della trattazione sulla inseparabilità della *caritas*, Ivo include un elemento nuovo rispetto alle grandi descrizioni dell'esperienza mistica che si leggono in Guglielmo di Saint-Thierry o in Bernardo di Clairvaux. Anche qui, come altrove, Ivo riprende un'immagine bernardiana, quella della goccia d'acqua versata nel vino[1]; ma non la riferisce alla deificazione dell'anima che si riversa in Dio, bensì alla donazione di sé nell'amore degli altri (par. 32). E a quella dell'acqua segue – con lo stesso valore – la similitudine della cera fusa (parr. 33-4): «Solo un liquido si adatta a qualsiasi forma; un paragone che si addice perfettamente al cuore innamorato. "Il mio cuore" dice il Salmista "è diventato come cera che si scioglie" [*Ps.* 21,15]. Un oggetto, sciogliendosi, diventa molle, si dilata, si purifica; ora osserva questo triplice effetto nell'amore, che è davvero un fuoco divino capace di sciogliere, purificare e saldare in un'unica massa i cuori, proprio come si fondono insieme i diversi metalli liquefatti dal fuoco. Al suo contatto si indebolisce e cede quella odiosa durezza che è l'insensibilità del cuore, per effetto della quale l'uomo non sente né sé stesso né gli altri, non si lascia piegare dalla misericordia e non si fa commuovere dalle preghiere; non si lascia guidare dagli esempi, non ha paura delle minacce, si indurisce nella prosperità, non impara nulla dai castighi [...]. Ora, il cuore reso molle, secondo l'insegnamento del beato Paolo, "si dilata" [*2 Ep. Cor.* 6,13] nella carità: si diffonde ovunque, a destra e a sinistra, soccorrendo senza distinzione nemici e amici, e andando incontro a tutti con uno slancio amabile e spontaneo, condividendo la gioia per i progressi e il dispiacere per le mancanze del prossimo».

In una prospettiva simile a quella della *Epistola ad Seuerinum*

[1] Cfr. *de diligendo Deo* X 28.

si colloca anche il *de IV gradibus uiolentae caritatis* di Riccardo di San Vittore, che però organizza la sua trattazione sulla base di un ben definito percorso mistico di ascesa verso Dio. Già nel *Beniamin minor* e nel *Beniamin maior* Riccardo aveva esposto con rigoroso spirito classificatorio i diversi gradi della contemplazione fino al rapimento mistico o *excessus mentis*, muovendo nella prima opera dalla storia di Giacobbe e delle sue due mogli, Lia e Rachele, nella seconda dalla descrizione della *mystica arca* di Mosè – entrambe interpretate in senso allegorico. Nel *de IV gradibus uiolentae caritatis* il progresso dell'amore è descritto dapprima dal punto di vista dei suoi effetti sull'anima (parr. 4-17), quindi – dopo un breve intermezzo dedicato alle differenze fra amore spirituale e amore carnale – dal punto di vista del suo oggetto, Dio (parr. 21-47). Anche se la definizione dei quattro gradi è derivata da passi biblici, che ne fondano l'autorità, tutta la parte iniziale del trattato (i sintomi dell'amore) è chiaramente influenzata dall'*Ars amatoria* di Ovidio e mostra strette analogie con la letteratura amorosa del XII secolo, dalla lirica dei trovatori al romanzo cortese. Lo schema d'insieme è presentato da Riccardo in apertura (par. 4): «Mi occupo degli effetti della violenta carità e scopro quale sia l'impeto della passione (*aemulationis*) perfetta. Ecco, vedo alcuni feriti (*uulneratos*), altri incatenati (*ligatos*), altri che languono (*languentes*), altri ancora che vengono meno (*deficientes*); e tutto a opera della carità. La carità ferisce, la carità incatena, la carità fa languire, la carità fa venir meno. Quale di questi effetti non è potente? Quale non è violento? Questi sono i quattro gradi dell'ardente carità ai quali ora intendiamo dedicarci totalmente». Il primo grado dunque è quello della *caritas uulnerans*, dell'amore che ferisce. In esso ci si sente come trafitti da un aculeo infuocato che penetra nel cuore, facendo gemere profondamente e sospirare; il volto diventa allora pallido e smunto. Questo sentimento però non si impossessa subito di noi; Riccardo lo paragona a una febbre intermittente, che dopo brevi pause brucia con maggiore veemenza il corpo già spossato: «Così, spesso, ritirandosi e tornando sempre più grande di prima, l'amore sfibra un poco alla volta l'animo, ne spezza e ne esaurisce le forze, fino a piegarlo e a sottometterlo completamente a sé» (par. 6). Dal punto di vista del progresso spirituale, questo grado corrisponde al passaggio del Mar Rosso e all'abbandono dell'Egitto, cioè alla ri-

nuncia al mondo e ai piaceri carnali. Quando ciò avviene, l'anima incomincia a sperimentare la dolcezza dei cibi spirituali con cui il Signore la nutre per farla maturare interiormente. Ma se egli fa assaporare in tal modo la dolcezza della sua presenza, non mostra ancora il suo volto: «Ciò che si sente è soave e straordinariamente piacevole, ma ciò che si vede è completamente avvolto nelle nubi. Non appare ancora nella luce. Per quanto appaia nel fuoco, si tratta però di un fuoco che brucia più che illuminare. Infatti accende il sentimento (*affectum*), ma non illumina ancora l'intelletto (*intellectum*). Infiamma il desiderio, ma non illumina l'intelligenza» (par. 32). Il secondo grado è quello dell'*amor ligans*, dell'amore che incatena. In esso l'uomo non ha altro pensiero se non questo, che rimane costantemente nella sua memoria. È come se un soldato ferito fosse catturato e fatto prigioniero, e fosse perciò ormai del tutto incapace di mettersi in salvo. Oppure come se la febbre intermittente diventasse acuta e il suo ardore non si attenuasse mai: «Allora, come colui che è a letto malato o è avvinto da una catena non può allontanarsi dal luogo in cui è stato costretto, così chi è stato assorbito da questo secondo grado della violenta carità, qualunque cosa faccia, dovunque si volga, non può essere strappato da quell'unico e profondo pensiero che lo tormenta» (par. 8). Sul piano della conoscenza di Dio, il secondo è il grado della contemplazione, quello nel quale l'anima – secondo le parole di san Paolo – merita di vedere «ciò che occhio non vide, né orecchio sentì, né mai entrò in cuore d'uomo» (*1 Ep. Cor.* 2,9), cioè di assaporare direttamente – sia pure per pochi attimi – la *iocunditas*, la gioia che proviene da Dio. Riccardo lo fa corrispondere all'ascesa o al volo fino al secondo cielo, superiore al nostro cielo rispetto al quale è come un cielo, ma inferiore al terzo – o «cielo dei cieli» – rispetto al quale è come la terra. La sua fondamentale differenza rispetto al primo grado sta nel fatto che esso coinvolge non solo l'*affectus* ma anche l'*intellectus*: «Come nel primo grado la dolcezza gustata sazia l'animo e penetra il suo sentimento (*affectum*), così in questo grado la chiarezza veduta incatena il pensiero (*cogitationem*) tanto che non può dimenticarla né pensare ad altro» (par. 37). Gli oggetti di questa conoscenza – i misteri di Dio inaccessibili all'occhio umano se non per rivelazione: la sua essenza, la Trinità, l'incarnazione, l'eucaristia – sono ampiamente descritti nel quarto libro del *Beniamin maior*, dove

Riccardo tratta dei gradi più alti della contemplazione[1]. Ma oltre il secondo cielo vi è ancora il terzo, quello al quale san Paolo dichiara di essere stato rapito (cfr. *2 Ep. Cor.* 12,2). Che cosa può esserci, si chiede Riccardo, di superiore a un amore dal quale non si può fuggire, che cosa c'è di più violento di questa violenza? Dal punto di vista degli effetti, il terzo grado è definito come *amor languens*, amore che fa languire. Il suo oggetto non è solo il più alto, ma diventa unico ed esclusivo: «In questo terzo grado della violenta carità nulla può soddisfare l'animo se non quest'unico oggetto, così come nulla può aver gusto se non grazie a questo solo. Questo solo ama, questo solo predilige, di questo solo ha sete, di questo solo ha desiderio. A esso anela, verso di esso sospira, per esso si infiamma, in esso si placa» (par. 10). Se il secondo grado assorbiva il pensiero, il terzo annulla ogni capacità d'azione e costringe a una totale immobilità. Riprendendo la similitudine del malato, Riccardo scrive: «In quel grado [il secondo] abbiamo mani e piedi ancora liberi e, come un febbricitante, possiamo stenderli e muoverli qua e là, perché a discrezione della nostra volontà (*arbitrio*) possiamo – e dobbiamo – tirarli fuori e adoperarli per fare il bene. Invece in questo grado la sovrabbondanza dell'amore (*amoris nimietas*) snerva mani e piedi come una sorta di languore, al punto che la mente non può più fare assolutamente nulla di sua volontà» (par. 11). Come si è visto in precedenza, nel progresso della conoscenza di Dio il terzo grado dell'amore corrisponde all'*excessus mentis*, «quando la mente dell'uomo viene rapita nell'abisso della luce divina in modo tale che l'animo umano, dimentico in questa condizione di tutte le cose esterne, perde completamente la coscienza di sé e passa tutto nel Dio suo» (par. 38). Sembrerebbe impossibile andare oltre una simile esperienza. Ma non è questo, per Riccardo, il punto d'arrivo del nostro cammino spirituale, il grado supremo di amore: segue infatti il quarto grado, quello dell'*amor deficiens*, dell'amore che viene meno. In esso nulla può ormai estinguere la sete e la fame dell'anima infiammata d'amore. Proseguendo nella similitudine con il malato, Riccardo paragona l'anima a chi è affetto da un morbo inguaribile, senza

[1] Ved. in proposito G. Dumeige, *Richard de Saint-Victor et l'idée chretiénne de l'amour*, Paris 1952, pp. 70-2 e 140-2.

speranza: «È come un malato incurabile che se ne sta immobile mostrando i segni evidenti della morte; ormai non ha più nulla da fare o da aspettarsi da altri, ormai gli è tolta ogni cura dei medici ed è completamente abbandonato a sé stesso, respira a fatica e inesorabilmente si avvicina alla fine. Sta per esalare l'ultimo respiro e non si cura né si rende conto di ciò che si fa attorno a lui né di quel che gli accade» (par. 15). Benché il terzo grado rappresenti il culmine dell'*ascensus*, a esso segue infine un *descensus*, un ritorno sulla terra e fra gli uomini per obbedire a Dio: questo quarto grado corrisponde così alla *dilatatio* o *liquefactio* del cuore nella *caritas* descritta da Ivo. Recuperando la precedente immagine del ferro che diventa incandescente e si scioglie, perdendo tutte le sue proprietà, Riccardo afferma che, come i fonditori modellano a loro piacimento il metallo fuso facendolo scorrere negli stampi opportunamente preparati, così l'anima giunta a questo grado di amore si piega spontaneamente alla volontà divina (par. 42): «E come il metallo liquefatto, dovunque gli si apre una via, scorre facilmente verso il basso, così l'anima giunta a questo grado dell'amore si abbassa spontaneamente a eseguire ogni comando e si piega volentieri a ogni atto di umiltà secondo l'ordine del disegno di Dio». In questo modo essa si conforma perfettamente al modello di Cristo, che si umiliò per amore degli uomini assumendone la natura e sopportando perfino la morte: nella *imitatio Christi*, fino al totale sacrificio di sé, sta il più alto grado dell'amore, quello in cui l'uomo «risuscita» (par. 44): «Nel terzo grado l'anima si glorifica in Dio, nel quarto si umilia per Dio. Nel terzo grado l'anima si conforma allo splendore divino, nel quarto si conforma all'umiltà cristiana [...]. Nel terzo grado dunque si è in un certo senso morti in Dio, nel quarto si risuscita quasi in Cristo». Importantissima conclusione del trattato di Riccardo: il rapimento mistico e l'unione con Dio non bastano, sono soltanto la premessa dell'opera che ogni uomo è chiamato a compiere tra i suoi fratelli, imitando il modello di Cristo.

«Amare amorem»

Gli ambiziosi tentativi di sintesi elaborati nella prima metà del Novecento da Pierre Rousselot e Anders Nygren, pur offrendo

preziosi modelli ermeneutici, risultano solo parzialmente utili ai fini di una piena intelligenza della dottrina cristiana dell'amore nel XII secolo e rischiano di diventare talora fuorvianti[1]. Rousselot riconosce tanto in Guglielmo quanto in Bernardo spunti o abbozzi di quella che chiama la concezione «fisica o greco-tomista» dell'amore, cioè di una dottrina – sviluppata nel modo più coerente da Tommaso d'Aquino – secondo la quale non vi sarebbe rottura ma fondamentale continuità fra amore di sé e amore di Dio, considerati come espressioni dello stesso appetito naturale dell'anima: in particolare, Rousselot osserva che «tutta la struttura dottrinale su cui si basa il trattato *de diligendo Deo* è "greco-tomista"»[2]. Poi però denuncia, soprattutto in Bernardo, anche elementi della concezione opposta, quella che chiama «estatica»: partendo dalla dualità di amante e amato, la «teoria estatica» porrebbe il principio che «l'amore [...] è tanto più perfetto, tanto più "amore", quanto più completamente pone il soggetto "fuori di sé stesso"»[3] e implicherebbe dunque come condizione essenziale una uscita da sé, una perdita o un annullamento dell'io. Più che di una vera e propria teoria, si tratterebbe però a suo giudizio di un insieme di abbozzi e di intuizioni o «effusioni», la cui metafisica implicita condurrebbe a insormontabili aporie. La prospettiva tomista in cui si colloca Rousselot gli impedisce in realtà di cogliere quello che è il vero fondamento delle riflessioni sull'amore di Guglielmo e di Bernardo, dei loro continuatori cistercensi o di Riccardo di San Vittore: la dottrina dell'immagine e della somiglianza. Poiché l'immagine divina che l'uomo porta in sé risiede nella sua *mens* – cioè nella sua parte spirituale – e principalmente negli

[1] Si tratta, rispettivamente, di P. Rousselot, *Pour l'histoire du problème de l'amour au Moyen Age*, rist. anast., Paris 1981 (1ª ed. 1933) e di A. Nygren, *Eros und Agape. Gestaltwandlungen der christlichen Liebe*, Berlin 1955 (trad. it. *Eros e Agape. La nozione cristiana dell'amore e le sue trasformazioni*, Bologna 1990). A essi potrebbe essere aggiunto *L'Amour et l'Occident* (Paris 1939, ed. definitiva 1972) di Denis de Rougemont; ma quest'opera, centrata sul tema dell'amore-passione nella letteratura profana, affronta solo marginalmente – e con modesti apporti – l'ambito della teologia mistica. Per una valutazione dell'importanza di questi tre libri nell'attuale ricerca sulle concezioni cristiane dell'amore nel Medioevo, ved. C. Baladier, *Éros au Moyen Âge. Amour, désir et «delectatio morosa»*, Paris 1999, pp. 15-30, e J. Le Brun, *Le pur amour de Platon à Lacan*, Paris 2002, pp. 267-87.
[2] Rousselot, *Pour l'histoire du problème de l'amour* cit., p. 50.
[3] *Ibid.*, pp. 3-4.

affectus, la sua *conuersio* a Dio consisterà nella restaurazione di questi *affectus* (e in particolare di quello più alto, l'amore) nella loro purezza originaria; tutti i caratteri «estatici» di questa esperienza – rapimento, perdita di sé, morte mistica ecc. – sono in realtà espressioni del distacco dal falso io, si spiegano cioè a partire da quella «curvatura» dell'anima che dipende dalla nostra condizione carnale e peccaminosa e deve essere «raddrizzata» con un movimento tale da strapparci necessariamente alle nostre tendenze egoistiche, al nostro *proprium*. Ha giustamente osservato Paul Verdeyen: «Agli occhi degli autori spirituali del Medioevo, non vi è opposizione fra l'amore estatico, che esige il totale oblio di sé stessi, e l'amore erotico che porta al compimento della persona umana. Questi autori sono persuasi che solo l'amore spirituale realizzi pienamente la vocazione naturale della nostra facoltà amorosa. Vocazione che consiste nell'infrangere le catene della nostra prigione egoista e nell'innalzarci alla libertà e alla comunione con lo Spirito. Questo amore spirituale conserva quindi la forza naturale dell'eros, ma lo distoglie dalle sue intenzioni terrestri e lo invita a uscire dal circolo delle cose create»[1].

Neppure la dicotomia di ἔρως e ἀγάπη, su cui Nygren ha costruito la sua storia dell'idea cristiana di amore, offre chiavi di lettura più appropriate. A parere di Nygren la posizione di un Bernardo – ma più in generale tutto il pensiero medioevale, sulla scia di Agostino – rappresenta un tentativo di sintesi fra l'ἔρως della filosofia greca, desiderio di perfezione dell'io umano che aspira a superarsi e a perfezionarsi fino a raggiungere Dio, e l'ἀγάπη di Paolo e di Giovanni, dono e sacrificio spontaneo di sé a favore dell'essere amato, indipendentemente dal suo valore. Una sintesi – nel concetto di *caritas* – secondo lui impossibile, data la radicale eterogeneità di queste due forme di amore: una – l'ἔρως – ascendente e in fondo ancora egoistica, malgrado la sua nobiltà; l'altra – l'ἀγάπη – discendente e altruistica, unica forma di amore veramente cristiana. La descrizione che egli fornisce della teologia d'amore medioevale, paragonata a una cattedrale gotica, è certo in gran parte condivisibile: «La soluzione data dal Medioevo al problema della *caritas*» egli scrive, «consiste [...] nel sublimare il

[1] Verdeyen, *La théologie mystique* cit., p. 210.

desiderio o l'amore di sé nel puro amore di Dio. La concezione medioevale si architetta così come una cattedrale gotica, i cui muri di pietra poggiano saldamente sul terreno, ma in cui tutto sembra aspirare a elevarsi. Il fondamento è qualcosa di terreno e di umano, iperumano, come il naturale amore di sé. Eppure in questo amore di sé è insita la tendenza a una ascesa incessante. L'amore di sé sprona l'uomo a cercare l'appagamento del suo desiderio, ma essendo la sua natura insaziabile, egli non può essere soddisfatto di un bene inferiore, temporale. L'uomo che comprende rettamente sé stesso è quindi tratto, con la irresistibilità di una necessità interiore, dal naturale amore di sé a rivolgere il suo desiderio verso l'alto, al Divino. L'amore di sé è la forza che spinge l'uomo nella direzione ascendente e che tocca il culmine nell'amore per Dio; ed è questo amore che offre il supremo e perfetto appagamento all'esigenza di eternità dell'amore di sé»[1]. Ma facendo pendere la bilancia tutta dalla parte dell'ἀγάπη e insistendo sulla difficoltà che avrebbero trovato i teologi del Medioevo a elevarsi dal naturale egoismo dell'ἔρως fino a un amore puro e disinteressato, Nygren commette un errore in un certo senso simmetrico a quello di Rousselot: egli accetta infatti solo il versante del sacrificio, dell'uscita da sé, della spontaneità dell'amore; nega invece qualsiasi diritto di cittadinanza alla ricerca di Dio dentro di noi, allo sviluppo del naturale desiderio umano di perfezione fino all'unione con Dio, a quella che Bernardo e Ivo chiamano «deificazione». Anche in questo caso viene completamente trascurato il principio secondo cui il nostro *affectus*, la nostra facoltà amorosa, è stata creata precisamente «a immagine e somiglianza», è la più pura impronta di Dio nel nostro spirito: di un Dio che è nella sua essenza amore. Perciò nel pensiero monastico del XII secolo la ricerca del divino dentro di noi – quello che Gilson ha definito un «socratismo cristiano» – non si riduce affatto a una semplice soddisfazione del desiderio egoistico sublimato e purificato, come vorrebbe Nygren, ma si trasforma necessariamente in ἀγάπη e si fonde perciò con l'amore divino, nel momento in cui libera la *mens* da ogni scoria terrestre e vi restaura la «somiglianza»: nel momento cioè in cui il nostro desiderio o la nostra vo-

[1] Nygren, *Eros e Agape* cit., p. 666.

lontà sono attratti e trasformati (*affecti*) da Dio. Si tratta di quella svolta o di quel momento di inversione (attivo-passivo) che Guglielmo di Saint-Thierry descrive come trasformazione dell'*amor* o del *desiderium* in *dilectio*, e Bernardo come elevazione dal secondo al terzo grado dell'amore, dall'amore «di Dio per sé stessi» a quello «di Dio per Dio stesso»: passaggi che non dipendono più soltanto dall'io umano ma presuppongono il dono della grazia divina, la inabitazione dello Spirito Santo nello spirito dell'uomo.

La grande «invenzione» della teologia mistica cistercense e vittorina del XII secolo – anche rispetto ai modelli patristici cui si ispira – è stata quella di un soggetto che è intrinsecamente, ontologicamente amoroso: l'amore non è qui soltanto un moto o una espressione dello spirito accanto ad altri, ma è lo spirito umano, la *mens*, nella sua più intima essenza, è la *imago* divina che vi risplende. Come ha scritto Julia Kristeva, nessuna dottrina meglio di questa ha saputo «definire l'essere dell'uomo come amoroso. Né peccato né sapienza, né natura né conoscenza. Ma amore»[1]. E in questo senso il raffronto con la contemporanea esperienza della *fin'amor* trobadorica è d'obbligo. In un celebre scritto[2] Gilson ha negato ogni rapporto di filiazione o anche di semplice analogia fra le due esperienze; e sotto certi aspetti la sua dimostrazione è ineccepibile. È vero che il loro oggetto – Dio da una parte, la dama dall'altra – come la loro ricompensa – possesso e beatitudine per il mistico, sofferenza e rinuncia per l'amante cortese – sono diversi e opposti. Ed è anche vero che là dove si può osservare un incontestabile influsso del pensiero mistico sulla letteratura – come nel caso della *Queste del Saint Graal*, di chiara ispirazione cistercense – l'amore spirituale è contrapposto nel modo più netto ai sentimenti e ai comportamenti amorosi della «cavalleria terrena», anche a quelli puri e sublimati di un Lancillotto[3]. Ma Gilson, come altri studiosi che hanno affrontato il problema, si è attenuto a un'immagine sommaria – e qualche volta anche parziale – della *fin'amor*, che non è affatto una dottrina uniforme e coerente, ma sfaccettata

[1] Kristeva, *Histoires d'amour* cit., p. 212.
[2] Si tratta della *Appendice IV* («Saint Bernard et l'amour courtois») del suo *La théologie mystique* cit., pp. 193-215.
[3] Cfr. *ibid.*, p. 215, e Id., «La mystique de la Grâce dans la "Queste del Saint Graal"», in Id., *Les Idées et les lettres*, Paris 1932, pp. 55-91.

e perfino contraddittoria: la presenza di un influsso diretto del pensiero cistercense è stata accertata ad esempio per uno dei primi e più grandi trovatori, Marcabru, la cui concezione di una *fin'amor* intesa come perfetta conformazione alla legge naturale voluta da Dio (tema del suo *trobar naturau*) è ispirata nelle sue linee portanti alla dottrina esposta da Guglielmo di Saint-Thierry nel *de natura et dignitate amoris*. Al di là di possibili legami di filiazione, non si può fare a meno comunque di rilevare nelle tensioni più profonde e nelle espressioni più caratteristiche della *fin'amor* – il «paradosso amoroso» che Spitzer[1] ha riconosciuto alla base della poesia trobadorica e che si esprime emblematicamente nell'*amor de lonh* di Jaufre Rudel – una consonanza straordinaria con quel riconoscimento del soggetto umano come soggetto amoroso che fonda tutta la riflessione monastica del XII secolo. In un saggio quasi dimenticato, ma al quale proprio Spitzer si è esplicitamente richiamato, Myrrha Lot-Borodine, profonda studiosa sia della letteratura cortese e cavalleresca sia della teologia mistica greca e occidentale, ha indicato questa corrispondenza in tre caratteri essenziali e inseparabili che possono essere riassunti nella seguente formulazione: «Riconoscimento di una virtù immanente all'amore, divenuto fine a sé stesso e pienamente giustificato, in questa autonomia, dalla ineguagliabile grandezza dell'oggetto amato»[2]. Più sinteticamente ancora, si può dire che le due esperienze – mistica e profana – si incontrano nel tema della assoluta purezza e circolarità dell'amore: dell'*amare amorem* o del *desiderare desiderium*, cioè in una tensione del tutto spontanea e gratuita che trova il proprio appagamento, la propria ricompensa (*merces* in latino e *merce* in provenzale), in sé stessa. Certo, nella prospettiva sacra questo appagamento sta nel fatto che l'*amor* che si ama e con cui si ama è l'essere stesso, Dio in quanto *Amor* o *Caritas*; mentre nella prospettiva cortese l'appagamento consiste soltanto in una accettazione del «servizio» da parte della donna e della società. Ma la *fin'amor* riproduce sul piano sociale e psicologico lo stesso primato dell'amore che la teologia mistica

[1] Nel suo «L'amour lointain de Jaufré Rudel» citato *supra*, alla nota 3 p. XVI.
[2] M. Lot-Borodine, «Sur les origines et les fins du "service d'amor" provençal», in Ead., *De l'amour profane à l'amour sacré. Études de psychologie sentimentale au Moyen Âge*, Paris 1979², p. 81.

sancisce sul piano ontologico: se nella corte celeste *Deus caritas est*, in quella mondana anche *domna* e *amor* sono perfetti sinonimi.

Fu Dante a esprimere compiutamente questa continuità e quasi consustanzialità di amore terreno e amore celeste, trasfigurando la donna della tradizione cortese nella figura angelica di Beatrice, che conduce il poeta-pellegrino fino a Dio[1]. Nulla potrebbe illustrare questo intimo rapporto meglio della scena in cui, nel canto XXXI del *Paradiso*, san Bernardo subentra repentinamente a Beatrice come terza e più alta guida del viaggio ultraterreno. Nel preciso momento in cui Dante – ormai giunto «al divino da l'umano» e «a l'etterno dal tempo» (vv. 37-8) – può finalmente contemplare la «candida rosa» dei beati e desidera porre altre domande alla sua donna, si accorge che Beatrice non è più al suo fianco («Uno intendea, e altro mi rispuose»), sostituita da un «sene», da un vecchio benevolo e paterno rivestito della bianca stola degli eletti (vv. 58-60). È dunque Bernardo che, dopo aver rivolto la sua preghiera alla Vergine, invita Dante a innalzare lo sguardo alla visione divina, il cui effetto è descritto – nel più rigoroso linguaggio cistercense – come perfetta conformazione del *desiderium* e della *uoluntas* all'amore di Dio (XXXIII 143-5):

> ma già volgeva il mio disio e 'l velle,
> sì come rota ch'igualmente è mossa,
> l'amor che move il sole e l'altre stelle.

[1] Cfr. É. Gilson, *Dante e la filosofia*, trad. it., Milano 1987 (ed. orig. Paris 1972), p. 70.

BIBLIOGRAFIA GENERALE

Amours plurielles. Doctrines médiévales du rapport amoureux de Bernard de Clairvaux à Boccace, présentation et commentaires par R. Imbach et I. Atucha, Paris 2006.

C. Baladier, *Éros au Moyen Âge. Amour, désir et «delectatio morosa»*, Paris 1999.

C. Butler, *Western Mysticism. The teaching of S. Augustine, Gregory and Bernard on contemplation and contemplative life*, London 1922 (trad. it. *Il misticismo occidentale. Contemplazione e vita contemplativa nel pensiero di Agostino, Gregorio e Bernardo*, Bologna 1967).

A. Cabassut – M. Olphe-Galliard, *Cantique des Cantiques, au moyen âge*, *DSp* II, coll. 101-4.

M.-D. Chenu, *La théologie au douzième siècle*, Paris 1957 (trad. it. *La teologia nel XII secolo*, Milano 1986).

M.-D. Chenu, *Spiritus. Le vocabulaire de l'âme au XIIe siècle*, «RSPT» XLI 1957, pp. 209-32.

É. Gilson, *L'Esprit de la philosophie médiévale*, Paris 1932.

R. Hummel, *Mystische Modelle im 12. Jahrhundert: «St. Trudperter Hoheslied», Bernhard von Clairvaux, Wilhelm von Saint-Thierry*, Göppingen 1989.

R. Javelet, *Intelligence et amour chez les auteurs spirituels du XIIe siècle*, «RAM» XXXVII 1961, pp. 273-90; 429-50.

R. Javelet, *Image et ressemblance au douzième siècle. De Saint Anselme à Alain de Lille*, I-II, Strasbourg 1967.

J. Kristeva, *Histoires d'amour*, Paris 2002[2].

J. Le Brun, *Le pur amour de Platon à Lacan*, Paris 2002.

J. Leclercq, *L'amour des lettres et le désir de Dieu*, Paris 1957 (trad. it.

Cultura umanistica e desiderio di Dio. Studio sulla letteratura monastica del medioevo, Firenze 1988[2]).

J. Leclercq, *Monks and Love in Twelfth-century France*, Oxford 1979 (trad. it. *I monaci e l'amore nella Francia del XII secolo*, Roma 1984).

J. Leclercq, *La figura della donna nel medioevo*, Milano 1994.

A. de Libera, *La philosophie médiévale*, Paris 1995[2].

V. Lossky, *Essai sur la théologie mystique de l'Église d'Orient*, Paris 1944 (trad. it. *La teologia mistica della Chiesa d'Oriente. La visione di Dio*, Bologna 1967).

M. Lot-Borodine, *De l'amour prophane à l'amour sacré. Études de psychologie sentimentale au Moyen Âge*, Paris 1979[2].

A. Maiorino Tuozzi, *La «conoscenza di sé» nella scuola cistercense*, Napoli 1976.

B. Mc Ginn, *The Presence of God: A History of Western Christian Mysticism*, II. *The Growth of Mysticism: Gregory the Great through the Twelfth Century*, New York 1994.

P. Miquel, *Le vocabulaire latin de l'expérience spirituelle dans la tradition monastique et canoniale de 1050 à 1250*, Paris 1989.

A. Nygren, *Eros und Agape. Gestaltswandlungen der christlichen Liebe*, Gütersloh 1937 (trad. it. *Eros e Agape. La nozione cristiana dell'amore e le sue trasformazioni*, Bologna 1990).

M. Pfeiffer, *Bernhard von Clairvaux, Wilhelm von Saint-Thierry und Aelred von Rievaulx als Mystiker. Eine kleine Typologie der frühen Zisterziensermystik*, «CCh» CVI 1999, pp. 155-67.

A. Pulega, *Amore cortese e modelli teologici. Guglielmo IX, Chrétien de Troyes, Dante*, Milano 1995.

K. Rahner, *La doctrine des «sens spirituels» au Moyen-Age en particulier chez S. Bonaventure*, «RAM» XIV 1933, pp. 263-99.

L. Reypens, *Dieu (connaissance mystique)*, *DSp* III, coll. 883-929.

P. Rousselot, *Pour l'histoire du problème de l'amour au Moyen Age*, Paris 1933 (rist. anast. Paris 1981; trad. it. *Per la storia del problema dell'amore nel medioevo*, Trento 2004).

K. Ruh, *Geschichte der abendländischen Mystik*, I, München 1990 (trad. it. *Storia della mistica occidentale*, I. *Le basi patristiche e la teologia monastica del XII secolo*, Milano 1995).

M. Siguán Soler, *La psicología del amor en los cistercienses del siglo XII*, Abadía de Poblet 1992.

Théologiens et mystiques au Moyen Age. La poétique de Dieu (V^e-XVe

siècles), choix présenté et traduit du latin par A. Michel, Paris 1997.

D. Turner, *Eros and Allegory. Medieval Exegesis of the Song of Songs*, Kalamazoo 1995.

M. Viller – J. Farges, *Charité, Les Pères*, *DSp* II, coll. 523-69.

F. Werner, *Charité, le XIIe siècle*, *DSp* II 1, coll. 570-3.

EDIZIONI DELLE OPERE CITATE NELL'INTRODUZIONE E NEL COMMENTO

GUGLIELMO DI SAINT-THIERRY

De contemplando Deo
Guillelmi a Sancto Theodorico, *Opera omnia*, III. *Opera didactica et spiritualia*, Turnhout 2003, *CCM* LXXXVIII: *De contemplando Deo*, cura et studio P. Verdeyen, pp. 153-69.

De natura et dignitate amoris
Guillelmi a Sancto Theodorico, *Opera omnia*, III. *Opera didactica et spiritualia*, Turnhout 2003, *CCM* LXXXVIII: *De natura et dignitate amoris*, cura et studio P. Verdeyen, pp. 177-212.

Meditatiuae orationes
Guillaume de Saint-Thierry, *Oraisons méditatives*, introduction, texte latin et traduction de J. Hourlier, Paris 1985, *SC* 324.

Commentarius in Cantica Canticorum e scriptis sancti Ambrosii
Guglielmo di Saint-Thierry, *Commento ambrosiano al Cantico dei Cantici*, introduzione, traduzione e note di G. Banterle, Milano-Roma 1993.

Expositio super Epistolam ad Romanos
Guillelmi a Sancto Theodorico, *Expositio super Epistolam ad Romanos*, cura et studio P. Verdeyen, Turnhout 1989, *CCM* LXXXVII.

De natura corporis et animae
Guillelmi a Sancto Theodorico, *Opera omnia*, III. *Opera didactica et spiritualia*, Turnhout 2003, *CCM* LXXXVIII: *De natura corporis et animae*, cura et studio P. Verdeyen, pp. 92-146.

Expositio super Cantica Canticorum
Guillaume de Saint-Thierry, *Exposé sur le Cantique des Cantiques*, texte latin, introduction et notes de J.-M. Déchanet, traduction de M. Dumontier, Paris 1998[2], *SC* 82.

Speculum fidei
Guillaume de Saint-Thierry, *Le Miroir de la foi*, introduction, texte critique, traduction et notes par J. Déchanet, Paris 1982, *SC* 301.
Aenigma fidei
Guillaume de Saint-Thierry, *Deux traités sur la foi. Le Miroir de la foi. L'Énigme de la foi*, texte, notes critiques, traduction par M.-M. Davy, Paris 1959, pp. 92-179.
Epistola ad Fratres de Monte Dei
Guillaume de Saint-Thierry, *Lettre aux Frères du Mont-Dieu*, introduction, texte critique, traduction et notes par J. Déchanet, Paris 1985, *SC* 223.

BERNARDO DI CLAIRVAUX

De gradibus humilitatis et superbiae
SBO III, Roma 1963.
Apologia ad Guillelmum Abbatem
SBO III, *Roma* 1963.
De gratia et libero arbitrio
Bernard de Clairvaux, *L'amour de Dieu. La grâce et le libre arbitre*, introductions, traductions, notes et index par F. Callerot – J. Christophe – M.-I. Huille – P. Verdeyen, Paris 1993, *SC* 393, pp. 239-361.
De diligendo Deo
Bernard de Clairvaux, *L'amour de Dieu. La grâce et le libre arbitre*, introductions, traductions, notes et index par F. Callerot – J. Christophe – M.-I. Huille – P. Verdeyen, Paris 1993, *SC* 393, pp. 57-165.
Epistolae
SBO VII, Roma 1974, e VIII, Roma 1977.
De consideratione
SBO III, Roma 1963.
De praecepto et dispensatione
SBO III, Roma 1963.
Sermones super Cantica Canticorum
SBO I-II, Roma 1957-58. Cfr. anche Bernard de Clairvaux, *Sermons sur le Cantique*, texte des *SBO*, introduction et notes P. Verdeyen, traduction R. Fassetta, I-V, Paris 1996-2007, *SC* 414, 431, 452, 472, 511.

Sermones per annum
SBO IV, Roma 1966, e V, Roma 1968.
Sermones de diuersis
SBO VI/1, Roma 1970.

AELREDO DI RIEVAULX

Speculum caritatis
Aelredi Rievallensis, *Opera omnia*, I. *Opera ascetica*, Turnhout 1971, *CCM* I: *De speculo caritatis*, cura et studio C.H. Talbot, pp. 3-161.
De spiritali amicitia
Aelredi Rievallensis, *Opera omnia*, I. *Opera ascetica*, Turnhout 1971, *CCM* I: *De spiritali amicitia*, cura et studio A. Hoste, pp. 279-350.
De Iesu puero duodenni
Aelred de Rievaulx, *Quand Jésus eut douze ans*, introduction et texte critique par A. Hoste, traduction française par J. Dubois, Paris 2005[3], *SC* 60.
De institutione inclusarum
Aelred de Rievaulx, *La Vie de recluse. La Prière pastorale*, texte édité et traduit par C. Dumont, Paris 1961, *SC* 76, pp. 42-169.
Oratio pastoralis
Aelred de Rievaulx, *La Vie de recluse. La Prière pastorale*, texte édité et traduit par C. Dumont, Paris 1961, *SC* 76, pp. 184-203.
Sermones
Aelredi Rievallensis, *Opera omnia*, II, Turnhout 1989, *CCM* IIA: *Sermones I-XLVI. Collectio Claraeuallensis prima et secunda*, rec. G. Raciti.
Aelredi Rievallensis, *Opera omnia*, II, Turnhout 2001, *CCM* IIB: *Sermones XLVII-LXXXIV. Collectio Dunelmensis – Collectio Lincolnensis*, rec. G. Raciti.
Sermones inediti
Aelredi Rievallensis, *Sermones inediti*, ed. C.H. Talbot, Roma 1952 («Scriptorum S. Ordinis Cisterciensis» I).
De oneribus
Aelredi Rievallensis, *Sermones in Isaiam de oneribus Babylonis*, *PL* CVC, coll. 361-500.

Dialogus de anima
Aelredi Rievallensis, *Opera omnia*, I. *Opera ascetica*, Turnhout 1971, *CCM* I: *Dialogus de anima*, cura et studio C.H. Talbot, pp. 683-75.

IVO

Epistola ad Seuerinum de caritate
Ives, *Épître à Séverin sur la charité*. Richard de Saint-Victor, *Les quatre degrés de la violente charité*, texte critique avec introduction, traduction et notes par G. Dumeige, Paris 1955, pp. 44-87.

RICCARDO DI SAN VITTORE

De statu interioris hominis
De statu interioris hominis post lapsum, éd. J. Ribaillier, «AHDLMA» XXXIV 1967, pp. 7-128.
Beniamin maior
Richardi a Sancto Victore, *Opera omnia: De gratia contemplationis* o *Beniamin maior*, *PL* CXCVI, coll. 63-192. Cfr. anche Richard von St. Victor, *de contemplatione (Benjamin maior)*, hrsg. von M.-A. Aris in Zusammenarbeit mit J.U. Andres, in M.-A. Aris, *Contemplatio. Philosophische Studien zum Traktat Benjamin Maior des Richard von St. Victor*, Frankfurt am Main 1996, pp. [1]-[148].
De exterminatione mali
Richardi a Sancto Victore, *Opera omnia: De exterminatione mali et promotione boni*, *PL* CXCVI, coll. 1073-116.
Beniamin minor
Richard de Saint-Victor, *Les Douze Patriarches (Beniamin minor)*, texte critique et traduction par J. Châtillon et M. Duchet-Suchaux, Paris 1997, *SC* 419.
Mysticae adnotationes in Psalmos
Richardi a Sancto Victore, *Opera omnia: Mysticae adnotationes in Psalmos* e *Tractatus super quosdam psalmos et quarumdam sententias Scripturarum*, *PL* CXCVI, coll. 265-404.
De eruditione hominis interioris
Richardi a Sancto Victore, *Opera omnia: De eruditione hominis interioris* o *De somnio regis Nabuchodonosor*, *PL* CXCVI, coll. 1229-366.

De Trinitate

Richard de Saint-Victor, *La Trinité*, texte latin, introduction, traduction et notes de G. Salet, Paris 1999[3], *SC* 63.

De IV gradibus uiolentae caritatis

Ives, *Épître à Séverin sur la charité.* Richard de Saint-Victor, *Les quatre degrés de la violente charité*, texte critique avec introduction, traduction et notes par G. Dumeige, Paris 1955, pp. 126-77.

SIGLE

COLLANE, RACCOLTE DI TESTI, RIVISTE

«AB»	«Analecta Bollandiana»
«ABR»	«The American Benedectine Review»
«AHDLMA»	«Archives d'histoire doctrinale et littéraire du Moyen Age»
«ALMA»	«Archivum Latinitatis Medii Aevi»
«ASOC»	«Analecta Sacri Ordinis Cisterciensis»
«BLE»	«Bulletin de Littérature Ecclésiastique»
«BPhM»	«Bulletin de philosophie médiévale»
«C»	«Cîteaux»
«CC»	«Collectanea Cisterciensia»
«CCh»	«Cistercienser Chronik»
CCL	*Corpus Christianorum. Series Latina*, Turnhout 1954 sgg.
CCM	*Corpus Christianorum. Continuatio Medieualis*, Turnhout 1971 sgg.
«CHR»	«The Catholic Historical Review»
«Cist»	«Cistercium»
«CM»	«Cuadernos Monásticos»
«CNed»	«Cîteaux in de Nederlanden»
CSEL	*Corpus Scriptorum Ecclesiasticorum Latinorum*, Wien 1866 sgg.
«CSQ»	«Cistercian Studies Quarterly»
«CSt»	«Cistercian Studies»
DHE	*Dictionnaire d'Histoire Ecclésiastique*
«DL»	«Doctrine and Life»
«DR»	«The Downside Review»

«DS»	«Doctor Seraphicus»
DSp	*Dictionnaire de Spiritualité ascétique et mystique. Doctrine et histoire*, Paris 1937-95
«EJT»	«European Journal of Theology»
«ETL»	«Ephemerides Theologiae Lovanienses»
«FAM»	«Filologia antica e medievale»
«GM»	«Giornale di Metafisica»
«H»	«Hallel»
«MH»	«Medievalia et Humanistica»
«Micr»	«Micrologus»
«ML-SMSF»	«Memorie della R. Accademia Nazionale dei Lincei. Classe di Scienze morali, storiche e filologiche»
«MS»	«Mediaeval Studies»
«NB»	«New Blackfriars»
«NRTh»	«Nouvelle Revue Théologique»
OSB	San Bernardo, *Opere*, a cura di F. Gastaldelli: I. *Trattati*, Roma 1984
PG	J.-P. Migne, *Patrologiae cursus completus, series Graeca*, Parisiis 1857-66
PL	J.-P. Migne, *Patrologiae cursus completus, series Latina*, Parisiis 1844-64
«PSV»	«Parola Spirito e Vita»
«RAM»	«Revue d'ascétique et de mystique»
«RC»	«Rivista Cistercense»
«REA»	«Revue des Études Augustiniennes»
«RFN»	«Rivista di filosofia neoscolastica»
«RHE»	«Revue d'Histoire Ecclésiastique»
«RMAL»	«Revue du Moyen-Âge Latin»
«RSPT»	«Revue de sciences philosophiques et théologiques»
«RSR»	«Recherches de science religieuse»
«RT»	«Rassegna di teologia»
«RTAM»	«Recherches de Théologie ancienne et médiévale»
«S»	«Speculum»
«Sap»	«Sapienza»
SBO	*Sancti Bernardi Opera*, ed. J. Leclercq – C.H. Talbot – H.M. Rochais, I-VIII, Roma 1957-77
SC	*Sources Chrétiennes*, Paris 1942 sgg.
«Sk»	«Skolastik»
«SSp»	«Studies in Spirituality»
«ST»	«Studia Theologica»

«ThZ»	«Theologische Zeitschrift»
«TP»	«Theologie und Philosophie»
«UTQ»	«University of Toronto Quarterly»
«VCons»	«Vita consacrata»
«VSp»	«La Vie spirituelle»
«ZDA»	«Zeitschrift für deutsches Altertum und deutsche Literatur»

LIBRI BIBLICI

Act. Ap.	*Atti degli Apostoli*
Am.	*Amos*
Apoc.	*Apocalisse*
Cant.	*Cantico dei Cantici*
1 Chron.	*Primo libro delle Cronache*
Dan.	*Daniele*
Deut.	*Deuteronomio*
Eccl.	*Ecclesiaste*
Eccli.	*Ecclesiastico*
Ep. Col.	*Lettera ai Colossesi*
1 Ep. Cor.	*Prima lettera ai Corinzi*
2 Ep. Cor.	*Seconda lettera ai Corinzi*
Ep. Eph.	*Lettera agli Efesini*
Ep. Gal.	*Lettera ai Galati*
Ep. Hebr.	*Lettera agli Ebrei*
Ep. Iac.	*Lettera di Giacomo*
1 Ep. Io.	*Prima lettera di Giovanni*
2 Ep. Io.	*Seconda lettera di Giovanni*
1 Ep. Pet.	*Prima lettera di Pietro*
2 Ep. Pet.	*Seconda lettera di Pietro*
Ep. Phil.	*Lettera ai Filippesi*
Ep. Philem.	*Lettera a Filemone*
Ep. Rom.	*Lettera ai Romani*
1 Ep. Thess.	*Prima lettera ai Tessalonicesi*
2 Ep. Thess.	*Seconda lettera ai Tessalonicesi*
1 Ep. Tim.	*Prima lettera a Timoteo*
2 Ep. Tim.	*Seconda lettera a Timoteo*
Ep. Tit.	*Lettera a Tito*
Eu. Io.	*Vangelo di Giovanni*

Eu. Luc.	*Vangelo di Luca*
Eu. Marc.	*Vangelo di Marco*
Eu. Matth.	*Vangelo di Matteo*
Ex.	*Esodo*
Ez.	*Ezechiele*
Gen.	*Genesi*
Habac.	*Abacuc*
Ier.	*Geremia*
Iob	*Giobbe*
Ioel	*Gioele*
Ion.	*Giona*
Is.	*Isaia*
Iud.	*Giudici*
Lam.	*Lamentazioni*
Leu.	*Levitico*
Mal.	*Malachia*
Num.	*Numeri*
Os.	*Osea*
Prou.	*Proverbi*
Ps.	*Salmi*
1 Reg.	*Primo libro dei Re*
2 Reg.	*Secondo libro dei Re*
3 Reg.	*Terzo libro dei Re*
4 Reg.	*Quarto libro dei Re*
Ruth	*Rut*
Sap.	*Sapienza*
Tob.	*Tobia*
Zach.	*Zaccaria*

TESTI E TRADUZIONI

GUGLIELMO DI SAINT-THIERRY

La vita

Dalla *Vita antiqua*, una biografia anonima di Guglielmo risalente alla fine del XII secolo, sappiamo che egli era originario di Liegi e proveniva da una nobile famiglia. Molto incerto, invece, è il suo anno di nascita: le date proposte dagli storici oscillano fra il 1070 e il 1090. Si tende oggi a collocare la data di nascita di Guglielmo intorno al 1075: egli sarebbe stato perciò di ben quindici anni più anziano di Bernardo di Clairvaux, suo amico e collaboratore per molto tempo.

Poco sappiamo anche della sua infanzia e della sua giovinezza. La biografia antica ci informa che egli partì presto per Reims in compagnia di un certo Simone, forse suo fratello. Secondo alcuni questo trasferimento fu dovuto alla situazione che si era venuta a creare a causa del conflitto fra Chiesa e Impero (la «lotta per le investiture»), che allora imperversava a Liegi e aveva portato alla nomina vescovile di Otberto da parte dell'imperatore Enrico IV. Secondo altri la ragione della partenza sarebbe stata il desiderio di seguire studi filosofici e teologici più aggiornati di quelli che allora poteva offrire Liegi. Si è ipotizzato che Guglielmo abbia studiato anche a Laon, alla scuola del celebre Anselmo; certo è che egli acquisì in questo periodo i nuovi strumenti della «scolastica», basati sul metodo della *quaestio* applicata alla Bibbia; strinse anche una effimera amicizia con il futuro avversario, Pietro Abelardo.

Terminati questi studi, Guglielmo scelse – sempre insieme a Simone – di abbandonare il secolo e abbracciare la vita monastica. Entrò così – non si sa esattamente quando – nell'abbazia benedettina di Saint-Nicaise, situata nel centro di Reims e allora fio-

rente dopo il rinnovamento spirituale operato a partire dal 1103 dall'abate Joran. A Saint-Nicaise Guglielmo restò fino al 1121, divenendone forse il priore. È anche probabile che egli abbia potuto leggere nella biblioteca del monastero i grandi Padri greci e latini – come Origene, Gregorio Nisseno, Ambrogio, Agostino e Gregorio Magno – di cui i suoi scritti rivelano una profonda conoscenza.

Durante questo periodo – probabilmente nel 1118 – avvenne anche il primo incontro con Bernardo, incontro dettagliatamente descritto da Guglielmo nella sua ultima opera, rimasta incompiuta a causa della morte, la *Vita Bernardi*. Bernardo, entrato a Cîteaux nel 1113, era stato inviato due anni più tardi a Clairvaux per fondarvi un nuovo monastero, ma era stato presto colpito da una grave forma di gastrite. Per curarlo, il vescovo Guglielmo di Champeaux lo aveva temporaneamente esonerato dai suoi impegni di abate e trasferito a Clémentpré, in una modesta residenza di campagna. Fu qui che Guglielmo lo visitò, rimanendo subito folgorato dalla sua semplicità e dalla sua luminosa personalità. I due uomini si rividero certamente più volte in seguito, ma l'incontro più importante si svolse a Clairvaux nei primi mesi del 1128, quando ormai Guglielmo era divenuto abate di Saint-Thierry. Sapendolo malato, Bernardo lo invitò a raggiungerlo nell'infermeria del monastero, dove anch'egli era degente. Durante questo periodo di cura, i due amici ebbero modo di parlare a lungo di temi teologici e spirituali; in particolare, discussero ampiamente del senso morale del *Cantico dei Cantici*, forse a partire dalle omelie e dal commento di Origene al testo biblico. Da questo approfondito scambio di idee nacquero due fra le loro opere più originali: la *Expositio super Cantica Canticorum* di Guglielmo (autore anche di due compilazioni dei passi dedicati al *Cantico* negli scritti, rispettivamente, di Ambrogio e di Gregorio Magno) e i *Sermones super Cantica Canticorum* di Bernardo. Per tutto il resto della vita Guglielmo e Bernardo sarebbero rimasti in contatto, intrattenendo anche una importante corrispondenza. L'amicizia e la stima reciproche sono testimoniate anche dalla dedica di alcune opere (Bernardo dedicò il suo *de gratia et libero arbitrio* a Guglielmo, che qualche anno dopo gli avrebbe dedicato il *de sacramento altaris*) e

dalle richieste di revisione e di correzione dei loro scritti che entrambi si rivolsero.

Nel febbraio del 1121 Guglielmo fu eletto abate di Saint-Thierry, un monastero benedettino situato a dieci chilometri da Reims, sul Mont d'Hor. Egli affrontò con impegno la nuova attività, che comportava pesanti incombenze amministrative, ma cominciò presto a desiderare sempre più quella vita di solitudine e di meditazione alla quale si sentiva portato e che sembrava essergli offerta dall'Ordine cistercense. Già intorno al 1123-24 ne parlò a Bernardo, che lo invitò tuttavia a conservare il suo incarico: Guglielmo lo mantenne complessivamente per quattordici anni e cinque mesi, fino al luglio del 1135, quando decise di rassegnare le dimissioni. Durante questo periodo affrontò anche il conflitto che era ormai esploso fra il modello di Cluny, caratterizzato da una crescente tendenza verso lo sfarzo e il desiderio di potere, e quello di Cîteaux, più semplice e austero. Nel 1132 scagliò un violento libello contro il legato papale Matteo, cardinale-vescovo di Albano, che aveva duramente criticato le innovazioni introdotte l'anno prima da un «capitolo» benedettino formato dai rappresentanti di ventuno abbazie (fra cui Saint-Thierry) allo scopo di semplificarne i riti e le consuetudini di vita. Ma gli anni di Saint-Thierry furono anche quelli della produzione dei primi scritti, nei quali la teologia mistica di Guglielmo si presenta già chiaramente definita. Fra il 1121 e il 1124 egli pubblicò con ogni probabilità i due trattati dedicati all'amore, il *de contemplando Deo* e il *de natura et dignitate amoris*. Negli anni immediatamente successivi redasse alcune opere di carattere compilativo, il già citato *de sacramento altaris* (1127-28), in polemica con la concezione dell'eucarestia di Ruperto di Deutz, una *Expositio super Epistolam ad Romanos* e i due florilegi riguardanti il *Cantico dei Cantici* (il *Commentarius in Cantica Canticorum e scriptis sancti Ambrosii* e gli *Excerpta ex libris sancti Gregorii papae super Cantica Canticorum*). Un altro scritto di grande importanza parzialmente composto in questo periodo sono le *Meditatiuae orationes*, una serie di meditazioni (dodici in tutto) su testi biblici – soprattutto sui Salmi – che sintetizzano gli aspetti fondamentali della sua spiritualità e che Guglielmo destinò in seguito ai principianti per avviarli alla preghiera personale.

La non facile decisione di abbandonare Saint-Thierry maturò infine, come si è detto, nel 1135. Guglielmo si trasferì come semplice monaco a Signy, una abbazia cistercense sperduta tra le foreste delle Ardenne; della sua fondazione – avvenuta nello stesso anno – egli fu uno dei firmatari. Nonostante i tentativi dei suoi confratelli di farlo recedere dalla decisione, egli non cambiò idea, confortato anche dall'affettuosa accoglienza di Bernardo. A Signy, si dedicò subito alla composizione di un commento al *Cantico dei Cantici* (la già ricordata *Expositio super Cantica Canticorum*), ma fu costretto ad abbandonare il lavoro per occuparsi della teologia di Pietro Abelardo: venuto a conoscenza della sua *Theologia summi boni* e preoccupato dalla pretesa di Abelardo di trattare le questioni della fede con i nuovi metodi della logica e della dialettica, Guglielmo ne denunciò diciannove tesi in una lunga lettera del 1140 a Bernardo, che sostenne la sua iniziativa. Su richiesta di Abelardo, il 3 giugno dello stesso anno fu organizzato a Sens fra lui e Bernardo un pubblico confronto, che però non ebbe luogo per il ritiro *in extremis* dell'accusato. Condannato dal papa Innocenzo II, Abelardo si sottomise alla sua volontà e – poco prima della morte, avvenuta nel 1142 – si riconciliò anche con Bernardo. Spentosi il fuoco della polemica, l'interesse di Guglielmo per l'esatta definizione del dogma cristiano si tradusse fra il 1142 e il 1144 nella stesura di un dittico dedicato alla fede: i trattati *Speculum fidei* e *Aenigma fidei*, destinati specialmente ai novizi di Signy.

Negli stessi anni, Guglielmo strinse rapporti sempre più stretti con i monaci della prima fondazione di tipo certosino nel nord della Francia, quella del Mont-Dieu, anch'essa situata nelle Ardenne, a circa venti chilometri da Sedan. Presso la Certosa – il cui originale modello, che associava vita cenobitica e vita eremitica, dovette subito interessarlo – egli ottenne lo statuto di *abbas-hospes* e soggiornò a lungo. Da questa esperienza nacque la sua ultima e più famosa opera di carattere spirituale, dedicata all'ideale di vita monastica: la *Epistola ad fratres de Monte Dei*, che divenne presto famosa con il titolo di *Epistola aurea* e che rappresenta una sintesi conclusiva di tutta la sua opera. Nella prefazione alla *Epistola* Guglielmo informa di aver affidato tutti i suoi scritti, di cui fornisce un elenco, ai certosini del Mont-Dieu, certo allo sco-

po di preservare la fedeltà degli originali da ogni eventuale manipolazione o corruzione. La morte lo colse l'8 settembre 1148 mentre attendeva – probabilmente su richiesta dei confratelli cistercensi – alla redazione di una biografia dell'amico tanto ammirato, la *Vita sancti Bernardi*, che sarebbe rimasta incompiuta.

Nota ai testi

All'inizio dell'*Epistola ad fratres de Monte Dei*, Guglielmo di Saint-Thierry redige un elenco delle sue precedenti opere, eccetto lo *Speculum fidei* e l'*Aenigma fidei*, descritte a parte per il loro più stretto rapporto con l'*Epistola*. Il *de contemplando Deo* figura al primo posto, seguito dal *de natura et dignitate amoris*: *Tractatus duo: primus de contemplando Deo, alter de natura et dignitate amoris* (par. 9). Se ne può dedurre che le due opere risalgono agli esordi di Guglielmo. Il *de contemplando Deo* fu composto verosimilmente fra il 1119 e il 1120 e pubblicato nei primi tempi della sua carriera di priore a Saint-Nicaise, intorno al 1121: nel prologo Guglielmo allude infatti ai suoi doveri nei confronti dei «fratelli», che lo costringeranno a ridiscendere presto dal monte della contemplazione. Il *de natura et dignitate amoris* è certamente di poco più tardo: Jean-Marie Déchanet lo data al 1119-20, ma considerata la sua sicura posteriorità al *de contemplando Deo* esso andrà collocato verosimilmente fra il 1121 e il 1123.

Uno solo fra i manoscritti che ci trasmettono il testo delle due opere le attribuisce esplicitamente al loro vero autore: si tratta del ms. lat. 776 della Bibliothèque Mazarine di Parigi, risalente al XII secolo e precedentemente appartenuto ai monasteri di Reuil (Brie) e di Saint-Martin-des-Champs. Nel manoscritto della Bibliothèque Mazarine, come negli altri manoscritti del XII secolo, il *de contemplando Deo* è seguito dal *de natura et dignitate amoris*: ben presto i due trattati furono accomunati sotto l'unico titolo di *Liber de amore Dei* o *Tractatus de amore Dei*. In due manoscritti, il ms. 5 F VII del British Museum e il ms. lat. 128 di Bruges, il testo è attribuito a Bernardo. Una falsa attribuzione che persisterà

nei secoli successivi anche nelle edizioni a stampa: con rarissime eccezioni, i due trattati sull'amore di Guglielmo di Saint-Thierry saranno sistematicamente inclusi – come gli altri suoi scritti – fra le opere di Bernardo. Solo verso la metà del secolo XX il *de contemplando Deo* e il *de natura et dignitate amoris* furono presentati al di fuori del *corpus* bernardiano: nel 1943 Déchanet tradusse alcuni estratti del secondo trattato nelle sue *Oeuvres choisies de Guillaume de Saint-Thierry* (Paris, pp. 149-213), e nel 1953 Marie-Madeleine Davy li pubblicò e tradusse entrambi in francese nel volume Guillaume de Saint-Thierry, *Deux traités de l'amour de Dieu: De la contemplation de Dieu. De la nature et de la dignité de l'amour* (Paris, rispettivamente pp. 31-67 e 69-137).

In seguito, il *de contemplando Deo* è stato edito, sempre con la traduzione francese a fronte, da Jacques Hourlier nella collana *SC* (Guillaume de Saint-Thierry, *La contemplation de Dieu*, introduction, texte latin et traduction par Jacques Hourlier, réimpression de la deuxième édition revue et corrigée, Paris 1999; 1ª ed. 1959). Entrambi i trattati sono stati infine pubblicati (2003) da P. Verdeyen in *CCM* LXXXVIII, rispettivamente pp. 153-69 e 177-212. Tutte queste edizioni utilizzano come manoscritto base il lat. 776 della Bibliothèque Mazarine di Parigi, collazionato con gli altri manoscritti del XII secolo. Nella presente traduzione abbiamo seguito per entrambi i trattati – anche per ragioni di uniformità nell'ortografia e nella punteggiatura – il testo di *CCM*; la divisione in paragrafi è quella delle edizioni utilizzate.

Indicazioni bibliografiche

EDIZIONI E TRADUZIONI ITALIANE

De contemplando Deo

PL CLXXXIV, coll. 365-80.
Oeuvres de saint Bernard, V, Paris 1887, pp. 375-89 (ristampa dell'edizione Mabillon del 1690).

Guillaume de Saint-Thierry, *Deux traités de l'amour de Dieu: De la contemplation de Dieu. De la nature et de la dignité de l'amour*, textes, notes critiques, traduction par M.-M. Davy, Paris 1953, pp. 31-67.
Guillaume de Saint-Thierry, *La contemplation de Dieu*, introduction, texte latin et traduction par J. Hourlier, Paris 1959; réimpression de la deuxième édition revue et corrigée, Paris 1999.
Guillelmi a Sancto Theodorico, *Opera omnia*: III. *Opera didactica et spiritualia*, Turnhout 2003: *De contemplando Deo*, cura et studio P. Verdeyen, *CCM* LXXXVIII, pp. 153-69.

Guglielmo di Saint-Thierry, *Contemplazione*, introduzione, traduzione e note di E. Arborio Mella, Magnano 1988[2].
Guglielmo di Saint-Thierry, *La contemplazione di Dio. La lettera d'oro*, a cura di G. Bacchini, Casale Monferrato 1997, pp. 59-88.
Guglielmo di Saint-Thierry, *La contemplazione di Dio. Natura e valore dell'amore. Preghiere meditative*, a cura di M. Spinelli, Roma 1998, pp. 17-46.

De natura et dignitate amoris

PL CLXXXIV, coll. 379-408.
Oeuvres de saint Bernard, V, Paris 1887, pp. 391-421 (ristampa dell'edizione Mabillon del 1690).
Guillaume de Saint-Thierry, *Deux traités de l'amour de Dieu*: *De la contemplation de Dieu. De la nature et de la dignité de l'amour*, textes, notes critiques, traduction par M.-M. Davy, Paris 1953, pp. 69-137.
Guillaume de Saint-Thierry, *Nature et dignité de l'amour*, traduit et présenté par R. Thomas, «Collection Pain de Cîteaux» XXIV, Chambarand 1965.
Guillelmi a Sancto Theodorico, *Opera omnia*: III. *Opera didactica et spiritualia*, Turnhout 2003: *De natura et dignitate amoris*, cura et studio P. Verdeyen, *CCM* LXXXVIII, pp. 177-212.

Guglielmo di Saint-Thierry, *Natura e grandezza dell'amore*, introduzione, traduzione e note a cura di E. Arborio Mella, Ma-

gnano 1990 (traduzione condotta sul testo critico inedito di S. Ceglar).

Guglielmo di Saint-Thierry, *La contemplazione di Dio. Natura e valore dell'amore. Preghiere meditative*, a cura di M. Spinelli, Roma 1998, pp. 65-120.

STUDI

Y.-A. Baudelet, *L'expérience spirituelle selon Guillaume de Saint-Thierry*, Paris 1985.

D.N. Bell, *Greek, Plotinus and the Education of William of Saint-Thierry*, «C» XXX 1979, pp. 221-48.

D.N. Bell, *William of Saint-Thierry and John Scot Eriugena*, «C» XXXIII 1982, pp. 5-28.

D.N. Bell, *The Image and Likeness. The Augustinian Spirituality of William of Saint-Thierry*, Kalamazoo 1984.

G. Beschin, «Il valore rivelativo dell'amore in Guglielmo di Saint-Thierry», in *Lineamenti di un personalismo teologico. Scritti in onore di Carlo Arata*, a cura di L. Malusa, Genova 1995, pp. 327-48.

H. Blommestijn, «"Imago Dei" in Guglielmo di Saint-Thierry», in *L'antropologia dei maestri spirituali*, Cinisello Balsamo 1991.

H. Blommestijn, *Liberating Virtue: William of Saint-Thierry*, «SSp» VII 1997, pp. 67-77.

R.E. Brooke, *The Trinitarian Aspect of the Ascent of the Soul to God in the Theology of William of St Thierry*, «RTAM» XXVI 1959, pp. 85-127.

W. Buchmüller, *Die geistliche Lehre des seligen Wilhelm von Saint-Thierry*, «CCh» CV 1998, pp. 233-53.

S. Ceglar, *William of Saint-Thierry: the Chronology of his Life, with a Study of his Treatise «On the nature of love», his Autorship of the «Brevis Commentatio», the «In lacu», and the «Reply to Cardinal Matthew»*, Washington 1971.

G. Como, *«Ignis amoris Dei». Lo Spirito Santo e la trasformazione dell'uomo nell'esperienza spirituale secondo Guglielmo di Saint-Thierry*, Roma-Milano 2001.

G. Como, *Introduzione* a Guglielmo di Saint-Thierry, *La lettera d'oro. Lettera ai fratelli del Monte di Dio*, Milano 2004, pp. 7-133.

M.-M. Davy, *Un traité de la vie solitaire. Lettre aux frères du Mont-Dieu de Guillaume de Saint-Thierry*, Paris 1946.

M.-M. Davy, *Théologie et mystique de Guillaume de Saint-Thierry*, I. *La connaissance de Dieu*, Paris 1954.

J.-M. Déchanet, *Aux sources de la spiritualité de Guillaume de Saint-Thierry*, Bruges 1940.

J.-M. Déchanet, *Guillaume de Saint-Thierry. L'homme et son oeuvre*, Bruges-Paris 1942.

J.-M. Déchanet, *Oeuvres choisies de Guillaume de Saint-Thierry*, Paris 1944.

J.-M. Déchanet, *«Amor ipse intellectus est». La doctrine de l'amour-intellection chez Guillaume de Saint-Thierry*, «RMAL» I 1945, pp. 349-74.

J.-M. Déchanet, *Le pseudo-prologue du «De contemplando Deo»*, «CNed» VIII 1957, pp. 5-12.

J.-M. Déchanet, *Guillaume de Saint-Thierry. Aux sources d'une pensée*, Paris 1978.

J.M. De La Torre, *Guillermo de Saint-Thierry. Un formator de creyentes*, Madrid 1993.

J. Delesalle, *On Being «One Single Spirit» with God in the Works of William of Saint-Thierry*, «CSQ» XXXIII 1998, pp. 19-28.

M. Desthieux, *Désir de voir Dieu et amour chez Guillaume de Saint-Thierry*, Bégrolles en Mauges 2006.

E.R. Elder, «The Way of Ascent: the Meaning of Love in the Thought of William of Saint-Thierry», in *Studies in Medieval Culture*, I, Kalamazoo 1964, pp. 39-47.

E.R. Elder, «William of Saint Thierry: Rational and Affective Spirituality», in *The Spirituality of Western Christendom*, Kalamazoo 1976, pp. 85-105.

C. Falchini, *L'interpretazione delle Scritture in Guglielmo di Saint-Thierry*, «PSV» XXIV 1991, pp. 271-86.

G. Fernández, *Guillermo de Saint-Thierry: El problema de sus fuentes*, «C» XXXIV 1982, pp. 107-16.

É. Gilson, *La théologie mystique de Saint-Bernard*, Paris 1934,

1986[5] (trad. it. *La teologia mistica di San Bernardo*, Milano 1987).
I. Gobry, *Guillaume de Saint-Thierry. Maître en l'art d'aimer*, Paris 1998.
J. Hourlier, *Saint Bernard et Guillaume de Saint-Thierry dans le «Liber de amore»*, «ASOC» IX 1953, pp. 223-33.
T. Koehler, *Thème et vocabulaire de la «Fruition divine» chez Guillaume de Saint-Thierry*, «RAM» XL 1964, pp. 139-60.
J. Leclercq, *Études récentes sur Guillaume de Saint-Thierry*, «BPhM» XIX 1977, pp. 49-55.
C. Leonardi, «Guglielmo di Saint-Thierry e la storia del monachesimo», in Guglielmo di Saint-Thierry, *La lettera d'oro*, a cura di C. Piacentini – R. Scarcia, Firenze 1983, pp. 5-42.
C. Leonardi, «Guglielmo di Saint-Thierry», in *Il Cristo. Testi teologici e spirituali*, IV, Milano 1991, pp. 163-9.
L. Malevez, *La doctrine de l'Image et de la connaissance mystique chez Guillaume de Saint-Thierry*, «RSR» XXII 1932, pp. 178-205; 257-79.
E. Mo, *Dignità dell'uomo e conoscenza di Dio negli scritti di Guglielmo di Saint-Thierry*, Torino 1990.
A. Montanari, *Sulle tracce profumate dello Sposo. Elementi di un metodo esegetico nell'«Expositio super Cantica Canticorum» di Guglielmo di Saint-Thierry*, «RC» XIII 1996, pp. 205-55.
A. Montanari, *Simbolismo ed esegesi nell'«Expositio super Cantica Canticorum» di Guglielmo di Saint-Thierry*, «RC» XIV 1998, pp. 247-94.
M.B. Pennington, *William of Saint-Thierry: The Way of Divine Union*, New York 1999.
A.M. Piazzoni, *Guglielmo di Saint-Thierry. Il declino dell'ideale monastico nel secolo XII*, Roma 1988.
M. Rougé, *Doctrine et expérience de l'eucharistie chez Guillaume de Saint-Thierry*, Paris 1999.
K. Ruh, *Die Augen der Liebe bei Wilhelm von Saint-Thierry*, «ThZ» XLV 1989, pp. 101-14.
Saint-Thierry. Une abbaye du VIe au XXe siècle, Actes du Colloque international d'Histoire monastique (Reims et Saint-Thierry, 11 au 14 octobre 1976), Saint-Thierry 1979.

K.G. Sander, «*Amplexus*». *Die Begegnung des Menschen mit dem dreieinen Gott in der Lehre des seligen Wilhelm von Saint-Thierry*, Langwaden 1998.

R. Thomas, *Guillaume de Saint-Thierry. Homme de doctrine, homme de prière*, Sainte-Foy 1990.

M. Vannini, *Introduzione* a Guglielmo di Saint-Thierry, *Lettera d'oro*, Milano 1997, pp. 9-18.

P. Verdeyen, *La théologie mystique de Guillaume de Saint-Thierry*, Paris 1990.

P. Verdeyen, *Guillaume de Saint-Thierry premier auteur mystique des anciens Pays-Bas*, Turnhout 2003.

G. Webb, *William of Saint-Thierry: The Five Senses of Love*, «NB» XLVI 1965, pp. 464-8.

W. Zwingmann, *Der Begriff Affectus bei Wilhelm von Saint-Thierry*, Westmalle 1967.

INCIPIT TRACTATVS DOMNI WILLELMI ABBATIS SANCTI THEODORICI DE CONTEMPLANDO DEO

1. Venite, ascendamus ad montem Domini et ad domum Dei Iacob, et docebit nos uias suas. Intentiones, intensiones, uoluntates, cogitationes, affectiones, et omnia interiora mea, uenite, ascendamus in montem uel locum, ubi Dominus uidet, 5 uel uidetur. Curae, sollicitudines, anxietates, labores, poenae seruitutis, exspectate me hic cum asino, corpore isto, donec ego cum puero, ratio cum intelligentia, usque illuc properantes, postquam adorauerimus, reuertamur ad uos. Reuertemur enim. Et heu, quam cito! Abducit enim nos a uobis caritas ue- 10 ritatis, sed propter fratres abdicare et abiurare uos non patitur ueritas caritatis. Sed licet retrahat uestra necessitas, non propter uos omnino omittenda est illa suauitas.

«Domine Deus uirtutum, conuerte nos, et ostende faciem tuam et salui erimus.» Sed heu! heu! Domine, quam praepro- 15 perum est, quam temerarium, quam inordinatum, quam praesumptuosum, quam alienum a regula uerbi ueritatis, et sapientiae tuae, corde immundo uelle Deum uidere! Sed, o summe bonus, summum bonum, uita cordium, lux oculorum interiorum, propter bonitatem tuam, Domine, miserere. Haec est 20 enim mundatio mea, haec fiducia mea, haec iustitia, contemplatio bonitatis tuae, bone Domine. Ergo, Domine Deus meus, qui dicis animae meae, modo quo tu scis: «Salus tua ego sum», rabboni, summe magister, unice doctor uidendi quae uidere

INCOMINCIA IL TRATTATO DI GUGLIELMO, ABATE DI SAINT-THIERRY, SULLA CONTEMPLAZIONE DI DIO

1. Venite, saliamo al monte del Signore[1] e alla casa del Dio di Giacobbe: egli ci insegnerà le sue vie[2]. Attenzioni, intenti, volontà, pensieri, affezioni[3] e tutto ciò che sta nel profondo di me: venite, saliamo sul monte, nel luogo in cui il Signore vede ed è veduto[4]. Preoccupazioni, angosce, ansie, fatiche, pene della schiavitù, aspettatemi qui con l'asino[5], con questo corpo, finché io e il bambino, cioè la ragione e l'intelligenza[6], corriamo lassù e dopo aver adorato torniamo da voi. Torneremo, certo. E quanto presto, ahimè! Perché la carità della verità ci allontana da voi; ma, a causa dei fratelli, la verità della carità non ci permette di abbandonarvi e di respingervi[7]. Eppure, anche se siamo trattenuti dagli obblighi nei vostri confronti, non dobbiamo, per causa vostra, trascurare completamente quella dolcezza.

«Signore, Dio delle virtù, convertici e mostraci il tuo volto: così saremo salvi.[8]» Ma ahimè, Signore, quanto è precipitoso, quanto temerario, quanto disordinato, quanto presuntuoso, quanto estraneo alla regola del verbo di verità[9] e della tua sapienza, voler vedere Dio con un cuore impuro! Ciò nonostante, o somma bontà, supremo bene, vita dei cuori, luce degli occhi interiori[10], abbi misericordia, Signore, per la tua bontà! Questa infatti è la mia purificazione, questa la mia fiducia, la mia giustizia: contemplare la tua bontà, o buon Signore. Perciò, Signore Dio mio, tu che dici alla mia anima, nel modo che sai: «La tua salvezza sono io»[11], Rabbi, maestro supremo[12], l'unico che possa insegnarmi a

desidero, dic caeco mendico tuo: «Quid uis faciam tibi?». Et tu scis, qui iam hoc ipsum das, quam ex omnibus suis recessibus, abiectis procul omnibus saeculi huius altitudinibus, pulchritudinibus et quicquid concupiscentiam carnis uel oculorum, uel ambitionem spiritus attemptare potest uel solet, tibi dicat cor meum: «Exquisiuit te facies mea; faciem tuam, Domine, requiram. Ne auertas faciem tuam a me; ne declines in ira a seruo tuo».

2. Impudens quippe sum et improbus, o adiutor meus antique, et susceptor indefesse. Sed uide quia amore amoris tui hoc facio. Sicut uides me non uidentem te, et sicut tui desiderium dedisti mihi, et si quid tibi placet in me, et cito ignoscis caeco tuo ad te currenti, et manum das in aliquibus in currendo offendenti.

3. Respondet quippe mihi intus in anima et mente mea, tumultuans in me, et concutiens omnia interiora mea uox testificationis tuae, et caligant oculi mei interiores a fulgore ueritatis tuae, ingerentis mihi: quia «non uidebit te homo et uiuere potest». Ego enim uere in peccatis totus usque adhuc necdum potui mori mihi, ut uiuam tibi. Sed tamen ex praecepto tuo et dono tuo sto in petra fidei tuae, fidei christianae, in loco qui uere est penes te, in qua ut possum interim fero patienter, et amplector, et deosculor tegentem et protegentem me dexteram tuam; et aliquotiens contemplans, et uidere gestiens posteriora uidentis me, humilitatem scilicet pertranseuntem dispensationis humanae Christi Filii tui suspicio.

Sed cum accedere gestio ad eum, et uel sicut haemorroissa illa, infirmae et miserae animae meae a salutifero tactu uel fimbriae eius quasi furari gestio sanitatem, uel sicut Thomas ille

vedere ciò che desidero vedere, di' al tuo cieco mendicante: «Che cosa vuoi che faccia per te?»[13]. Tu sai, proprio perché sei tu a concederlo, come dal più profondo dei suoi recessi, dopo aver gettato via tutte le altezze di questo secolo, le sue bellezze, tutto ciò che può o suole tentare la concupiscenza della carne e degli occhi[14], o l'ambizione dello spirito, il mio cuore ti dica: «Il mio volto ti ha cercato; ricercherò il tuo volto, Signore. Non distogliere il tuo volto da me; non allontanarti, nella tua collera, dal tuo servo»[15].

2. Certo sono impudente e importuno, o mio antico soccorso e mio instancabile difensore[16], ma vedi che è per amore del tuo amore che faccio questo: tu puoi vedermi senza che io possa vedere te; e tu mi hai dato il desiderio di te e ogni altra cosa che ti piace in me. Subito perdoni al tuo cieco che corre verso di te e gli tendi la mano se, correndo, incontra qualche ostacolo.

3. Mi risponde allora nel profondo della mia anima e della mia mente, tumultuando e scuotendo la mia interiorità, la voce della tua testimonianza[17]: i miei occhi interni sono offuscati dal fulgore della tua verità, la quale mi fa capire che «l'uomo non può vivere dopo averti veduto»[18]. Io infatti sono tuttora immerso nei peccati[19] e non sono ancora riuscito a morire a me stesso per poter vivere in te[20]. Tuttavia, secondo il tuo precetto e per dono tuo, sto saldo sulla roccia della fede in te, della fede cristiana, nel luogo che è veramente in tuo potere[21]; su di essa per ora attendo con tutta la pazienza di cui sono capace, stringendo e baciando la tua destra che mi copre e mi protegge[22]. Talvolta contemplo e mi sforzo di vedere la schiena di Colui che mi vede[23]: scorgo passare l'umiltà dell'economia umana[24] di Cristo, tuo Figlio.

Ma quando mi affretto ad accedere a lui; o quando, come la emorroissa[25], mi sforzo quasi di carpire la salute per la mia anima inferma e miserabile toccando, nella speranza di essere guarito, almeno le frange della sua veste; o quando come Tommaso[26], uomo

uir desideriorum totum eum desidero uidere et tangere; et non solum, sed accedere ad sacrosanctum lateris eius uulnus, ostium arcae quod factum est in latere, ut non tantum mittam digitum uel totam manum, sed totus intrem usque ad ipsum 20 cor Iesu, in sanctum sanctorum, in arcam testamenti, ad urnam auream, nostrae animam humanitatis continentem intra se manna diuinitatis. Heu, dicitur mihi: «Noli me tangere». Et illud de Apocalypsi: «Foris canes». Sicque cum dignis conscientiae meae uerberibus expulsus et propulsus, improbitatis 25 et praesumptionis meae poenas cogor luere. Rursumque in petram meam me recipiens, quae refugium est herinaceis, spinis peccatorum plenis, reamplector et reosculor tegentem et protegentem me dexteram tuam. Et ex eo quod uel leuiter sensi uel uidi, magis accenso desiderio, uix patienter exspecto ut ali- 30 quando auferas manum tegentem, et infundas gratiam illuminantem, ut tandem aliquando secundum responsum ueritatis tuae, mortuus mihi et uiuens tibi, reuelata facie ipsam tuam faciem incipiam uidere, et affici tibi a uisione faciei tuae.

4. Et, o facies, facies, quam beata facies, quae affici tibi meretur uidendo te, aedificans in corde suo tabernaculum Deo Iacob, et omnia faciens secundum exemplar quod ei ostenditur in monte. Hic uere et competenter cantatur: «Tibi dixit 5 cor meum: exquisiuit te facies mea, faciem tuam, Domine, requiram!». Itaque, ut dixi, ex dono gratiae tuae, contemplans omnes conscientiae meae angulos uel terminos, unice et singulariter desidero uidere te, ut omnes fines terrae meae uideant salutare Domini Dei sui; ut amem cum uidero, quem amare, 10 hoc est uere uiuere. Dico enim mihi in languore desiderii mei: «Quis amat quod non uidet? Quomodo potest esse amabile quod non aliquatenus est uisibile?».

di desiderio[27], desidero vederlo tutto quanto e toccarlo: non solo, ma accedere alla sacra ferita del suo costato – porta dell'arca[28], che si apre sul costato – non soltanto per mettervi il dito o tutta la mano, ma per penetrare tutto intero fino al cuore stesso di Gesù, nel santo dei santi, nell'arca del Testamento[29], fino all'urna d'oro, all'anima della nostra umanità che contiene in sé la manna della divinità; allora, ahimè, mi sento dire: «Non toccarmi»[30]. E anche quelle parole dell'Apocalisse: «Fuori i cani!»[31]. Così, come è giusto, quando le verghe della mia coscienza mi respingono e mi cacciano fuori, sono costretto a pagare la pena della mia sfrontatezza e della mia presunzione. E ritiratomi di nuovo sulla mia roccia, che è il rifugio dei ricci[32] coperti degli spini dei loro peccati, stringo e bacio nuovamente la tua destra che mi copre e mi protegge[33]. E in virtù di ciò che ho sentito[34] appena, o intravisto, mi accendo di un desiderio ancora più grande e aspetto quasi con impazienza che un giorno tu alzi la mano che mi copre infondendomi la grazia illuminante[35]; affinché un giorno, secondo il responso della tua verità, io incominci infine, morto a me stesso e vivo in te, senza alcun velo sul volto[36], a vedere il tuo stesso volto e sia da te trasformato dalla visione del tuo volto[37].

4. O volto, o volto! Quanto beato il volto che, vedendoti, merita di essere trasformato da te: edifica nel suo cuore un tabernacolo[38] al Dio di Giacobbe e fa ogni cosa secondo il modello che gli viene mostrato sul monte[39]. Qui davvero e con cognizione di causa canta: «A Te il mio cuore ha detto: il mio volto ti ha cercato, ricercherò il tuo volto, o Signore»[40]. Perciò, come ho detto, contemplando per dono della tua grazia ogni angolo ed estremità della mia coscienza, desidero unicamente ed esclusivamente vederti; così tutti i confini della mia terra vedranno la salvezza del Signore Dio suo[41] e io amerò, dopo averlo veduto, colui che è vera vita per chi lo ama. Dico infatti a me stesso nel languore del mio desiderio: «Chi può amare ciò che non vede?[42] Come può essere amabile ciò che non è in qualche modo visibile?».

Sed te desideranti amabilia quidem tua occurrunt, et a caelo, et a terra, et ab omni creatura se mihi ultro offerunt, et in-
15 gerunt, o in omnibus adorande et amabilis Domine. Quae quanto te manifestius et uerius praedicant et approbant amabilem, tanto ardentius te mihi faciunt desiderabilem. Sed heu! non ad fruendi perfectam suauitatem et gaudium, sed ad intentionis et intensionis et defectus (non tamen sine aliqua
20 suauitate) tormentum. Sicut enim mea non tibi perfecte placent oblata, nisi mecum; sic bonorum tuorum contemplatio reficit nos quidem dulciter, sed non satiat perfecte nisi tecum.

5. Haec est animae meae assidua exercitatio, hinc assidue scobo uel scopo spiritum meum; et cum bonis et amabilibus tuis, quasi pedibus et manibus, et totis innitens uiribus sursum tendo ad te, in te, summe amor, summum bonum; sed quanto
5 tendo fortius, tanto retrudor durius infra in memetipsum, sub memetipso. Sic ergo respiciens et discernens et diiudicans meipsum, factus sum mihi ipsi de meipso laboriosa et taediosa quaestio.

Tamen, tamen, Domine, certe certus sum per gratiam tuam
10 desiderium desiderii tui, et amorem amoris tui habere me in toto corde et in tota anima mea. Hucusque te faciente profeci ut desiderem desiderare te, et amem amare te. Sed hoc amans, quid amem nescio. Quid enim est amare amorem, desiderare desiderium? Amore amamus si quid amamus; desiderio desi-
15 deramus quicquid desideramus. Sed forsitan cum amo amorem, non amo amorem quo amo quod amare uolo, et amo quicquid amo, sed me amantem, cum in Domino laudatur et amatur a me anima mea, quam procul dubio detestarer et odio haberem, si eam alibi quam in Domino et in eius amore inue-
20 nirem. Sed et de desiderio quid dicemus? Si dicam «desidero esse desiderans», iam me inuenio desiderantem. Sed numquid

Ma a chi ti desidera si fanno incontro le tue attrattive[43]: dal cielo e dalla terra e da tutte le creature mi si offrono e mi si presentano, o Signore adorabile e amabile in tutto. Quanto più manifestamente e veramente esse ti proclamano e ti mostrano amabile, tanto più ardentemente mi ti rendono desiderabile; non, ahimè, per raggiungere la perfetta gioia e dolcezza del godimento, ma per essere tormentato – non senza qualche soavità – dall'attenzione, dall'intento[44] e dal difetto. Infatti, come le mie offerte non ti soddisfano pienamente se non sono accompagnate da me stesso, così la contemplazione dei tuoi beni ci ristora certo con dolcezza, ma non ci appaga completamente se con essa non ci sei anche tu.

5. Questo è l'assiduo esercizio dell'anima mia, da qui assiduamente esamino e scruto il mio spirito[45]; con l'aiuto dei tuoi beni e delle tue attrattive, quasi facendo forza con i piedi e le mani e le mie forze tutte, tendo in alto verso di te, in te, sommo amore, sommo bene. Ma più forte tendo, più duramente sono ricacciato dentro a me stesso, sotto di me stesso. Così dunque mi osservo, mi esamino, mi giudico; e divento per me stesso un penoso e fastidioso problema[46].

Eppure, eppure, Signore, sono assolutamente certo di avere in me, per grazia tua, il desiderio di desiderarti e l'amore di amarti con tutto il mio cuore e con tutta la mia anima[47]. Fin qui mi hai fatto progredire perché io desiderassi desiderarti e amassi amarti. Ma amando questo, io non so che cosa amo. Che cosa vuol dire amare l'amore e desiderare il desiderio? Amiamo con amore se amiamo qualcosa, desideriamo con desiderio tutto ciò che desideriamo. Ma forse quando amo l'amore non amo quell'amore con il quale amo ciò che voglio amare e con il quale amo tutto ciò che amo; ma amo me stesso che ama[48], perché lodo e amo la mia anima nel Signore[49] – quell'anima che senza dubbio detesterei e avrei in odio, se non la trovassi nel Signore e nel suo amore[50]. E del desiderio che cosa diremo? Se dico: «Desidero essere desiderante», mi trovo già in uno stato di desiderio. Ma desidero il tuo deside-

desiderantem desiderium tui, quasi non habeam, aut desiderium maius quam habeam?

6. Cum igitur hoc modo deficiant et caligent et caecutiant interiores oculi mei, oro ut citius a te aperiantur, non sicut aperti sunt Adam carnales oculi, ut uideret confusionem suam; sed ut uideam, Domine, gloriam tuam; ut oblitus paruitatis et
5 paupertatis meae, totus erigar et curram in amplexus amoris tui, uidens quem amauero, et amans quem uidero; et moriens in me, uiuere incipiam in te; et bene mihi sit in te, cui pessime est in se.

Sed festina Domine, ne tardaueris. Habet enim, Domine,
10 sapientiae tuae gratia, uel gratiae tuae sapientia, sua compendia; et quo rationis uel ratiocinationis nullis argumentis, nullis discussionibus, quasi quibusdam scalis conscenditur, ad torrentem scilicet uoluptatis tuae, ad plenum amoris tui gaudium; cui hoc datum est, fideliter quaerens, fideliter pulsans, saepe
15 repente se ibi inuenit. Sed, o Domine, si quando, quod quam rarum est, me in aliqua huius gaudii parte inuenio, clamo, uociferor: «Domine, bonum est nos hic esse, faciamus hic tria tabernacula»: fidei unum, spei unum, amori unum. Numquid nescio quid dicam, cum dico: «Bonum est nos hic esse»? Sed
20 repente cado in terram, quasi mortuus, et respiciens nichil uideo, et me ubi prius eram inuenio, in dolore scilicet cordis et afflictione spiritus. Vsquequo, Domine, usquequo? Quamdiu ponam consilia in anima mea, dolorem in corde meo per diem? Quamdiu non permanebit Spiritus tuus in hominibus, quia ca-
25 ro sunt; sed uenit et uadit, et spirat ubi uult? Sed in conuertendo Dominus captiuitatem Sion, facti erimus sicut consolati. Tunc replebitur gaudio os nostrum, et lingua nostra exsultatione. Interim, heu mihi, quia incolatus meus prolonga-

rio come se non lo avessi, oppure desidero un desiderio maggiore di quello che già ho?

6. Perciò, quando i miei occhi interiori vengono meno e si annebbiano e diventano ciechi, prego che tu me li apra al più presto, non come furono aperti gli occhi carnali di Adamo perché vedesse la sua confusione[51], ma perché io possa vedere, o Signore, la tua gloria[52]; perché, dimenticando la mia piccolezza e la mia penuria, mi risollevi del tutto e mi precipiti negli abbracci del tuo amore, vedendo colui che amerò e amando colui che vedrò: così, morendo a me stesso, incomincerò a vivere in te[53]. Che abbia il bene di essere in te, io che sto malissimo in me stesso!

Affrettati, Signore, non tardare. In effetti ha le sue scorciatoie, o Signore, la grazia della tua sapienza o la sapienza della tua grazia; e dove non ci sono argomenti né discussioni della ragione o del ragionamento che permettano – come delle scale – di salire fino al torrente dei tuoi piaceri, alla piena gioia del tuo amore[54], là spesso si trova di colpo, dopo aver cercato fedelmente e fedelmente bussato alla tua porta, colui al quale tu lo concedi[55]. Ma, o Signore, se qualche volta – cosa assai rara – mi trovo a partecipare di questa gioia, io esclamo, io grido: «Signore, per noi è bello essere qui, facciamo tre tende in questo luogo», una per la fede, una per la speranza, una per l'amore[56]. Ignoro forse ciò che dico[57] quando dico: «Per noi è bello essere qui»? Ecco che all'improvviso cado per terra tramortito e se guardo non vedo più nulla; mi ritrovo dov'ero prima, cioè nella sofferenza del cuore e nell'afflizione dello spirito[58]. Fino a quando, Signore, fino a quando? Per quanto tempo ancora mi arrovellerò nell'anima mia e proverò dolore nel mio cuore durante tutto il giorno[59]? Per quanto tempo il tuo Spirito rifiuterà di dimorare negli uomini[60] perché sono carne? Esso viene e va e soffia dove vuole[61]. Ma quando il Signore farà tornare Sion dalla cattività[62], allora sì che saremo consolati: la nostra bocca si riempirà di gioia e la nostra lingua di esultanza[63]. Nel frattempo, me sventurato, perché il mio esilio si è prolungato:

tus est; habitaui cum habitantibus Cedar, multum incola fuit anima mea. Sed respondet mihi intus in corde meo ueritas consolationis tuae, et consolatio ueritatis tuae.

7. «Est amor desiderii, et est amor fruitionis. Amor desiderii meretur aliquando uisionem, uisio fruitionem, fruitio amoris perfectionem.» Gratias ago gratiae tuae, qui loqui dignaris ad cor serui tui, et anxiis eius quaestionibus aliquatenus respondes. Suscipio et amplector hanc Spiritus tui arrham, et laetus exspecto in arrha promissionem tuam. Desidero itaque amare te, et amo desiderare te, et hoc modo curro ut apprehendam in quo apprehensus sum; scilicet ut amem te perfecte aliquando, o qui prior nos amasti, amande et amabilis Domine.

Sed estne aliquando aut alicubi, Domine, haec amoris tui perfectio, haec in amore tuo beatitudinis consummatio, ut sitiens anima ad Deum fontem uiuum, sic satietur, sic impleatur, ut dicat: «Sufficit»? Miror quicumque, ubicumque ille sit si non deficit, si dicit: «Sufficit». Sed ubi istius sufficientiae est defectio, quae potest esse perfectio? Nusquam igitur et numquam perfectio? Sed et iniusti, Domine, numquid regnum tuum possidebunt? Iniustus autem est qui non tantum desiderat, et debitorem se sentit et intelligit te amare, quantum ab aliqua creatura rationali possibile est amari te. Constat etiam beata illa Seraphim, quae a uicinitate praesentiae tuae, a claritate uisionis tuae Ardentes et interpretantur et sunt, plus amare te, quam aliquem qui minor est in regno caelorum. Qui si in regno caelorum non dicam minimus sed nonnullus est, utique tantum desiderat amare te quantum ab aliquo uel potes amari uel debes, et hoc forsitan est, in quem desiderant angeli conspicere. Desiderat ergo beatus minor ille, quicumque ille est, tantum te amare, quantum amat quicumque plus eo amat, non

abito con gli abitanti di Cedar[64], a lungo è stata in esilio l'anima mia. Ma dentro al mio cuore mi rispondono la verità della tua consolazione e la consolazione della tua verità.

7. «C'è un amore di desiderio e un amore di godimento. L'amore di desiderio merita talvolta la visione, la visione il godimento, il godimento la perfezione dell'amore.[65]» Rendo grazie alla tua grazia, a te che ti degni di parlare al cuore del tuo servo[66] e rispondi in qualche misura alle sue ansiose domande. Accolgo e abbraccio questa caparra del tuo Spirito[67] e, in essa, attendo lieto la realizzazione della tua promessa[68]. Desidero dunque amarti e amo desiderarti: in questo modo corro per afferrare colui dal quale sono stato afferrato[69], cioè per amarti un giorno perfettamente, o amabile Signore che ci hai amati per primo[70] e che devi essere amato.

Ma esiste qualche volta o in qualche parte, o Signore, questa perfezione dell'amore per te, questa piena beatitudine nel tuo amore, tanto che l'anima assetata di Dio, fonte viva[71], sia così appagata, così colma da dire: «Basta»[72]? Mi stupirei se non venisse meno colui che dice: «Basta», chiunque sia e dovunque sia! Ma dove vi è mancanza di questa sazietà, quale perfezione può esserci? Dunque la perfezione non esiste mai e da nessuna parte? Ma allora anche gli ingiusti, Signore, possederanno il tuo regno[73]? E certo è ingiusto chi non prova desiderio di te, non si sente in debito nei tuoi confronti e non comprende di doverti amare nella misura in cui può amarti una creatura razionale. Altrettanto certo è che quei beati serafini ai quali la vicinanza della tua presenza e la chiarezza della tua visione sono valse il nome di Ardenti[74] – e in effetti lo sono – ti amano più di chi è più piccolo nel Regno dei cieli. Nel Regno dei cieli non vi è alcuno – non dico il minore, ma uno qualunque – che non desideri amarti quanto tu puoi e vuoi essere amato da qualcuno; e forse è così per te, verso cui gli angeli desiderano fissare il loro sguardo[75]. Questo beato «minore», chiunque sia, desidera dunque amarti quanto ti amano tutti colo-

aemula insectatione, sed pia et deuota imitatione. Si uero et in amore proficit, quanto felicius illuminatis oculis in interiora 30 procedit, tanto dulcius sentit et intelligit, si ingratus non est et iniustus, et te plus posse amari, et se debitorem plus amare, uel quantum te amant Cherubim et Seraphim. Sed qui desiderat quod assequi non potest, miser est. Miseria uero a regno beatitudinis prorsus aliena est. Assequitur ergo quod desiderat 35 quisquis ibi aliquid desiderat.

8. Quid dicemus ad haec? Quid, inquam, dicemus? Loquere, obsecro, Domine, quia audit seruus tuus. Numquid et magni et parui omnes qui sunt in regno Dei, unusquisque in suo ordine et amat, et desiderat amare, et amoris unitas non sinit 5 ut sit diuersitas; dum amat, cui est datum hoc, ardentius; minor autem in amore sine inuidia bonum ubicumque uidet amat, quod ipse sibi desiderat; et habet utique amorem, quantuscumque est, quem in amante amat? Nimirum amor est qui amatur, qui ex magna bonitatis suae affluentia et natura aman- 10 tes et coamantes, gaudentes et congaudentes, pari implet gratia, licet dispari mensura. Et quantum se amantium sensibus largius infundit, tanto eos sui capaciores efficit, satietatem faciens, sed sine fastidio; de ipsa satietate non minuens desiderium, sed augens, sed remota omni anxietudinis miseria.

15 Amor enim est, ut dictum est, qui amatur, qui a uoluptatis suae torrente omnem ab amatore suo repellit uel in satietate fastidii, uel in desiderio anxietudinis, uel in zelando inuidiae miseriam. Illuminans eos, ut dicit Apostolus, «a claritate in claritatem», ut in lumine uideant lumen, et in amore conci- 20 piant amorem. Hic est enim fons uitae qui semper fluit et numquam pereffluit. Haec est gloria, hae sunt diuitiae in do-

ro che amano più di lui; non per una gelosa rivalità, ma per una pia e devota imitazione. Se poi l'amore gli reca profitto, quanto più felicemente egli progredisce con occhi illuminati nel cammino interiore[76], tanto più dolcemente sente e comprende, se non è ingrato e ingiusto, che tu puoi essere amato di più e che lui, sempre in debito, può amare di più: addirittura quanto ti amano cherubini e serafini. Ma chi desidera ciò che non può raggiungere è un infelice. E l'infelicità è del tutto estranea al regno della beatitudine. Perciò chiunque lassù desidera qualcosa, ottiene ciò che desidera.

8. Che dire a questo proposito[77]? Già, che dire? Parla, te ne prego, Signore, perché il tuo servo ti ascolta[78]. Non è forse vero che tutti coloro che si trovano nel Regno di Dio, grandi e piccoli, amano e desiderano amare, ciascuno secondo il proprio ordine? E che l'unità dell'amore non impedisce che vi sia diversità? Non è vero che mentre colui che ne ha ricevuto il dono ama più ardentemente, il più piccolo, da parte sua, ama con un amore senza invidia il bene che desidera per sé stesso dovunque lo veda? E non è forse certo che in questo modo possiede tutto l'amore, per quanto grande sia, che ama nell'amante? Sicuramente è l'amore a essere amato: per la sovrabbondanza e per la natura della sua bontà, esso colma della stessa grazia, anche se in diversa misura, coloro che amano e amano insieme, che gioiscono e gioiscono insieme[79]. E quanto più abbondantemente si riversa nei sensi di coloro che amano, tanto più capaci li rende di contenerlo: rende sazi, ma senza disgustare. Una tale sazietà non diminuisce il desiderio ma lo accresce, tenendo lontana ogni sofferenza che deriva dall'ansia.

Come abbiamo detto, infatti, chi è amato è l'amore, che con il torrente dei suoi piaceri[80] scaccia da colui che lo ama ogni infelicità, dovuta sia al disgusto nella sazietà, sia all'ansia nel desiderio, sia all'invidia nello zelo; lo illumina, come dice l'Apostolo, «di splendore in splendore»[81], perché nella luce veda la luce[82] e nell'amore concepisca l'amore. Questa è infatti la fonte della vita, che sempre scorre e mai si perde. Questa è la gloria, queste sono le ricchezze

mo beati amatoris tui, quia praesto est desideranti quod desiderat, et amanti quod amat.

Ideoque et qui desiderat, semper amat desiderare; et qui
25 amat, semper desiderat amare, et desideranti et amanti quod desiderat et amat sic facis abundare, o Domine, ut nec anxietas desiderantem, nec fastidium affligat abundantem. Et numquid, obsecro Domine, haec est uia aeterna, de qua cantat psalmus: «Et uide si uia iniquitatis in me est, et deduc me in
30 uia aeterna». Haec affectio, haec est perfectio. Sic semper ire, hoc est peruenire. Vnde Apostolus tuus, qui paulo ante dixerat: «Non quod acceperim aut perfectus sim, sequor autem si comprehendam in quo comprehensus sum a Christo Iesu; unum inquit quae retro sunt obliuiscens, ad ea uero quae sunt
35 priora extendens me, ad destinatum persequor, ad brauium supernae uocationis Dei in Christo Iesu: quicumque ergo», inquit, «perfecti sumus, hoc sentiamus».

9. Et hoc est amare tuum, quo amas te amantes, a dulcedine bonitatis tuae quam habes ad creaturam tuam, Creator bone, inspirare eis hoc desiderium amandi te, et amorem quo amant, et desiderare et amare te. Non enim afficeris ad nos,
5 uel a nobis, cum nos amas; sed es quod es qui semper idipsum es; cui hoc est esse quod bonum esse; bonum autem tibi in te, et omni in te creaturae tuae. Nos autem a te, ad te, uel in te afficimur, cum te amamus, qui possumus misero aliquo modo esse, et non amare te; id est, esse et male esse. Tibi autem qui
10 semper idem es, nichil accedit, si amando proficimus ad te; nichil decedit si deficimus a te.

Cum autem nos amas, nonnisi propter te, cum uerissima summae iustitiae regula etiam nos nil amare permittat extra te. Et certe possibile est amori Deum amantis, ubi magna occurrit
15 gratia, eo proficere, ut nec te nec se amans propter se, et te et

nella casa[83] del tuo beato amante: perché chi desidera trova pronto ciò che desidera e chi ama ottiene ciò che ama.

Perciò chi desidera ama sempre desiderare e chi ama desidera sempre amare; così, o Signore, tu fai sempre abbondare colui che desidera e ama di ciò che desidera e ama, in modo che né l'ansia affligga colui che desidera, né il disgusto colui che è nell'abbondanza. È forse questa, Signore, ti prego di dirmelo, la via eterna di cui canta il salmo: «Vedi se in me c'è la via dell'iniquità e conducimi sulla via eterna»[84]? Questo moto interiore è la perfezione. Procedere sempre così vuol dire arrivare. Così il tuo Apostolo, dopo aver detto: «Non è che abbia raggiunto lo scopo o che sia perfetto, ma proseguo la corsa per afferrare colui dal quale sono stato afferrato, Gesù Cristo; dimenticando ciò che sta dietro, proteso verso ciò che sta davanti, corro verso la meta, verso il premio che Dio ci chiama a ricevere lassù in Gesù Cristo», aggiunge: «Perciò noi tutti che siamo perfetti dobbiamo avere questo sentimento»[85].

9. E il tuo amore, con il quale ami coloro che ti amano, con la dolcezza della bontà che mostri di avere per la tua creatura, o Creatore buono, consiste nell'infondere loro questo desiderio di amarti e questo amore con il quale essi amano sia desiderarti sia amarti. Perché quando ci ami tu non sei attirato[86] verso di noi o da noi, ma resti quello che sei, tu che sei sempre lo stesso e il cui essere consiste nell'essere buono: buono per te stesso, in te stesso e anche per tutte le creature in te. Noi invece, quando ti amiamo, siamo attirati[87] da te, verso di te e in te: noi che, in qualche miserabile maniera, possiamo essere e non amarti, cioè essere ed essere malvagi[88]. Ma a te, che sei sempre lo stesso, nulla si aggiunge se, amando, noi progrediamo verso di te; nulla si toglie se ci allontaniamo da te.

Tuttavia, quando ci ami lo fai solo per te, perché la regola assolutamente vera della giustizia suprema non permette nemmeno a noi di amare qualcosa al di fuori di te. E certo colui che ama Dio, quando gli è concessa una grazia straordinaria, può progre-

se propter te solum amet; et per hoc reformatur ad imaginem tuam, ad quam creasti eum, qui ex ueritate naturae tuae, et natura ueritatis tuae, nec te nisi propter te, nec angelum, nec hominem amare potes nisi propter te.

10. Et, o felicem et felicissimam animam, quae Deo sic a Deo meretur affici, ut per unitatem spiritus, in Deo solum amet Deum, non suum aliquid priuatum, nec nisi in Deo amet se ipsum, et Deus in ipso amet uel approbet quod amare uel approbare debet Deus, id est, se ipsum; immo quod solum debet amari, et a creatore Deo, et a creatura Dei. Amoris enim uel nomen, uel affectus, nulli competit uel debetur, nisi tibi soli, o uere Amor, et amande Domine. Et haec est in nobis uoluntas Filii tui, haec pro nobis oratio eius ad te Patrem suum: «Volo ut, sicut ego et tu unum sumus, ita et in nobis ipsi unum sint».

Hic est finis, haec est consummatio, haec est perfectio, haec est pax, hoc est gaudium Domini, hoc gaudium in Spiritu sancto, hoc est silentium in caelo. Quamdiu quippe in hac sumus uita, hoc felicissimae pacis silentio in caelo, id est in anima iusti, quae sedes est sapientiae, aliquando fruitur affectus. Sed hora dimidia, uel quasi dimidia; intentio uero de reliquiis cogitationis diem festum perpetuum agit tibi. In illa uero beata et aeterna uita, de qua dicitur: «Intra in gaudium Domini tui», sola erit perfecta et perpetua fruitio, et tanto felicior, quanto remotis iam omnibus quae hoc tardare uel impedire uidentur, amoris eius indissolubilis aeternitas, irrefragabilis perfectio, incorruptibilis erit beatitudo.

11. O amor ueni in nos, posside nos! Dispereant a facie tua in nobis omnia foeditatis nomina, quae a concupiscentia carnis

dire fino a non amare né te né sé stesso per sé stesso, ma te e sé stesso per te soltanto. In tal modo è riplasmato a tua immagine[89], quella secondo la quale lo hai creato: infatti, per la verità della tua eccelsa natura e per la natura della tua verità, non puoi amare te stesso se non per te stesso e non puoi amare né l'angelo né l'uomo se non per te stesso.

10. Felice, immensamente felice quell'anima che merita di essere attirata[90] da Dio verso Dio, tanto che in virtù dell'unità di spirito[91] ama in Dio soltanto Dio, non un suo bene personale, e ama sé stessa solo in Dio[92]; come Dio, in sé stesso, ama e approva ciò che deve amare e approvare, cioè sé stesso: o meglio, ciò che solo deve essere amato sia da Dio creatore sia dalla sua creatura. Infatti, né il nome né il sentimento dell'amore spetta o è dovuto ad altri se non a te, vero amore e amabile Signore. Questa è riguardo a noi la volontà del Figlio tuo, questa è la preghiera che egli rivolge per noi a te, Padre suo: «Voglio che, come io e te siamo una sola cosa, così anch'essi siano una sola cosa in noi»[93].

Questo è il fine, questa la consumazione, questa la perfezione; questa è la pace, questa la gioia del Signore; questa è la gioia nello Spirito Santo[94], questo è il silenzio nel cielo[95]. In effetti, finché siamo in questa vita, il nostro sentimento gode qualche volta del silenzio di questa pace beata nel cielo, ossia nell'anima del giusto che è sede della sapienza; ma per una mezz'ora[96] o meno di mezz'ora, anche se l'attenzione per i residui di questo pensiero celebra per te un giorno di festa senza fine[97]. Invece, in quella vita eterna e beata di cui è detto: «Entra nella gioia del tuo Signore»[98] vi sarà soltanto un godimento[99] perfetto e senza fine; e la beatitudine sarà tanto maggiore in quanto, eliminati ormai tutti gli ostacoli che sembrano ritardarla o impedirla, l'eternità del suo amore sarà inalterabile, la sua perfezione incrollabile, la sua beatitudine incorruttibile.

11. O amore, vieni in noi, possiedici! Scompaiano in noi, davanti alla tua faccia, le infezioni di ogni nome che, dalla concupi-

et oculorum et superbia uitae huic innascuntur affectui, quasi spuria quaedam uitulamina; affectui, inquam, qui amor in no-
5 bis dicitur, et corrumpitur saepius iusto animae a te et ad te creatae; ad te solum concreatus et concretus, et reluctans lege naturali et reclamans, cogitur uocari luxuria, gula, auaritia, et his similia; qui incorruptus et in sua permanens natura ad te solum est, Domine, cui soli amor debetur.

10 Est enim amor animae rationalis, sicut dicit quidam seruus tuus, motus uel quieta statio, uel finis, in id ultra quod nil appetat, uel appetendum iudicet uoluntatis appetitus. Vltra te uero, uel supra te qui quaerit aliquid tamquam melius te, nichil est quod quaerit, quia nichil est melius uel dulcius te;
15 ideoque nichil efficitur recedendo a te, qui amandus solus es uere, et fornicatur et luxuriat in alienis affectibus, aliena, ut dixi, nomina habentibus. Amor enim, ut dictum est et saepe dicendum est, ad te solum est, Domine, in quo solo est quicquid uere est, ubi quieta et secura statio; quia Deum timere ti-
20 more amoris casto, et mandata eius obseruare, hoc est omnis homo.

12. Recedat itaque ab anima mea omnis iniustitia, ut te diligam Dominum Deum meum ex toto corde meo, et ex tota anima mea, et ex omnibus uiribus meis; recedat omnis zelotypia, ne tecum aliquid amem quod propter te non amem, o uere
5 unice Amor, et uere Domine! Cum uero propter te aliquid amo, non illud amo, sed te propter quem amo quod amo. Tu enim uere solus es Dominus, cuius dominari super nos, hoc est saluare nos; nostrum uero seruire tibi, nichil est aliud quam a te saluari.

10 Quae est enim salus tua, o Domine, cuius est salus, et super populum tuum benedictio tua, nisi quod a te accipimus, ut amemus te uel amemur a te? Idcirco, Domine, Filium dexterae

scenza della carne e degli occhi e dalla superbia della vita[100], nascono in questa affezione[101] come un rigoglio di polloni bastardi[102]; in quella affezione, dico, che si chiama in noi amore e troppo spesso si corrompe nell'anima creata da te e per te. Per te solo creato con noi e incluso dentro di noi[103], quando resiste alla legge naturale e reclama, esso va chiamato lussuria, gola, avarizia e altre cose simili[104]; quando invece è incorrotto e resta nella sua natura, è rivolto a te soltanto, Signore, cui è dovuto soltanto amore.

Infatti l'amore dell'anima razionale, come dice un tuo servo, è un movimento o una quieta stasi o un fine, al di là del quale l'appetito della volontà non desidera nulla o non giudica appetibile nulla[105]. Al contrario, colui che cerca qualcosa al di là di te o sopra di te, come se fosse migliore di te, cerca ciò che è nulla, perché nulla è migliore o più dolce di te. E così si riduce a nulla allontanandosi da te, che solo devi essere amato veramente; si abbandona alla fornicazione e alla lussuria, in affezioni[106] estranee che, come ho detto, portano nomi estranei. Come è stato detto e bisogna spesso ripetere, l'amore è dovuto solo a te, Signore, nel quale soltanto è ogni essere che veramente è: in te si trova la tranquilla e sicura sosta, perché temere Dio con il casto timore dell'amore e osservare i suoi comandamenti, questo è tutto l'uomo[107].

12. Se ne vada dunque dalla mia anima ogni ingiustizia, in modo che io ti ami, Signore Dio mio, con tutto il mio cuore, con tutta la mia anima e con tutte le mie forze[108]; se ne vada ogni gelosia, affinché io non ami insieme a te qualcosa che non amo per te, o amore veramente unico e vero Signore. Ma quando amo qualcosa per te, non quella cosa amo ma te, per il quale amo ciò che amo. Poiché tu solo sei veramente il Signore[109]: per te dominare su di noi vuol dire salvarci, mentre per noi servirti non è altro che essere salvati da te.

Infatti come possiamo essere salvati da te, o Signore che dai la salvezza e diffondi la tua benedizione sopra il tuo popolo[110], se non ricevendo da te il dono di amarti e di essere amati da te[111]?

tuae, hominem quem confirmasti tibi, Iesum id est Saluatorem appellari uoluisti: «Ipse enim saluum faciet populum suum a
15 peccatis eorum», et: «Non est alius in quo sit salus», qui docuit nos amare se, cum prior dilexit nos; amando et diligendo suscitans nos, ut amemus eum qui prior usque in finem dilexit nos.

Haec est iustitia filiorum hominum: «Ama me, quia amo te». Rarus autem est qui dicere possit: «Amo te, ut ames me».
20 Hoc tu fecisti, qui sicut clamat et praedicat seruus amoris tui, «prior nos dilexisti». Et sic plane, sic est. Amasti nos prior, ut amaremus te; non quod egeres amari a nobis, sed quia id ad quod nos fecisti, esse non poteramus, nisi amando te.

Ideo multiphariam multisque modis olim locutus patribus
25 in prophetis, nouissime diebus istis locutus es nobis in Filio, in Verbo tuo quo caeli firmati sunt, et spiritu oris eius omnis uirtus eorum. Loqui tuum in Filio tuo, non aliud fuit, quam in sole, id est in manifesto ponere, quantum et quomodo nos amasti, qui proprio Filio tuo non pepercisti, sed pro nobis om-
30 nibus eum tradidisti, qui etiam dilexit nos et tradidit semetipsum pro nobis!

Hoc est Verbum tuum ad nos, Domine. Hic omnipotens sermo, qui, dum medium silentium, profundum scilicet erroris, tenerent omnia, a regalibus sedibus uenit, durus errorum
35 debellator, dulcis amoris commendator. Et quicquid fecit, quicquid dixit in terra, usque ad opprobria, usque ad sputa et alapas, usque ad crucem et sepulchrum, non fuit nisi loqui tuum nobis in Filio, amore tuo prouocans et suscitans ad te amorem nostrum.

13. Sciebas enim, creator animarum Deus, in animabus filiorum hominum cogi non posse, sed prouocari oportere af-

Per questo, Signore, hai voluto che il Figlio della tua destra, l'uomo sul quale hai voluto imprimere il tuo sigillo[112], fosse chiamato Gesù, cioè Salvatore. «Egli infatti salverà il suo popolo dai suoi peccati»[113]: «in nessuno se non in lui c'è salvezza»[114]. Ci ha insegnato ad amarlo quando per primo ci ha amati[115]: con il suo amore e la sua dilezione egli suscita in noi l'amore per lui, che per primo ci ha amati fino alla fine[116].

«Amami perché io ti amo», questa è la giustizia dei figli degli uomini[117]; raro è invece chi può dire: «Ti amo affinché tu mi ami». Questo è ciò che tu hai fatto: come proclama e insegna il servo del tuo amore, «ci hai amati per primo»[118]. Ed è così, è proprio così: ci hai amati per primo, perché noi ti amassimo. Non che tu abbia bisogno di essere amato da noi; ma noi non potevamo essere ciò per cui ci hai fatti se non amandoti.

Per questo, dopo aver parlato un tempo ai nostri padri per mezzo dei profeti in molti luoghi e in molti modi, ai nostri giorni hai parlato per mezzo del Figlio[119], il tuo Verbo, per opera del quale sono stati consolidati i cieli e che, con il soffio della sua bocca, ha prodotto tutta la loro potenza[120]. Parlare per mezzo del Figlio non è stato altro, per te, se non porre alla luce del sole[121], cioè manifestare, quanto e in che modo ci hai amati, tu che non hai risparmiato il tuo Figlio, ma lo hai offerto per tutti noi[122]; e anch'egli ci ha amati e ha offerto sé stesso per noi[123].

Questo è il Verbo che tu ci hai rivolto, Signore, questa la parola onnipotente che – nel silenzio in cui era immersa ogni cosa, cioè nel profondo dell'errore – venne dal trono regale a sconfiggere, implacabile, gli errori[124] e a distribuire dolcemente l'amore. Tutto quello che ha fatto, tutto quello che ha detto sulla terra, fino agli obbrobri, fino agli sputi e agli schiaffi, fino alla croce e al sepolcro, non è stato altro che il tuo parlarci per mezzo del Figlio, provocando e suscitando con il tuo amore il nostro amore verso di te.

13. Sapevi infatti, o Dio creatore delle anime, che nelle anime dei figli degli uomini questo sentimento non nasce dalla costrizio-

fectum istum. Simul etiam quia ubi coactio, iam nec libertas; ubi non libertas, nec iustitia. Tu autem, Domine iuste, saluare
5 nos uolebas iuste, qui nullum saluas uel damnas nisi iuste, ipse nobis formans et iudicium et causam, sedens super thronum et iudicans iustitiam, sed quam tu fecisti; ut omne os obstruatur, et subditus fiat omnis mundus Deo. Cum misereris cuius misereris, et misericordiam praestas cuius misertus eris. Voluisti er-
10 go ut amaremus te, qui nec iuste poteramus saluari nisi amaremus te; nec amare te poteramus, nisi procederet a te. Ergo, Domine, sicut apostolus amoris tui dicit, et nos iam diximus, «prior dilexisti nos», et prior diligis omnes dilectores tuos.

14. Sed nos te diligimus affectu amoris a te nobis indito; tu uero, conditor omnium et affectuum bonorum et animarum afficiendarum, numquid accidenti uel incidenti amoris affectu amas quos amas; et aliquo modo in aliquo afficeris, qui omnes
5 et omnia facis? Absit! Absurdum est, procul est a fide, alienum ab omnium Creatore. Quomodo ergo nos amas, si nos amore non amas? Sed amor tuus bonitas tua est, summe bone et summum bonum, Spiritus sanctus a Patre procedens et Filio, qui ab initio creaturae superfertur super aquas, id est men-
10 tes filiorum hominum fluitantes, omnibus se offerens, omnia ad se trahens inspirando, aspirando, noxia arcendo, prouidendo utilia, Deum nobis et nos uniens Deo.

Sic enim ipse Spiritus sanctus tuus, qui amor dicitur Patris et Filii, et unitas, et uoluntas, per gratiam suam in nobis inha-
15 bitans, et Dei in nos caritatem commendans, et per ipsam ipsum nobis concilians, Deo nos unit per inspiratam nobis bonam uoluntatem, cuius bonae uoluntatis uehementia amor in nobis dicitur, quo amamus quod amare debemus, te scilicet.

ne, ma deve essere suscitato. Per un duplice motivo: perché dove c'è costrizione non c'è nemmeno libertà; e perché dove non c'è libertà non c'è nemmeno giustizia. Tu invece, o Signore giusto, volevi salvarci con giustizia – tu che non salvi e non condanni nessuno se non con giustizia – giudicando e istruendo tu stesso la causa, sedendo sul trono e giudicando la giustizia[125], quella però che tu hai fatto: così ogni bocca sarà chiusa e il mondo intero sarà sottomesso a Dio[126], perché tu hai pietà di chi ha pietà[127] e concedi la tua misericordia a colui del quale hai pietà. Hai voluto dunque che ti amassimo, noi che non potevamo né essere salvati con giustizia senza amarti, né amarti se non di un amore proveniente da te. Insomma, come ha detto l'apostolo del tuo amore e come abbiamo già detto anche noi, «tu ci hai amati per primo»[128] e per primo ami tutti coloro che ti amano.

14. Ma noi ti amiamo con il sentimento d'amore che hai infuso in noi. Tu invece, creatore di tutte le cose, sia dei sentimenti buoni sia delle anime che devono provarli, ami forse coloro che ami di un sentimento d'amore accidentale e fortuito? Sei forse modificato in qualche modo o in qualcosa, tu che fai tutti gli esseri e tutte le cose[129]? No di certo. Sarebbe assurdo, contrario alla fede, impossibile per il Creatore di tutte le cose! E allora come ci ami, se non ci ami con un sentimento d'amore? Ebbene, il tuo amore, la tua bontà, o sommo bene sommamente buono, è lo Spirito Santo che procede dal Padre e dal Figlio: fin dal principio della creazione sorvola le acque[130], cioè le menti fluttuanti dei figli degli uomini[131]; egli si offre a tutti, attira tutti a sé, ispirando, aspirando, cacciando via le cose nocive, procurando le utili, unendo Dio a noi e noi a Dio.

Così dunque lo Spirito Santo tuo – che è detto amore, unità e volontà del Padre e del Figlio – inabita in noi[132] con la sua grazia, depone in noi la carità di Dio[133] e per mezzo di essa ci accorda a lui: così ci unisce a Dio con la buona volontà che ci ispira. È l'impeto di questa buona volontà a essere chiamato in noi amore,

Nichil enim aliud est amor, quam uehemens et bene ordinata
20 uoluntas. Amas ergo te, o amabilis Domine, in teipso, cum a Patre procedit et Filio Spiritus sanctus, amor Patris ad Filium, et Filii ad Patrem; et tantus est amor ut sit unitas; tanta unitas ut sit omousion, id est eadem Patris et Filii substantia. Amas et teipsum in nobis, mittendo Spiritum Filii tui in corda nostra, a
25 dulcedine amoris, a uehementia inspiratae a te nobis bonae uoluntatis clamantem: «Abba Pater»; sic nos efficiens tui amatores, immo sic teipsum in nobis amans, ut qui primum sperabamus, quia noueramus nomen tuum, Domine, et gloriabamur in te, qui diligebamus nomen Domini in te, o Domine,
30 iam per inspiratam nobis gratiam, per Spiritum adoptionis tuae, omnia quae Patris sunt, nostra esse confidentes, ipso te nomine inuocemus per adoptionis gratiam, quo Filius tuus unicus per naturam.

15. Sed quia hoc abs te totum est, cuius amare hoc est benefacere; a quo omne datum optimum, et omne donum perfectum, summe Pater luminum; tu teipsum amas in nobis, et nos in te, cum te per te amabimus, et in tantum tibi uniemur,
5 in quantum amare te merebimur; et participes efficiemur, ut dictum est, orationis illius Christi Filii tui: «Volo ut, sicut ego et tu unum sumus, ita et ipsi in nobis unum sint».

Genus enim tuum sumus, Domine, genus Dei, sicut dicit Apostolus tuus, transferens ethnici sententiam de malo uase in
10 uas bonum, ut nonnisi ipsam et uas bonum sapiat: genus, inquam, sumus Dei, dii, et filii Excelsi omnes, cognatione quadam spirituali, magnam apud te nobis uendicantes affinitatem, cum per Spiritum adoptionis, Filius tuus unum nobiscum nomen sortiri non dedignatur, et cum ipso et per ipsum, prae-

quell'amore con cui amiamo ciò che dobbiamo amare, vale a dire te. L'amore infatti altro non è se non una volontà impetuosa e bene ordinata[134]. Perciò tu ti ami in te stesso, o amabile Signore, quando dal Padre e dal Figlio procede lo Spirito Santo[135], amore del Padre verso il Figlio e del Figlio verso il Padre; l'amore è così grande da essere unità, e l'unità è così grande da essere *homoousion*[136], ossia identità di sostanza fra il Padre e il Figlio. Ami anche te stesso in noi, inviando nei nostri cuori lo Spirito del Figlio tuo, che con la dolcezza dell'amore e con l'impeto della buona volontà che tu ci ispiri esclama: «Abba, Padre!»[137]. Così ci fai tuoi innamorati, anzi ami te stesso in noi, tanto che noi, che da principio speravamo perché conoscevamo il tuo nome[138], Signore, noi che ci glorificavamo in te e amavamo in te il nome del Signore[139], ora, o Signore, avendo la certezza – per la grazia che ci è ispirata, per lo Spirito della tua adozione[140] – che tutto ciò che è del Padre è nostro, ti invochiamo, per grazia di adozione, con lo stesso nome con cui ti invoca – per natura – il tuo Figlio unico.

15. Ma poiché tutto questo viene da te, per il quale amare è fare del bene, o sommo Padre delle luci[141] dal quale proviene quanto di meglio ci è dato e ogni dono perfetto, tu ami te stesso in noi e noi in te, quando ti ameremo per te stesso; saremo uniti a te nella misura esatta in cui meriteremo di amarti e saremo fatti partecipi[142], come si è detto, di quella preghiera di Cristo, Figlio tuo: «Voglio che, come io e te siamo una sola cosa, anch'essi siano una sola cosa in noi»[143].

Siamo infatti della tua stirpe, Signore, della stirpe di Dio, come dice il tuo Apostolo trasferendo l'espressione di un pagano[144] da un cattivo vaso a un vaso buono, in modo che abbia soltanto il sapore dell'espressione stessa e quella del buon vaso. Siamo, dico, della stirpe di Dio, tutti dèi e figli dell'Altissimo[145], in virtù di una certa parentela spirituale; rivendichiamo per noi una grande affinità con te, in quanto per lo Spirito di adozione il Figlio tuo non disdegna di condividere con noi uno stesso nome. Con lui e per

15 ceptis salutaribus moniti et diuina institutione formati, audemus dicere: «Pater noster qui es in caelis».

Amas itaque nos in quantum nos efficis tui amatores; et nos amamus te in quantum a te Spiritum tuum accipimus, qui est amor tuus, obtinentem et possidentem omnes affectionum nos-
20 trarum recessus, et perfecte eos conuertentem in puritatem ueritatis tuae, in ueritatem puritatis tuae, in plenum amoris tui consensum; tantaque fit coniunctio, tanta adhaesio, tanta dulcedinis tuae fruitio, ut unitas ab ipso Domino nostro Filio tuo uocetur, dicente: «Vt sint ipsi unum in nobis»; tantae dignita-
25 tis, tantae gloriae, ut subsequatur et dicat: «Sicut ego et tu unum sumus». O gaudium, o gloriam, o diuitias, o superbiam! Habet enim Sapientia etiam sui generis superbiam, quae dicit: «Mecum enim sunt diuitiae et gloria, opes superbae et iustitia».

16. Quid autem est absurdius uniri Deo amore et non beatitudine? Beati enim uere et unice, et singulariter et perfecte beati, qui uere et perfecte amant te. Nullus autem et nullo modo beatus qui non amat te. «Beatum enim» dixerunt «popu-
5 lum cui haec sunt»; sed mentiuntur quia solus beatus «cuius est Dominus Deus eius». Quid enim est beatum esse, nisi non uelle nisi bonum, et omnia habere quaecumque uult? Te igitur uelle, et uehementer uelle, quod est amare et singulariter amare, qui amari non dignaris cum aliqua omnino re siue carnali,
10 siue spirituali, siue terrestri, siue caelesti, quae non ametur pro te, hoc demum est non uelle nisi bonum, hoc est habere quaecumque uult omnia, quia habet te quis in quantum amat te.

Ergo et amore et beatitudine uniti Deo, intelligimus quod uere «Domini est salus et super populum tuum benedictio
15 tua». Ideoque orationes nostras, uota et sacrificia, et omnia nostra offerimus tibi, Pater, assidue, per Dominum nostrum

lui, obbedienti ai precetti di salvezza e formati al divino insegnamento, osiamo dire[146]: «Padre nostro, che sei nei cieli»[147].

Tu ci ami dunque nella misura in cui fai di noi i tuoi innamorati; e noi ti amiamo nella misura in cui riceviamo da te il tuo Spirito, che è il tuo amore: il tuo Spirito che occupa e possiede ogni recesso dei nostri affetti e li converte perfettamente alla purezza della tua verità, alla verità della tua purezza, al pieno consenso al tuo amore. E si realizza una tale congiunzione, una tale adesione, un tale godimento della tua dolcezza, che nostro Signore stesso, Figlio tuo, li chiama unità quando dice: «Anch'essi siano una sola cosa in noi»[148]; tale ne è la dignità, tale la gloria, che aggiunge subito dopo: «Come io e te siamo una sola cosa»[149]. O gioia, o gloria, o ricchezza, o superbia! Anche la Sapienza infatti ha la superbia che si conviene alla sua stirpe, lei che dice: «Con me sono le ricchezze e la gloria, i beni superbi e la giustizia»[150].

16. Ma cosa c'è di più assurdo che essere uniti a Dio nell'amore e non nella beatitudine? In effetti, sono veramente e unicamente ed esclusivamente beati – perfettamente beati – coloro che ti amano veramente e perfettamente: non c'è nessuno che sia in alcun modo beato se non ti ama. «Beato il popolo» è stato detto «cui appartengono tutti questi beni.» Ma è una menzogna! Beato è soltanto «colui del quale è Signore il Dio suo»[151]. Che cosa vuol dire infatti essere beato se non volere soltanto il bene e avere tutto ciò che si vuole? Sicché volerti, e volerti con impeto – cioè amarti, e amarti in modo esclusivo, poiché tu non tolleri di essere amato insieme ad alcun'altra cosa al mondo, sia carnale sia spirituale, sia terrestre sia celeste, che non sia amata per te – non è altro, in definitiva, che volere soltanto il bene, è avere tutto ciò che si vuole, perché ciascuno ti possiede nella misura in cui ti ama.

Perciò, uniti a Dio nell'amore e nella beatitudine, noi comprendiamo che veramente «dal Signore viene la salvezza e sopra il tuo popolo è la tua benedizione»[152]. Ti offriamo dunque assiduamente, o Padre, per mezzo di nostro Signore Gesù Cristo tuo Fi-

Iesum Christum Filium tuum; credentes et intelligentes ex te, a te, et ad te, per ipsum nobis esse quicquid bonum nobis est, a quo habemus ipsum esse.

17. Quae omnia per subministrationem Spiritus sancti tui habitantis in nobis credimus et intelligimus, quantum intellige-re fas est. Qui, ut dictum est, conformans sibi et uniens spiritum nostrum, spirat in nobis quando uult, quomodo uult, quantum
5 uult; cuius sumus factura, creati in operibus bonis, exsistens sanctificatio nostra, iustificatio nostra, amor noster. Ipse enim est amor noster, quo ad te pertingimus, quo te amplectimur. Alioquin, o incomprehensibilis maiestas, comprehensibilis esse uideris animae te amanti. Licet enim nullus sensus animae cuius-
10 libet uel spiritus te comprehendat, tamen totum te quantus es, comprehendit amor amantis, qui totum te amat quantus es, si tamen est totitas, ubi non est particularitas, si quantitas, ubi non est tantitas, si est comprehensibilitas, ubi haec omnia non sunt.

Sed cum te amamus, afficitur quidem spiritus noster Spiritui
15 tuo sancto, per quem habitantem in nobis caritatem Dei habe-mus diffusam in cordibus nostris. Cumque amor tuus, amor Pa-tris ad Filium, amor Filii ad Patrem, Spiritus sanctus habitans in nobis ad te est quod est, id est amor, omnem captiuitatem Sion, id est animae nostrae omnes affectiones in se conuertens et
20 sanctificans, amamus te uel amas tu te in nobis, nos affectu, tu effectu. Vnum nos in te efficiens per unitatem tuam, id est ipsum Spiritum sanctum tuum, quem dedisti nobis, ut, sicut non est aliud Patri nosse Filium nisi hoc esse quod est Filius, ni-chil aliud Filio nosse Patrem nisi hoc esse quod est Pater (unde
25 in euangelio: «Nemo nouit Patrem nisi Filius; et nemo nouit Fi-

glio, le nostre preghiere, i nostri voti e i nostri sacrifici, insieme a tutto ciò che ci appartiene, perché crediamo e comprendiamo che tutto ciò che vi è di buono in noi lo abbiamo ricevuto – per tramite di Cristo – da te, mediante te e per te, da cui abbiamo ricevuto l'essere stesso.

17. Tutto questo lo crediamo e lo comprendiamo, per quanto è lecito intenderlo, grazie all'aiuto del tuo Spirito Santo[153] che abita in noi[154]. Conformando e unendo a sé il nostro spirito, come si è detto, egli spira in noi quando vuole, come vuole, quanto vuole[155]: creati nelle opere buone[156], noi siamo la sua opera ed egli rappresenta la nostra santificazione, la nostra giustificazione, il nostro amore. Egli stesso è infatti il nostro amore, con il quale giungiamo fino a te, con il quale ti abbracciamo[157]. Del resto, o incomprensibile maestà, tu sembri comprensibile all'anima che ti ama. Infatti, benché ai sensi di qualsiasi anima o spirito sia impossibile comprenderti, tuttavia l'amore di chi ama, quando ti ama tutto intero, in tutta la tua grandezza, ti comprende interamente, in tutta la tua grandezza[158]: ammesso che vi sia totalità dove non c'è divisione, che vi sia grandezza dove non c'è quantità, che vi sia possibilità di comprensione dove non c'è nulla di tutto questo!

Ma quando ti amiamo, il nostro spirito è certamente mosso[159] dal tuo Spirito Santo: per mezzo di lui, che abita in noi, possediamo la carità di Dio diffusa nei nostri cuori[160]. E quando il tuo amore, amore del Padre per il Figlio, amore del Figlio per il Padre, Spirito Santo che abita in noi, è per te ciò che è: l'amore che converte in sé e santifica tutta la cattività di Sion[161], cioè tutte le affezioni della nostra anima – allora noi ti amiamo, o meglio tu ti ami in noi: noi affettivamente tu effettivamente[162], rendendoci una cosa sola in te per effetto della tua unità, cioè del tuo stesso Spirito Santo che ci hai donato. Così, come per il Padre conoscere il Figlio non è altro che essere ciò che è il Figlio, come per il Figlio conoscere il Padre non è altro che essere ciò che è il Padre (da cui il detto evangelico: «Nessun conosce il Padre se non il Figlio, e

lium nisi Pater»), et sicut Spiritui sancto nichil est aliud nosse uel comprehendere Patrem et Filium quam hoc esse quod est Pater et Filius, ita nobis (qui ad imaginem tuam conditi sumus, et ab illa per Adam inueterati, per Christum ad illam renoua-
30 mur de die in diem), amantibus Deum nichil sit aliud amare et timere Deum et mandata eius obseruare, quam esse, et unum spiritum cum Deo esse. «Deum» enim «timere et mandata eius obseruare, hoc est omnis homo.»

Adorande, tremende, benedicende, da eum nobis. Emitte
35 Spiritum tuum et creabuntur, et renouabis faciem terrae. Non enim in diluuio aquarum multarum, in perturbatione et confusione affectionum tam multarum, tam diuersarum ad Deum approximabunt. Iam satis, Domine, durauit cataclysmus iste, poena filiorum Adae. Adduc Spiritum super terram; recedat
40 mare, recedat antiquae damnationis salsugo, et appareat arida, fontem uitae sitiens. Veniat columba, Spiritus sanctus, expulso teterrimo alite et cadaueribus suis incumbente; ueniat, inquam, columba, ramo oliuae, ramo refectionis et luminis, pacem annuntians. Sanctificet nos sanctitas et sanctificatio tua,
45 uniat nos unitas tua. Et Deo qui est caritas uelut cognata quadam affinitate per caritatis nomen sociemur; per uirtutem nominis uniamur.

18. Sed interest, Domine, quomodo quis te amet. Multi enim, sicut ait quidam a te illuminatus, «amant ueritatem lucentem, et non amant redarguentem»; iustitiamque multi colunt affectu, a qua procul sunt effectu, approbantes eam, et
5 amantes eam in seipsa, non autem exercentes in seipsis. Numquid isti uere te amant, o uera iustitia Deus? Numquid isti uere te amant?

Philosophi mundi huius olim eam coluerunt et affectu amoris et effectu operis, in tantum ut diceretur de eis ab eis:

nessuno conosce il Figlio se non il Padre»)[163] e come per lo Spirito Santo conoscere e comprendere il Padre e il Figlio non è altro che essere ciò che sono il Padre e il Figlio; così per noi che siamo stati creati a tua immagine e, dopo essere invecchiati lontano da essa a causa di Adamo, grazie a Cristo siamo rinnovati in essa giorno dopo giorno[164] – per noi che amiamo Dio, amarlo e temerlo e osservare i suoi comandamenti non è altro che essere, ed essere un solo spirito con Dio[165]. Infatti: «Temere Dio e osservare i suoi comandamenti, questo è tutto l'uomo»[166].

Adorabile, terribile, benedetto, concedici questo dono! Invia il tuo Spirito e tutto sarà creato, e tu rinnoverai la faccia della terra[167]. Non è certo nel diluvio delle molte acque[168] – nel turbamento e nella confusione di affetti tanto vari e numerosi – che ci si avvicina a Dio. Questo cataclisma[169] – la pena dei figli di Adamo – è già durato abbastanza, o Signore! Conduci il tuo Spirito sulla terra[170]: il mare si ritiri, si ritiri la salsedine[171] dell'antica dannazione e appaia la terra asciutta[172], assetata della fonte di vita[173]! Venga la colomba[174], lo Spirito Santo, e sia scacciato il tenebroso uccello che si posa sui suoi cadaveri[175]! Venga, dico, la colomba con il ramo d'ulivo[176], con il ramo del ristoro e della luce, per annunciare la pace! Ci santifichino la tua santità e la tua santificazione; ci unisca la tua unità; e saremo associati a Dio, che è carità[177], come per una sorta di affinità e parentela in nome della carità: per il potere di questo nome saremo uniti a lui!

18. Ma è importante sapere, o Signore, come ciascuno ti ama. Molti infatti, come ha detto un uomo da te illuminato, «amano la verità quando risplende e non la amano quando rimprovera»[178]; e molti coltivano la giustizia con il sentimento, ma ne sono lontani nei fatti[179]: la approvano e la amano in sé, ma non la esercitano dentro sé stessi. Si può dire che costoro ti amino veramente, o Dio, tu che sei vera giustizia, si può forse dire che ti amino veramente?

I filosofi di questo mondo un tempo la coltivarono, sia con il sentimento dell'amore sia con l'efficacia delle opere[180], tanto che

10 «Oderunt peccare boni uirtutis amore». Sed conuincuntur iustitiam non amasse qui non amauerunt te, a quo fons et origo, et in quem finis et recursus uerae iustitiae, et sine quo omnes iustitiae hominum sicut pannus menstruatae. Non enim habebant fidem quae per dilectionem operatur, licet affecta-
15 tum quemdam amorem et opera quaedam haberent honestatis. Quae quia ex fonte uerae iustitiae non prodibant, nec in uerae iustitiae finem ibant, tanto desperatius errabant, quanto fortius extra uiam currebant. Via enim, Pater, Christus tuus qui dixit: «Ego sum uia, ueritas et uita».

19. Veritas ergo tua, uel uita ad quam itur, per quam itur, meram et ueram et simplicem nobis describit formam diuinae et uerae philosophiae dicens ad discipulos: «Sicut dilexit me Pater, et ego dilexi uos. Manete in dilectione mea. Si praecep-
5 ta mea seruaueritis, manebitis in dilectione mea, sicut et ego praecepta Patris mei seruaui, et maneo in eius dilectione». Ecce «dilectus dilecti», sicut in psalmo legitur, cum Pater diligit Filium, et Filius manet in dilectione Patris usque ad plenam mandatorum eius obseruationem. Rursumque «dilectus dilec-
10 ti», cum dilectus discipulus diligit magistrum Christum usque ad obseruationem omnium eius mandatorum; et usque ad mortis necessitatem non perdit hanc uoluntatem, in illuminatione ueritatis et amoris eius, rebus omnibus et idoneis ad bonum, et pronis ad malum, et inter utrumque mediis bene utens
15 in bono, quod proprium est christianae uirtutis. Est enim uirtus, sicut iam ante nos dictum est, bonus usus liberae uoluntatis; opus uero uirtutis bonus illarum rerum usus, quibus etiam male uti possumus. Exinde, ne manca sit caritas, docemur amare proximum secundum legem caritatis puram; ut sicut

potevano dire di sé stessi: «Per amore della virtù, i buoni odiano il peccato»[181]. Tuttavia è dimostrato che non hanno amato la giustizia coloro che non hanno amato te, in cui risiede la fonte e l'origine della vera giustizia, cui essa ritorna come al suo termine e senza di cui ogni giustizia degli uomini è solo un panno di mestrui[182]. Infatti essi non avevano la fede che opera attraverso l'amore[183] anche se provavano un qualche sentimento d'amore[184] e compivano qualche azione onesta. Dal momento che non provenivano dalla fonte della vera giustizia e non avevano come termine la vera giustizia, questi sentimenti e queste azioni erravano tanto più disperatamente quanto più forte correvano fuori della via. La via infatti, o Padre, è il Cristo tuo che ha detto: «Io sono la via, la verità e la vita»[185].

19. Così la tua verità o la tua vita, verso la quale e per la quale ci si incammina, ci descrive la pura, vera e semplice forma della divina e vera filosofia, quando dice ai suoi discepoli: «Come il Padre mi ha amato, così anch'io ho amato voi. Rimanete nella mia dilezione. Se osserverete i miei comandamenti rimarrete nella mia dilezione, come anch'io ho osservato i comandamenti del Padre mio e rimango nella sua dilezione»[186]. Ecco «il diletto del diletto»[187], come si legge nel salmo, quando il Padre ama il Figlio[188] e il Figlio rimane nella dilezione del Padre, fino alla piena osservanza dei suoi ordini[189]. Ed ecco ancora «il diletto del diletto» quando il discepolo diletto ama Cristo suo maestro, fino all'osservanza di tutti i comandamenti, e non perde questa volontà finché la morte non lo costringe a farlo; illuminato dalla sua verità e dal suo amore, usa bene e a fin di bene tutte le cose, sia quelle che possono servire a compiere il bene, sia quelle che possono indurre al male, sia ancora quelle che stanno in mezzo fra le une e le altre: questo è ciò che contraddistingue la virtù cristiana[190]. Perché la virtù, come è già stato detto prima di noi, è il buon uso della libera volontà[191]; e l'atto virtuoso è il buon uso di quelle cose che potremmo anche usare male[192]. Di conseguenza, perché la carità non sia monca ci viene insegnato ad amare il prossimo secondo la pura legge della carità; e come Dio non ama altro che

20 Deus nonnisi seipsum amat in nobis, et nos solum Deum didicimus amare in nobis, ita et proximum sicut nos incipiamus amare, in quo solum Deum amamus sicut in nobis ipsis.

20. Sed utquid, Domine, tot uerba? Sed nuda est, Domine, et gelida et algens misera anima mea, et desiderans calefieri calore amoris tui. Ideo uestem non habens panniculos hos undecumque collectos contraho et consuo ad tegendam nuditatem
5 meam. Et non ut sapiens illa Sareptena duo ligna, sed surculos istos minutos, de deserti mei uastitate, de cordis mei spatiosa colligo uanitate, ut aliquando ingrediar in tabernaculum domus meae, et faciam mihi de pugillo farinae et de hydria olei, ut comedam et moriar, uel non tam cito moriar, immo, Domi-
10 ne, non moriar sed uiuam, et narrem opera Domini.

Stans igitur in domo solitudinis quasi onager solitarius, et habitaculum habens in terra salsuginis, et attrahens uentum amoris mei, os meum aperio ad te, Domine, et attraho Spiritum. Et nonnumquam, Domine, quasi clausis oculis ad te
15 inhianti mittis mihi in os cordis, quod non licet mihi scire quid sit. Saporem quidem sentio dulcem adeo, suauem adeo, adeo confortantem, ut si perficeretur in me, nichil ultra quaererem. Sed eum accipiens, nullo corporis uisu, nullo animae sensu, nullo spiritus intellectu aduertere me permittas quid
20 sit. Cum accepero tenere et ruminare uolo, et diiudicare eius saporem, sed statim transit. Deglutio quidem illud, quicquid illud est, in spem uitae aeternae, sed operationis eius uirtutem diu ruminando, omnibus animae meae uenis et medullis quasi uitalem quendam succum optabam transfundere, ut ab omni-
25 bus aliis affectionibus desiperet, et illud solum et semper saperet, sed festinat transire.

sé stesso in noi, e noi abbiamo imparato ad amare in noi Dio soltanto, così incominciamo ad amare anche il prossimo come noi stessi[193], perché nel prossimo è Dio solo che amiamo, come in noi stessi.

20. Ma perché, o Signore, tante parole? La mia anima miserabile, Signore, è nuda e gelata e intirizzita, desiderosa di essere riscaldata dal calore del tuo amore. Non avendo vestiti, metto insieme e cucio queste pezze raccolte un po' dappertutto per coprire la mia nudità[194]. Ben diverso dalla sapiente di Sarepta[195], nella immensa distesa del mio deserto – cioè nel vuoto enorme del mio cuore – non raccolgo due rami, ma solo questi sottili fuscelli, per poter entrare un giorno nel tabernacolo della mia casa[196] e, dopo essermi preparato da mangiare con un pugno di farina e un goccio d'olio, poter morire. O meglio, non morirò così presto; anzi non morirò affatto, o Signore, ma vivrò e narrerò le opere tue[197].

Standomene dunque a casa mia in solitudine, come l'onagro solitario[198], dimorando nella terra di salsedine[199] e aspirando il soffio del mio amore[200], apro a te la mia bocca, o Signore, e aspiro lo Spirito[201]. E qualche volta, Signore, come se io stessi con gli occhi chiusi e la bocca aperta a te, tu mi metti qualcosa nella bocca del cuore[202]: ma non mi è lecito sapere che cosa sia[203]. Certo sento un sapore così dolce, così soave, così ristoratore, che se si compisse del tutto in me non cercherei nulla di più. Ma quando lo ricevo, tu non mi permetti di discernere che cosa sia né con lo sguardo del corpo, né con il senso dell'anima, né con l'intelligenza dello spirito; perciò quando lo ricevo e cerco di trattenerlo, di ruminarlo e di assaporarlo bene, ecco che subito svanisce! Certo lo deglutisco, qualunque cosa sia, nella speranza della vita eterna[204]; ma ruminando a lungo la virtù di ciò che esso opera, desidererei trasfondere in tutte le vene e le midolla della mia anima quasi una linfa vitale, in modo che essa trovi insipidi tutti gli altri affetti e assapori ormai soltanto questo. Ma svanisce così in fretta!

21. Et cum de inquisitione eius uel acceptione uel usu, formata quaedam liniamenta memoriae gestio arctius impressa committere, uel etiam memoriam labilem scripto iuuare, re et experimento cogor discere quid illud sit quod in euangelio dicis de Spiritu: «Et nescis unde ueniat, aut quo uadat». Quaecumque enim quasi quibusdam liniamentorum figuris commendare curaui memoriae, quorum quasi quodam reductu, cum uoluero, illuc me recolligam, ac per hoc subesse mihi uelim posse quotienscumque uoluero. Audiens a Domino: «Spiritus ubi uult spirat», et sentiens etiam in me quia non quando ego uolo, sed quando ipse uult spirat, omnia illa interiora mortua inuenio, et insipida, et ad te solum leuandos esse oculos, fons uitae, ut in tuo solo lumine uideam lumen. Ad te igitur, Domine, ad te sunt et sint oculi mei; ad te, in te, de te proficiant omnes animae meae profectus; et cum defecerit uirtus mea, quae nulla est, post te anhelent omnes eius defectus. Sed interim, quamdiu me differs, quamdiu miseram et anxiam et anhelam post te animam meam protrahis, absconde me, obsecro, in abscondito faciei tuae a conturbatione hominum, protege me in tabernaculo tuo a contradictione linguarum. Sed iam asinus reuocat et pueri perstrepunt.

22. Nunc ergo, Domine, plena fide te Deum colo, unum te omnium principium et sapientiam, qua sapiens est quaecumque anima sapiens est; et ipsum donum, quo beata sunt quaecumque beata sunt. Te unum Deum colo, adoro, benedico; te ex toto corde meo, et ex tota mente mea, et ex omnibus uiribus meis uel amo, uel amare amo et desidero. Quisquis angelorum uel bonorum spirituum te diligit, scio quia et me diligit, diligentem etiam se in te. Quisquis in te manet et potest sentire preces uel affectiones humanas, scio quod in te me exaudit, in quo et ego eorum gloriae congratulor. Quisquis te habet bo-

21. E quando, ricercandolo o ricevendolo o facendone uso, mi sforzo di imprimerne profondamente nella memoria qualche tratto preciso, o anche di ricorrere alla Scrittura per supplire alla debolezza della memoria, sono costretto a comprendere, nei fatti e per esperienza, cosa sia ciò che tu dici dello Spirito nel Vangelo: «Non sai da dove viene né dove va»[205]. In effetti, ho avuto cura di affidare tutto questo alla mia memoria, quasi con tratti ben delineati, al fine di potervi in qualche modo ritornare e trovare rifugio quando voglio, e così sottomettere questo potere alla mia volontà ogni volta che lo desidero. Ma allora sento le parole del Signore: «Lo Spirito soffia dove vuole»[206], e avverto anche dentro di me che esso spira non quando voglio io, ma quando vuole lui. E tutte le realtà interiori che ho cercato di fissare le trovo morte e insipide: solo verso di te devo alzare gli occhi, o fonte di vita, per vedere la luce solo nella tua luce[207]. A te dunque, Signore, a te sono rivolti e devono essere rivolti i miei occhi: verso di te, in te, da te progrediscano tutti i progressi della mia anima. E quando la mia virtù, che non è nulla, verrà meno[208], verso di te anelino tutti i suoi cedimenti. Ma intanto, per quanto tempo mi farai attendere, per quanto tempo lascerai che la mia anima miserabile, ansiosa, ansimante si trascini dietro di te? Nascondimi, ti supplico, nel nascondiglio del tuo volto, lontano dall'agitazione degli uomini; proteggimi nel tuo tabernacolo dall'ostilità delle lingue[209]! Ma ormai l'asino riprende a ragliare e i fanciulli fanno gran chiasso[210].

22. Ora dunque, Signore, onoro con una fede intera te, o Dio, unico principio di tutte le cose, sapienza per la quale è sapiente ogni anima sapiente, dono per il quale è beato tutto ciò che è beato[211]. Te, Dio unico, onoro, adoro, benedico; te amo – o amo e desidero amare – con tutto il mio cuore, tutta la mia mente, tutte le mie forze[212]. Chiunque ti ama fra gli angeli e gli spiriti buoni, so che ama anche me, che a mia volta mi amo in te. Chiunque dimora in te[213] e può conoscere le preghiere e gli affetti degli uomini, so che mi ascolta in te, in te nel quale anch'io mi rallegro della sua gloria.

num suum, in te me adiuuat, nec mihi tui participationem potest inuidere. Solius enim apostatae spiritus est, nostram miseriam suam facere laetitiam, nostrum bonum suum damnum; nimirum quia a communi omnium bono et uera beatitudine 15 lapsus, non est subditus ueritati, priuato suo gaudens, et commune omnium odiens bonum.

Te igitur, Deum Patrem, quo Creatore uiuimus; te Sapientia Patris per quem reformati sapienter uiuimus; te sancte Spiritus, quem et in quo diligentes beate uiuimus et beatissime 20 uiuemus; unius substantiae Trinitatem, unum Deum a quo sumus, per quem sumus, in quo sumus, a quo peccando discessimus, cui dissimiles facti sumus, a quo perire non permissi sumus, principium ad quod recurrimus, forma quam sequimur, gratia qua reconciliamur; adoramus et benedicimus; tibi gloria 25 in saecula. Amen.

Explicit tractatus Domni Willelmi Abbatis sancti Theodorici de contemplando Deo.

Chiunque ti possiede come proprio bene mi aiuta in te e non può provare invidia per il fatto che io partecipi di te. È proprio soltanto dello spirito apostata fare della nostra miseria la sua gioia e del nostro bene il suo danno; certamente perché, decaduto dal bene comune di tutti e dalla vera beatitudine, non è soggetto alla verità: gode del suo bene privato e odia il bene comune di tutti.

Te dunque, Dio Padre, creatore grazie al quale viviamo; te, Sapienza del Padre[214], grazie alla quale – riacquistata la nostra forma originaria – viviamo con sapienza; te, Spirito Santo, che amiamo e nel cui amore viviamo beati[215] e ancor più beati vivremo; Trinità di una sola sostanza, Dio unico dal quale siamo, per il quale siamo, nel quale siamo; da cui ci siamo separati con il peccato e siamo diventati dissimili, ma che non ha permesso la nostra perdizione; principio verso il quale risaliamo, forma che seguiamo, grazia per la quale siamo riconciliati, noi ti adoriamo e ti benediciamo: a te gloria nei secoli. Amen[216].

Qui finisce il trattato di Guglielmo, Abate di Saint-Thierry, sulla contemplazione di Dio.

INCIPIT TRACTATVS EIVSDEM DE NATVRA ET DIGNITATE AMORIS

1. Ars est artium ars amoris, cuius magisterium ipsa sibi retinuit natura, et Deus auctor naturae. Ipse enim amor a Creatore naturae inditus, nisi naturalis eius ingenuitas adulterinis aliquibus affectibus praepedita fuerit, ipse, inquam, se docet, 5 sed docibiles sui, docibiles Dei.

Est quippe amor uis animae naturali quodam pondere ferens eam in locum uel finem suum. Omnis enim creatura, siue spiritualis, siue corporea, et certum habet locum quo naturaliter fertur, et naturale quoddam pondus quo fertur. Pondus 10 enim, ut ait quidam uere philosophus, non semper fert ad ima. Ignem sursum, aquam deorsum. Sic et in caeteris. Nam et hominem pondus agit suum, naturaliter spiritum ferens sursum, corpus deorsum, unumquodque in locum uel finem suum.

Quis enim corporis locus? Terra, inquit, es, et in terram 15 ibis. De spiritu uero in libro Sapientiae: «Et reuertetur», inquit, «spiritus ad Deum qui creauit eum». Vide hominem dissolutum, quomodo totus pondere suo fertur in locum suum. Cum res bene et ordine suo procedit, spiritus redit ad Deum, qui creauit eum; corpus in terram. Nec in terram solum, sed in 20 elementa ex quibus compactum et formatum erat. Cum enim quiddam in eo terra, quiddam ignis, quiddam aqua, quiddam

INCOMINCIA IL TRATTATO DELLO STESSO [GUGLIELMO] SULLA NATURA E SULLA DIGNITÀ DELL'AMORE

1. L'arte dell'amore è l'arte delle arti[1]. Del suo insegnamento si sono incaricati la stessa natura e il suo autore, Dio. Perché lo stesso amore, ispirato dal Creatore della natura, se la sua genuinità non è stata corrotta da qualche sentimento adulterino[2], lo stesso amore – dico – insegna sé stesso, ma a coloro che sono disposti al suo insegnamento, all'insegnamento di Dio[3].

Certo l'amore è un'energia dell'anima che, quasi per un peso naturale, la porta verso il luogo o il fine che le sono propri. Ogni creatura, spirituale o corporea, possiede infatti sia un luogo determinato verso il quale è naturalmente portata, sia un certo peso naturale che la porta lì. Perché, come ha detto un vero filosofo, non sempre un peso porta in basso: il fuoco sale, l'acqua scende e così via[4]. Anche nell'uomo agisce il suo peso, spingendo naturalmente lo spirito in alto e il corpo in basso, ciascuno verso il luogo o il fine che gli è proprio.

Qual è, infatti, il luogo del corpo? Sei terra, dice il Signore, e andrai nella terra[5]. Invece, dello spirito si legge nel libro della Sapienza: «Lo spirito ritornerà a Dio che lo ha creato»[6]. Guarda come un uomo il cui corpo si trova in stato di decomposizione è interamente trascinato dal suo peso nel luogo che gli è proprio! Quando invece le cose procedono bene e secondo il loro ordine, lo spirito ritorna a Dio che lo ha creato, mentre il corpo torna alla terra; non solo alla terra, ma agli elementi di cui era composto e formato. Infatti, dal momento che la terra, il fuoco, l'acqua, l'aria rivendicano ciò che

aer sibi uendicet; cum naturalis compactionis naturalis sit dissolutio, pondere suo unumquodque ad suum recurrit elementum; et tunc plena facta est dissolutio, cum horum omnium in 25 locum suum facta fuerit restitutio. Quae utrum corruptio uel putredo, et non potius, ut dictum est resolutio melius uocanda sit, iudicet qui uult.

Et cum horum nichil a naturae suae tramite aberret, sola misera anima et degener spiritus, cum per se naturaliter eo 30 tendat, peccati uitio corrupta nescit, uel difficile discit ad suum redire principium. Naturali quidem pondere suo semper eo impellitur: cum beatitudinem desiderat, beatitudinem somniat, nonnisi beatus esse quaerit. Beatus autem ille et non alius, «cuius est Dominus Deus eius». Sed beatitudinem quaerens 35 non in regione sua, nec uia sua, longe aberrat a naturali intentione sua. Ideoque amissa doctrina naturali, opus iam habet doctore homine, qui de beatitudine, quae naturaliter quaeritur amando, doceat admonendo ubi, et quomodo, in qua regione, qua uia quaeratur.

2. Amor ergo, ut dictum est, ab auctore naturae naturaliter est animae humanae inditus; sed postquam legem Dei amisit, ab homine est docendus. Non autem docendus est ut sit tamquam qui non sit; sed ut purgetur, et quomodo purgetur; et ut 5 proficiat, et quomodo proficiat; ut solidetur, et quomodo solidetur docendus est.

Nam et foedus amor carnalis foeditatis suae olim habuit magistros, in eo quod corrupti erant et corrumpebant tam perspicaces, tam efficaces, ut ab ipsis foeditatis amatoribus et so-10 ciis, doctor artis amatoriae recantare cogeretur, quod intemperantius cantauerat; et de amoris scribere remedio, qui de amoris carnalis scripserat incendio, qui in amoris incentiua uel

appartiene loro quando si opera la naturale dissoluzione di questo composto naturale, ogni parte – per effetto del proprio peso – ritorna al suo elemento: la dissoluzione sarà completa quando sarà stata completata la reintegrazione di tutte queste parti nel loro luogo[7]. Si tratta di corruzione, di putrefazione, oppure – come si è detto[8] – è meglio chiamarla scioglimento[9]? Giudichi chi vuole.

E mentre nessuno di questi elementi si allontana dalla via segnata dalla propria natura, soltanto l'anima miserabile e lo spirito degenerato, pur tendendo di per sé naturalmente verso quel fine, corrotti come sono dal vizio, non sanno più ritornare al loro principio – o incontrano difficoltà a farlo. In effetti, lo spirito è costantemente spinto verso il suo termine dal proprio peso naturale: desidera la beatitudine, sogna la beatitudine, non cerca nient'altro che essere beato. E beato non è se non colui «del quale è Signore il Dio suo»[10]. Ma chi non cerca la beatitudine nel suo luogo né lungo la sua via vaga lontano dalla propria destinazione naturale. Perduto l'insegnamento della natura, ha perciò bisogno di un maestro che, istruendolo sulla beatitudine cercata naturalmente con l'amore, gli insegni dove, come, in quale luogo e per quale via la si debba cercare.

2. L'amore dunque, come si è detto, è stato posto naturalmente nell'anima umana dall'Autore della natura; ma dopo che ha perduto la legge di Dio[11], deve essere insegnato dall'uomo. Non che debba essere insegnato come se si trattasse di qualcosa che non esiste; ma occorre insegnare a purificarlo, e come operare questa purificazione; a farlo progredire, e come realizzare questo progresso; a consolidarlo, e come assicurargli questa solidità.

Perché anche lo sconcio amore carnale ha avuto un tempo maestri che insegnarono le sue sconcezze; e nella loro materia erano corrotti e corrompevano con tanta abilità e con tanta efficacia, che il dottore nell'arte di amare[12] fu costretto – proprio da coloro che amavano queste sconcezze e vi partecipavano – a riprendere il tema che aveva cantato con tanta intemperanza e a scrivere sui rimedi all'amore[13]: lui che aveva scritto sul fuoco dell'amore carna-

uetera quasi per quemdam pruritum excitanda, uel in noua inuenienda toto se effuderat ingenio.

15 Non utique amoris carnalis feruorem nitebatur ille docere, qui tam in docendis quam in eo qui docebat, sine quouis rationis temperamento naturali quodam igne aestuabat; sed naturalem eius uim indisciplinatis quibusdam disciplinis in quamdam erudiebat lasciuiam, et superuacuis quibusdam fomentis 20 luxuriae in quamdam perurgebat insaniam.

In illis enim prauis et nequam hominibus ex superfluenti carnalis concupiscientiae uitio, totus deperierat ordo naturae. Quippe cum debito naturae ordine spiritus eorum naturali pondere suo, amore suo sursum ferri deberet ad Deum qui 25 creauit eum; carnis humiliatus illecebris «non intellexit, et comparatus iumentis insipientibus, similis factus est illis», factique sunt de quibus diceretur: «Non permanebit spiritus meus in hominibus istis, quia caro sunt». In quorum persona, «factum est», inquit prophetia, «cor meum tamquam cera li- 30 quescens in medio uentris mei».

In angusta quippe corporis parte ab Auctore naturae naturaliter cor locatum ubi quasi medium, superiorum sensuum arcem et corporis inferioris, sicut populi humilioris quasi quamdam regeret et dispensaret rempublicam totamque cir- 35 cumquaque cogitatuum et actionum regionem.

Ad concupiscentiae carnalis ignem degenere quadam mollitie liquescens, totum defluxit in uentrem, et in medium uentris; uidelicet non sapiens nisi ea quae sunt uentris, et de uentre in uentris inferiora, omnia confundens, omnia degenerans, 40 omnia adulterans, amoris naturalem affectum peruertens in brutum quemdam carnis appetitum; non solum quae non licet appetentem in contumeliis corporis, in passionibus ignominiae, sed adeo oblitum suae antiquae generositatis, ut, qui creatus erat Deo soli, a corruptis et corruptoribus suis aestime-

le, lui che aveva profuso tutto il suo ingegno nel suscitare l'amore, o solleticando – per così dire – le vecchie eccitazioni o inventandone di nuove.

Egli non mirava a insegnare l'ardore dell'amore carnale, che già ribolliva per una sorta di fuoco naturale non moderato dalla ragione sia nei discepoli sia nel maestro; ma, quasi con regole sregolate, cercava di trasformare questa energia naturale dell'amore in dissolutezza e spingeva fino a una sorta di follia stimolando senza bisogno la lussuria.

Perché in quegli uomini depravati e perversi il traboccare del vizio della concupiscenza carnale aveva distrutto ogni ordine naturale. In base al giusto ordine della natura[14], infatti, il loro spirito – per effetto del suo peso naturale – avrebbe dovuto essere trasportato nel suo amore verso Dio che lo ha creato; invece, trascinato in basso dalle seduzioni della carne, «non ha compreso e, ridotto al rango degli animali privi di ragione, è diventato simile a loro»[15]. Essi sono entrati nel novero di coloro dei quali è detto: «Il mio spirito non resterà in questi uomini, perché sono carne»[16]. Nella loro persona, dice la profezia, «il mio cuore è diventato come cera che si fonde in mezzo al mio ventre»[17].

Infatti, posto dal Creatore in una ristretta parte del corpo, il cuore viene a trovarsi naturalmente al centro, quasi a governare sia la rocca dei sensi superiori[18], sia quella specie di stato che è la parte inferiore del corpo – paragonabile al popolo più basso – nonché tutto il territorio circostante dei pensieri e delle azioni.

Ora, se si lascia fondere dal fuoco della concupiscenza carnale in qualcosa di molle e di degenerato, il cuore scivola tutto nel ventre, anzi in mezzo al ventre, cioè gusta soltanto ciò che appartiene al ventre; e scendendo da questo fino al basso ventre, confonde tutto, corrompe tutto, altera tutto, trasforma il naturale sentimento dell'amore in un brutale appetito[19] della carne. Non soltanto desidera ciò che è proibito, oltraggiando il corpo con vergognose passioni[20], ma dimentica a tal punto la sua antica nobiltà da essere piuttosto considerato dalla gente corrotta e dai propri corruttori –

45 tur esse potius luxuriae naturale domicilium, et uitiorum omnium prostibulum. Infelices, qui in tantum, natura reclamante, sibi uiluerunt, ut animae suae locum, qui proprius Dei creatoris erat, et nulli creaturae communicabilis, sedem Satanae, sedem spurcitiarum, et omnis immunditiae constituerent.

3. Acturi igitur de amore, prout dederit ipse cuius amori operis ipsius sudat intentio, primum quasi a primordiis eius narrationis seriem inchoantes, quasi per succedentes sibi aetates profectuum eius processum ordiamur, usque ad senectam 5 uberem, quae non est plena senilis doloris, sed plena misericordiae uberis. Sicut enim secundum aetatum incrementum uel detrimentum puer mutatur in iuuenem, iuuenis in uirum, uir in senem; secundum qualitatum mutationes etiam aetatum nomina mutantes: sic secundum uirtutum profectum uoluntas 10 crescit in amorem, amor in caritatem, caritas in sapientiam.

Nec debet latere de amore, de quo agimus, quibus ortus sit natalibus, qua nobilitatis linea insignis habeatur, uel quo oriundus loco. Primumque natiuitatis eius locus Deus est. Ibi natus, ibi alitus, ibi prouectus; ibi ciuis est, non aduena, sed in- 15 digena. A Deo enim solo amor datur, et in ipso permanet, quia nulli nisi ipsi et propter ipsum debetur.

Porro si de natalibus eius agitur, cum Trinitas Deus hominem crearet ad imaginem suam, quamdam in eo formauit Trinitatis similitudinem, in qua et imago Trinitatis 20 creatricis reluceret, et per quam nouus ille mundi incola, simili naturaliter ad simile recurrente, principio suo, creatori suo Deo indissolubiliter inhaereret si uellet; ne multiplici creaturarum uarietate illecta, abstracta, distracta, crea-

lui che era stato creato solo per Dio – come il domicilio naturale della lussuria e il postribolo di tutti i vizi. Sventurati coloro che, ascoltando il richiamo della natura, si sono talmente degradati da fare del luogo della loro anima – che era proprietà del Dio creatore e non poteva essere condiviso con nessuna creatura – la dimora di Satana[21], la sentina di ogni sporcizia e bruttura.

3. Accingendoci dunque a trattare dell'amore, nei limiti in cui lo concederà colui verso il quale tende l'amore dell'opera sua, incominciamo questa serie di ragionamenti come se partissimo dalle sue origini e seguiamo poi l'evoluzione dei suoi progressi attraverso quelle che potremmo chiamare le sue fasi successive fino alla sua feconda vecchiaia, che non è piena di sofferenza senile ma colma di abbondante misericordia. Come infatti, a seconda che l'età aumenti o diminuisca le forze, il bambino si trasforma in giovane, il giovane in uomo, l'uomo in vecchio – e a ciascuna età assume così un nome diverso in base al cambiamento delle caratteristiche – così, man mano che le virtù progrediscono, la volontà si sviluppa in amore, l'amore in carità, la carità in sapienza[22].

Non dobbiamo tacere, riguardo all'amore di cui stiamo trattando, quali siano le sue origini, quale la nobile discendenza di cui si fregia o il luogo da cui proviene. Prima di tutto, il suo luogo di nascita è Dio. Là è nato, è stato allevato, è diventato adulto; là è cittadino, non straniero ma indigeno[23]. Infatti da Dio soltanto è dato l'amore e solo in lui esso permane, perché non è dovuto ad altri che a lui e a causa di lui.

Riguardo a questa nascita dell'amore, occorre aggiungere che quando Dio Trinità creò l'uomo a sua immagine, formò in lui una certa somiglianza della Trinità, nella quale risplendesse anche un'immagine della Trinità creatrice. Dato che il simile torna per natura a ciò che gli è simile, per mezzo di essa il nuovo abitante del mondo, se lo voleva, sarebbe rimasto indissolubilmente unito a Dio, suo principio e suo creatore; in tal modo, questa trinità creata e inferiore non sarebbe stata sedotta, attratta e distolta dal-

ta illa trinitas inferior a summae et creatricis Trinitatis unitate recederet.

Etenim cum in faciem noui hominis spiraculum uitae, spiritualem uim, id est intellectualem, quod sonat spiratio et spiraculum; et uitalem, id est animalem, quod sonat nomen uitae, infudit, et infundendo creauit; in eius quasi quadam arce uim memorialem collocauit, ut Creatoris semper potentiam et bonitatem memoraret. Statimque, et sine aliquo morae interstitio memoria de se genuit rationem, et memoria et ratio de se protulerunt uoluntatem.

Memoria quippe habet et continet quo tendendum sit; ratio quod tendendum sit; uoluntas tendit. Et haec tria unum quiddam sunt, sed tres efficaciae; sicut in illa summa Trinitate una est substantia, tres personae. In qua Trinitate sicut Pater genitor, Filius genitus, et ab utroque procedit Spiritus sanctus; sic ex memoria ratio gignitur, ex memoria et ratione uoluntas procedit. Vt ergo Deo inhaereret creata in homine rationalis anima, memoriam sibi uindicauit Pater, rationem Filius, uoluntatem ab utraque procedentem ab utroque procedens Spiritus sanctus.

4. Ecce quibus orta natalibus uoluntas, cuius natiuitatis, cuius adoptionis, cuius dignitatis, cuius nobilitatis. Quae cum, praeueniente et cooperante gratia ipsi Spiritui sancto, qui Patris et Filii amor est et uoluntas, bono sui assensu incipit inhaerere, uehementer incipit uelle quod Deus uult, et quod uolendum memoria suggerit et ratio, et uehementer uolendo amor efficitur. Nichil enim est aliud amor quam uehemens in bono uoluntas. Per se enim uoluntas simplex est affectus, sic animae rationali inditus, ut sit capax tam boni quam mali; bono replendus, cum adiuuatur a gratia; malo, cum sibi dimissus, deficit in se-

la varietà molteplice delle creature e non si sarebbe infranta l'unione con la Trinità suprema e creatrice.

In effetti, quando la Trinità soffiò e, alitando, creò sul volto del nuovo uomo il soffio della vita[24], cioè la facoltà spirituale – ovvero intellettuale – indicata dalle parole soffio e alito[25], e la facoltà vitale – ovvero animale – indicata dalla parola vita, essa pose per così dire nella cittadella dell'uomo la facoltà della memoria, affinché egli ricordasse sempre la potenza e la bontà del Creatore. E subito, senza alcun indugio, la memoria generò da sé stessa la ragione, e la memoria e la ragione produssero da sé stesse la volontà.

La memoria possiede e racchiude in sé il fine verso il quale si deve tendere; la ragione comprende che si deve tendere; la volontà, infine, tende. Queste tre facoltà sono un qualcosa di unico, ma triplice è la loro funzione: come nella Trinità suprema, dove una sola è la sostanza ma tre sono le persone. E come in questa Trinità il Padre genera, il Figlio è generato e lo Spirito Santo procede da entrambi, così dalla memoria è generata la ragione, dalla memoria e dalla ragione insieme procede la volontà[26]. Pertanto, affinché l'anima ragionevole creata nell'uomo restasse unita a Dio, il Padre ha rivendicato a sé la memoria, il Figlio la ragione, lo Spirito Santo – che procede da entrambi – la volontà che procede dalla memoria e dalla ragione insieme.

4. Ecco dunque qual è l'origine della volontà, quale la sua nascita, la sua adozione, la sua dignità, la sua nobiltà. Sotto il riparo e con la cooperazione della grazia, essa incomincia a unirsi di buon grado allo Spirito Santo, che è l'amore e la volontà del Padre e del Figlio, e incomincia a volere con impeto ciò che vuole Dio e ciò che le suggeriscono di volere la memoria e la ragione: così, volendo impetuosamente, diventa amore. Perché l'amore altro non è se non una volontà impetuosa nel bene[27]. Di per sé, infatti, la volontà è un semplice sentimento, posto nell'anima razionale allo scopo di renderla capace tanto del bene quanto del male[28]: si riempie di bene quando è aiutato dalla grazia, di male

metipso. Ne enim a Creatore aliquid animae deesset humanae, libera in utramuis partem data ei est uoluntas; quae, cum adiuuanti concordat gratiae, uirtutis accipit profectum et nomen, et amor efficitur; cum sibi dimissa seipsa secundum seipsam frui uult, sui
15 in seipsa patitur defectum, et quot uitia, tot uitiorum sortitur nomina, cupiditatis, auaritiae, luxuriae, et alia huiusmodi.

5. Primo itaque profectu suo uoluntas, quasi in Pythagoricae litterae biuio, libera constituta, si secundum dignitatem naturalium suorum erigitur in amorem; secundum naturalem uirtutum suarum ordinem de amore, ut dictum est, in caritatem; de
5 caritate proficit in sapientiam. Sin autem, nullo ordine sui, iusta tamen ordinatione Dei, praecipiti acta ruina, tenebris confusionis obruta, sepelitur in infernum uitiorum, nisi a gratia citius ei fuerit subuentum. Si uero uia inferni relicta, sursum gressum ceperit attollere, et gratiam sequens deducentem et enutrien-
10 tem, adulta fuerit in amorem, iam in iuuentutis constituta fortitudine, a spiritu timoris, quo hactenus ut puer timebat poenam, in spiritum pietatis incipit proficere, in eum a quo iam incipit nouam gustare gratiam, pie iam incipiens amare Deum et colere, de quo scriptum est: «Pietas est cultus Dei».
15 Hic ergo iuuenis non aetatis sed uirtutis naturalem exserat fortitudinem et uirtutem; nec iuuentutis (licet a ratione ea uetetur corrumpere) naturalia perdat incentiua. Quibus si insaniunt qui corrumpunt, qui in imagine pertranseunt, quorum spiritus ut spiritus bestiarum uel pecorum, quorum carnes, iuxta pro-
20 phetam, «ut carnes sunt asinorum»; multo magis eos qui in ueritate sunt amoris, et spiritualibus eius aguntur incentiuis, in

quando, abbandonato a sé, viene meno a sé stesso. In effetti, perché non mancasse qualcosa all'anima umana, il Creatore le ha dato una volontà libera di andare in una direzione o nell'altra[29]. Quando la volontà si trova in accordo con la grazia che la soccorre, assume la qualità e il nome di virtù e diventa amore; quando invece, abbandonata a sé stessa, vuole godere a suo piacimento di sé, subisce in sé stessa la propria deficienza e riceve i nomi di tutti i vizi esistenti: cupidigia, avarizia, lussuria e altri consimili.

5. Per questo la volontà, nel suo stato iniziale, è costituita libera come se si trovasse alla biforcazione rappresentata dalla lettera di Pitagora[30]. Se secondo la dignità delle sue origini si eleva fino all'amore, secondo l'ordine naturale delle sue virtualità essa progredisce, come abbiamo detto, dall'amore alla carità e dalla carità alla sapienza. Se invece non ha più ordine in sé stessa, in conformità però al giusto ordinamento stabilito da Dio, essa precipita verso la propria rovina e, avvolta dalle tenebre della confusione, sprofonda nell'inferno dei vizi, a meno che la grazia non le venga prontamente in soccorso. Ma se, abbandonata la via dell'inferno, comincia a incamminarsi verso l'alto e segue la grazia che la guida e la nutre, la volontà si sviluppa in amore. Allora, riacquistato il vigore dell'adolescenza, incomincia a progredire dallo spirito di timore, che fino a quel momento le infondeva – come a un bambino – la paura del castigo, allo spirito di pietà; in esso prende già a gustare una grazia nuova, incominciando ad amare Dio e a rendergli culto nella pietà, conformemente a quanto sta scritto: «La pietà è il culto di Dio»[31].

Questo giovane, dunque, mostri la propria vigoria e forza naturale non sul piano dell'età ma su quello della virtù. Non sciupi gli stimoli naturali della giovinezza, anche se la ragione vieta di farne cattivo uso. Se coloro che corrompono, che passano come un'ombra[32], il cui spirito è divenuto simile a quello delle bestie o delle pecore[33] e la cui carne – come dice il profeta – è «identica a quella degli asini»[34], impazziscono per questi ardori, a maggior ragione è giusto che diventino folli a modo loro, per il fervore della loro gio-

spiritualis iuuentutis feruore suo licet modo insanire. Grauis enim opprobrii res est in naturam, si plus in deterius proficere possunt eius corruptores, quam in bonum ueri amatores.

6. Audi sanctam insaniam: «Siue mente», inquit Apostolus, «excedimus Deo». Vis adhuc audire insaniam? «Si dimittis», inquit, «eis peccatum, dimitte; sin autem, dele me de libro quem scripsisti.» Vis alium? Ipsum audi Apostolum: «Opta-
5 bam», inquit, «anathema esse a Christo pro fratribus meis». Nonne quaedam mentis bene affectae sana quaedam uidetur insania, quod impossibile sit effectu, habere fixum in affectu, pro Christo anathema uelle esse a Christo? Haec ad sancti Spiritus aduentum apostolorum fuit ebrietas; haec Pauli insania,
10 cum diceret ad eum Festus: «Insanis Paule». Mirumne erat si insanire pronuntiabatur, qui in ipso mortis periculo ipsos iudices suos, a quibus pro Christo iudicabatur, ad Christum conuertere nitebatur? Non hanc insaniam multae litterae in eo faciebant, sicut dicebat rex ueritatem intelligens sed dissimulans;
15 sed, ut dictum est, sancti Spiritus ebrietas, in qua et in paruo et in magno similes eos sibi facere gestiebat qui eum iudicabant.

Et, ut cetera omittam, quae maior, quae magis inopinata insania, quam hominem, relicto saeculo, desiderantem et ardentem inhaerere Christo, pro Christo rursum necessitate obe-
20 dientiae et caritatis fraternae inhaerere saeculo; tendentem in caelum, semetipsum mergere in coenum? Hic est Beniamin adolescentulus, qui in mentis suae excessu, nec se, nec suum aliquid sentit, sed eum solum in quem totus excessit. Hac insania insani erant sancti martyres inter tormenta ridentes. Cur
25 hic non dicam quod in feruore lasciuiae suae lasciuus poeta dicebat: «Insanire libet»?

vinezza spirituale, coloro che si trovano nella verità dell'amore e sono guidati dai suoi stimoli spirituali. Infatti è un grave disonore per la natura se i suoi corruttori progrediscono nel male più di quanto gli amanti della verità possano avanzare nel bene.

6. Ascolta una santa follia: «Se usciamo di senno», dice l'Apostolo, «è per Dio»[35]. Vuoi sentire un'altra follia? «Se perdoni loro il peccato», dice la Scrittura, «perdonalo; altrimenti cancellami dal libro che hai scritto[36].» Ne vuoi ancora una? Ascolta l'Apostolo in persona: «Vorrei essere anatema» dice «e separato da Cristo a vantaggio dei miei fratelli»[37]. Non appare forse una santa follia, per una mente equilibrata[38], tener fisso nel sentimento[39] ciò che nei fatti è impossibile, cioè per Cristo voler essere anatema e separato da Cristo? Tale fu l'ebbrezza degli apostoli quando venne lo Spirito Santo[40]; tale fu la follia di Paolo quando Festo gli disse: «Sei impazzito, Paolo»[41]. C'è forse da stupirsi che si desse del pazzo a uno che, in pericolo di morte, cercava di convertire a Cristo proprio i giudici che lo stavano giudicando a causa di Cristo? Non era certo la sua grande cultura a farlo sragionare così, come diceva quel re che, pur conoscendola, fingeva di non sapere la verità[42]; ma era l'ebbrezza dello Spirito Santo, come si è detto: per effetto di essa ardeva dal desiderio di rendere – in misura più o meno grande – simili a lui coloro che lo giudicavano.

E, sorvolando su tutto il resto, quale follia più grande e inattesa di quella di un uomo che, dopo aver abbandonato il secolo per il desiderio ardente di unirsi a Cristo, ridiscende nel secolo in nome di Cristo, per dovere di obbedienza e di carità fraterna, immergendosi nel fango pur tendendo verso il cielo? È lui il giovanissimo Beniamino che, oltrepassando i limiti della sua mente[43], non pensa più a sé stesso né a ciò che gli appartiene, ma solo a colui nel quale è interamente penetrato[44]. Di questa santa follia erano folli i santi martiri, che sorridevano in mezzo alle torture. Perché non citare quello che diceva il poeta lascivo nella foga della sua dissolutezza: «È bello impazzire»[45]?

7. Hic ergo decet emineat feruor iuuenilis, et feruens religionis cursus; qui quamuis in hoc adhuc statu nec habeat, nec habere debeat, frenum tamen patiatur rationis. Feruorem enim nouitium non decent illae misericordes in seipsum dis-
5 cretiones et discretionum dispensationes, facilesque indulgentiae suo iudicio, non tamen recusandae sunt alieno. A seipso in se ipsum rigida debet esse censura, et districta seueritas; ad regentem uel consulentem paternam uel fraternam caritatem et pietatem, lenis et obediens in omnibus humilitas. Si alterum
10 desit, uel in deside et tepido non spero cursus perseuerantiam, uel in praecipiti timeo ruinam.

Propter quod tota debet esse discretio nouitii, stultum se in omnibus pro Christo facere, et ex alieno pendere arbitrio, maxime si seniorem talem habet de quo certum sit quod a Deo
15 discit quod homines docet. Vbi tamen proficienti uel obedienti non facile praesumenda est iudicandi licentia, quamdiu manifeste nil contra Deum praecipitur, donec longa et patiens experientia intellectum super his dabit auditui. Ad eam uero maxime semper se obedientiam studeat exercere, de qua scriptum
20 est: «Castificantes corda uestra in obedientia caritatis»: haec est enim «uoluntas Dei bona et beneplacens et perfecta».

8. Ad haec autem obtinenda et conseruanda, continua appetenda sunt praesidia sedulae et longanimis orationis, in qua tanta sit fides, ut speret omnia; tanta deuotio, ut Deum uideatur cogere; tantus amor, ut omnia quae petit in ipsa oratione se
5 sentiat obtinere; tam benigna humilitas, ut in omnibus non suam sed Dei in se uoluntatem fieri praeoptet.

7. Qui perciò occorre che domini l'entusiasmo giovanile e sia impetuosa la corsa verso la perfezione religiosa; e anche se, in questo momento, non è né deve essere ancora frenata dalla ragione, si sottometta comunque al suo freno[46]. All'entusiasmo del novizio, infatti, non si addicono quelle eccezioni[47] che nascono dalla compassione verso sé stesso, quelle dispense che gli danno un po' di sollievo e quelle indulgenze che vengono dal personale giudizio. Non si deve però rifiutarle se sono imposte da un giudizio altrui. Il novizio deve esercitare da sé una rigorosa censura e una severità intransigente verso sé stesso; nei confronti della carità e della pietà paterna o fraterna di chi governa o di chi consiglia, invece, la sua umiltà deve essere docile e obbediente in ogni cosa[48]. Se manca una di queste due qualità, non mi aspetto la perseveranza nel cammino da parte di chi è pigro e tiepido e temo il fallimento di chi è precipitoso.

Per questo, il discernimento[49] del novizio deve consistere tutto nel diventare insensato in ogni cosa per Cristo[50] e nel dipendere dal giudizio altrui; specialmente se è quello di un uomo anziano di cui si sappia con certezza che impara da Dio ciò che insegna agli uomini[51]. In questo, peraltro, colui che progredisce o obbedisce non deve arrogarsi il diritto di giudicare – a meno che non gli venga ordinato qualcosa di palesemente contrario a Dio – fino a quando una lunga e paziente esperienza non gli consenta di comprendere ciò che ascolta. Ma deve sforzarsi soprattutto di praticare sempre quella obbedienza di cui sta scritto: «Purificando i vostri cuori nell'obbedienza della carità»[52]. Questa, infatti, è «la volontà di Dio, buona, gradita e perfetta»[53].

8. Ora, per ottenere e conservare questi beni, bisogna valersi del continuo sostegno di una preghiera assidua e paziente. In essa la fede deve essere così grande da sperare ogni cosa; la devozione così profonda da costringere quasi Dio; l'amore così forte da avere la sensazione di ottenere – nella preghiera stessa – tutto ciò che chiede; l'umiltà così docile da preferire che in ogni circostanza si compia non già la propria volontà ma quella di Dio in sé[54].

Studeat etiam habere hic talis, et amplectatur cordis puritatem, corporis munditiam, silentium uel uerbum ordinatum, oculos stabiles et non sublimes, aures non prurientes; uictum 10 et somnum sobrium, et qui faciat, non impediat boni operis dietam; manus continentes, gressum mitem; non ridendo prodere cordis lasciuiam, sed leniter subridendo gratiam; meditationes spirituales et assiduas; opportunas lectiones et non curiosas; ad maiores subiectionem, ad seniores reuerentiam, ad 15 iuniores dilectionem; non desiderare praeesse, amare subesse omnibus cum quibus est, uelle prodesse; non seueritate obrui, non leuitate exinaniri; in uultu serenitatem, in corde ad omnes habere dulcedinem, in opere gratiam.

Hic etiam et locus et tempus est uoluptates amputandi, 20 uitia omnia exstirpandi, uoluntates frangendi; ut cum ceteris non uoluntatibus sed uoluntatum simulacris praecisa fuerit et amputata, praecisis et amputatis sicut adulterinis quibusdam et sponte nascentibus ramusculis, spes proficiendi augeatur naturali et uerae uoluntati. Illae enim non tam sunt uolun- 25 tates, quam appetitus animae: concupiscentia scilicet carnis, concupiscentia oculorum, et ambitio saeculi.

9. Hic qui plus amat, plus currat. Hic labor, hic opus est; labor multorum sudorum, opus laborum multorum, maxime cum caecus adhuc amor quod facit faciat, sed nesciat adhuc unde ueniat, aut quo uadat; et sic huiusmodi operetur affecti- 5 bus, sicut caecus manibus, qui manibus quidem operatur, sed nec manus uidet quibus operatur, nec opus quod operatur.

Sicut enim si uidens quis in aliquod opus erudiat non uidentem, trahit docendum, curuat, erigit et disponit, in usum quemdam potius quam in artem eum agens suscepti operis: sic

Il novizio si sforzi inoltre di possedere e di conservare la purezza del cuore, la pulizia del corpo, il silenzio o la discrezione nel parlare, uno sguardo diretto ma senza arroganza, delle orecchie non pronte a farsi suggestionare[55], una sobrietà nel cibo e nel sonno tale da favorire e non da compromettere le buone opere, delle mani dai gesti controllati, un passo moderato. Non riveli, ridendo, un cuore sregolato, ma ne esprima la grazia sorridendo con dolcezza; le sue meditazioni siano spirituali e assidue, le sue letture siano dettate dalle esigenze e non dalla curiosità[56]; sia sottomesso ai superiori, rispettoso verso i più anziani, affettuoso con i più giovani; non aspiri a comandare, ami obbedire, abbia la volontà di essere utile a coloro che gli sono vicini; non si faccia opprimere dalla severità e non si lasci infiacchire dall'indulgenza; sia sereno in volto, mite di cuore con tutti, gentile nel modo di fare.

Questo è anche il luogo e il tempo per troncare i piaceri, estirpare tutti i vizi, spegnere le voglie[57], in modo che la speranza di progredire – quando ne siano state estirpate e recise non le altre volontà, ma i simulacri delle volontà, quasi ramoscelli bastardi[58] che crescono spontaneamente – aumenti in virtù di una volontà naturale e vera. Quelle infatti non sono volontà, ma appetiti dell'anima: intendo dire la concupiscenza della carne, la concupiscenza degli occhi e l'ambizione del secolo[59].

9. Qui, chi più ama più deve correre[60]. Qui si fatica, qui si lavora: una fatica che costa molto sudore, un lavoro che costa molta fatica; soprattutto perché l'amore, quando è ancora cieco, fa ciò che fa, ma non sa ancora da dove viene e dove va[61]. Esso opera con i sentimenti allo stesso modo in cui il cieco lavora con le mani: certo, il cieco adopera le mani, ma non vede né le mani con cui lavora né il lavoro che compie[62].

Quando, per esempio, una persona che vede insegna un lavoro a qualcuno che non vede, lo prende a sé per istruirlo, lo fa piegare, lo rialza e lo mette nella posizione giusta, facendogli acquisire una certa pratica del lavoro da eseguire, piuttosto che la tecnica

per omnia quae supra dicta sunt, caecus amor extrinsecus in quamdam uitae et morum formatur honestatem. Cum uero interioris hominis substantia longo disciplinae usu emollita plene poterit imprimi et informari in eorum formam, tunc fructum pacatissimum operabitur salutis. Tunc in re, non specie horum omnium et similium percipiet utilitatem. Quaecumque enim obseruanda supra texuimus, nondum sunt in affectu, sed in desiderio, et rationis magisterio: et de his omnibus humiliter adhuc cantat ad Deum: «Concupiui desiderare iustificationes tuas». Sicut tamen dixi de caeco, quamuis adhuc non uideat oculus, non cesset operari manus, ut qui proficere uult in magno, fidelis sit in minimo, et in eo in quo ex Conditoris largitate iam praerogatum habet ius potestatis, officium exhibeat bonae uoluntatis, in corpore scilicet proprio; faciatque quod dicit Apostolus: «Humanum dico propter infirmitatem carnis uestrae. Sicut enim exhibuistis membra uestra seruire immunditiae et iniquitati in iniquitatem; ita nunc exhibite membra uestra seruire iustitiae in sanctificationem». Ac si dicat: cum amor transierit in caritatem, cum anima perfectam suam adepta fuerit puritatem, tunc uobis dicam uel indicam longe aliud quid et diuinum. Nunc interim accipite istud humanum, ut sicut in tempore ueteris negligentiae et peccati liberi fuistis iustitiae; iustitiae in nullo, in omnibus autem peccato exhibentes membrorum officium, et hoc ad iniquitatem; sic amodo exhibeatis membra uestra seruire iustitiae in sanctificationem.

In quo si fidelis, ut dictum est, apparuerit, incipiet in seipso experiri quod Dauid dixit: «In nomine tuo leuabo manus meas. Sicut adipe et pinguedine repleatur anima mea». «Si enim spiritu facta carnis mortificauerit», si Deum in corpore

vera e propria. Allo stesso modo l'amore cieco è formato dall'esterno, con tutti i mezzi descritti in precedenza, a una certa rettitudine di vita e di costumi. Quando però, resa malleabile da un lungo apprendistato, la sostanza dell'uomo interiore sarà diventata pienamente capace di ricevere l'impronta e la forma di questa vita e di questi costumi, allora egli produrrà da sé, pacificamente, frutti di salvezza[63]; si renderà conto nella realtà, e non più solo nelle apparenze, dell'utilità di questi insegnamenti e di altri simili. Infatti tutti i precetti di cui abbiamo trattato in precedenza non sono ancora presenti nel sentimento profondo[64], ma solo nel desiderio e nell'insegnamento della ragione; di essi l'uomo canta ancora umilmente verso Dio: «Ho desiderato ardentemente di desiderare i tuoi giudizi»[65]. Ma, come ho detto a proposito del cieco che continua a lavorare anche se il suo occhio non vede, così chi vuole progredire nelle grandi cose sia fedele nelle più piccole[66]; e dia prova di buona volontà nella sfera in cui – grazie alla generosità del Creatore – ha già ottenuto il potere di agire, cioè nel proprio corpo, facendo ciò che dice l'Apostolo: «Parlo al modo degli uomini, a causa della debolezza della vostra carne. Come avete messo le vostre membra al servizio dell'impurità e dell'iniquità per giungere all'iniquità, così ora mettete le vostre membra al servizio della giustizia per giungere alla santità»[67]. È come se dicesse: quando l'amore si sarà trasformato in carità, quando l'anima avrà raggiunto la sua perfetta purezza, allora vi dirò o vi indicherò qualcosa di completamente diverso e di divino. Intanto accettate questo linguaggio umano. Allo stesso modo in cui, nel tempo trascorso della negligenza e del peccato, non vi siete sottomessi alla giustizia e non avete mai messo le vostre membra al servizio della giustizia, ma solo del peccato per commettere l'iniquità, così ormai mettete le vostre membra al servizio della giustizia per giungere alla santità.

Se nel far questo il novizio – come si è detto – si mostrerà fedele, incomincerà a sperimentare in sé stesso ciò che dice Davide: «Nel tuo nome alzerò le mie mani. La mia anima sia come saziata di adipe e di grasso»[68]. «Infatti se con lo spirito ha fatto morire le

suo glorificauerit; ex hoc anima adipe gratiae et pinguedine sancti Spiritus repleta, renouari incipit «spiritu mentis suae et induere nouum hominem, qui secundum Deum creatus est in iustitia et sanctitate ueritatis».

10. Ex hoc enim iam rerum facies noua ei incipit apparere: charismata meliora, in quorum aemulatione hactenus laborauerat, familiarius se ei aperire; corpus sanctis humiliatum disciplinis, ex consuetudine iam bona in spontaneum spiritus seruitium transire; noui hominis interior facies de die in diem renouari, et usque ad speculanda bona Dei reuelari.

Iam frequentes et improuisae theophaniae, et sanctorum splendores animam continuo desiderio laborantem incipiunt refocillare et illustrare; quia sapientia occurrens in uiis hilariter, sicut dicit Iob, «abscondit lumen in manibus, et praecipit ei ut rursus adueniat, et adnuntiat de ea amico suo, quod possessio eius sit, et ad eam possit ascendere».

Ex quo iam diu laborans anima, insolitas quasdam et dulces affectiunculas incipit colligere, in quibus requiescit tenere cum adsunt; cruciatur cum auferuntur, et non redeunt ad uotum. Sicut enim ruri enutrita et ruralibus assueta cibariis, cum affectiones has, quas diximus, quasi in primo ingressu aulae regiae ceperit degustare, nonnumquam ignominiose depulsa, uiolenter expulsa, in domum paupertatis suae uix ultra redire acquiescit. Et frequenter ad ianuam recurrens, importuna, improba et anxia, sicut inops, sicut mendica, sperans, suspirans inspicit, suspicit si quid sibi porrigatur, si quando aperiatur.

Et aliquando improbitate sua et importunitate sic omnia euincit obstacula et transgreditur ut usque ad interiorem sa-

opere della carne»[69] e ha glorificato Dio nel suo corpo, saziata in tal modo dall'adipe della grazia e dal grasso dello Spirito Santo, incomincia a rinnovarsi «nello spirito della sua mente e a rivestirsi dell'uomo nuovo, creato in conformità con Dio nella giustizia e nella santità della verità»[70].

10. A questo punto, infatti, l'uomo incomincia ormai a vedere le cose sotto un aspetto nuovo. I doni migliori della carità, che si era sforzato di ottenere fino a questo momento, gli si offrono con maggiore facilità; il suo corpo, umiliato dai santi esercizi, finisce per passare spontaneamente – per effetto di questa abitudine già di per sé buona – al servizio dello spirito; il volto interiore dell'uomo nuovo si rinnova di giorno in giorno[71], fino a contemplare senza veli i beni divini[72].

Frequenti e improvvise teofanie[73] e splendori che si mostrano ai santi incominciano a riscaldare e illuminare l'anima tormentata da un desiderio continuo di Dio. Perché la sapienza, venendo incontro con gioia per le strade[74], come dice Giobbe, «nasconde la luce fra le mani e ordina al suo amico di avvicinarsi di nuovo, annunciandogli che è suo possesso e che egli può salire verso di lei»[75].

In tal modo l'anima, da tempo in preda al tormento, incomincia ad accogliere in sé delle piccole affezioni[76] gradevoli e insolite: in esse trova un soave riposo quando sono presenti, ma soffre quando le sono tolte e non tornano a suo piacimento. È come una persona cresciuta in campagna e abituata a cibi rustici. Dopo che ha incominciato a gustare le affezioni[77] di cui abbiamo parlato, quasi entrando per la prima volta in una reggia, essa è talvolta scacciata con disonore e respinta con violenza. Allora si rassegna malvolentieri a ritornare nella casa della sua povertà[78]; così corre spesso alla porta della reggia e – molesta, sfacciata, insistente come una povera, come una mendicante – spera, sospira, scruta, alza gli occhi per vedere se le porgono qualcosa, se prima o poi le aprono.

E qualche volta, per la sua molestia e per la sua sfacciataggine, supera ogni ostacolo e riesce a passare, tanto che arriva con il suo

25 pientiae mensam praecipiti transiliens desiderio, impudens et illico reexpellenda assideat conuiua, et audiat: «Comedite, amici, bibite et inebriamini, carissimi». Ex hoc iam innascitur sanctae paupertatis amor, latendi studium, odium saecularium distractionum, orationis usus, psalmodia frequens.

11. Sed graue hic, nisi caueatur occurrit tentationis impedimentum, quod multorum cursum usque huc prosperum et felicissimum uel grauiter retardet, uel retro nonnumquam in quandam teporis ignauiam reflectat. Quod enim a Patre pio in 5 uia accipit ne deficiat, sic incipit habere quasi sufficiat: et hic proficiendi metam constituens, ubi desinit proficere, ibi incipit deficere. Quin etiam conculcans gratiam Dei, et uanam de ipsa contra ipsam sibi fabricans fiduciam, uel in ore, uel in corde iactat se non usquequaque a Deo derelictum, totiens si- 10 bi iudicium manducans et bibens quotiens uisitationis et consolationis a Deo percipit gratiam, et exinde non in Domini sed in uoluntatum suarum exsecutionem praesumit fiduciam.

«Inimici Domini», ait Psalmista, «mentiti sunt ei, et erit tempus eorum in saecula. Et cibauit illos ex adipe frumenti, et 15 de petra melle saturauit eos.» Audi cibatos, et audi inimicos; audi saturatos, et audi mentitos. Audi non solum frumentum, sed adipem frumenti; non petram, sed mel de petra, occultam scilicet et diuinam sacramentorum gratiam, de qua saturati perhibentur qui inimici esse conuincuntur. Quid si non fuis- 20 sent inimici, non tam cito potuissent saturari. Qui enim saturatus est, non plus petit quam accipit, quia plenus est; et quod habet satis ei est. Hoc est: «Post primam illuminationem», ut ait Apostolus, «post gustum doni caelestis, post participium

irrefrenabile desiderio fino alla tavola della sapienza che si trova all'interno; e senza alcuna vergogna, pur meritando di essere cacciata di nuovo, si siede come commensale e ascolta queste parole: «Mangiate, amici; bevete e inebriatevi, carissimi»[79]. Di qui nasce l'amore della santa povertà, il desiderio di vivere nascosti, l'odio delle distrazioni mondane, la pratica della preghiera, la salmodia frequente.

11. Ma se a questo punto non si fa attenzione, si presenta il grave ostacolo della tentazione, che può seriamente ritardare il cammino finora prospero e felicissimo di molti o talvolta riportarli addirittura indietro, verso uno stato di indolente fiacchezza. Infatti l'anima incomincia quasi a pensare che le basti ciò che ha ricevuto dal buon Padre per sostenersi lungo la strada: fissando qui la meta del suo cammino, nel momento preciso in cui smette di progredire incomincia a regredire. Anzi, calpestando la grazia di Dio e presumendo vanamente di sé stessa contro sé stessa, si vanta con le parole o in cuor suo di non essere mai stata abbandonata fino a quel momento da Dio. Così essa mangia e beve[80] la propria condanna ogni volta che riceve da Dio la grazia della sua visita e della sua consolazione; da allora in poi, non ripone la sua fiducia nel Signore ma nel compimento delle proprie volontà[81].

«I nemici del Signore», dice il Salmista, «gli hanno mentito e il loro tempo durerà nei secoli. Egli li ha nutriti con grasso di frumento e li ha saziati con miele di roccia.[82]» Fai attenzione: dice quelli che sono stati nutriti e che sono nemici; quelli che sono stati saziati e che sono nemici. Fai bene attenzione: il Salmista non dice solo frumento, ma grasso di frumento, non solo roccia, ma miele di roccia, intendendo quella grazia nascosta e divina dei sacramenti[83] di cui sono saziati coloro che vengono denunciati come nemici. Perché se non fossero stati nemici non avrebbero potuto saziarsi così presto. Infatti, chi è sazio non chiede più di quanto riceve, essendo pieno e bastandogli ciò che ha già. Ciò avviene «dopo la prima illuminazione[84]», come dice l'Apostolo, «dopo aver gustato il dono ce-

Spiritus sancti, post gustum nichilominus boni uerbi Dei, uir-
25 tutumque saeculi futuri, uoluntarie peccando post acceptam notitiam ueritatis, rursum sibimetipsis Filium Dei crucifigere et conculcare, et sanguinem testamenti pollutum ducere, in quo sanctificati sunt, et spiritui gratiae contumeliam facere».

Quid enim est aliud Filium Dei sibi crucifigere, quam face-
30 re mala ut ueniant bona, confidenter peccare, et cruci Christi quicquid peccant imponere? O si audiant quid sequitur: «Terra saepe superuenientem bibens imbrem, et generans herbam opportunam his a quibus colitur, accipit benedictionem a Domino; proferens autem spinas et tribulos, reproba est et male-
35 dicto proxima, cuius finis est in combustionem». Sed redeamus ad «meliora», ut ait ipse Apostolus, et «uiciniora saluti».

12. Iam ergo bonae spei iuuenis, cuius Deus iuuentutem incipit laetificare, crescere incipit «in uirum perfectum, in mensuram aetatis plenitudinis Christi». Iam enim amor incipit confortari et illuminari, et transire in affectum et nomen maioris
5 uirtutis, et amplioris dignitatis. Amor quippe illuminatus caritas est; amor a Deo, in Deo, ad Deum, caritas est. Caritas autem Deus est: «Deus», inquit, «caritas est». Breuis laus, sed concludens omnia. Quicquid de Deo dici potest, potest dici et de caritate; sic tamen ut considerata secundum naturas doni et dantis,
10 in dante nomen sit substantiae, in dato qualitatis; sed per emphasim donum etiam caritatis Deus dicatur, in eo quod super omnes uirtutes uirtus caritatis Deo cohaeret et assimilatur.

De caritate quid dicemus? Audiuimus famam eius, non nouimus eam, non uidimus eam. Apostolus eam nouit, qui, ex-
15 cellentiorem uiam eam appellans, in laudem eius totum se ef-

leste e partecipato dello Spirito Santo, dopo aver comunque assaporato la buona parola di Dio e le virtù del secolo futuro. Coloro che peccano volontariamente dopo aver preso conoscenza della verità crocifiggono nuovamente per sé stessi e calpestano il Figlio di Dio, profanano il sangue dell'alleanza dal quale sono stati santificati e fanno oltraggio allo spirito della grazia»[85].

Che altro è infatti crocifiggere per sé il Figlio di Dio, se non compiere il male per ottenere il proprio bene, peccare sfacciatamente e scaricare sulla croce di Cristo tutti i peccati commessi? Se costoro ascoltassero queste parole: «La terra che si imbeve della pioggia caduta con frequenza e produce dell'erba utile a coloro che la coltivano riceve la benedizione del Signore; ma se produce spini e triboli, è condannata e pronta a essere maledetta: il suo destino è di essere arsa dal fuoco»[86]. Ma torniamo, per parlare ancora come l'Apostolo, a «cose migliori e più prossime alla salvezza»[87].

12. Il giovane pieno di buona speranza, di cui Dio incomincia ad allietare l'adolescenza, va ormai crescendo «verso la virilità perfetta, nella misura conveniente alla piena maturità di Cristo»[88]. L'amore incomincia ormai a fortificarsi e a essere illuminato, a trasformarsi nel sentimento[89] di una virtù superiore, di una più alta dignità, e ad assumerne il nome. L'amore illuminato, infatti, è la carità: la carità è l'amore che viene da Dio, è in Dio e va verso Dio. Anzi, la carità è Dio: «Dio», dice la Scrittura, «è carità»[90]. Una lode breve, ma che comprende tutto. Tutto ciò che si può dire di Dio si può dire anche della carità. In questo senso, però: considerando la natura del dono e quella di chi dona, nel donatore la carità assume il nome di sostanza, in ciò che è donato il nome di qualità. Tuttavia, per enfasi, si può anche dire che il dono della carità è Dio, nel senso che la virtù della carità – superiore a tutte le altre virtù – è unita a Dio e gli è simile[91].

Che cosa diremo della carità? Ne abbiamo sentito parlare, ma non l'abbiamo conosciuta, non l'abbiamo vista. L'ha conosciuta l'Apostolo che, chiamandola la via migliore, si è tutto profuso nel-

fudit, dicens: «Et adhuc excellentiorem uiam uobis demonstro: si linguis hominum loquar et angelorum, caritatem autem non habeam, factus sum uelut aes sonans, aut cymbalum tinniens. Et si habuero prophetiam, et nouerim mysteria omnia et
20 omnem scientiam, et si habuero omnem fidem, ita ut montes transferam, caritatem autem non habeam nichil sum. Et si distribuero in cibos pauperum omnes facultates meas, et si tradidero corpus meum ut ardeam, caritatem autem non habuero, nichil mihi prodest. Caritas patiens est, benigna est. Caritas
25 non aemulatur, non agit perperam, non inflatur, non est ambitiosa, non quaerit quae sua sunt, non irritatur, non cogitat malum, non gaudet super iniquitate, congaudet autem ueritati. Omnia suffert, omnia credit, omnia sperat, omnia sustinet. Caritas numquam excidit. Siue prophetiae euacuabuntur, siue
30 linguae cessabunt, siue scientia destruetur. Nunc autem manent fides, spes, caritas, tria haec; maior autem his est caritas».

Hoc est iugum Domini suaue et onus leue; onus quod portantem portat et leuigat; onus leue Euangelii, suaue eis quibus dicit ipse Dominus: «Iam non dicam uos seruos, sed amicos
35 meos». Qui enim prius non portare poterat praecepta legis, postea leuia habet praecepta Euangelii per cooperantem gratiam. Qui primum non poterat implere: «Non occides», postea leue habet «pro fratribus animam ponere»; et sic de reliquis.

Sic cum iumento imponitur onus graue, et refugit quasi
40 importabile, adducitur quadriga uolubilis, id est Euangelium, discurrens per totum mundum, et onus quod quasi graue refugiebat primum, postea sine labore trahit duplicatum.

Sic auicula quae implumis est et sine alis, seipsam non potest portare; pondere plumarum et alarum addito, auolat sine
45 labore. Sic et panis durus qui per se non potest transire, adiectione lactis uel alterius liquoris, colabilis fit in gutture.

la sua lode dicendo: «E vi mostro una via ancora migliore. Anche se parlo le lingue degli uomini e degli angeli, ma non ho la carità, sono come un bronzo sonante o un cembalo squillante. Anche se ho il dono della profezia e conosco tutti i misteri e tutta la scienza, e anche se possiedo tutta la fede, tanto da trasportare le montagne, ma non ho la carità, non sono niente. Anche se distribuisco tutte le mie sostanze come cibo dei poveri, e anche se offro il mio corpo per essere bruciato, ma non ho la carità, non mi serve a nulla. La carità è paziente, è benigna; la carità non è invidiosa, non agisce male, non si gonfia d'orgoglio, non è ambiziosa, non cerca il suo interesse, non va in collera, non pensa il male, non gode dell'ingiustizia, ma si compiace della verità; scusa tutto, crede tutto, spera tutto, sopporta tutto. La carità non avrà mai fine. Le profezie spariranno, le lingue si estingueranno, la scienza svanirà. Ora restano queste tre cose: la fede, la speranza, la carità. Ma la più grande di tutte è la carità»[92].

È questo il giogo soave e il peso leggero del Signore[93]. Un peso che sostiene e alleggerisce chi lo porta. È il peso leggero del Vangelo, soave per coloro ai quali il Signore stesso dice: «Non vi chiamerò più servi, ma amici miei»[94]. Colui che prima non poteva portare i precetti della legge, trova poi leggeri i precetti del Vangelo con l'aiuto della grazia. Colui che prima non riusciva a osservare il precetto di «non uccidere»[95], poi trova leggero quello di «dare la vita per i fratelli»[96]. Lo stesso vale per gli altri comandamenti.

Così, quando si carica una bestia di una pesante soma ed essa la rifiuta non riuscendo a portarla, si ricorre a un leggero carro a quattro ruote – cioè al Vangelo[97] – che corre per tutto il mondo, e il carico che prima essa rifiutava come troppo pesante, poi lo porta senza fatica anche raddoppiato.

Così, ancora, l'uccellino implume e senz'ali non riesce a sorreggersi da solo; ma una volta che gli si aggiunge il peso delle penne e delle ali, vola senza sforzo. Così, infine, il pane duro, che da solo è impossibile da ingerire, scende facilmente nella gola con l'aggiunta di un po' di latte o di un altro liquido.

13. Amor ergo prius habuit conatum et aliquem affectum; caritas habet effectum. Iam enim tanto leuius operatur caritatis manus, quanto eam adiuuat illuminatus oculus. Primum quippe operamur per manus, deinde manu tergimus oculum. 5 Vnde dicit: «A mandatis tuis intellexi».

Iam enim incipit opera sua intelligere, et affectiones discernere. Iam sic afficitur uirtutibus, ut sicut Deo hoc est esse quod bonum esse, sic iam iustae et sanctae animae non aliter sit esse quam sancte et iuste et pie esse: sancte in semetipsa, iuste ad 10 omnes, pie ad Deum. Ex augmento enim gratiae Dei sic inficit iustam animam iustitiae affectus, ut iam in nulla sui parte uel cogitatuum, uel affectuum, uel actuum sciat uel possit esse nisi iusta in toto suo, in omni eo quod est iustitiae plene et indissolubiliter affecta. Vnde dicit Apostolus: «Caritas numquam exci- 15 dit». Aliquando quidem titubat uel deuiat affectionis uel operis effectus, quamdiu in hac uita non potest uidere caritas nisi ex parte et per speculum et in aenigmate, sed integer tamen semper et solidus in sua uirtute suus permanet affectus.

14. Aliud quippe est affectus, aliud affectio. Affectus est qui generali quadam potentia et perpetua quadam uirtute firma et stabili, mentem possidet, quam per gratiam obtinuit. Affectiones uero sunt quas uarias uarius rerum et temporum affert 5 euentus. Infirmitas enim carnis ex uitio primae originis saepe offendit, saepe cadit, saepe laedit grauiter et laeditur, mente interius dolente et patiente potius quam agente quod perperam foris in carne geritur, nec caritatem perdente, sed ex caritate gemente et clamante ad Deum: «Infelix ego homo, quis me liberabit de corpore mortis huius?». Vnde idem Apostolus: «Ego»,

13. In un primo tempo, insomma, l'amore comporta uno sforzo e un certo sentimento; la carità ottiene poi il risultato[98]. Perché la mano della carità opera tanto più agilmente quanto più è aiutata dall'occhio illuminato. Infatti, prima noi lavoriamo con la mano; poi con la mano stessa ci puliamo l'occhio. Per questo è detto: «Dai tuoi ordini ho ricevuto l'intelligenza»[99].

Ormai l'anima incomincia a comprendere quello che fa e a discernere le proprie affezioni. Ormai è talmente attratta dalle virtù che, come per Dio essere equivale a essere buono[100], così per l'anima giusta e santa essere equivale a essere santamente, giustamente e piamente: santamente in sé stessa, giustamente verso tutti, piamente verso Dio. In virtù dell'accresciuta grazia di Dio, infatti, il sentimento della giustizia impregna a tal punto l'anima giusta che – in ogni parte di sé stessa, dei suoi pensieri, dei suoi sentimenti o delle sue azioni – essa non sa né può essere se non giusta: pienamente e indissolubilmente legata, nella sua totalità, a tutto ciò che appartiene alla giustizia. Per questo l'Apostolo dice: «La carità non viene mai meno»[101]. Certo, finché durante questa vita essa vede solo in parte, come in uno specchio ed enigmaticamente[102], talvolta essa vacilla[103] o fa deviare gli effetti dell'affezione o delle opere; ma il suo sentimento[104] rimane comunque sempre integro e saldo nella sua forza.

14. Una cosa, infatti, è il sentimento e altra cosa è l'affezione. Il sentimento si impadronisce della mente per una sorta di potenza generale e di forza duratura, ferma e stabile, che ha ottenuto per grazia. Le affezioni, invece, variano a seconda del corso variabile delle cose e dei tempi. Inferma a causa del vizio della sua prima origine, infatti, la carne spesso sbaglia, spesso cade, spesso ferisce gravemente; ed è anche ferita perché all'interno la mente soffre ed è passiva piuttosto che attiva nel male che viene commesso all'esterno, nella carne. Eppure non perde la carità, ma per effetto della carità geme e grida verso Dio: «O me sventurato! Chi mi libererà da questo corpo di morte?»[105]. Per questo lo stesso Apostolo dice:

inquit, «ipse mente seruio legi Dei, carne autem legi peccati». Et rursum: «Non ego operor illud, sed quod habitat in me peccatum».

Itaque quisquis ille est, sicut dicit beatus Iohannes, secundum hoc quod natus est ex Deo, id est secundum interioris hominis rationem, in tantum non peccat, in quantum peccatum quod corpus mortis foris operatur, odit potius quam approbat semine spiritualis natiuitatis, quo ex Deo natus est, eum interius conseruante. Quod etsi interim aliquando incursu peccati laeditur et atteritur, radice tamen caritatis in altum defixa non perit, immo statim fecundius et uiuacius conualescit in spem boni fructus, et surgit. Sic enim dicit beatus Iohannes: «Omnis qui natus est ex Deo, peccatum non facit, quoniam semen ipsius in eo manet, et non potest peccare, quam ex Deo natus est». Notanda uis uerborum: «Non», inquit, «peccatum facit», quod patitur potius quam facit qui natus est ex Deo, «et non potest peccare», perseuerando scilicet in peccato, dum legi Dei, cui mente seruit, etiam carnem festinat subigere, quae tentatione et peccato incurrente, legi peccati uidebatur seruire.

Petrus, cum peccauit, caritatem non amisit, quia peccauit potius in ueritatem, quam in caritatem, cum eius se non esse mentitus est in ore, cuius totus erat in corde. Ideoque negationem falsitatis continuo lacrimis lauit ueritas caritatis.

Sic et Dauid cum peccauit caritatem non perdidit, sed obstupuit quodammodo in eo caritas ad uehementem tentationis ictum, et caritatis in eo nequaquam facta est abolitio, sed quasi quaedam soporatio, quae mox ut ad uocem arguentis prophetae euigilauit, continuo in illam ardentissimae caritatis confessionem erupit: «Peccaui Domino», et continuo audire meruit: «Et Dominus transtulit a te peccatum tuum, non morieris».

«Con la mente osservo la legge di Dio, con la carne invece la legge del peccato»[106]. E ancora: «Non sono io a fare questo, ma il peccato che abita in me»[107].

Perciò, come dice il beato Giovanni, un uomo qualsiasi, in quanto è nato da Dio – cioè in quanto si conforma alla ragione dell'uomo interiore – non pecca nella misura in cui odia, anziché approvare, il peccato commesso esteriormente dal corpo di morte, dato che il seme della sua nascita spirituale – in virtù del quale è nato da Dio – lo preserva interiormente[108]. Anche se talora è colpito e travolto dall'assalto del peccato, tuttavia non muore perché la radice della sua carità è piantata profondamente; al contrario, riprende subito vigore con fecondità e vitalità accresciute, nella speranza di un buon profitto; e si risolleva. Così dice infatti il beato Giovanni: «Chiunque sia nato da Dio non commette peccato, perché in lui dimora il seme di Dio; e non può peccare, perché è nato da Dio»[109]. Si noti la forza di queste parole: «Non commette peccato», dice, perché chi è nato da Dio lo subisce piuttosto che compierlo. «E non può peccare», ossia perseverare nel peccato, dal momento che si affretta a sottomettere anche la carne alla legge di Dio, che già osserva con la mente: quella carne che, assalita dalla tentazione e dal peccato, pareva asservita alla legge del peccato[110].

Quando peccò, Pietro non perse la carità, perché peccò più contro la verità che contro la carità: mentì soltanto con la bocca dicendo di non appartenere a colui al quale apparteneva interamente nel suo cuore. Così la verità della carità lavò immediatamente con le lacrime il suo falso rinnegamento[111].

Del pari, nemmeno Davide perse la carità quando peccò[112], ma questa rimase in qualche modo stordita sotto il colpo violento della tentazione. Essa non scomparve completamente in lui, ma cadde in una specie di sopore; e non appena si risvegliò alla voce accusatrice del profeta, Davide proruppe subito in quella confessione di ardentissima carità: «Ho peccato contro il Signore». E subito meritò di sentirsi dire: «Il Signore ha allontanato da te il tuo peccato: tu non morirai»[113].

15. Adhuc in laude caritatis: amor in fide est et spe; caritas in seipsa est, et per seipsam. Potest etiam esse ut fides et spes sint sine caritate; ut autem caritas fidem et spem in se non contineat, non potest esse. Fides enim quod amatur esse asserit, spes promittit. Amat igitur qui in fide et spe amat, sicut amari potest quod creditur tantum et speratur. Caritas uero creditum uel speratum iam habet, iam tenet, iam complectitur. Amor igitur fidei et spei Deum uidere desiderat quia amat; caritas quia uidet amat. Ipsa enim est oculus quo uidetur Deus.

Habet enim anima etiam sensus suos; habet uisum suum uel oculum, quo uidet Deum. Sicut enim corpus suos habet quinque sensus, quibus animae coniungitur, uita mediante, sic et anima suos quinque sensus habet, quibus Deo coniungitur, mediante caritate. Vnde dicit Apostolus: «Nolite conformari huic saeculo, sed renouamini in nouitate sensus uestri, ut probetis quae sit uoluntas Dei bona et beneplacens et perfecta».

Hic ostenditur quia per sensus corporis ueterascimus et huic saeculo conformamur; per sensum uero mentis renouamur in agnitionem Dei, in nouitatem uitae, secundum uoluntatem et beneplacitum Dei. Quinque enim sunt sensus animales uel corporales, quibus anima corpus suum sensificat (ut ab inferiori incipiam): tactus, gustus, odoratus, auditus, uisus. Similiter quinque sunt sensus spirituales, quibus caritas animam uiuificat: id est amor carnalis parentum scilicet, amor socialis, amor naturalis, amor spiritualis, amor Dei. Per quinque sensus corporis, mediante uita, corpus animae coniungitur; per quinque sensus spirituales, mediante caritate, anima Deo consociatur.

16. Tactui comparatur amor parentum: quia affectus iste promptus omnibus, et quodammodo grossus et palpabilis, sic

15. Ancora a lode della carità, aggiungiamo che l'amore è nella fede e nella speranza, la carità è in sé stessa e per sé stessa. Può anche darsi che la fede e la speranza siano senza la carità; ma non è possibile che la carità non contenga in sé la fede e la speranza[114]. Perché la fede afferma l'esistenza di ciò che si ama, la speranza ne promette il possesso. Perciò colui che ama nella fede e nella speranza ama come si può amare ciò che si crede e si spera soltanto; la carità invece possiede già l'oggetto della fede e della speranza, già lo stringe, già lo abbraccia. L'amore insomma, in quanto ama, desidera vedere Dio con la fede e con la speranza; la carità lo ama in quanto lo vede. Essa è l'occhio con cui si vede Dio. Anche l'anima, infatti, ha i suoi sensi, ha una sua vista o un suo occhio con il quale vede Dio. Come il corpo possiede i suoi cinque sensi, con i quali è unito all'anima per mezzo della vita, così anche l'anima ha i suoi cinque sensi, con i quali è unita a Dio per mezzo della carità[115]. Per questo l'Apostolo dice: «Non conformatevi a questo secolo, ma riformatevi nel rinnovamento del vostro senso, per discernere quale sia la volontà di Dio, buona, gradevole e perfetta»[116].

Queste parole mostrano che con i sensi del corpo invecchiamo e ci conformiamo al secolo, mentre con il senso della mente ci rinnoviamo nella conoscenza di Dio[117] e nel rinnovamento della vita[118], secondo la volontà e il beneplacito di Dio[119]. Infatti ci sono cinque sensi animali o corporei, mediante i quali l'anima conferisce la sensibilità al corpo che le appartiene: sono – per cominciare da quello inferiore – il tatto, il gusto, l'olfatto, l'udito e la vista. Parimenti, ci sono cinque sensi spirituali, mediante i quali la carità vivifica l'anima: sono l'amore carnale, cioè quello dei genitori, l'amore sociale, l'amore naturale, l'amore spirituale e l'amore di Dio. Con i cinque sensi corporei, il corpo è unito all'anima per mezzo della vita; con i cinque sensi spirituali l'anima è associata a Dio per mezzo della carità.

16. L'amore dei genitori è paragonabile al tatto. Questo sentimento, infatti, è in tutti spontaneo e quasi palpabile e tangibile: si

se omnibus naturali quodam occursu praebet et ingerit, ut effugere eum non possis, etiam si uelis. Tactus enim sensus est totus corporalis, qui ex quorumlibet corporum coniunctione conficitur; si tamen unum eorum aut utrumque uiuat, ut tactus esse possit. Sicut igitur quaqua te uerteris, corpus tuum non potest esse sine tactu, sic nec anima tua sine hoc affectu. Propter quod in Scripturis amor iste non multum commendatur, immo ne sit nimius coercetur, dicente Domino: «Si quis non odit patrem suum et matrem non potest meus esse discipulus».

17. Secundo, gustui comparatur amor socialis, amor fraternus, amor sanctae et catholicae Ecclesiae, de quo scriptum est: «Ecce quam bonum et quam iucundum habitare fratres in unum»; quia sicut per gustum uita administratur corpori, sic illic «mandauit Dominus benedictionem et uitam». Gustus etiam licet corporaliter exerceatur, saporem tamen introrsus generat, quo anima afficitur. Propter quod corporalis quidem sensus hic maxime, sed tamen ex parte aliqua etiam animalis esse comprobatur.

Sic et amor socialis quia ex corporali cohabitatione in unum, ex similitudine professionum, ex parilitate studiorum, aliisque huiusmodi causis, confoederatur, mutuisque officiis enutritur, maxime animalis esse uidetur. Sed tamen ex magna parte et spiritualis est, quia sicut sapor est in gustu, sic affectus fraternae caritatis flagrat in affectu, de quo scriptum est: «Sicut unguentum in capite, quod descendit in barbam, barbam Aaron, quod descendit in oram uestimenti eius, et sicut ros Hermon», id est exaltati luminis, «qui descendit in montem Sion».

presenta e si impone a tutti come un dato talmente naturale che, anche se tu volessi, non potresti evitarlo. Giacché il tatto è un senso interamente corporeo, che nasce dal contatto con un corpo qualsiasi; a condizione però che uno dei due corpi, o entrambi, siano in vita. E come – dovunque tu ti volga – il tuo corpo non può non avvertire la sensazione del tatto, così nemmeno la tua anima può essere priva di questo sentimento. È la ragione per cui questo genere di amore non è particolarmente apprezzato nelle Scritture; esse raccomandano anzi di moderarlo perché non diventi eccessivo, dato che il Signore afferma: «Se uno non odia il padre e la madre, non può essere mio discepolo»[120].

17. Al secondo senso, il gusto, si può paragonare l'amore sociale, l'amore fraterno, l'amore della santa Chiesa cattolica. Di esso sta scritto: «Come è bello e come è gradevole che i fratelli abitino insieme!»[121]. Infatti, come attraverso il gusto la vita è somministrata al corpo, così a questo amore «il Signore ha dato la benedizione e la vita»[122]. Benché il gusto venga esercitato mediante il corpo, esso genera comunque all'interno un sapore che è l'anima a sentire. Questo senso, dunque, è soprattutto corporeo; ma è evidente che per certi versi è anche animale[123].

Così l'amore sociale – unendo gli uomini fra loro attraverso la coabitazione fisica in uno stesso luogo, la somiglianza delle professioni, l'affinità degli interessi e altri motivi del genere, e alimentandosi dei servizi che essi si offrono reciprocamente – sembra essere soprattutto di ordine animale. Ma è in gran parte anche spirituale, perché come il sapore è nel gusto, così il sentimento della carità fraterna si manifesta in tutto il suo ardore in quel sentimento di cui è scritto: «È come il profumo versato sul capo che scende sulla barba, sulla barba di Aronne, che scende fino al lembo della sua veste; è come la rugiada dell'Hermon», cioè della luce più alta, «che scende sulla montagna di Sion»[124].

18. Tertio, odori comparatur amor naturalis, qui naturaliter ex ipsius naturae similitudine et consortio absque omni spe recompensationis omnem hominem diligit: qui ex occultis naturae recessibus ueniens, et animae se ingerens nichil humanum
5 ab ea patitur esse alienum. Sensus autem iste magis animalis esse uidetur quam corporalis, id est odoratus, quia ad creandum eum interius corpus nichil agit praeter leuem instrumenti sui, id est narium, attractum; et licet haustus per corpus, animam tamen afficit non corpus.
10 Sic et amor naturalis magis spiritualis esse uidetur quam animalis, quia praeter solum connaturalis humanitatis respectum, non consanguinitas, non societas, nec aliqua omnino in eo necessitudo huiusmodi consideratur.

19. Quarto, auditui comparatur amor spiritualis, amor inimicorum. Auditus enim nichil interius, id est intra corpus, operatur, sed exterius quodammodo, id est ad aures pulsans, animam euocat ut exeat et audiat. Sic et amorem inimicorum
5 in corde nulla uis naturae, nullius alicuius necessitudinis suscitat affectus, sed sola obedientia, quae per auditum significatur. Ideoque amor iste spiritualis dicitur; ideo etiam quia ad Filii Dei similitudinem, et filiorum Dei proficit dignitatem, dicente Domino: «Benefacite his qui oderunt uos, ut sitis filii Patris
10 uestri, qui in caelis est», et reliqua.

20. Quinto, uisui comparatur amor diuinus. Visus enim principalis est sensus, sicut inter omnes affectiones principatum obtinet amor diuinus. A uisu oculorum ceteri sensus omnes uidere dicuntur, cum solus uideat oculus. Dicimus enim:
5 tange et uide, gusta et uide, sicque de reliquis. Sicque ab amore diuino caetera dicuntur amari, quae bene amantur; cum luce clarius constet nil debere amari, nisi propter Deum; nec

18. Al terzo senso, l'olfatto, si può paragonare l'amore naturale, che ama naturalmente ogni uomo in virtù della somiglianza stessa di natura e della vita in comune, senza alcuna aspettativa di ricompensa. È un amore che, scaturendo dai recessi segreti della natura e penetrando nell'anima, fa sì che non le sia estraneo nulla di umano[125]. Questo senso, l'olfatto, sembra essere di ordine animale più che corporeo, dato che per crearlo al suo interno il corpo non fa altro che aspirare leggermente con il proprio strumento, ossia le narici; e benché questa aspirazione avvenga per mezzo del corpo, essa interessa[126] non il corpo ma l'anima.

Così, anche l'amore naturale sembra essere più spirituale che animale, perché – se si eccettua la considerazione del suo carattere comune a tutta la natura umana – non vi hanno parte né la consanguineità né la società né alcuna altra necessità di questo genere.

19. Al quarto senso, l'udito, si può paragonare l'amore spirituale, ossia l'amore per i nemici. Infatti l'udito non agisce all'interno, cioè dentro il corpo, ma per così dire all'esterno: nel senso che, percuotendo le orecchie, chiama l'anima perché esca e ascolti. Così è per l'amore verso i nemici: esso non è suscitato nel cuore da alcun impulso naturale né da alcun sentimento di necessità, ma solo dall'obbedienza, che è significata dall'udito. Perciò questo amore è chiamato spirituale. Per la stessa ragione esso fa progredire fino alla somiglianza con il Figlio di Dio e alla dignità di figli di Dio, secondo le parole del Signore: «Fate del bene a coloro che vi odiano, per essere figli del Padre vostro che è nei cieli»[127], eccetera.

20. Al quinto senso, la vista, si può paragonare l'amore divino. La vista infatti è il senso principale; del pari, l'amore divino ha il primato fra tutte le affezioni. In virtù della vista si dice che tutti gli altri sensi vedano, anche se soltanto l'occhio vede. Infatti diciamo: tocca e vedi, gusta e vedi[128], e così per gli altri sensi. Allo stesso modo si dice che tutte le altre cose che sono amate rettamente sono amate sul modello dell'amore divino. Perché è più chiaro del

amari rem quae propter aliud quid amatur, sed id potius propter quod amatur. Vnde est: «A quo omnis paternitas in caelo
10 et in terra cognominatur». Visus uis est quaedam animae mera et potens et pura. Sic et amor diuinus potens est, quia magna operatur, si est purus, quia, sicut ait ille, «nichil inquinatum in eum incurrit». Non enim dignatur Deus amari cum alia aliqua re, quae propter ipsum non amatur.

15 Visus in eminenti corporis arce et insigni capitis loco positus etiam secundum ipsius corporis formam, infra se habet et ordine et dignitate et uirtutis potentia omnia caeterorum sensuum instrumenta, ipsosque sensus quos, ut ita dicam, animaliores, propinquiores; quos uero corporaliores, remotiores. Infimus
20 enim omnium et caeteris ignobilior tactus, licet communis uideatur esse totius corporis, tamen proprie manuum est.

Sic mens quae caput est animae, et principale ipsius mentis, sedes esse debet amoris Dei, ut sub se habeat et regat et illustret caeteros amores; nec sit in eis quod se abscondat a calo-
25 re et lumine eius; quos spiritualiores habens propinquiores; quos animaliores uel carnaliores remotiores, cum dilexerimus «Dominum Deum nostrum ex toto corde nostro, et ex tota anima nostra, et ex omnibus uiribus nostris, et post proximum nostrum sicut nos ipsos».

30 Visus in digniori, ut diximus, corporis loco sedem habens, etiam super ipsam animalitatis uirtutem aliquid moliri uidetur; et mentis uel memoriae, quantum fas est, gestit imitari uirtutem, uno horae momento dimidium caeli peruolans, uno momenti puncto plurima terrarum stadia transuolans. Sic et illu-
35 minatus amor Dei, suam in anima christiana sedem obtinens, ad quamdam diuinae potentiae similitudinem eam prouehit,

sole che non si deve amare nulla se non a causa di Dio, e che ciò che si ama non è la cosa in sé stessa, ma piuttosto colui per il quale si ama. Per questo è scritto: «Dal quale ogni paternità prende nome in cielo e in terra»[129]. La vista è, in certo modo, un'energia dell'anima, genuina, potente e pura. Così anche l'amore divino è potente perché compie grandi cose[130] – se tuttavia è puro perché, come dice un autore, «non vi penetra nulla di contaminato»[131]. Infatti Dio non accetta di essere amato insieme a qualche altra cosa che non sia amata per lui.

La vista, situata com'è nella cittadella superiore del corpo e nel luogo più nobile della testa, ha sotto di sé – proprio in virtù della forma del corpo – tutti gli organi degli altri sensi, secondo l'ordine, la dignità e la potenza delle loro facoltà. Ha sotto di sé i sensi medesimi, alcuni dei quali sono – per così dire – di ordine più animale, perché più vicini, altri di ordine più corporeo, perché più lontani. Infatti il più basso e il meno nobile di tutti gli altri, il tatto, pur sembrando diffuso su tutto il corpo, ha la sua sede propria nelle mani.

Del pari la mente, che è la testa dell'anima, anzi la sommità della mente stessa, è di necessità la sede dell'amore di Dio; così essa domina, regge e illumina gli altri amori, in modo che in essi non vi sia nulla che si sottragga al suo calore e alla sua luce. Le sono più vicini gli amori più spirituali, più lontani quelli di natura più animale o carnale. Sarà così quando ameremo «il Signore nostro Dio con tutto il nostro cuore, con tutta la nostra anima, con tutte le nostre forze; e poi il nostro prossimo come noi stessi»[132].

La vista, avendo sede come abbiamo detto nel luogo più nobile del corpo, sembra addirittura sforzarsi di oltrepassare la facoltà animale; per quanto le è possibile, tende a imitare la facoltà della mente o della memoria, attraversando in un solo momento con il suo volo metà del cielo e sorvolando in un attimo larghe distese di terra. Così anche l'amore illuminato di Dio, quando prende dimora nell'anima cristiana, la innalza a una certa somiglianza con la potenza divina, facendole apparire ogni creatura limitata ed effi-

dum omnem creaturam angustam et breuem, immo nullam uideri facit ad comparationem Dei, dum confidit sua esse omnia quae Patris sunt, dum omnia ei cooperantur in bonum, dum
40 siue Paulus, siue Cephas, siue mors, siue uita, siue omnia, eius sunt; et fidelis uiri totus mundus diuitiarum est.

21. Visus ergo ad uidendum Deum naturale lumen animae, ab Auctore naturae creatus, caritas est. Sunt autem duo oculi in hoc uisu ad lumen quod Deus est uidendum naturali quadam intentione semper palpitantes, amor et ratio. Cum alter
5 conatur sine altero non tantum proficit; cum inuicem se adiuuant, multum possunt, scilicet cum unus oculus efficiuntur, de quo dicit sponsus in Canticis: «Vulnerasti cor meum, o amica mea, in uno oculorum tuorum».

In hoc autem plurimum laborant suo unusquisque modo,
10 quod alter eorum, id est ratio, Deum uidere non potest nisi in eo quod non est, amor autem non acquiescit requiescere nisi in eo quod est. Quid est enim quod ratio omni conatu suo possit apprehendere uel inuenire, de quo dicere audeat: hoc est Deus meus? In tantum enim solummodo potest inuenire quid
15 est, in quantum inuenit quid non est. Habet etiam ratio suos quosdam tramites certos et directas semitas quibus incedit; amor autem suo defectu plus proficit, sua ignorantia plus apprehendit. Ratio ergo per id quod non est, in id quod est uidetur proficere; amor postponens quod non est, in eo quod est
20 gaudet deficere. Inde quippe processit, et naturaliter in suum spirat principium. Ratio maiorem habet sobrietatem, amor beatitudinem.

Cum tamen, ut dixi, inuicem se adiuuant, et ratio docet amorem, et amor illuminat rationem, et ratio cedit in affectum
25 amoris, et amor acquiescit cohiberi terminis rationis, magnum quid possunt. Sed quid est quod possunt? Sicut proficere pro-

mera, se non addirittura inesistente, in confronto a Dio, e assicurandole che tutto ciò che è del Padre è suo[133]: infatti tutto concorre al suo bene[134] e sia Paolo, sia Cefa, sia la morte, sia la vita, sia tutto ciò che esiste le appartiene[135], e tutte le ricchezze del mondo appartengono all'uomo fedele[136].

21. Perciò la vista, luce naturale dell'anima per vedere Dio, creata dall'Autore della natura, è la carità. In essa vi sono due occhi, che palpitano sempre in una sorta di naturale tensione dello sguardo per vedere la luce che è Dio: sono l'amore e la ragione. Quando uno dei due si mette all'opera senza l'altro, non fa grandi progressi; quando invece si aiutano a vicenda, possono fare molto perché diventano un solo occhio, quell'occhio di cui lo sposo dice nel Cantico: «Hai ferito il mio cuore, amica mia, con uno solo dei tuoi occhi»[137].

Ora, questi occhi si affaticano moltissimo, ciascuno a modo suo: uno di essi, la ragione, può vedere Dio soltanto in ciò che egli non è; l'amore invece accetta di riposarsi solo in ciò che egli è. Infatti, che cosa potrebbe afferrare o scoprire la ragione, per quanti sforzi faccia, di cui osi dire: questo è il mio Dio? Essa può scoprire ciò che egli è solo in tanto in quanto scopre ciò che egli non è. Inoltre la ragione possiede vie sicure e sentieri diretti per i quali avanza; l'amore invece progredisce di più grazie a ciò che gli manca, afferra di più grazie alla sua ignoranza. Perciò la ragione sembra progredire, grazie a ciò che non è, verso ciò che è; l'amore, ponendo in secondo piano ciò che non è, si abbandona con gioia a ciò che è. Di là certo proviene, e per natura anela verso il suo principio. La ragione ha una maggiore sobrietà, l'amore una maggiore beatitudine.

Quando però, come ho detto, si aiutano a vicenda, quando la ragione istruisce l'amore e l'amore illumina la ragione, quando la ragione inclina verso il sentimento d'amore e l'amore accetta di essere trattenuto entro i limiti della ragione, allora insieme possono molto. Ma che cosa possono? Come chi progredisce per questa via

ficiens in hoc, et hoc discere non potuit, nisi experiendo, sic nec communicare potuit inexperto, quia sicut dicitur in Sapientia: «In gaudio eius non miscebitur extraneus».

22. Ex hoc iam animam suauitate hactenus et deliciis amoris tenere enutritam, sed et nonnumquam paternae pietatis disciplinis attritam, ex hoc iam, inquam, fortis ut mors dilectio peruadit dulci amoris gladio ab amore et affectu saeculi, sic
5 occidens eam funditus et interimens, sicut mors interimit corpus, in tantum, ut dici possit de ea, quod de Enoch, scilicet quod non inuenitur in saeculi actibus, «quia transtulit eum Deus».

Sed corpus morte sua mortificatur ab omnibus sensibus
10 suis, anima sua morte magis proficit et uiuificatur, et roboratur in suis; et fortiter et constanter et prudenter incedens iam in semitis suis omnibus et gressibus; et quocumque hactenus ignorando, dubitando et palpando uix audebat tendere pedem boni assensus. «Fortitudo enim simplicis uia Domini.» A sae-
15 culi uero actibus et affectibus sic mortificatur, sicut Paulus apostolus: «Mihi», inquit, «mundus crucifixus est, et ego mundo». Cum enim alter non curaret de altero, cum suis ligati affectibus, ad se inuicem non poterant uel non curabant accedere, sibi inuicem crucifixi erant et Paulus et mundus. Sed
20 tamen, cum Pauli conuersatio tota esset in caelis, non recusabat, quandocumque necessaria erat hominibus in terris. Propter quod cum gemitu dicebat: «Cupio dissolui et esse cum Christo, multo enim melius». Et o quam melius est esse cum Christo. Esse enim Christum cum Paulo, sicut ipse dixit: «Ec-
25 ce ego uobiscum sum usque ad consummationem saeculi»; sic, inquam, esse Christum cum Paulo, magna Pauli securitas; esse uero cum Christo, uel hic per contemplationem, uel ibi per

non può progredire e apprenderla se non grazie alla propria esperienza, così non può nemmeno comunicarla a chi non ha fatto la stessa esperienza; infatti, come è detto nella Sapienza: «L'estraneo non sarà ammesso a condividere la sua gioia»[138].

22. Così l'anima fin qui teneramente nutrita dalla soavità e dalle delizie dell'amore, ma talvolta anche logorata dalle discipline della pietà paterna, così l'anima, dico, è ormai penetrata da una dilezione forte come la morte[139], che con la dolce spada dell'amore la fa morire radicalmente all'amore e ai sentimenti mondani, uccidendola come la morte uccide il corpo, tanto che di lei si può dire ciò che è detto di Enoc: che non lo si trova più occupato nelle faccende mondane, «perché Dio lo ha portato via»[140].

Con la morte, il corpo muore a tutti i suoi sensi; l'anima invece, con la sua morte, fa progressi, è vivificata e rinvigorita nei propri. Avanza ormai con forza, costanza e prudenza lungo i suoi sentieri e in tutti i suoi passi[141], giungendo in tutti i luoghi in cui fino a quel momento – per la sua ignoranza, i suoi dubbi e le sue esitazioni – osava a malapena posare il piede del suo consenso al bene: «perché la forza del semplice è la via del Signore»[142]. Muore così alle azioni e ai sentimenti del secolo, come dice l'apostolo Paolo: «Il mondo è crocifisso per me, come io lo sono per il mondo»[143]. Infatti, poiché l'uno non si interessava più dell'altro, essi non potevano avere rapporti reciproci né si preoccupavano di averne, legati com'erano ciascuno dai propri sentimenti: crocifissi uno per l'altro erano Paolo e il mondo. Ciò nonostante, benché fosse interamente cittadino dei cieli[144], Paolo non si rifiutava ogni volta che era necessario di stare accanto agli uomini sulla terra; per questo diceva gemendo: «Desidero morire ed essere con Cristo, è molto meglio»[145]. Quanto meglio è infatti essere con Cristo! Quanto meglio che Cristo fosse con Paolo, come egli stesso ha detto: «Ecco, io sono con voi fino alla consumazione del secolo»[146]. Sì, dico, che Cristo fosse con Paolo era una grande sicurezza per Paolo; che beata e gloriosa felicità, per lui, essere con Cri-

beatitudinis praesentiam, beata et gloriosa Pauli felicitas. Caritas ergo Dei sursum eum attollebat; caritas uero proximi infra
30 eum premebat, quasi a collo dependens. Vnde sequitur et dicit: «Permanere autem in carne necessarium propter uos».

23. Affectus autem caritatis Deo indissolubiliter inhaerens, et de uultu eius omnia iudicia sua colligens, ut agat uel disponat exterius, sicut uoluntas Dei bona, et beneplacens, dictat ei interius; dulce habet in uultum illum semper intendere, et si-
5 cut in libro uitae, leges in eo sibi legere uiuendi et intelligere, illuminare fidem, roborare spem, suscitare caritatem.

Iam enim et Spiritus scientiae euidenter sanctam docet animam, quid, quomodo sit faciendum, et Spiritus fortitudinis uires uel uirtutes subministrat faciendi, Spiritus consilii disponit.
10 Et cum animae illi uacat Deo uacare, Deo inhaerere, Deo efficitur similis per deuotionis pietatem, et uoluntatis unitatem.

Cum uero ad homines et humana redire compellitur, a lege uultus Dei et exhilaratam faciem in oleo illo caritatis Dei tam factis quam dictis et etiam glorificatione quadam et gratia ex-
15 terioris hominis refert ad homines; ipso suo bonitatis quodam habitu, et gratia eam sibi exigit uel efficit apud eos reuerentiam, ut etiam in promptu habeat in quo uoluerit eorum obedientiam.

Nam et si ex occulto illo ad uitia delinquentium et corrup-
20 tos mores errantium, aliquando exiens ex ueritate et seueritate iudiciorum uultus Dei quasi cornuta apparet et terribilis, ubi uisa fuerint a corrigendis secundum insolubilem ueritatis legem omnia agi et disponi in pondere et mensura: ceditur caritati, et ira illa caritatis intelligitur disciplina.

sto, quaggiù con la contemplazione, lassù con la presenza beatificante! Così dunque la carità verso Dio lo portava in alto e la carità verso il prossimo lo spingeva in basso, come se avesse avuto un peso al collo. Per questo egli aggiunge: «Ma è necessario che io resti nella carne a causa di voi»[147].

23. Il sentimento della carità – aderendo indissolubilmente a Dio e raccogliendo dal suo volto tutti i propri giudizi[148], per operare e comportarsi al di fuori come la volontà divina, buona e gradita[149], gli detta dentro – prova dolcezza nel fissare costantemente quel volto e leggervi, come nel libro di vita[150], le leggi della vita scritte per sé, capirle, illuminare la fede, rafforzare la speranza, risvegliare la carità.

Infatti lo spirito di scienza insegna già con chiarezza all'anima santa che cosa debba fare e in che modo; lo spirito di forza le concede il vigore e le energie per farlo; lo spirito di consiglio la dispone. Quando quest'anima è libera di dedicarsi a Dio, di unirsi a Dio, diventa simile a lui grazie alla pietà della devozione e all'unità della volontà[151].

Quando però è costretta a tornare agli uomini e alle cose umane distogliendosi così dalla legge del volto di Dio, reca agli uomini un viso allietato dall'olio[152] della carità divina sia nei fatti sia nelle parole, non senza una certa gloria e bellezza dell'uomo esteriore. Proprio in virtù – per così dire – del suo atteggiamento di bontà e della sua grazia, essa pretende o suscita negli altri un tale rispetto che ottiene immediatamente anche la loro obbedienza in tutto ciò che vuole.

Infatti, se qualche volta esce dal suo ritiro nascosto per castigare i vizi dei peccatori e i costumi corrotti di chi vive nell'errore, allora essa si mostra come avesse delle corna, terribile[153], a causa della verità e della severità dei giudizi del volto di Dio: così essa apparve a coloro che dovevano essere corretti in base alla irrefragabile legge della verità. Essa opera e decide in ogni cosa con peso e misura; a questa carità si obbedisce, e la sua collera viene intesa come una disciplina[154].

25 Ideo rotae in quibus est spiritus uitae, semper eunt in uoluntatem Domini perficiendam, nec reuertuntur ad faciendam suam. Si iubentur praeesse, praesunt in sollicitudine; si iubentur subesse, in humilitate; si aliquibus coesse, in caritate. Si praelati sunt, sunt sicut patres ad filios; si subiecti ut filii ad 30 patres suos; si conuiuentes, omnium seruos se faciunt. Pius ad omnes affectus, dulcis in bono consensus. Occursus in hilaritate, cohabitatio in gratia, discessus in ostensione caritatis. Ad minores quouis modo mitis affectio cum opere; ad pares amor usque ad subiectionem; ad maiores reuerentia usque ad serui- 35 tutem. Non quae sua sunt quaerunt, sed quae sunt omnium. Et si fieri potest in eis quae sunt aduersa, sua saepe faciunt quae sunt omnium. Et ad haec omnia quocumque lex illa summa ordinauerit, facile habent membra corporis et bonam uoluntatem commodare, cum Spiritus sancti arrham uel pig- 40 nus acceperint, seruitutem istam creaturae et membrorum suorum in breui transituram in adoptionem et reuelationem filiorum Dei.

24. Sed ueniamus ad eam quam dicit Apostolus «societatem spiritus» et laudem disciplinae; ad bonum illud et iucundum cohabitationis fraternae in unum, ubi mandat Dominus benedictionem et uitam, de quo dicit Dominus: «Nolite timere, 5 pusillus grex, quoniam complacuit Patri uestro dare uobis regnum». Laus ergo huius disciplinae ab apostolis sumpsit exordium, qui sicut a Domino didiscerant, uel a Spiritu sancto cuius uirtute nuper ex alto fuerant induti, modum conuiuendi sic sibi instituerunt ut esset multitudinis cor unum et anima una, 10 et omnia communia, et essent unanimiter semper in templo.

Hanc apostolicae institutionis formam quidam aemulantes,

Per questo le ruote nelle quali si trova lo spirito di vita[155] vanno sempre verso il compimento della volontà di Dio e non tornano indietro per fare la propria. Se ricevono l'ordine di dirigere, dirigono con impegno; se ricevono l'ordine di obbedire, obbediscono con umiltà; se devono vivere insieme ad altri, lo fanno con carità. Se sono prelati, si comportano come padri nei confronti dei figli; se sono subalterni, come figli nei confronti dei padri; se vivono in comunità, si fanno servi di tutti[156]. Il loro è un pio sentimento verso tutti, un dolce consenso a ciò che è bene; l'incontro avviene nella gioia, la convivenza nella grazia, la separazione nel segno della carità. Verso chi è inferiore, in qualunque modo, mostrano una mite affezione accompagnata dai fatti; verso i pari, un amore che giunge alla sottomissione; verso i superiori, un rispetto che va fino alla schiavitù. Non cercano il proprio interesse, ma quello di tutti[157]; e per quanto è possibile, in mezzo alle difficoltà, fanno spesso proprie quelle di tutti gli altri. In ogni circostanza, qualunque cosa abbia ordinato quella suprema legge, vi conformano senza difficoltà sia le membra del corpo sia la loro buona volontà, dal momento che hanno ricevuto la caparra e il pegno dello Spirito Santo[158], questa schiavitù della creatura e delle loro membra che presto si trasformerà in adozione e rivelazione dei figli di Dio[159].

24. Passiamo ora a quella «comunione di spirito» di cui parla l'Apostolo[160] e all'elogio della vita disciplinata: a quel bene e a quella gioia della convivenza fraterna in uno stesso luogo, cui il Signore concede la benedizione e la vita[161] e di cui dice: «Non temere, piccolo gregge, perché al Padre vostro è piaciuto darvi un regno»[162]. L'elogio di questa vita disciplinata risale agli apostoli, i quali – secondo le istruzioni del Signore o dello Spirito Santo, della cui virtù erano appena stati rivestiti dall'alto[163] – si diedero una tale forma di vita comune che, pur essendo in molti, erano un solo cuore e una sola anima, avevano tutto in comune ed erano sempre insieme nel tempio[164].

Alcuni, ispirandosi a questa forma di vita istituita dagli aposto-

non habent domos uel diuerticula nisi domum Dei, domum orationis. Omnia quaecumque faciunt in nomine Domini facientes; simul habitantes uno ordine, una lege uiuentes, nichil 15 habentes proprium, nec ipsa corpora sua, nec uoluntates in potestate habentes. Simul dormiunt, simul surgunt; simul orant, psallunt, uel legunt. Fixum et immobile propositum eorum obedire praepositis suis et subiacere eis. Ipsi uero peruigilantes pro eis, quasi rationem reddituri pro animabus eorum, 20 re ipsa eis praedicant, quod in Ieremia populo Israel Godolias legitur praedicasse: «Ego pro uobis respondebo Chaldaeis qui ueniunt ad nos. Vos autem colligite frumentum, uinum et oleum in uasis uestris, et habitate securi in urbibus uestris».

Risumque cordis sui et gaudium, Isaac, cotidie Deo pro eis 25 immolantes, filium liberae, filium repromissionis reseruant cui seruiant Ismael, filium seruitutis. Cum propter eos fructus negligunt spiritus, et seruiendo ipsorum saluti, actibus seruitutis eorum omnes postponunt affectus profectuum suorum. Ipsis uero perpetuum praedicantes sabbatum, a curis saeculi alie- 30 nos, a necessitatum anxietatibus reddunt expeditos. Coactis enim in breui necessitatibus ipsis, paruo uiuitur. Vilitas in uestibus, sobrietas in uictu, et certis omnia praefixae legis terminata limitibus, ut nec plus quis habeat quam licet habere, et sufficiat omnibus; nec plus habere libeat, si habent quod liceat 35 habere.

25. Numquid non ista est non terrestris, sed caelestis paradisus? Sed in isto paradiso solis praelatis permittitur manducare assidue de ligno scientiae boni et mali; id est, dispensationes

li, non hanno altre case né altri ricoveri se non la casa di Dio, la casa della preghiera[165]. Tutto quello che fanno lo fanno in nome di Dio[166], abitano insieme sotto una stessa regola, vivono sotto una stessa legge, non possiedono nulla di proprio, non dispongono più nemmeno dei loro corpi o delle loro volontà. Insieme dormono, insieme si alzano; insieme pregano, salmodiano o leggono. Il loro fermo e immutabile proposito è quello di obbedire ai loro superiori e di essere a loro sottomessi. Questi, peraltro, vegliando su di essi come se dovessero render conto delle loro anime, dicono loro con il proprio comportamento ciò che Godolia – come si legge in Geremia – disse al popolo di Israele: «Risponderò io ai Caldei che vengono da noi. Voi, da parte vostra, raccogliete il frumento, il vino e l'olio nei vostri vasi e abitate in sicurezza nelle vostre città»[167].

Sacrificando per loro a Dio, ogni giorno, il sorriso del proprio cuore e la propria gioia – cioè Isacco, il figlio della donna libera, il figlio della promessa[168] – i superiori risparmiano Ismaele – il figlio della schiavitù[169] – per mettersi al suo servizio; così trascurano per i loro subalterni i frutti dello spirito[170] e, mettendosi al servizio della loro salvezza, pospongono le soddisfazioni[171] di un personale avanzamento alle azioni che compiono per servirli. Predicando loro il sabato perpetuo[172], li liberano dalle preoccupazioni mondane, li sgravano dalle angosce delle necessità terrene. In effetti, una volta che queste necessità siano state ridimensionate, si vive con poco. Modestia nel vestire, sobrietà nel cibo e tutto il resto entro i limiti stabiliti dalla regola: nessuno possiede più di quanto sia lecito e sufficiente per tutti; né desidera possedere di più, dato che tutti hanno ciò che è lecito possedere.

25. Una vita di questo genere può essere ancora definita terrestre, o non è piuttosto un paradiso celeste[173]? In un simile paradiso solo i superiori hanno il permesso di mangiare assiduamente dall'albero della scienza del bene e del male, cioè di dare direttive secondo il proprio

administrare discretionis; de subditis uero quorum est obedi-
5 re, non discernere; si quis illud tetigerit morte morietur.

Omnes omni tempore student oris silentio, inuicem cordis loquuntur affectu. Crebris eorum qui praesunt exhortationibus oleum additur camino, licet plus ipsi mutuo se excitent exemplo. Honore et obsequio inuicem certatim se praeueniunt, se-
10 cundum Apostolum, in prouocatione caritatis se inuicem prouocantes, inuicem suscipientes. Nullum inter se patiuntur esse solitarium, ne dicat ei Salomon: «Vae soli!». Solitarium uero eum deputant, qui in conscientia sua per confessionem non uult habere socium, uel qui nouis et solitariis adinuentionibus
15 suis conturbat societatem fratrum.

Si quando res exigit et permittitur de rebus animae uel corpori necessariis mite colloquium; sin autem mitius ubique silentium. Ad studium orationis tanta et tam continua ubique deuotio, ut locus orationis omnis sit locus diuinae dominationis.
20 Psalmorum tam pia, tam consona, tam feruens melodia, ut uitae et morum et bonorum affectuum, non musicae sed caritatis regulis bene compositum melos quadam consonantiae similitudine Deo repraesentare et sacrificare uideantur. In communibus pietatis studiis, in quadam etiam uultuum et corporum et habi-
25 tuum gratia, inuicem in seipsis bonitatis diuinae uidentes praesentiam tanto se affectu complectuntur, ut, sicut Seraphim, in amorem Dei alter ardeat ex altero, nec ullo modo satis esse possit deferenti quodcumque alter defert alteri.

26. Haec est specialis caritatis schola; hic eius studia exercentur, disputationes agitantur, solutiones non ratiocinationibus tantum, quantum ratione et ipsa rerum ueritate et expe-

discernimento; quanto agli inferiori, il cui compito è di obbedire e non di discernere, se uno di loro toccherà quell'albero morirà di morte[174].

Tutti, in ogni momento, osservano il silenzio della bocca e si parlano fra loro con il sentimento del cuore. Le frequenti esortazioni dei superiori versano olio sul fuoco[175], anche se tutti sono stimolati ancora di più dal reciproco esempio. Fanno a gara per essere i primi nel rendersi onore e servizio a vicenda[176]; come raccomanda l'Apostolo, si sfidano e si sostengono fra loro per suscitare la carità reciproca[177]. Non permettono che alcuno di loro rimanga solitario, perché non gli vengano rivolte le parole di Salomone: «Guai a chi è solo!»[178]. Essi considerano «solitario» chi non vuol confidare ad alcun compagno ciò che avviene nella propria coscienza, oppure chi turba la comunità dei fratelli con strane e personali innovazioni.

Quando la situazione lo richiede, è permesso avere un tranquillo colloquio su ciò che è necessario all'anima o al corpo; altrimenti, regna dovunque un silenzio ancora più tranquillo. Nell'ardore della preghiera, la devozione deve essere così intensa e continua da far considerare ogni luogo di preghiera come il luogo della sovranità divina[179]. Il canto dei salmi deve essere così pio, così armonioso, così fervido, da dare l'impressione che i fratelli offrano e consacrino a Dio – quasi con una consonanza simile – una melodia di vita, di comportamenti, di buoni sentimenti, composta non già secondo le regole della musica, ma secondo quelle della carità. Contemplando la presenza fra loro della bontà divina nei comuni esercizi di pietà, e anche in una certa grazia dei volti e dei corpi e dei modi di fare, essi si sentono uniti da un sentimento così forte che, come i Serafini, si infiammano vicendevolmente d'amore verso Dio, e il bene che ognuno trasmette agli altri non può assolutamente bastare a chi lo trasmette.

26. Questa è la speciale scuola di carità[180]. Qui si praticano gli esercizi per apprenderla, fervono le discussioni su di essa: le soluzioni non sono dettate tanto dai ragionamenti, quanto dalla ragio-

rientia terminantur. Hic qui in proficiendo lassus est, si residet ad sarcinas, quas adhuc de suis et cohabitantium sarcinis et necessitatibus secum trahit, non morietur, nec retro regredi, nec ultra procedere lege compellitur. Et si fideliter residens hic sarcinas custodierit, in triumpho uictoriae parum ei erit dissimilis, qui ulterius processerit.

Nonne locus est sarcinarum, ubi patimur eos qui per potentiam nos opprimunt, quasi caput nostrum conculcantes, inimicos supra dorsum fabricantes, filios quasi in medio cordis amplexibus inhaerentes? «Foris pugnae, intus timores», quotidiana, immo continua omnium sollicitudo. Sed adhuc habet Idithum, quo transiliat; adhuc grandis restat uia ascendenti ad montem Domini et ad domum Dei Iacob. Vlterius tamen procedere fas non est cum sarcinis; sed et senectuti sua debetur reuerentia. Ex hoc enim iam senectus incipit, non apta sarcinis, sed uenerabilis, non annorum sed uirtutum numero computata; spirans sapientiae maturitatem et requiem laborum, quasi emeritae militiae praemium.

27. Suscipiens autem sapientia proficiendi iter perficiendum, caritatem quidem non abicit, non deserit, sed prouehit; sed tamen pertaesum habet, ut dictum est, eius sarcinas portare, quae aliis iam intendens rebus parare se et aptare conatur ad intrandum in gaudium Domini sui. Odit ergo curas quascumque, etsi quando aliquos suscipit labores, sed laborum non amat sollicitudines. Vires quidem non deficiunt ad portandum, sed refugit impedimentum. Excitans ergo in hoc proficiendi gradu Dominus, et prouocans animam sanctam ad intrandum, ut dictum est, in gaudium suum: «Diliges», inquit,

ne[181] e dalla stessa verità delle cose e dall'esperienza. Qui, se uno lungo il cammino è stanco e si siede vicino ai bagagli che trascina ancora con sé a causa delle necessità personali e di quelle dei suoi compagni, non morirà né sarà obbligato per legge a tornare indietro o a procedere oltre[182]. E se resta qui a custodire fedelmente i bagagli, al momento della trionfale vittoria non sarà molto diverso da chi sia andato più avanti.

Non è forse il luogo dei bagagli, quello in cui sopportiamo la gente che ci opprime con la sua prepotenza, quasi calpestandoci la testa, i nemici che ci colpiscono sulla schiena[183], i figli che sono quasi stretti in un abbraccio al nostro cuore[184]? «Lotte all'esterno, timori all'interno»[185]; una preoccupazione quotidiana, anzi continua, per tutti[186]. Ma Idito[187] deve andare ancora oltre, ancora lungo è il cammino per chi sale verso il monte di Dio[188] e verso la casa del Dio di Giacobbe[189]. Tuttavia è impossibile proseguire con i bagagli. Eppure anche la vecchiaia ha diritto di essere rispettata[190]. La vecchiaia comincia infatti quanto non si è più idonei a portare i bagagli; ma è venerabile solo se la si conta in base al numero delle virtù, non a quello degli anni. Essa spande la maturità della sapienza e il riposo dalle fatiche quasi come una ricompensa dovuta a chi ha concluso la carriera militare.

27. Del resto, incominciando a percorrere il cammino del progresso interiore, la sapienza non rifiuta né abbandona certo la carità, ma al contrario la porta con sé. Tuttavia sente fatica, come si è detto, nel portare i bagagli della carità, perché essendo ormai protesa verso altre realtà cerca di prepararsi e di disporsi a entrare nella gioia del suo Signore[191]. Perciò odia ogni genere di impegni e, pur assumendosi talvolta qualche fatica, non ama le preoccupazioni che ne derivano. Non le mancano certo le forze per sopportarle, ma cerca di evitarne l'impaccio. Così il Signore, stimolando l'anima santa a questo grado di progresso interiore ed esortandola a entrare, come si è detto, nella sua gioia[192], le dice: «Amerai il Si-

«Dominum Deum tuum ex toto corde tuo, et ex tota anima tua, et ex omnibus uiribus tuis, et ex tota mente tua».

28. Quatuor in Deum a nobis et toti exiguntur affectus. In eo quod dicit: «ex toto corde», totam sibi uindicat uoluntatem; «in tota anima», totum amorem; «in omnibus uiribus», uirtutem designat caritatis; in «tota mente», fruitionem sapien-
5 tiae. Primum enim ad Deum uoluntas animam mouet, amor promouet, caritas contemplatur, sapientia fruitur.

Sapientia uero digne constituitur in mente. Quae cum ideo mens dicatur, quod meminit, uel eminet in anima, bene illi adscribitur uirtuti, quae super omnes eminet animae uirtutes. Est
10 enim mens uis quaedam animae, qua Deo inhaeremus et Deo fruimur. Fruitio autem haec in sapore quodam diuino est, unde et a sapore sapientia. Sapor autem iste in gustu quodam est. Gustum autem istum digne nemo potest exprimere, nec etiam qui meretur gustare: «Gustate», inquit, «et uidete quoniam
15 suauis est Dominus». Hoc gustu secundum Apostolum gustatur bonum Dei uerbum, gustantur et diuitiae saeculi uenturi.

Iam ergo de gustu isto, qui saporem habet illum in quo sapit sapientia, subtilius inquirendum est. Primumque dicendum quia licet per gradus ad arcem sapientiae uenerit qui ascendit,
20 tamen nisi ubique in omni gradu usque ad ultimum, Sapientia (sicut ipsa dicit in libro sui nominis) quaerentes se quaesisset et occurrisset in uiis, ostendens se hilariter, nec uoluntas mouisset, nec amor promouisset; nec caritati contemplatio, nec sapienti prouenisset fruitio. Itaque, sicut ceperamus, prosequa-
25 mur de gustu.

gnore tuo Dio con tutto il tuo cuore, con tutta la tua anima, con tutte le tue forze e con tutta la tua mente»[193].

28. Quattro sono i sentimenti verso Dio che ci sono richiesti per intero. Quando il Signore dice: «con tutto il tuo cuore», egli rivendica per sé tutta la volontà; quando dice «con tutta la tua anima», esige tutto l'amore; quando dice: «con tutte le tue forze», indica la virtù della carità; quando dice: «con tutta la tua mente», allude al godimento della sapienza. Prima di tutto, infatti, la volontà muove l'anima verso Dio, poi l'amore la fa progredire, la carità contempla, la sapienza gode.

Ora la sapienza trova posto a buon diritto nella mente, che è così chiamata perché è sede della memoria e costituisce la parte eminente dell'anima[194]: perciò è giusto attribuirle la virtù eminente fra tutte le virtù dell'anima. Infatti la mente è una facoltà dell'anima grazie alla quale ci uniamo a Dio e godiamo di lui. E questo godimento consiste in una specie di sapore divino: di qui, da «sapore», viene anche la parola «sapienza»[195]. Ora tale sapore sta in un certo gusto. Un gusto che nessuno può esprimere degnamente, nemmeno colui che merita di provarlo: «Gustate», dice il salmo, «e vedete quanto è dolce il Signore!»[196]. Con tale gusto, secondo l'Apostolo, si gusta la buona parola di Dio e si gustano anche le ricchezze del secolo futuro[197].

Esaminiamo dunque più a fondo questo gusto, che fa sentire il sapore di cui sa la sapienza. Bisogna fare una considerazione preliminare[198]: sebbene colui che sale verso la rocca della sapienza[199] vi giunga per gradi, se a ciascuno di questi gradi, fino all'ultimo, la sapienza – come dice essa stessa nel libro che porta il suo nome – non cercasse coloro che la cercano e non venisse incontro a loro per le strade mostrandosi piena di gioia[200], né la volontà potrebbe muovere, né l'amore far progredire, né la contemplazione sarebbe concessa alla carità, né il godimento al sapiente[201]. Proseguiamo dunque l'esame del gusto che avevamo incominciato.

29. Corpus Christi uniuersa est Ecclesia, tam ueteris quam noui Testamenti. In huius corporis capite, id est prima et antiquiori uel superiori parte, quae est primitiua Ecclesia, quatuor sunt sensus: uisus, auditus, odoratus et tactus. Oculi sunt an-
5 geli propter contemplationis sublimitatem; aures patriarchae propter obedientiae uirtutem; nares uel odoratus prophetae propter rerum absentium notitiam; tactus uero communis est sensus.

Omnes hi sensus ante Mediatoris aduentum in capite erant,
10 sed languebant inferiori corpore penitus emortuo propter unius sensus absentiam, id est gustus, sine cuius adminiculo, nec uiuere corpus poterat, nec sensus uim suae uiuacitatis obtinere. Quicquid enim ad totius corporis spectat alimentum, cunctis sensibus, uniuerso corpori appone, suppone, circum-
15 pone; si solus gustus deerit, quid proderit? Infunde auribus, intrude naribus, uel per quamuis aliam partem; obesse poterit, prodesse non poterit. Gustum autem quaedam sequitur saporis dulcedo, quam in interiori suo sentiens anima, modo quodam singulari et ceteris sensibus incommunicabili, quae
20 suscipit cuncta discernit, et diiudicat: seque omnesque sensus uegetat et confirmat.

Gustus ergo in capitis et corporis confinio, id est in gutture positus, uelut utrumque connectens, eum designat qui per conditionem carnis paulo minus est minoratus ab angelis, et
25 Moyse, et Elia caeterisque patriarchis et prophetis, per exhibitionem patientiae et humilitatis minorem quodammodo se fecit et humiliorem: cum illi potenti uirtute, Dei et suos prosternerent inimicos; ipse uero suos doceret discipulos: «Si quis percusserit te in dextera maxilla, praebe ei et alteram».

30. Hic enim post prophetas ueniens et patriarchas, limes quidam legis et gratiae, capitis et corporis, per mysteria huma-

29. Il corpo di Cristo è la Chiesa universale, tanto del Vecchio che del Nuovo Testamento[202]. Nella testa di questo corpo – ossia nella prima parte, superiore e più antica, che è la Chiesa primitiva – vi sono quattro sensi: vista, udito, olfatto e tatto. Gli occhi sono gli angeli, per l'altezza della loro contemplazione; le orecchie sono i patriarchi, per la loro virtù di obbedienza; le narici o l'olfatto sono i profeti, per la loro conoscenza delle cose che non sono ancora. Quanto al tatto, è un senso comune a tutti.

Prima dell'avvento del Mediatore, tutti questi sensi si trovavano nella testa; ma languivano, perché la parte inferiore del corpo era completamente morta a causa della mancanza di un solo senso, il gusto, senza il cui sostegno il corpo non poteva vivere né i sensi potevano ricevere la loro energia vitale. Prova infatti a portare, a servire, a distribuire a tutti i sensi, al corpo intero, cibo destinato a tutto il corpo: se manca il solo gusto, a che cosa servirà? Infila pure questo cibo nelle orecchie, introducilo nelle narici o da qualunque altra parte: potrà solo nuocere, non far bene. Invece al gusto si accompagna un dolce sapore che l'anima sente dentro di sé, in modo tutto particolare e incomunicabile agli altri sensi, un sapore che le consente di discernere e di giudicare tutto ciò che assume, vivificando e fortificando così sé stessa e tutti i suoi sensi.

Perciò il gusto – collocato al confine fra la testa e il corpo, cioè nella gola, come li unisse fra loro – designa colui che, per la condizione della carne, è stato posto un po' al di sotto degli angeli[203], di Mosè, di Elia e degli altri patriarchi e profeti. Con la pazienza e l'umiltà di cui ha dato prova, si è fatto in un certo modo più piccolo e più umile di loro: mentre essi hanno schiacciato i nemici di Dio e i loro con la forza della loro potenza, egli ha insegnato questo ai suoi discepoli: «Se qualcuno ti avrà colpito sulla guancia destra, porgigli anche la sinistra»[204].

30. Infatti egli viene dopo i profeti e i patriarchi, quasi al confine fra la legge e la grazia, fra la testa e il corpo; attraverso i misteri

nitatis suae et passionis, et resurrectionis, quaecumque in lege et prophetis, et psalmis salubria, quaecumque corpori uitalia et
5 utilia, quasi quoddam ipsius os degustans, id est in se intelligens, et per se intelligenda corpori traiciens, homo Christus, interiori quodam diuinitatis sapore, quo sapientia «nobis factus est sapientia» Dei Christus, sapida ea habet; nobisque facit sapida et utilia.

10 In se enim uiuens, et per se totum corpus uegetans et confortans, gaudium sibi, gaudium angelis facit de consummatione corporis; gaudium patriarchis et prophetis de uisione diei sui, sicut ipse dicit: «Abraham pater uester exsultauit ut uideret diem meum; uidit et gauisus est»; gaudium uniuerso corpori et
15 uitam, ita ut cum quodam mentis tripudio, uniuersali illo tactu spirituali uiuificato et confortato, clamemus: «Quod uidimus et audiuimus, et manus nostrae contrectauerunt de Verbo uitae».

Ideoque in omnibus orationibus nostris subicimus: «Per Christum Dominum nostrum»; uel quia omnes orationes nos-
20 tras et sacrificia ad Deum Patrem dirigimus per eum, sicut per mediatorem nostrum; uel quia quicquid speramus a Patre luminum, «omne datum optimum, et omne donum perfectum», non per aurem, non per nares, sed per ipsum nobis petimus infundi os nostrum, et gustum nostrum et sapientiam nostram, ut
25 sumenti possit esse proficuum.

31. Hic est gustus, quem in Christo facit nobis spiritus intellectus, intellectus scilicet scripturarum et sacramentorum Dei. Vnde cum post resurrectionem suam Dominus discipulis apparuit: «Tunc», inquit euangelista, «aperuit illis sensum ut
5 intelligerent scripturas». Cum enim scripturarum interiorem sensum, et uirtutem mysteriorum et sacramentorum Dei ceperimus non solum intelligere, sed etiam quadam, ut ita dicam

della sua umanità, della passione e della resurrezione, tutto ciò che vi è di salutare nella legge, nei profeti e nei salmi, tutto ciò che è vitale e utile per il suo corpo, egli lo gusta per così dire con la sua bocca, cioè lo comprende in sé stesso e trasmette al suo corpo ciò che si deve comprendere per suo tramite[205]. Così il Cristo uomo, quasi per un interno sapore di divinità grazie al quale il Cristo sapienza di Dio «è stato fatto sapienza per noi»[206], assapora tutte queste cose e ce le rende gustose e utili.

Avendo in sé la vita e vivificando e ristorando il corpo intero, procura gioia a sé stesso e agli angeli con il perfetto compimento di questo corpo; procura gioia ai patriarchi e ai profeti con la visione del suo giorno, come dice egli stesso: «Abramo, padre vostro, ha esultato al pensiero di vedere il mio giorno; lo ha visto e se ne è rallegrato»[207]. Procura gioia e vita all'intero corpo, tanto che in una sorta di entusiasmo della mente, vivificata e ristorata da questo contatto spirituale, esclamiamo: «Ciò che abbiamo visto e udito, ciò che le nostre mani hanno toccato del Verbo di vita»[208].

Per questo noi aggiungiamo in tutte le nostre preghiere: «Per Cristo, nostro Signore». Sia perché è per tramite suo, come attraverso il nostro mediatore, che rivolgiamo le nostre preghiere e i nostri sacrifici a Dio Padre; sia perché tutto ciò che speriamo dal Padre delle luci, «ogni grazia eccellente e ogni dono perfetto»[209], non chiediamo di riceverlo attraverso le orecchie o attraverso le narici, ma proprio attraverso di lui che è la nostra bocca, il nostro gusto e la nostra sapienza, affinché possa essere proficuo per colui che lo accoglie.

31. Tale è il gusto che ci procura in Cristo lo spirito di intelligenza[210], dell'intelligenza – voglio dire – delle Scritture e dei sacramenti[211] di Dio. Per questo, quando il Signore apparve ai discepoli dopo la sua resurrezione, l'evangelista dice: «Allora egli aprì loro la mente[212] all'intelligenza delle Scritture»[213]. Infatti, quando incominciamo non solo a comprendere ma anche, per così dire, a palpare e toccare con la mano dell'esperienza il senso in-

experientiae manu palpare et tractare (quod non fit nisi quodam conscientiae sensu et experientiae disciplina intelligentis,
10 immo, ut plus dicam, intus in semetipsa legentis et sentientis bonitatem et uirtutem Dei quam potenti bonitate cum efficaci uirtute in filiis gratiae, gratiae ipsius opus operatur); tunc demum sapientia quod suum est exsequitur. Tunc quos dignos iudicat, unctione sua docet de omnibus; tunc apposito boni-
15 tatis Dei sigillo, omnia nostra pacata unctione illa et emollita imprimit et conformat; et si qua dura, si qua rigida inuenit, inculcat et infringit; donec laetitia salutaris Dei recepta, et sapientiae spiritu principali confirmata sancta anima, laeta ad Deum decantet: «Signatum est super nos lumen uultus tui,
20 Domine; dedisti laetitiam in corde meo». Vnde et Dominus: «Haec est», inquit, «uita aeterna, ut cognoscant te solum uerum Deum, et quem misisti Iesum Christum».

Beata scientia, in qua continetur uita aeterna! Vita ista ex illo gustu est, quia gustare hoc est intelligere. Ex hoc gustu,
25 per hunc saporem, in hac sapientia minimus ille apostolorum satiatus, exhilaratus, confirmatus: «Mihi», inquit, «minimo omnium sanctorum data est haec gratia, in gentibus euangelizare inuestigabiles diuitias Christi, et illuminare omnes, quae sit dispensatio sacramenti absconditi a saeculis in Deo, qui
30 omnia creauit; ut innotescat principibus et potestatibus in caelestibus per Ecclesiam multiformis sapientia Dei, secundum praefinitionem saeculorum quam fecit in Christo Iesu Domino nostro, in quo habeamus fiduciam et accessum in confidentia per fidem eius». Et post pauca: «Huius», inquit, «rei gratia
35 flecto genua ad Patrem Domini nostri Iesu Christi, ex quo omnis paternitas in caelo et in terra nominatur, ut det uobis secundum diuitias gloriae suae uirtutem corroborari per Spiritum eius in interiori homine, habitare Christum per fidem in

terno delle Scritture e la virtù dei segreti e dei sacramenti di Dio (cosa che avviene solo grazie a un certo senso della coscienza e all'esercizio di una esperienza che comprende – dirò di più – che legge e sente dentro di sé la bontà[214] e la virtù di Dio, operata nei figli della grazia dall'opera della grazia stessa mediante la sua bontà potente e la sua virtù efficace), solo allora la sapienza svolge la sua funzione. Solo allora insegna ogni cosa a coloro che giudica degni della sua unzione[215]; solo allora, dopo aver apposto il sigillo della bontà di Dio, dà impronta e forma a tutto ciò che in noi è stato reso tenero e molle da quella unzione. E se incontra qualche durezza, qualche resistenza, la schiaccia e la spezza fino a quando l'anima santa, ricevuta la gioia salvifica di Dio e fortificata dallo spirito sommo di sapienza[216], non canti gioiosamente a Dio: «La luce del tuo volto, Signore, si è impressa su di noi; hai dato gioia al mio cuore»[217]. Per questo anche il Signore dice: «La vita eterna consiste nel fatto che conoscano te, unico vero Dio, e colui che hai mandato, Gesù Cristo»[218].

Scienza beata, nella quale è racchiusa la vita eterna! Questa vita proviene da quel gusto, perché gustare vuol dire comprendere. Saziato, rallegrato, fortificato da questa sapienza che deriva da questo gusto tramite questo sapore, colui che si diceva il più piccolo degli apostoli dichiara: «A me, che sono il più piccolo di tutti i santi, è stata concessa questa grazia, di annunciare fra i gentili le imperscrutabili ricchezze di Cristo e di far risplendere davanti agli occhi di tutti l'economia del mistero nascosto nei secoli in Dio, che ha creato tutte le cose, affinché sia manifestata nei cieli ai principati e alle potenze, per mezzo della Chiesa, la multiforme sapienza di Dio, secondo il piano eterno che egli ha attuato mediante Cristo Gesù, Signore nostro, che ci dà il coraggio di avvicinarci a Dio confidando nella sua fede»[219]. E poco oltre aggiunge: «Per questo piego le ginocchia davanti al Padre del Signore nostro Gesù Cristo, dal quale trae nome ogni paternità in cielo e in terra, perché vi conceda, secondo le ricchezze della sua gloria, di fortificarvi grazie al suo Spirito nell'uomo interiore e di far abitare

cordibus uestris, in caritate radicati et fundati, ut possitis com-
40 prehendere cum omnibus sanctis, quae sit latitudo, longitudo, sublimitas et profundum». Libet hic aduertere, si forte in sensum apostolicae sapientiae aliquatenus penetrare possimus.

32. Contra quatuor Dei debemus duo. Quatuor sunt in Deo, potentia et sapientia, caritas et ueritas uel aeternitas, quod unum est. Nichil enim uere est, nisi quod incommutabile est. Ad quae duobus modis respondere nos conuenit. Poten-
5 tiae quae potest nos punire, et sapientiae, quam nil potest latere, debemus timorem uerum; id est quem non impedit torpor securitatis, uel refugium simulationis. Simulatio autem est uel quando fingimus laborem in praecepto, uel quando irrationabilem misericordiam simulamus in Deo.

10 Caritati et ueritati debemus amorem uerum, id est quem non impedit tepor affectionis, uel scrupulus suspicionis. Caritati enim quid debetur nisi caritas? Veritas uero caritatis et caritas ueritatis omnem remouet scrupulum suspicionis. Suspicionem autem dico, ne non amet caritas, ne decipiat ueritas,
15 ne defluat aeternitas. Vnde Paulus: «Vt possitis comprehendere cum omnibus sanctis quae sit longitudo et latitudo et sublimitas et profundum». In sublimitate nota potentiam, in profundo sapientiam, in latitudine caritatem, in longitudine aeternitatem siue ueritatem. Et haec est crux Christi.

20 Et alibi idem Apostolus exprimens euidentius summae in nobis sapientiae uirtutem: «Propterea», inquit, «et ego audiens fidem uestram quae est in Domino Iesu, et dilectionem in omnes sanctos, non cesso gratias agens pro uobis, memoriam uestri faciens in orationibus meis; ut Deus Domini nostri
25 Iesu Christi, Pater gloriae, det uobis spiritum sapientiae et

Cristo nei vostri cuori per mezzo della fede. Così, radicati e fondati nella carità, sarete in grado di comprendere, insieme a tutti i santi, quali siano la larghezza, la lunghezza, l'altezza e la profondità»[220]. A questo punto dobbiamo sforzarci di penetrare in qualche misura, se ci riusciamo, il senso della sapienza dell'Apostolo.

32. In corrispondenza a quattro attributi di Dio noi gli dobbiamo due cose. Dio possiede quattro attributi: potenza, sapienza, carità e verità o eternità (che sono la stessa cosa: infatti nulla esiste veramente se non ciò che è immutabile). A essi conviene che noi rispondiamo in due modi. La potenza che può punirci e la sapienza cui nulla può restare nascosto esigono da parte nostra un vero timore, cioè un timore che non sia ostacolato né dal torpore della sicurezza né dall'espediente della simulazione. Vi è simulazione quando fingiamo di trovare penoso ciò che ci viene comandato[221], oppure quando ci immaginiamo una misericordia irragionevole in Dio.

La carità e la verità, invece, esigono un vero amore, cioè un amore che non sia ostacolato dalla tiepidezza dell'affezione o dal tarlo[222] del dubbio. Del resto, che cosa si deve alla carità se non la carità? La verità della carità e la carità della verità[223] spazzano via qualunque dubbio. Intendo dire il dubbio che la carità non ami, la verità deluda, l'eternità abbia fine. Per questo Paolo dice: «Affinché siate in grado di comprendere, insieme a tutti i santi, quali siano la larghezza, la lunghezza, l'altezza e la profondità»[224]. Nell'altezza, devi riconoscere la potenza; nella profondità, la sapienza; nella larghezza, la carità; nella lunghezza, l'eternità o la verità. È questa la croce di Cristo.

E in un altro luogo lo stesso Apostolo, esprimendo in modo ancor più chiaro la potenza della somma sapienza in noi, dice: «Per questo anch'io, avendo udito parlare della vostra fede nel Signore Gesù e del vostro amore per tutti i santi, non smetto di rendere grazie per voi, ricordandovi nelle mie preghiere, affinché il Dio di nostro Signore Gesù Cristo, il Padre della gloria, vi conce-

reuelationis in agnitione eius, illuminatos oculos cordis uestri, ut sciatis quae sit spes uocationis eius in sanctos, quae diuitiae gloriae hereditatis eius in sanctis, et quae sit supereminens magnitudo uirtutis eius in nos, qui credimus secundum operatio-
30 nem potentiae uirtutis eius, quam operatus est in Christo, suscitans illum a mortuis».

33. Cum igitur orante Apostolo et exaudiente Deo, datur nobis spiritus sapientiae et reuelationis in agnitionem eius, id est ut agnoscamus eum et sapiamus eum, uel sapiat ipse nobis; cum illuminantur oculi nostri ut uideamus bonum, et bona bo-
5 ni intelligamus ad quae nos trahit spes uocationis eius, scilicet diuitias gloriae hereditatis eius in sanctis; in his omnibus nobis bonitas uel benignitas apparet illuminantis et uocantis.

Cum uero ut sequamur uocantem, etiam uirtus additur, per ipsam experientiam spiritus sapientiae reuelatur nobis, quae
10 uel quam sit supereminens magnitudo uirtutis eius in nos. Ex hoc igitur qui sic est, ex gustu diuinae contemplationis, palato cordis sanato, omnia discernit, omnia diiudicat. In auctore omnium bonorum Christo, primum ei sapit sua ad Deum conuersio, deinde peccatorum remissio; postmodum pro ira, cuius
15 filii eramus omnes, gratiarum multiplex augmentatio. Et haec omnia nonnisi per Dominum nostrum Iesum Christum. Ipse est enim mediator noster, et sapientia nostra, cuius quod stultum est, fortius est hominibus.

34. Nam cum talibus Dei bonitas abundaret et offerret omnibus, nec esset qui reciperet uel sciret recipere, uel recipere doceret, nec esset qui illuc posset ascendere, ubi bona haec distribuuntur, uel qui huc posset deferre; opus erat mediatore

da uno spirito di sapienza e di rivelazione nella conoscenza di lui, e illumini gli occhi del vostro cuore, perché sappiate qual è la speranza della sua chiamata, quali sono le ricchezze della sua gloriosa eredità fra i santi e quale la straordinaria grandezza della sua potenza verso di noi che crediamo, in conformità all'opera della sua meravigliosa potenza, da lui dispiegata in Cristo quando lo risuscitò dai morti»[225].

33. Perciò, quando esaudendo la preghiera dell'Apostolo Dio ci concede lo spirito di sapienza e di rivelazione nella conoscenza di lui, affinché lo conosciamo e lo gustiamo o sia egli stesso a farsi gustare da noi; quando i nostri occhi sono illuminati affinché vediamo il bene e, divenuti buoni, abbiamo l'intelligenza dei beni verso i quali ci trascina la speranza della sua chiamata[226], ossia le ricchezze della sua gloriosa eredità fra i santi, allora è manifesta la bontà e la benevolenza di colui che ci illumina e ci chiama.

E quando si aggiunge anche la forza per aiutarci a seguire colui che ci chiama, l'esperienza stessa dello spirito di sapienza ci rivela quale sia e quanto sia eccezionale la grandezza della sua potenza in noi. Perciò colui che arriva a questo punto, con il palato del suo cuore ormai purificato dal gusto della contemplazione divina, discerne ogni cosa, distingue ogni cosa[227]. In Cristo, autore di tutti i beni, gusta prima di tutto la sua conversione a Dio, quindi la remissione dei peccati. In seguito riceve – invece dell'ira, di cui eravamo tutti figli[228] – una molteplice abbondanza di grazie. Tutto questo ci viene soltanto da nostro Signore Gesù Cristo: egli è infatti il nostro mediatore e la nostra sapienza, la cui follia è più forte di tutta la sapienza degli uomini[229].

34. Infatti, benché la bontà di Dio abbondasse in tutti questi beni e li offrisse a tutti, non c'era nessuno che li ricevesse o che sapesse o insegnasse a riceverli; non c'era nessuno in grado di innalzarsi fino al luogo in cui questi beni vengono distribuiti o in grado di trasportarli quaggiù. Di conseguenza occorreva che ci fosse tra

5 inter nos et Deum, per quem nostra propinquarent Deo, et bona Dei nobis.

Iniit ergo consilium tota Trinitas, consilium illud de quo dicit propheta: «Consilium tuum antiquum uerum fiat». Videbat quippe Deus quantum ad hominem omnia confusa, omnia tur-
10 bata; nichil stare in loco suo, nichil procedere ordine suo. Videbat hominem abisse in regionem dissimilitudinis tam longe ut per se nec posset, nec sciret redire.

Angelus enim praesumpserat similitudinem Dei dicens: «Ponam sedem meam ad aquilonem et ero similis Altissimo».
15 Homo similiter Deus esse uoluit, cui persuasum erat: «Eritis sicut dii». Ergone, inquit Deus Pater, «Filius meus, splendor gloriae meae, et figura substantiae meae in ipsa mei similitudine tot aemulos habebit, et pares, et socios?». Praecipitatus est uterque.

20 Videns imago Dei, Deus Filius, angelum et hominem, qui facti erant ad ipsam, id est ad imaginem Dei, non tamen quod ipsa, id est imago Dei, per inordinatum imaginis et similitudinis eius appetitum perisse: «Heu!», inquit, «sola miseria caret inuidia; sed subueniendum est ei, cui subuenire non prohibet
25 iustitia. Exhibebo igitur me homini, hominem despectum et nouissimum uirorum, uirum dolorum et scientem infirmitatem, ut zelet et imitetur in me humilitatem, per quam perueniat ad gloriam, ad quam praepropere festinat, ut possit audire a me: "Discite a me quia mitis sum et humilis corde, et inue-
30 nietis requiem animabus uestris"».

35. Accinxit ergo se quodammodo Dei Filius, et aggressus est per humilitatem recuperare eum, qui recuperari poterat, qui per superbiam perierat. Itaque inter Deum et hominem medium se faciens, qui recedens a Deo, captus erat et ligatus a
5 diabolo, hoc modo boni mediatoris et personam induit et ac-

noi e Dio un mediatore, grazie al quale i nostri beni si avvicinassero a Dio e i beni di Dio a noi[230].

Tutta la Trinità prese una decisione, quella decisione di cui parla il profeta: «La tua antica decisione si compia»[231]. Perché il Signore vedeva quanto fosse confuso, in disordine, tutto ciò che riguardava l'uomo: niente era al suo posto, niente procedeva secondo il suo ordine. Vedeva che l'uomo se n'era andato così lontano nella regione della dissomiglianza[232], che da solo non poteva né sapeva tornare indietro.

Infatti l'angelo aveva avuto la presunzione di assomigliare a Dio, quando disse: «Porrò la mia dimora ad aquilone e sarò simile all'Altissimo»[233]. Allo stesso modo l'uomo ha voluto essere Dio, persuaso dalle parole: «Sarete come dèi»[234]. Disse allora Dio Padre: «Il Figlio mio, splendore della mia gloria e figura della mia sostanza[235], avrà dunque tanti rivali, tanti eguali e compagni nella sua somiglianza con me?». Tutti e due furono precipitati.

Dio Figlio, immagine di Dio[236], vedendo che l'angelo e l'uomo – creati secondo questa immagine, cioè a immagine di Dio, senza essere però l'immagine stessa di Dio – si erano perduti a causa di un disordinato appetito di questa immagine e di questa somiglianza, disse: «Ahimè, solo la miseria è esente da invidia! Ma bisogna venire in aiuto di colui che la giustizia non vieta di soccorrere. Mi mostrerò dunque all'uomo come un uomo disprezzato e come l'ultimo degli uomini, l'uomo dei dolori, che conosce la debolezza[237], affinché l'uomo invidi e imiti la mia umiltà: per mezzo di essa raggiungerà la gloria, verso la quale troppo precipitosamente si affretta. Così potrà sentirmi dire: "Imparate da me perché sono mite e umile di cuore, e troverete il riposo per le vostre anime"»[238].

35. Dunque il Figlio di Dio si equipaggiò, per così dire, e incominciò a salvare per mezzo dell'umiltà colui che si era perduto a causa della superbia, ma che poteva essere salvato. Così, facendosi da tramite fra Dio e l'uomo – quell'uomo che allontanandosi da Dio era stato catturato e incatenato dal diavolo[239] – egli assunse il

tum. Factus est homo: «Egressa est uirga de radice Iesse, et flos de radice eius ascendit: et requieuit super eum spiritus Domini, spiritus sapientiae et intellectus, spiritus consilii et fortitudinis, spiritus scientiae et pietatis, et repleuit eum spiri-
10 tus timoris Domini».

Intellige hic fortissimum Agonithetam nostrum, quasi campum mundi ingressum inungi ad palaestram oleo Spiritus sancti; et exsultantem gigantem ad currendam uiam dispensationis humanae. Nota uero prophetam a superioribus cepisse,
15 et descendisse ad inferiora quia Mediatoris adnuntiabat descensum. Nos uero per easdem Spiritus sancti gratias, eiusdem mediatoris et processum operis et ad superiora inuestigantes regressum, ab inferioribus, id est a timore, incipimus.

Christus ergo ad Patrem timorem habuit, sed castum, sed
20 filialem, per quem in omnibus honori eius detulit, dicens: «Meus est cibus ut faciam uoluntatem Patris mei, qui est in caelis». Et in psalmo: «Laetetur cor meum ut timeat nomen tuum», et caetera multa in hunc modum. Per quem etiam seipsum uidebatur abicere, humiliare, negligere, ut opus quod
25 per eum fecerat Pater, sed perierat, reparatum et renouatum ei posset reconsignare.

36. Hoc igitur modo ad Patrem mediator noster habuit timorem quasi sursum; ad miserum uero reconciliandum, pietatem, quasi deorsum; ad utrumque uero scientiam, sciens quid cuique esset exhibendum. Sed ad implendum ministerium me-
5 diationis suae, cum Patris bonam uoluntatem haberet desursum, a misero autem inferius iacente haberet nichil, et habere

ruolo e compì gli atti di un buon mediatore. Si fece uomo: «Un virgulto è spuntato dalla radice di Iesse e un fiore è germogliato dal suo ceppo; su di lui si è posato lo spirito del Signore, spirito di sapienza e di intelligenza, spirito di prudenza e di fortezza, spirito di scienza e di pietà; lo spirito di timore del Signore lo ha riempito»[240].

Intendi così questo passo: il nostro fortissimo Atleta, come fosse entrato nel campo di battaglia del mondo, è stato unto per la lotta con l'olio dello Spirito Santo e come un gigante si slancia sulla via[241] del riscatto dell'umanità. Osserva però come il profeta abbia incominciato dai livelli più alti per scendere poi a quelli inferiori, dato che annunciava la discesa del Mediatore. Noi invece, per queste stesse grazie dello Spirito Santo, seguendo il percorso compiuto da questo mediatore e il suo ritorno alle sedi superiori, incominciamo dal livello più basso, cioè dal timore.

Cristo provò dunque timore nei confronti del Padre, ma un timore casto[242], un timore filiale, che lo induceva a rendergli onore in ogni cosa, con parole come queste: «Il mio cibo consiste nel fare la volontà del Padre mio che è nei cieli»[243], o come queste del salmo: «Il mio cuore si rallegri di temere il tuo nome»[244]; e con molte altre dello stesso genere. Per effetto di questo timore, inoltre, egli sembrava abbassarsi, umiliarsi, non prendersi cura di sé stesso, al fine di restituire al Padre, restaurata e rinnovata, l'opera che il Padre aveva creato per mezzo di lui, ma che era andata in rovina.

36. In questo modo, pertanto, il nostro mediatore provò timore – rivolgendosi, per così dire, verso l'alto – nei confronti del Padre. Ebbe invece pietà, rivolgendosi verso il basso, nei confronti dell'infelice che doveva essere riconciliato. Nei confronti di entrambi, però, ebbe la scienza, ben sapendo che cosa bisognava dare a ciascuno dei due. Ora per compiere il ministero della sua mediazione, dal momento che aveva ricevuto dall'alto la buona volontà del Padre suo e invece non aveva ricevuto nulla dallo sventurato che giaceva in basso, da lui pretese la fede, poiché la

aliquid ratio et ordo mediationis requireret, exegit ab eo fidem. Exegit autem fidem praerogando pietatem. Qua exactione nulla poterat esse ualidior, quia non fuit difficile homini mi-
10 sero ei se credere, a quo se praeuentum uidebat pietate. Sed et cum se ei credere non posset sine spe – quis enim se ei crederet, in quo spem non haberet? – cum fide etiam spem obtulit, cum spe etiam addens timorem, sine quo spes esse non poterat, ne scilicet desereretur a tam pio mediatore.

15 Accepto itaque Mediator a reo suo tanto salutis pignore, ad Patrem regreditur, scilicet cum in montem solus ascendit orare, uel cum factus in agonia prolixius orabat cum sanguineo sudore: «Pater, inquit, clarifica Filium tuum. En quid tibi, en quid exhibeam illi. En quod a te habeo, en quod ab illo. Me-
20 diator quippe sum. Et in salutem eius iam uidentur concurrere mediationis meae rationes. Sed captus est et ligatus. Alligauit eum fortis, et nisi fortior eo superuenerit, non diripiet uasa eius. Sed mitte me manum tuam de alto, et eripiam captiuum de inimicis eius fortissimis, in spiritu fortitudinis, fortitudo tua
25 et uirtus tua. Scio enim quid faciam: moriar pro nocente innocens, et plus poterit incomparabiliter bonitas mea quam hostilis malitia, poena innocentiae meae quam poena inobedientiae humanae».

37. «Et clarificaui», inquit Pater, «et clarificabo.» Iam fortissimo Mediatori opus est spiritu consilii; quia si princeps mundi intelligeret, numquam Dominum gloriae crucifigeret. Per omnia ergo uirtutem ei diuinitatis occultans, et solam ei infirmita-
5 tem carnis absque peccato proferens, per iustitiam uitae suae inuidiam suscitauit hostilis nequitiae; per infirmitatem carnis

ragione e la natura della sua mediazione esigevano che ricevesse qualcosa. Pretese dunque la fede in cambio della pietà concessa in anticipo. Nessuna richiesta poteva essere più efficace di questa, perché non fu difficile all'uomo, nella sua miseria, riporre la propria fiducia in chi lo aveva prevenuto manifestandogli la sua pietà[245]. Ma poiché l'uomo non poteva affidarglisi senza sperare – chi, infatti, si affiderebbe a uno in cui non abbia speranza? – Cristo gli offrì insieme alla fede anche la speranza, aggiungendovi inoltre il timore, senza il quale non poteva esserci speranza: quella di non essere abbandonato da un mediatore tanto pietoso.

Perciò, dopo aver ricevuto dal colpevole un così valido pegno di salvezza, il Mediatore ritornò dal Padre, quando salì da solo sulla montagna per pregare[246] e quando in preda all'agonia pregava più a lungo[247], sudando sangue[248]: «Padre, gli disse, glorifica il Figlio tuo[249]. Ecco che cosa ti offro, ecco che cosa gli offro. Ecco che cosa ho ricevuto da te, ecco che cosa ho ricevuto da lui. Certo io sono il mediatore e le ragioni della mia mediazione sembrano già contribuire alla sua salvezza. Ma egli è prigioniero e legato. Un forte lo ha legato; e se non sopraggiungerà uno più forte di lui, non gli porterà via i suoi beni[250]. Ma stendimi dall'alto la tua mano[251] e strapperò il prigioniero dai suoi potentissimi nemici[252]: nello spirito di fortezza stanno la tua forza e la tua potenza[253]. Perché so che cosa farò. Morirò innocente per il colpevole, e la mia bontà sarà incomparabilmente più forte della malvagità nemica; la pena inflitta alla mia innocenza incomparabilmente più dura della pena meritata dalla disobbedienza umana».

37. «L'ho glorificato», dice il Padre, «e lo glorificherò.[254]» Il potentissimo Mediatore ha già bisogno dello spirito di consiglio, perché se il principe di questo mondo[255] capisse, non crocifiggerebbe mai il Signore della gloria[256]. Nascondendogli dunque in tutto e per tutto la potenza della sua divinità e mostrandogli soltanto la debolezza della carne, escluso il peccato, suscitò la gelosia del perfido nemico con la giustizia della sua vita e gli lasciò la spe-

suae spem illi contulit uictoriae, ad faciendam inuidiam accedentibus miraculis, quibus reconciliandi sui fidem in se roborabat. Deceptus antiquus deceptor, poenam peccati, mortem sci-
10 licet atrocissimam, ei inflixit, qui nullo erat peccato obnoxius. Occisus iustus iniuste pro iustitia nouam de inimico obtinuit iustitiam, mortis scilicet iniuste sibi illatae. Quam quasi sibi non necessariam, quia absque peccato erat, ipse homini peccatori communicans, reum absoluit per poenam innocentiae suae. Positoque
15 corpore suo et sanguine in manu eius: «Hoc», inquit, «manduca, hoc bibe, hinc uiue». Patrique eum repraesentans: «En», inquit, «Pater, sanguinis mei pretium. Si de peccato huius requiris, en pro eo meus sanguis. Domine Pater, dedisti benignitatem, et terra corporis mei dedit fructum suum. Iam iustitia ante te ambulabit,
20 et tu pones in uia saluationis humanae pedes tuos. Et ut iuste iam saluetur, qui iuste perierat, tu, Domine, fecisti directiones; iudicium et iustitiam in Iacob tu fecisti».

38. De fructu ergo huius operis satiatus homo, mediante sapientia Dei, non solum reconciliatur, sed etiam sapiens efficitur. Sapit enim ei quod manducat. Manducat et bibit corpus et sanguinem Redemptoris sui, manna caeleste, panem angelo-
5 rum, panem sapientiae; et manducans transformatur in naturam cibi quem manducat. Corpus enim Christi manducare nichil est aliud quam corpus Christi effici, et templum Spiritus sancti. Templum autem hoc cum ornatum fuerit praescriptarum positione uirtutum, et supradicto dedicandi ordine dedi-
10 catum, nullos ulterius alienos titulos potest suscipere, nullum habitatorem nisi Deum qui condidit illud et creauit. Nichil ergo ultra terrenum sancta illa anima, nichil materiale, nichil

ranza della vittoria con la debolezza della sua carne: ad accrescere questa gelosia erano i suoi miracoli, con i quali egli consolidava la fede in lui di colui che doveva essergli riconciliato. Ingannato, l'antico ingannatore gli inflisse – a lui che non era colpevole di alcun peccato – la pena per il peccato, cioè la morte più atroce. Il giusto, ingiustamente messo a morte, in luogo della giustizia ha ottenuto dal nemico una giustizia nuova, quella appunto della morte che gli fu inflitta ingiustamente. E poiché non aveva bisogno di questa giustizia, dato che era senza peccato, ne rese partecipe l'uomo peccatore e assolse il colpevole grazie alla pena irrogata alla propria innocenza. Dopo aver posto il suo corpo e il suo sangue in mano al peccatore, gli disse: «Mangia questo corpo, bevi questo sangue e ormai vivi»[257]. Poi, presentandolo al Padre, disse: «Padre, ecco il prezzo del mio sangue[258]. Se esigi un riscatto per il peccato che ha commesso, ecco al suo posto il mio sangue. Signore, Padre, sei stato benevolo[259] e la terra del mio corpo ha prodotto il suo frutto[260]. Ormai la giustizia camminerà davanti a te e i tuoi piedi calcheranno la via della salvezza umana[261]. E affinché sia salvato secondo giustizia colui che secondo giustizia era perito, tu, o Signore, hai dato delle direttive, tu hai stabilito il diritto e la giustizia in Giacobbe»[262].

38. Saziato dal frutto di quest'opera, l'uomo non solo si riconcilia per mezzo della sapienza di Dio[263], ma grazie a essa diventa anche sapiente. Infatti gusta il sapore di ciò che mangia. Mangia il corpo e beve il sangue del suo Redentore, manna celeste[264], pane degli angeli[265], pane della sapienza[266]; e mangiando si trasforma nella natura del cibo che mangia[267]. Perché mangiare il corpo di Cristo non è altro che diventare il corpo di Cristo e il tempio dello Spirito Santo[268]. E questo tempio, una volta che sia stato ornato delle virtù prescritte e consacrato al culto secondo il rito dedicatorio indicato sopra, non può più essere destinato ad altro uso né avere altro abitante se non Dio, che lo ha edificato e creato. Così quell'anima santificata, essendo ormai uscita dal luogo in cui sono

corruptibile diligit aut curat, ex quo egressa est a loco sarcinarum, etsi aliquo horum aliquando quasi in transitu utitur, sed
15 frui non dignatur. Si quid in huiusmodi prosperum euenerit, pertransit; non turbatur, si quid aduersi occurrerit. Totum sapit quicquid capit; nec potest amanti nisi sapere, quicquid sicut saliuam contigerit de capite Christo descendere. Quicquid ad corpus spectat bonum siue malum foris ei est, nec pertinge-
20 re potest ad eum qui intus est. Vnde Apostolus in squalore carceris iacens et uinculis, et quantum ad corpus tribulatione coronatus et miseria, scribens discipulis: «Mittam», inquit, «ad uos Timotheum, ut sciatis quae circa me sunt». Quae circa me sunt inquit, id est in exteriore homine, in exteriore tunica
25 carnis, quae ad me, qui intus sum, non pertingunt.

39. Haec est sapientia de qua dicit Apostolus: «Sapientiam loquimur inter perfectos». De qua sic nos loquimur, sicut qui audiuimus et non uidimus; sicut loqueremur de ciuitate aliqua, quam non uidimus, sed plurima de ea audiuimus; de qua qui
5 uidisset longe aliter loqueretur, et expressius.

Haec autem sapientia oppositam sibi ex aduerso aliam habet infausti nominis sapientiam – quam dicit Apostolus «principum huius mundi» –, sicut nigrum albo, sicut luci tenebras, de qua dicitur: «Sapientia uincit malitiam». Malitia siquidem
10 est sapor mali, unde et a sapore sapientia. Cum igitur sapit malum et non deest astutia uel uoluntas ad exsequendum, sapientia principum huius mundi per omnia supernae sapientiae est contraria. Haec est enim malitia, quam odit sapientia. Siquidem ibi sapor boni est in seipso, hic sapor mali in seipso: ibi
15 ad exsequendum praesto est prudentia; hic, ut dictum est, non deest astutia.

depositati i bagagli, non ama né coltiva più ciò che è terreno o materiale o corruttibile, anche se di tanto in tanto usa ancora qualcuno di questi bagagli quasi transitoriamente, senza però degnarsi di goderne[269]. Se le accade qualcosa di favorevole passa oltre; se invece le capita una avversità non si turba. Gusta tutto ciò che riceve; dato che ama, non può non assaporare qualunque cosa discenda – come saliva – dalla testa, Cristo[270]. Tutto ciò che riguarda il corpo, sia buono o malvagio, le è estraneo e non può arrivare a toccare la sua interiorità. Per questo l'Apostolo, mentre giaceva incatenato nella sua squallida prigione, circondato per quanto riguardava il corpo dalla tribolazione e dalla miseria, scriveva ai suoi discepoli: «Vi manderò Timoteo per informarvi di ciò che mi sta intorno»[271]. Di ciò che mi sta intorno, ossia di ciò che riguarda l'uomo esteriore, la veste esteriore della carne[272], ma che non penetra fino a me che sono dentro.

39. È questa la sapienza di cui l'Apostolo dice: «Noi parliamo di sapienza tra i perfetti»[273]. Noi invece ne parliamo come se ne avessimo sentito parlare e non l'avessimo vista, allo stesso modo in cui parleremmo di una città che non abbiamo visitato ma di cui abbiamo sentito raccontare molte cose. Certo, chi l'avesse visitata ne parlerebbe in modo ben diverso e più preciso...

Ma a questa sapienza se ne contrappone – come il nero al bianco, come le tenebre alla luce – un'altra dal nome nefasto, che secondo l'Apostolo appartiene «ai principi di questo mondo»[274]. Di quella vera è detto: «La sapienza trionfa sulla malizia»[275]. La malizia è appunto il sapore del male; e da «sapore» deriva «sapienza»[276]. Perciò quando assapora il male e non manca di astuzia né di volontà per compierlo, allora è la sapienza dei principi di questo mondo, contraria in tutto e per tutto alla sapienza superiore. Questa è la malizia che la sapienza odia. Nell'una infatti si assapora il bene in sé stesso, nell'altra si assapora il male in sé stesso. Nel primo caso si dispone della prudenza per compiere il bene, nel secondo – come si è detto – non manca l'astuzia[277].

40. Sed inter has duas quaedam media est sapientia, quasi inter nigrum et album medio quodam colore coloratum. Quae siue superius, siue inferius, sic se habet ad utramque partem, ut proueniat ei finis secundum intentionem et studium utentis.
5 Sapientia ista est quam dicit Apostolus «huius mundi», et quam mediam locauit inter sapientiam Dei et sapientiam principum huius mundi. Haec circa utile et honestum tota uersatur; et affectata quadam prudentia dispensatur. Haec pene tota est in scientia, uidelicet ut sciat discernere prudenter, et
10 diiudicare inter utile et inutile, inter honestum et inhonestum, etiam si non sit uitae et moribus accommodatum. «Scientia uero inflat, caritas aedificat.» Aut ergo in huiusmodi exquirendis elaborant, ut tantum sciant; quod tantummodo seruit curiositati; aut ut uideantur, siue sciantur scire; quod seruit uanitati.
15 Et hoc eorum studium tantum potest proficere, et in alta se extollere, quantum potest ratio sine amore.

41. Siquidem haec philosophia in scientiam rerum humanarum et diuinarum diuiditur. Quamdiu est in humanis, sic interim sibi est. Quando uero ad diuina se exaltat, quanto altius ascendit, tanto inferius cadit, et impletur in eo: «Quia eleuans
5 allisisti me». Eo siquidem aliquando conatu naturalis ingenii prouehitur ut, sicut dicit Apostolus, quod notum est Dei, id est quantum de Deo ratio potest comprehendere, notum sit illis, ita ut in illis, id est intra semetipsos; Deus enim illis reuelauit, qui sic eos creauit, ut in seipsis habeant, unde Deum na-
10 turaliter cognoscant. Surgunt enim de ethica sua in quamdam physicam, et inuisibilia Dei, a creatura mundi, per ea quae facta sunt, intellecta conspiciunt, sempiternam quoque eius uirtutem et diuinitatem; ita ut sint inexcusabiles: uidelicet quia nolunt ulterius procedere uel proficere cum possint, in ueram

40. Fra queste due però vi è una sorta di sapienza intermedia, di un colore che è quasi una via di mezzo fra il nero e il bianco. Rispetto alle altre due, quella superiore e quella inferiore, si colloca in modo tale che la sua finalità dipende dall'intenzione e dalla ricerca di colui che ne usa. Di tale sapienza l'Apostolo dice che «appartiene a questo mondo»[278] e che sta in mezzo fra la sapienza di Dio e la sapienza dei principi di questo mondo[279]. Essa è interamente volta verso l'utile e l'onesto ed è regolata da una sorta di prudenza interessata[280]. Consiste quasi interamente nella scienza, ossia è capace di discernere con prudenza e di giudicare fra ciò che è utile e ciò che è inutile, fra ciò che è onesto e ciò che è disonesto, anche quando vita e comportamenti non le siano conformi. Perché «la scienza gonfia, la carità edifica»[281]. E coloro che si dedicano a questo genere di ricerche si affaticano o soltanto per sapere, il che soddisfa unicamente la curiosità[282], o per apparire o essere riconosciuti sapienti, il che soddisfa la vanità. La loro ricerca può progredire e innalzarsi solo nella misura in cui può farlo la ragione priva di amore.

41. In effetti questa filosofia si divide in scienza delle cose umane e in scienza delle cose divine. Finché si occupa di quelle umane resta nell'ambito che le è proprio. Quando invece si innalza verso le cose divine, quanto più in alto sale tanto più cade in basso, adempiendo le parole della Scrittura: «Sollevandomi mi hai scagliato a terra»[283]. A dire il vero, lo sforzo dell'intelligenza naturale fa sì che talvolta, come dice l'Apostolo, diventi manifesto agli uomini – dentro di loro stessi – ciò che è conosciuto di Dio, ovvero ciò che la ragione può comprendere di Dio. Dio infatti lo ha rivelato loro[284] perché li ha creati in modo che avessero in sé stessi la capacità di conoscerlo naturalmente. Dalla loro etica questi filosofi si elevano a una certa fisica e, comprendendo le realtà invisibili di Dio fin dalla creazione del mondo attraverso le sue opere, osservano anche la sua potenza eterna e la sua divinità. Così non hanno scusanti[285]: perché, pur potendolo fare, non vogliono andare oltre e progredire

15 scilicet theologiam; «quia cum cognouerint Deum, non sicut Deum glorificant aut gratias agunt, sed euanescunt in cogitationibus suis, et obscuratur insipiens cor eorum. Dicentes enim se esse sapientes, stulti facti sunt». Et qui theologiam insipienter perdiderunt, etiam de physica miserabiliter cadunt, 20 cum «gloriam mutant incorruptibilis Dei in similitudinem imaginis corruptibilis hominis, et uolucrum, et quadrupedum et serpentium».

Propter quod neque in ethica permanere permittuntur, sed tradit «illos Deus in desideria cordis ipsorum, in immundi- 25 tiam, ut contumeliis afficiant corpora sua in semetipsis»: tradit «illos in reprobum sensum, ut faciant quae non conueniunt». Sed sapientia semper uincit malitiam: quae «contubernium habens Dei», nouit semper proficere et numquam deficere. Et «attingens a fine usque ad finem fortiter, disponit omnia sua- 30 uiter»; sapienter se agens in diuinis, caute in physicis, prudenter in moralibus.

42. Igitur sapiens anima, sicut supra dictum est, ab omnibus alienis affectibus defaecata, Deum tantummodo sapiens, hominem in homine exuit; Deoque plene et in omnibus affecta, omnem infra Deum creaturam non aliter quam Deus atten- 5 dit, in luce et sapientiae uirtute omnia disponens et ordinans; sic agens, sic de eis iudicans, sicut est, sicut uiuit, faciens iudicium et iustitiam de eo unde est et unde uiuit.

Est enim sapientia sicut ipsa dicit, «candor lucis eternae, et speculum sine macula Dei maiestatis, et emanatio claritatis 10 omnipotentis Dei sincera, et uapor uirtutis eius». Ideo sapiens anima, sicut candorem lucis aeternae intra se gerit, et speculum Dei maiestatis, sic cum in creaturam se exponit, exprimit et exhibet imaginem bonitatis et iustitiae Dei; et sicut uirtute

fino alla vera teologia[286]. «Infatti, pur avendo conosciuto Dio, non lo glorificano come Dio né gli rendono grazie; ma si perdono nei loro vani pensieri e il loro cuore insensato si ottenebra. Mentre si proclamano sapienti, sono diventati stolti.[287]» E quelli che hanno insensatamente perduto la teologia si allontanano miseramente anche dalla fisica, quando «sostituiscono la gloria del Dio incorruttibile con l'immagine dell'uomo corruttibile, degli uccelli, dei quadrupedi e dei serpenti»[288].

Per questo non è consentito loro nemmeno di rimanere nell'etica, ma «Dio li abbandona ai desideri dei loro cuori e all'impurità, affinché coprano di disonore i propri corpi fra loro stessi»[289]; li lascia in balia «della loro mente pervertita perché facciano ciò che è sconveniente»[290]. Ma la sapienza trionfa sempre sulla malizia: «dal momento che vive insieme a Dio»[291], sa progredire incessantemente senza mai stancarsi. «Essa spiega la sua forza da un estremo all'altro e dispone ogni cosa con dolcezza»[292]: si comporta con sapienza nelle cose divine, con cautela nelle cose fisiche, con prudenza nelle cose morali.

42. Perciò l'anima sapiente, come si è detto prima, una volta purgata da tutti i sentimenti estranei[293], assaporando unicamente Dio, spoglia l'uomo nell'uomo[294]. Aderendo[295] pienamente a Dio in tutto, essa considera tutta la creazione che sta sotto Dio allo stesso modo in cui la considera Dio, disponendo e ordinando ogni cosa nella luce e nella forza della sapienza: agisce e giudica[296] sulle realtà create così come essa è, come vive, seguendo il diritto e la giustizia di colui dal quale ha ricevuto essere e vita.

Perché la sapienza, come dice lei stessa, è «il riflesso della luce eterna e lo specchio tersissimo della maestà di Dio, la pura emanazione dello splendore di Dio onnipotente, l'effluvio della sua potenza»[297]. Per questo l'anima sapiente porta in sé quasi il riflesso della luce eterna e lo specchio della maestà di Dio. Sicché quando si presenta davanti alla creazione, esprime e manifesta l'immagine della bontà e della giustizia di Dio; e come internamente profuma

Dei uaporatur interius, sic claritatis et caritatis Dei emanatio-
15 nem effundit exterius. Vnde et alibi dicit Salomon: «Sapientia hominis lucet in uultu eius». Et alibi: «Oculi», inquit, «sapientis in capite eius»; quia non aliunde quam de naturali et interna uirtute cerebri sui, id est sapientiae, exterius se effundunt, et a capite non recedunt.

20 Dicit Salomon: «Multitudo sapientium sanitas est orbis terrarum». O felices res humanas, si ubique sapientibus seruirent insipientes! Sed et felices res humanas, dicit quidam philosophus, si aut soli sapientes regnent, aut philosophentur omnes qui regnant! Sed cum sapienter fugiunt sapientes super
25 insipientes regnare, et insipienter fugiunt insipientes sub sapientibus esse, omnia desipiunt, omnia confunduntur et turbantur. Sapientes latent et delitescunt, pueri regnant et principantur; et fiunt principes qui mane comedunt. Et uae terrae illi! Sed ad propositum redeamus.

43. Anima igitur spiritu sapientiae illustrata, quia diligit iustitiam et odit iniquitatem, propterea unxit eam Deus oleo laetitiae, quo unctus est Christus prae participibus suis, et quam perfudit Deus gratia; omnibus placet, ab omnibus amatur. Ipsi
5 etiam qui ex aduerso sunt, uidentes huiusmodi, timent et reuerentur, quia etsi bonum in bono imitari non uult indurata nequitia, dissimulare tamen non potest natura. Inter se autem sapientes habent quamdam priuatam gratiam, et quamdam linguam angelicam, linguam angelorum, qua inter se loquun-
10 tur mutuis affectibus, spirituali quadam gratia, communicantibus in hoc ipsum exterioribus aspectibus: quam linguam nullus nouit, nisi Rex angelorum et angeli eius, et qui sunt ex genere Israel, et ciues Ierusalem. Nullus eam nouit Aegyptius,

della virtù di Dio, così esternamente emana l'effluvio dello splendore e della carità di Dio. Per questo Salomone dice in un altro luogo: «La sapienza dell'uomo risplende sul suo volto»[298]; e altrove: «Gli occhi del sapiente sono nella sua testa»[299], perché in nessun altro modo se non per la potenza naturale e interna del suo cervello[300], cioè della sapienza, essi si protendono al di fuori senza staccarsi dalla testa.

Dice Salomone: «Il gran numero di sapienti è la salvezza del mondo»[301]. Come sarebbe felice l'umanità se dovunque gli insensati fossero sottomessi ai sapienti! Ma anche come sarebbe felice l'umanità, dice un filosofo, se regnassero solo i sapienti o se tutti coloro che regnano fossero dediti alla filosofia[302]! Invece quando i sapienti evitano saggiamente di regnare sugli insensati e gli insensati evitano insensatamente di sottomettersi ai sapienti, tutto diventa insensato, confuso, torbido. I sapienti si nascondono e restano nell'ombra, i bambini vanno al potere e comandano: diventano principi coloro che banchettano fin dal mattino. Guai a un simile paese[303]! Ma torniamo al nostro argomento.

43. L'anima illuminata dallo spirito di sapienza, per il fatto di amare la giustizia e di odiare l'iniquità, è stata unta da Dio con quell'olio della gioia con il quale Cristo è stato unto più abbondantemente di coloro che vi partecipano con lui[304], ed è stata colmata di grazia da Dio. Piace a tutti ed è amata da tutti. Anche quelli che le sono avversi, vedendo una cosa simile, temono e hanno rispetto. Sebbene la malvagità incallita non voglia imitare il bene in colui che è buono, la natura non può fare a meno di riconoscerlo. Fra di loro peraltro i sapienti hanno una certa grazia particolare, una sorta di lingua angelica – la lingua degli angeli[305] – con la quale si parlano attraverso i reciproci sentimenti, attraverso una specie di grazia spirituale; e a tale comunicazione concorrono gli atteggiamenti esteriori. Nessuno conosce quella lingua se non il Re degli angeli e i suoi angeli, oltre a coloro che appartengono alla stirpe di Israele e sono cittadini di Gerusalemme. Nessun egiziano, nessun cananeo

nullus Chananaeus. Sicut enim in sanctitate uitae et hominis
15 interioris glorificatione, et contemplatione diuinitatis et fruitione, iam futurae uitae beatitudinem praelibare in hac uita uidentur, et initiari; sic etiam de corporum suorum glorificatione, quam plene ibi percepturi sunt, in hac uita nonnichil percipiunt.

20 Excepta etiam illa gratia de qua diximus, qua habitantes in unum seipsis in Deo, et Deo in se ipsis fruuntur, ipsius carnis sic sentiunt euanuisse omnes contradictiones, ut uniuersa substantia carnis non sit eis nisi instrumentum boni operis. Nam etsi ipsius miseriis et infirmitatibus contabescunt, sed ex hoc
25 ipso in interiori homine fortius inualescunt: «Quando enim infirmor, tunc fortior sum et potens», dicit Apostolus. Sensus ipsi nouam quamdam percipiunt et prope spiritualem gratiam. Oculi simplices et aures temperantes. Aliquando in feruore orationis tanta odoris ignoti cuiusdam spirat fragrantia; tanta
30 gustus etiam non gustando suauitas; tantum per mutuum tactum spiritualis caritatis incentiuum, ut uideantur sibi intra seipsos spiritualis cuiusdam uoluptatis gerere paradisum. Vultus etiam et totius corporis compositione, uitae et morum et actuum decore, mutuae etiam seruitutis uel deuotis exhibitio-
35 nibus uel piis susceptionibus, sic cuiusdam gratiae beneplacito sibi inuicem conueniunt, et couniuntur, ut uere sint cor unum et anima una. Nimirum futuram corporum suorum gloriam iam hic initiant, ex puritate conscientiae, et mutuae conuersationis gratia, perfecte eam habituri in futura et perenni uita.

44. Sicut enim nunc uiuentia omnia solis claritate perfunduntur, et ab inuicem perfundi uidentur, sicut nos inuicem hic uiuere uidemus, nec tamen uitam qua uiuimus uidemus; sic in

la comprende. Infatti, come i sapienti sembrano già in questa vita pregustare la beatitudine della vita futura ed esservi iniziati grazie alla santità della loro vita, alla glorificazione dell'uomo interiore, alla contemplazione e al godimento della divinità, così già in questa vita essi avvertono qualcosa della glorificazione dei loro corpi che otterranno pienamente lassù[306].

Inoltre, avendo ricevuto quella grazia di cui abbiamo parlato, in virtù della quale abitano in uno stesso luogo godendo di sé stessi in Dio e di Dio in sé stessi[307], sentono svanire tutte le contraddizioni della carne al punto che l'intera sostanza del corpo altro non è per loro se non uno strumento per bene operare. In effetti, pur essendo consumati dalle miserie e dalle debolezze del corpo, proprio per questo si fortificano nel loro uomo interiore: «Quando sono debole, infatti, proprio allora sono più forte e potente»[308], dice l'Apostolo. I sensi stessi percepiscono una sorta di grazia nuova e quasi spirituale. Gli occhi diventano semplici, le orecchie moderate. Talvolta, nel fervore della preghiera, si spande un così intenso profumo dall'aroma ignoto, si gusta una tale dolcezza pur non gustando nulla e si sprigiona dal reciproco contatto una tale fiamma di carità spirituale, che a questi sapienti sembra di avere in sé stessi quasi un paradiso di piacere spirituale. Anche con l'espressione del volto e con l'atteggiamento di tutta la persona, con il decoro della vita, dei costumi e delle azioni, con le devote manifestazioni di servizio reciproco e con la buona accoglienza che si mostrano l'un l'altro, essi si intendono tra loro e si uniscono così strettamente in una armoniosa concordia da essere veramente un solo cuore e una sola anima[309]. È certo che con la purezza della loro coscienza e con l'armonia dei loro mutui rapporti essi inaugurano fin da quaggiù la gloria futura dei loro corpi, gloria che sono destinati a ottenere pienamente nella vita futura ed eterna.

44. Come infatti attualmente tutti gli esseri viventi sono inondati dalla luce del sole e sembrano riflettersela fra loro, e come quaggiù noi ci vediamo vivere a vicenda senza però vedere la vita

illa uita uidebitur Deus a singulis in omnibus, et ab omnibus in
5 singulis; non quod corporalibus oculis uideatur diuinitas, sed praesentiam diuinitatis glorificatio corporum demonstrabit manifesta quadam sui gratia. Ad hoc etiam in hac uita corporalium sacramentorum ualet religio; quia cum uix aliquid nisi corpora et corporalia intelligamus, quamdiu in imagine per-
10 transimus, corporalibus religamur sacramentis, ne a Deo recedamus. Vnde etiam a religando religio dicitur.

Cum uero fidelis anima talibus erudita, talibus incipiet non indigere, et a corporalibus transire ad spiritualia, a spiritualibus ad spiritualium et corporalium Conditorem, hoc uere erit
15 exire a sarcinis. Relicto enim corpore et corporeis omnibus curis et impedimentis, omnium quae sunt praeter Deum obliuiscitur, nichilque praeter Deum attendens, et quasi se solum, solumque Deum aestimans: «Dilectus», inquit, «meus mihi, et ego illi». «Quid enim mihi est in caelo, et a te quid uolui super
20 terram? Defecit caro mea et cor meum; Deus cordis mei, et pars mea Deus in aeternum.»

Deinde uenitur ad mortem. Hunc enim transitum ad uitam miseri infideles mortem appellant; fideles autem quid nisi Pascha? In morte ergo corporali perfecte moritur mundo, ut per-
25 fecte uiuat Deo. Ingreditur locum tabernaculi admirabilis, ingreditur usque ad domum Dei. Et omnibus bene et secundum ordinem procedentibus, sicut in principio diximus, pondus suum unumquodque defert in locum suum: corpus in terram, de qua assumptum est, tempore suo resuscitandum et glorifi-
30 candum, spiritum ad Deum qui creauit eum.

45. Sed quis iste transitus ad Deum? Diruptis omnibus obligamentis, superatis omnibus impedimentis, perfecta beatitudi-

di cui viviamo, così nella vita futura Dio sarà visto da ciascuno in tutti e da tutti in ciascuno. Non che la divinità possa essere vista con gli occhi corporei, ma la glorificazione dei corpi rivelerà la presenza della divinità in virtù di una certa grazia manifesta che le è propria. A ciò serve in questa vita anche il culto dei sacramenti corporei[310]; infatti, dal momento che la nostra intelligenza riesce a cogliere quasi soltanto i corpi e le realtà corporee, finché passiamo quaggiù come in un'ombra[311] siamo legati a Dio dai sacramenti corporei, in modo che non ci allontaniamo da lui. Di qui anche il termine «religione», che viene da «legare»[312].

Ma quando l'anima fedele, istruita da tali segni, incomincerà a non averne più bisogno e a passare dalle realtà corporee alle realtà spirituali, e dalle realtà spirituali al Creatore degli spiriti e dei corpi, questo significherà veramente per lei liberarsi dei bagagli. Infatti, una volta lasciato il corpo e tutti gli impacci e le preoccupazioni che ne derivano, essa dimentica ogni cosa tranne Dio; non interessandosi di nient'altro se non di Dio e quasi considerandosi sola con Dio solo, esclama: «Il mio diletto è per me e io sono per lui»[313]. «Che cosa c'è per me in cielo e che cosa ho mai desiderato sulla terra se non te? La mia carne e il mio cuore si consumano, Dio del mio cuore, Dio al quale appartengo per l'eternità.[314]»

Poi giunge la morte. Gli sventurati infedeli chiamano morte questo passaggio verso la vita; ma i fedeli come potrebbero chiamarlo se non Pasqua[315]? Infatti con la morte corporea si muore completamente al mondo per vivere pienamente in Dio. Si entra nel luogo del mirabile tabernacolo, nella casa stessa di Dio[316]. E dopo che tutto è stato compiuto bene e ordinatamente, come abbiamo detto all'inizio[317], ogni cosa è portata dal suo peso nel luogo che le è proprio: il corpo nella terra dalla quale è stato tratto[318], in attesa di essere risuscitato e glorificato quando sarà il suo tempo; lo spirito a Dio che lo ha creato.

45. Ma come avviene questo passaggio verso Dio? Quando sono stati spezzati tutti i legami, superati tutti gli ostacoli, nella per-

ne, perenni dilectione; ex hoc iam perfecte Deo inhaeret, uel potius unitur uere sancta anima in tantum, ut efficiatur una ex illis,
5 quibus dicitur: «Ego dixi: dii estis, et filii Excelsi omnes».

Hic est finis eorum qui proponunt Ierusalem in principio laetitiae suae; quos unctio sancti Spiritus docet de omnibus; qui ascensiones in corde sapienter disponunt de uirtute in uirtutem, donec uideatur Deus deorum in Sion: Deus deorum,
10 beatitudo beatorum, gaudium bene gaudentium; unum denique bonum, summum omnium bonorum.

A fine boni propositi, in principio ascensionis usque ad hunc finem omnis consummationis, sapientia attingit fortiter, fortitudinem ascendentis ad se custodiens, ne in ascensu defi-
15 ciat; suauiter disponens omnia, et aduersa et prospera, omnia ei in bonum modificans et componens; donec animam ad principium suum reducat, et abscondat in abscondito faciei Dei.

Scire autem debet omnis sapiens ascensor, non sic esse gradus huius ascensionis, sicut gradus scalae, ut singuli affectus
20 isti, suis tantum temporibus, et non alio tempore sint necessarii. Habet quippe unusquisque affectus in ascensus ordine tempus suum et locum, quo cooperantibus aliis affectibus suas uideatur partes sollicitius exsequi; sed omnes tamen sibi concurrunt et cooperantur, praeueniunt, et sequuntur; et saepe
25 fiunt primi nouissimi, et nouissimi primi. Explicit.

fetta beatitudine, nell'eterna dilezione, in questo momento l'anima santa aderisce ormai perfettamente a Dio, anzi si unisce realmente a lui al punto da diventare una di quelle anime di cui è detto: «Io l'ho affermato, voi siete tutti dèi e figli dell'Altissimo»[319].

Questo è il traguardo di coloro che pongono Gerusalemme al principio della loro gioia[320]; essi sono istruiti in ogni cosa dall'unzione dello Spirito Santo[321], ascendono sapientemente nel loro cuore di virtù in virtù fino a contemplare il Dio degli dèi in Sion[322]: il Dio degli dèi, la beatitudine dei beati, la gioia di coloro che rettamente gioiscono. Insomma il bene unico, il più alto di tutti i beni.

Dal momento in cui terminano i buoni propositi e incomincia l'ascesa, fino a questo compimento finale, la sapienza opera con forza[323]. Essa sostiene il coraggio di colui che sale verso di lei, evitando che cada durante l'ascesa; essa dispone ogni cosa con dolcezza[324], modificando e adattando tutto per il suo bene – sia le circostanze sfavorevoli sia quelle favorevoli – fino a quando non avrà ricondotto l'anima al suo principio e l'avrà nascosta nel segreto del volto di Dio[325].

Ma ogni sapiente che compie questa ascesa deve sapere che i suoi gradi non sono come i gradini di una scala, nel senso cioè che alcuni singoli sentimenti[326] siano necessari solo quando è il loro momento e non lo siano in altri momenti. Certo, ciascun sentimento ha il suo tempo e il suo luogo nel corso dell'ascesa, durante la quale – con la cooperazione degli altri sentimenti – sembra svolgere il suo ruolo specifico con maggiore sollecitudine. Ma tutti concorrono e collaborano fra loro, tutti si precedono e si seguono: spesso gli ultimi diventano i primi e i primi gli ultimi[327]. Fine del trattato.

BERNARDO DI CLAIRVAUX

La vita

Sulla vita di Bernardo ci informano – nonostante la progressiva aggiunta di elementi leggendari – varie biografie medioevali; esse fiorirono già durante la sua vita, a cominciare dalla *Vita Bernardi Claraeuallensis abbatis* di Guglielmo di Saint-Thierry.

Bernardo nacque nel 1090 in un villaggio del ducato di Borgogna, Fontaines-lès-Dijon. Sia il padre, Tescelino, sia la madre, Aletta, appartenevano a importanti famiglie aristocratiche. Dopo aver frequentato le prime scuole presso i canonici secolari di Nôtre Dame di Saint-Vorles de Châtillon-sur-Seine, dove studiò certamente a fondo i classici latini e i Padri della Chiesa, e dopo aver oscillato a lungo fra gli studi profani e quelli sacri, nel 1113 egli decise di entrare a Cîteaux – monastero allora poverissimo – portando con sé una trentina di persone, fra le quali suo zio e alcuni suoi fratelli. Tre anni più tardi, fu scelto per dirigere una nuova fondazione nella Champagne, quella di Clairvaux: *clara uallis*, come fu subito denominata dal nuovo abate e dai suoi dodici confratelli. Ottenuta la protezione del vescovo di Châlon-sur-Marne, Guglielmo di Champeaux, favorevole ai nuovi movimenti di riforma religiosa, Bernardo si mise subito al lavoro per organizzare la sua comunità, che presto diventò un punto di riferimento per tutti coloro che – rifiutando il fasto e le ricchezze di Cluny – desideravano tornare agli originari costumi austeri della regola di san Benedetto. Anche grazie a ricche donazioni, Clairvaux diventò un grande centro di irradiazione monastica: in circa quarant'anni le fondazioni che ne derivarono furono ben sessantotto, ed esse originarono a loro volta numerose altre comunità. Questo successo collocò inevitabilmente

Bernardo al centro della polemica, allora vivissima, che opponeva Cîteaux a Cluny e che culminò nella celebre *Apologia ad Guilelmum Theodorici Abbatem*, una accesa critica delle usanze cluniacensi scritta su sollecitazione di Guglielmo di Saint-Thierry. Bernardo aveva incontrato per la prima volta Guglielmo intorno al 1118 ed era poi rimasto a lungo con lui nel 1128 durante una comune degenza a Clairvaux (ved. sopra la biografia di Guglielmo). A questo primo periodo della sua attività di abate risalgono fra l'altro i trattati *de gradibus humilitatis et superbiae* e *de gratia et libero arbitrio*; fra il 1132 e il 1135 egli compose il *de diligendo Deo*, e intorno al 1135 iniziò la stesura della sua opera forse più importante, i *Sermones super Cantica Canticorum*.

Decisivo, nel frattempo, fu il suo intervento in occasione dello scisma del 1130, conseguente alla contemporanea elezione di due papi, Innocenzo II (Gregorio Papareschi) e Anacleto II (Pietro Pierleoni) dopo la morte di Onorio II. Bernardo prese subito posizione a favore del primo, convinto sostenitore della riforma della Chiesa; dalla sua parte si schierò presto anche il potente abate dell'ordine di Cluny, Pietro il Venerabile. Con il sinodo di Étampes, al quale intervenne autorevolmente lo stesso Bernardo, la Chiesa di Francia riconobbe ufficialmente Innocenzo II come papa; lo scisma si sarebbe concluso nel 1139, dopo la morte di Anacleto, con il secondo Concilio Lateranense. Il prestigio di Bernardo nell'ambito della Chiesa divenne presto enorme: egli esercitò un influsso decisivo non solo all'interno dell'ordine cistercense, ma anche presso altri monasteri benedettini, intrattenendo stretti rapporti con i loro abati. Prestò attenzione anche a nuove congregazioni religiose, come quelle di San Vittore a Parigi o della Grande Chartreuse, e si mantenne costantemente in contatto con gli ambienti della curia romana – nella quale aveva importanti amici – e con lo stesso pontefice Innocenzo II, sul quale esercitò sempre un notevole ascendente. Si interessò così di numerose questioni particolari, come le elezioni dei vescovi di Langres nel 1138 e di Bourges nel 1142. Non meno intensa fu la sua partecipazione agli affari politici contemporanei, in apparente contraddizione con la sua vocazione alla vita monastica, di cui comunque osservò sempre rigorosamente i principî.

Di maggiore rilievo fu la sua attività in ambito propriamente religioso. Fra il 1129 e il 1136 compose un breve trattato, il *de laude nouae militiae*, per illustrare i fondamenti spirituali del nuovo ordine monastico-militare dei Cavalieri del Tempio, fondato nel 1119 da un gruppo di cavalieri guidati da Ugo di Payns, feudatario della Champagne e imparentato allo stesso Bernardo; nel sinodo di Troyes del 1128, l'ordine era poi stato approvato dal papa. In questo scritto egli contrappone alla cavalleria secolare, che uccide per vanagloria o per cupidigia, la *militia Christi*, che combatte invece per difendere dagli infedeli i luoghi santi della vita terrena di Gesù. Nel 1140, su sollecitazione di Guglielmo di Saint-Thierry, scrisse la lunga lettera 190 a Innocenzo II per confutare gli «errori» teologici di Pietro Abelardo (ved. sopra la biografia di Guglielmo). In altre lettere accusò Abelardo anche presso alcuni dignitari ecclesiastici e affrontò addirittura – ma con scarso successo – i suoi studenti a Parigi per cercare di convincerli ad abbandonare il maestro. Questi reagì e ottenne dall'arcivescovo di Sens, Enrico, l'organizzazione di una pubblica disputa con Bernardo, disputa che fu convocata per il 3 giugno 1140. Il giorno prima, tuttavia, Bernardo sottopose ai principali vescovi presenti un elenco di diciannove tesi manifestamente eretiche dell'avversario, sulle quali chiese che egli si pronunciasse l'indomani. La trasformazione del dibattito in un atto di accusa sorprese Abelardo, che abbandonò subito la riunione dichiarando che si sarebbe appellato al papa. Ma Bernardo lo prevenne inviando a Innocenzo II violente lettere contro l'avversario, che fu così condannato. La condanna sarebbe stata revocata, grazie soprattutto alla mediazione di Pietro il Venerabile, solo dopo la rinuncia all'insegnamento da parte di Abelardo. La battaglia di Bernardo contro la cultura scolastica proseguì anche negli anni successivi, in particolare nel 1148 con il fallito tentativo di far condannare un altro famoso maestro parigino, Guglielmo Porretano. Ma le sue iniziative più importanti, in questo campo, furono quelle assunte per combattere alcuni movimenti ereticali di quel periodo e soprattutto la nascente eresia catara. Informato nel 1144 dal monaco premostratense Evervino di Steinfeld del diffondersi di questa nuova eresia nella regione di Colonia, Bernardo dedicò quattro dei suoi *Sermones* (dal 63 al 66) sul *Cantico dei Cantici* alla confutazione

delle dottrine professate dagli eretici renani. L'anno successivo decise di condurre una campagna di predicazione in varie località del sud-ovest della Francia, soprattutto a Tolosa, per combattere l'eresia del monaco Enrico di Losanna, un seguace di Pietro di Bruis. Il suo intervento, malgrado un tiepido successo, non valse a estirpare dalla regione la dissidenza religiosa, che ben presto si manifestò in tutta la sua ampiezza con l'endemica diffusione del catarismo. Durante la sua missione, Bernardo subì anche pesanti contestazioni: a Verfeil lo strepito dei cittadini fu tale da impedire l'ascolto del suo sermone.

Il decennio scarso che va dal 1145 alla morte rappresentò comunque il periodo in cui Bernardo godette di maggiore popolarità e influenza sul piano politico-religioso. Esso coincise con il papato di Eugenio III (Bernardo Paganelli), che per qualche anno era stato monaco cistercense a Clairvaux. A lui Bernardo dedicò il trattato *de consideratione* (1148-52), in cui sono indicati ruolo e compiti del papato e sottolineati, in particolare, i rischi di un suo esagerato intervento negli affari politici. Ancora prima, nel 1146-47, Bernardo era stato incaricato dal pontefice di predicare la seconda Crociata: aveva così percorso vaste regioni tra la Francia e la Renania, ottenendo entusiastici consensi. Riuscì anche a convincere l'imperatore Corrado III, che unì le proprie forze a quelle del re di Francia Luigi VII. Il totale insuccesso della spedizione non scoraggiò Bernardo, che nel libro II del *de consideratione* lo attribuì ai peccati di coloro che vi parteciparono e cercò invano di indurre Eugenio III a bandire subito un'altra Crociata. Negli ultimi anni della sua vita, segnati da un progressivo peggioramento della salute, Bernardo si ritirò sempre più dalle attività pubbliche, dedicandosi soprattutto alla stesura dei suoi *Sermones super Cantica Canticorum*; mantenne però sempre vivi i contatti con l'esterno attraverso le sue numerosissime lettere. Morì il 20 agosto 1153, dopo un gravoso viaggio compiuto in Lorena per mettere fine a un conflitto civile e dopo aver appreso la notizia della morte di Eugenio III, avvenuta l'8 luglio. Una folla immensa accorse a Clairvaux per i solenni funerali celebrati due giorni dopo il decesso; circa venti anni più tardi, il 18 gennaio 1174, Bernardo fu canonizzato da papa Alessandro III.

Nota al testo

Il *de diligendo Deo* fu redatto da Bernardo, su richiesta del cardinale diacono Aimerico, probabilmente fra il 1132 e il 1135 (per la datazione ved. *infra*, nota 2 al trattato). La composizione risente certo delle sue lunghe conversazioni del 1128 con Guglielmo di Saint-Thierry, ma già nel 1125 Bernardo aveva scritto una lettera sul tema dell'amore all'abate della Grande Certosa Guigone: un ampio estratto di questa lettera è riportato alla fine del *de diligendo Deo*. Presente in quasi tutte le grandi collezioni delle opere bernardiane costituite nel XII secolo, a partire dal 1160 circa il trattato fu saldato in alcuni manoscritti ai due opuscoli sull'amore di Guglielmo di Saint-Thierry, il *de contemplando Deo* e il *de natura et dignitate amoris*. Fu così creata una sorta di trilogia, posta interamente sotto la paternità di Bernardo; nell'edizione Horstius delle sue opere (Colonia 1641) i tre scritti sono addirittura presentati come semplici parti di un unico trattato, cui viene attribuito il titolo *de amore Dei seu de diligendo Deo libri tres*.

Per la presente traduzione è stato utilizzato il testo latino pubblicato nella collana *SC*: Bernard de Clairvaux, *L'amour de Dieu. La grâce et le libre arbitre*, introductions, traductions, notes et index par F. Callerot – J. Christophe – M.-I. Huille – P. Verdeyen, Paris 1993, pp. 58-164. Tale testo riprende quello dell'edizione critica curata da J. Leclercq (in collaborazione con M. Henri e M. Rochais) in *SBO* III, pp. 119-54, e basata sul ms. 671 del Museum Bollandianum di Bruxelles; esso beneficia delle correzioni proposte dallo stesso Leclercq nel suo *Recueil d'études sur saint Bernard et ses écrits*, IV, Roma 1962-92, p. 413, e da D. Farkasfalvy, in *Bernhardt von Clairvaux. Sämtliche Werke*, I, Innsbruck 1990, p. 146. I titoletti originali figurano nel ms. *Laud. Misc.* 344 della Biblioteca Bodleiana di Oxford e sono stati inseriti dallo stesso Leclercq nella sua edizione critica. La divisione in capitoli (indicati dalle cifre romane) e in paragrafi (indicati dalle cifre arabe) risale invece all'edizione Horstius.

Indicazioni bibliografiche

EDIZIONI E TRADUZIONI ITALIANE

S. Bernardi, abbatis primi Clarae-Vallensis Opera omnia... post Horstium denuo recognita... curis D. Joannis Mabillon, *PL* CLXXXII coll. 973-95.
W.W. Williams, *De diligendo Deo* e B.R.V. Mills, *De gradibus humilitatis et superbiae*, Cambridge 1926.
SBO III, pp. 119-54.

S. Bernardo di Chiaravalle, *Amare Iddio*, parte prima: *Trattato «De diligendo Deo»*, trad. di E. Ortalli, Padova 1938.
S. Bernardo di Chiaravalle, *Il dovere di amare Dio*, introduzione e note di A.M. Piazzoni, traduzione di E. Paratore, Roma 1990 (riprende la traduzione pubblicata in *OSB* I, pp. 271-331).

STUDI

A. d'Alès, *Le mysticisme de saint Bernard*, «RSR» XXV 1935, pp. 364-84.
Bernard de Clairvaux. Colloque de Lyon-Cîteaux-Dijon, Paris 1992.
E. Bertola, *S. Bernardo e la teologia speculativa*, Brescia 1959.
E. Bertola, *Introduzione* a *Opere di San Bernardo*, I, Roma 1984, pp. 221-67.
D. Bouquet, *Le libre arbitre comme image de Dieu. L'anthropologie volontariste de Bernard de Clairvaux*, «CCh» LXV 2003, pp. 179-92.
L. Brésard, *Bernard et Origène commentent le Cantique*, Nuits-Saint-Georges et Forges 1983.
L. Brésard, *Bernard et Origène. Le symbolisme nuptial dans leurs oeuvres sur le Cantique*, «C» XXXVI 1985, pp. 129-51.
M.J. Canivez, *Bernard (Saint)*, *DHE* VIII 1935, pp. 610-44.
F. Châtillon, «Regio dissimilitudinis», in *Mélanges E. Podéchard*, Lyon 1945, pp. 85-102.

F. Châtillon, *«Regio dissimilitudinis» de Platon à saint Bernard de Clairvaux*, «MS» IX 1947, pp. 108-30.
F. Châtillon, *Notes pour l'interprétation de la préface du «De diligendo Deo» de saint Bernard*, «RMAL» XX 1964, pp. 98-112.
M. Corbin, *La grace et la liberté chez saint Bernard de Clairvaux*, Paris 2002.
M.-M. Davy, *Bernard de Clairvaux*, Paris 1990.
P. Delfgaauw, *Saint Bernard. Maître de l'Amour divin*, Paris 1994.
J.C. Didier, *L'ascension mystique et l'union mystique par l'humanité du Christ selon Saint Bernard*, «VSp» XXV 1930, pp. 140-55.
G. Duby, *Saint Bernard et l'art cistercien*, Paris 1976.
M. Dumontier, *Saint Bernard et la Bible*, Bruges 1953.
G.R. Evans, *Bernard of Clairvaux*, New York-Oxford 2000.
F. Fassetta, *Le mariage spirituel dans les Sermons de saint Bernard sur le Cantique des Cantiques*, «CCh» XLVIII 1986, pp. 155-80 e 251-65.
É. Gilson, *La théologie mystique de saint-Bernard*, Paris 1934.
P. Guilloux, *L'amour de Dieu selon saint Bernard*, «RSR» VI 1926, pp. 499-512; VII 1927, pp. 52-68; VIII 1928, pp. 69-90.
I Deug-Su, *L'«imago Dei» in san Bernardo di Clairvaux*, «DS» XXXVII 1990.
La dottrina della vita spirituale nelle opere di san Bernardo di Clairvaux, Atti del convegno internazionale (Roma, 11-5 settembre 1990), Roma 1990.
A. Le Bail, *Bernard (Saint)*, *DSp* I, coll. 1454-99.
J. Leclercq, *Saint Bernard mystique*, Bourges 1948.
J. Leclercq, *Recueil d'études sur saint Bernard et le texte de ses écrits*, I-IV, Roma 1962-87.
J. Leclercq, *Saint Bernard et l'esprit cistercien*, Paris 1966.
J. Leclercq, *Saint Bernard et l'expérience chrétienne*, «VSp» CXVII 1967, pp. 182-98.
J. Leclercq, *La femme et les femmes dans l'oeuvre de Saint Bernard*, Paris 1983 (trad. it. *La donna e le donne in S. Bernardo*, Milano 1985).
R. Linhardt, *Die mystik des Hl. Bernhardt von Clairvaux*, München 1923.

V. Lossky, *Études sur la terminologie de saint Bernard*, «ALMA» XVII 1943, pp. 79-96.

J. Mouroux, *Sur les critères de l'expérience spirituelle d'après les sermons sur le Cantiques des Cantiques*, «ASOC» IX 1953, pp. 253-67.

Saint Bernard théologien, Actes du congrès de Dijon, Roma 1953.

San Bernardo: pubblicazione commemorativa nell'VIII centenario della sua morte, Milano 1954.

J. Schuck, *Die religiöse Erlebnis beim hl. Bernhard von Clairvaux. Ein Beitrag zur Geschichte der christlichen Gotteserfahrung*, Würzburg 1922.

M. Standaert, *La doctrine de l'image chez saint Bernard*, «ETL» XXIII 1947, pp. 70-129.

C. Stercal, *Bernard de Clairvaux. Intelligence et amour*, Paris 1998 (ed. orig. Milano 1997).

D. de Stexhe, «Entre le piège et l'abîme: l'ambiguïté du discours de l'amour», in *Qu'est-ce que Dieu?*, Bruxelles 1958.

J.E. Verger – J. Jolivet, *Bernard-Abélard ou le cloître et l'école*, Paris 1982.

B. de Vregille, *L'attente des saints d'après saint Bernard*, «NRTh» LXX 1948, pp. 225-44.

W. Williams, *The Mysticism of S. Bernard of Clairvaux*, London 1931.

BERNARDI DE CLARAVALLE
LIBER DE DILIGENDO DEO

Prologus

Viro illustri domino Aimerico, Ecclesiae Romanae diacono cardinali et cancellario, Bernardus, abbas dictus de Claraualle: «Domino uiuere et in Domino mori».

5 Orationes a me, et non quaestiones, poscere solebatis: et quidem ego ad neutrum idoneum me esse confido. Verum illud indicit professio, etsi non ita conuersatio; ad hoc uero, ut uerum fatear, ea mihi deesse uideo, quae maxime necessaria uiderentur, diligentiam et ingenium. Placet tamen, fateor,
10 quod pro carnalibus spiritualia repetitis, si sane apud locupletiorem id facere libuisset. Quia uero doctis et indoctis pariter in istiusmodi excusandi mos est, nec facile scitur, quae uere ex imperitia, quaeue ex uerecundia excusatio prodeat, si non iniuncti operis obeditio probat, accipite de mea paupertate
15 quod habeo, ne tacendo philosophus puter. Nec tamen ad omnia spondeo me responsurum: ad id solum quod de diligendo Deo quaeritis, respondebo quod ipse dabit. Hoc enim et sapit dulcius, et tractatur securius, et auditur utilius. Reliqua diligentioribus reseruate.

I 1. Vultis ergo a me audire quare et quo modo diligendus sit Deus. Et ego: causa diligendi Deum, Deus est; modus, sine

BERNARDO DI CLAIRVAUX
LIBRO SULL'AMORE DI DIO

Prefazione[1]

All'illustre signore Aimerico[2], cardinale diacono e cancelliere della Chiesa romana, Bernardo, chiamato abate di Clairvaux[3], augura di «vivere per il Signore e di morire nel Signore»[4].

Eravate solito chiedermi preghiere e non trattazioni[5]; quanto a me, mi ritengo incapace[6] di soddisfare entrambe le richieste. Tuttavia la prima mi è prescritta dalla mia stessa professione, anche se non vi corrisponde la pratica; quanto alla seconda, a dire il vero, mi riconosco privo di ciò che sembrerebbe più di ogni altra cosa necessario: la costante applicazione e il talento. Mi piace però, lo ammetto, che chiediate cose spirituali in cambio di beni materiali[7]; ma sarebbe stato meglio che vi foste rivolto a una persona più autorevole. Ma poiché in circostanze di questo genere dotti e ignoranti hanno la stessa abitudine di rifiutarsi – e non è facile sapere se il rifiuto derivi veramente dall'incompetenza oppure dalla modestia, a meno che non lo riveli l'obbligo di fare il lavoro richiesto –, accettate il poco che possiedo, perché il mio silenzio non mi faccia passare per filosofo[8]. Non prometto comunque di rispondere a tutto[9]: solo su quanto concerne l'amore di Dio[10] darò le risposte che egli stesso mi ispirerà. Questo infatti è il tema più dolce da assaporare, più sicuro da trattare e più utile da ascoltare. Serbate il resto per persone più competenti.

I 1. Volete dunque sapere da me perché e in quale misura si debba amare Dio. Io vi rispondo: la causa per cui si deve amare Dio

modo diligere. Estne hoc satis? Fortassis utique, sed sapienti. Ceterum si et insipientibus debitor sum, ubi sat est dictum sa-
5 pienti, etiam illis gerendus mos est. Itaque propter tardiores idem profusius quam profundius repetere non grauabor. Ob duplicem ergo causam Deum dixerim propter seipsum diligendum: siue quia nihil iustius, siue quia nil diligi fructuosius potest. Duplicem siquidem parit sensum, cum quaeritur de
10 Deo, cur diligendus sit. Dubitari namque potest quid potissimum dubitetur: utrumnam quo suo merito Deus, aut certe quo nostro sit commodo diligendus. Sane ad utrumque idem responderim, non plane aliam mihi dignam occurrere causam diligendi ipsum, praeter ipsum. Et prius de merito uideamus.

15 *Quo suo merito diligendus sit Deus*

Multum quippe meruit de nobis, qui et immeritis dedit seipsum nobis. Quid enim melius seipso poterat dare uel ipse? Ergo si Dei meritum quaeritur, cum ipsum diligendi causa quaeritur, illud est praecipuum: quia «ipse prior dilexit nos».
20 Dignus plane qui redametur, praesertim si aduertatur quis, quos quantumque amauerit. Quis enim? Non is cui omnis spiritus confitetur: «Deus meus es tu, quoniam bonorum meorum non eges»? Et uera huius caritas maiestatis, quippe non quaerentis quae sua sunt. Quibus autem tanta puritas exhibe-
25 tur? «Cum adhuc», inquit, «inimici essemus, reconciliati sumus Deo.» Dilexit ergo Deus, et gratis, et inimicos. Sed quantum? Quantum dicit Ioannes: «Sic Deus dilexit mundum, ut

è Dio stesso; la misura, è amarlo senza misura[11]. È una risposta sufficiente? Forse sì, ma per una persona istruita. Tuttavia se sono debitore anche nei confronti degli ignoranti[12], la parola che basta alla persona istruita non mi esime dal prestarmi anche ai loro desideri. Così, non mi sarà di peso ripetere la stessa idea in modo più esteso, se non più profondo, a beneficio di coloro che sono più lenti a comprendere. Direi dunque che due sono le ragioni per le quali si deve amare Dio per sé stesso: perché nulla può essere amato con maggiore giustizia e perché nulla può essere amato con maggiore profitto. In verità, quando ci si chiede per quale ragione bisogna amare Dio, la domanda può essere intesa in due modi. Si può infatti restare in dubbio sul modo stesso di porre il problema: si deve amare Dio per il suo merito o per il vantaggio che possiamo trarne? A entrambe le domande darei senza esitazione la stessa risposta: non trovo assolutamente altra ragione di amare Dio se non Dio stesso. Ma per prima cosa soffermiamoci sul suo merito.

Per quale suo merito si deve amare Dio

Ha certamente meritato molto per noi, lui che si è offerto a noi[13] senza che lo meritassimo. Che cosa poteva dare, egli stesso, meglio di sé stesso? Perciò, se nel cercare la ragione per la quale amare Dio si cerca quale sia il suo merito, il principale è questo: «Ci ha amati per primo»[14]. È assolutamente degno di essere riamato, specie se si considera chi ha amato, chi è stato amato e quanto egli ha amato. Infatti, chi ha amato? Non è forse colui al quale ogni spirito confessa[15]: «Tu sei il mio Dio, perché non hai bisogno dei miei beni»[16]? Ed è vera la carità di questo sovrano, dato che egli non cerca il proprio interesse[17]. Ma a chi si rivolge un amore così puro[18]? «Quando eravamo ancora suoi nemici» dice l'Apostolo «siamo stati riconciliati con Dio.[19]» Quindi Dio ha amato gratuitamente e ha amato dei nemici. In quale misura? Quella indicata da Giovanni: «Dio ha amato il mondo al punto da

unigenitum daret»; et Paulus: «Qui proprio», ait, «filio non pepercit, sed pro nobis tradidit illum»; ipse quoque Filius pro
30 se: «Maiorem», inquit, «caritatem nemo habet, quam ut animam suam ponat quis pro amicis suis». Sic meruit iustus ab impiis, summus ab infimis, ab infirmis omnipotens. Sed dicit aliquis: «Ita quidem ab hominibus; sed ab angelis non ita». Verum est, quia necesse non fuit. Ceterum qui hominibus sub-
35 uenit in tali necessitate, seruauit angelos a tali necessitate; et qui, homines diligendo, tales fecit ne tales remanerent, ipse aeque diligendo dedit et angelis, ne tales fierent.

II 2. Quibus haec palam sunt, palam arbitror esse et cur Deus diligendus sit, hoc est unde diligi meruerit. Quod si infideles haec latent, Deo tamen in promptu est ingratos confundere super innumeris beneficiis suis, humano nimirum et usui
5 praestitis, et sensui manifestis. Nempe quis alius administrat cibum omni uescenti, cernenti lucem, spiranti flatum? Sed stultum est uelle modo enumerare, quae innumera esse non longe ante praefatus sum: satis est ad exemplum praecipua protulisse, panem, solem, et aerem. Praecipua dico, non quia
10 excellentiora, sed quia necessariora; sunt quippe corporis. Quaerat enim homo eminentiora bona sua in ea parte sui, qua praeeminet sibi, hoc est anima, quae sunt dignitas, scientia, uirtus: dignitatem in homine liberum dico arbitrium, in quo ei nimirum datum est ceteris non solum praeeminere, sed et
15 praesidere animantibus; scientiam uero, qua eamdem in se dignitatem agnoscat, non a se tamen; porro uirtutem, qua subinde ipsum a quo est, et inquirat non segniter, et teneat fortiter, cum inuenerit.

dargli il suo Figlio unigenito»[20]; e da Paolo: «Non ha risparmiato il proprio Figlio, ma lo ha sacrificato per noi»[21]. Il Figlio stesso dice di sé: «Nessuno ha una carità più grande di colui che dà la propria vita per i suoi amici»[22]. Questo è il merito che ha acquistato il Giusto presso gli empi, l'Altissimo presso chi sta più in basso, l'Onnipotente presso i deboli[23]. Ma potrebbe dire qualcuno: «Così è stato senz'altro per gli uomini; ma non per gli angeli». È vero, ma perché non era necessario. Comunque colui che ha soccorso gli uomini in un così grande bisogno, ha preservato gli angeli dallo stesso bisogno; e colui che, nel suo amore per gli uomini, li ha trasformati in modo che non rimanessero in una miseria simile, con eguale amore ha concesso anche agli angeli di non precipitare nella nostra stessa miseria.

II 2. Credo che a chi comprende chiaramente queste verità sia chiaro anche perché Dio deve essere amato, cioè per quale ragione abbia meritato di essere amato. Se ciò sfugge agli infedeli[24], a Dio è però facile confondere gli ingrati per mezzo degli innumerevoli benefici messi a disposizione degli uomini perché ne facciano uso e percepibili ai loro sensi. Chi altri infatti fornisce il cibo a tutti quelli che mangiano[25], la luce a chi vede, il fiato a chi respira? Ma sarebbe sciocco voler enumerare proprio quei benefici che ho appena definito innumerevoli; basti aver citato i principali a titolo di esempio: il pane, il sole, l'aria. Dico i principali, non per la loro superiorità ma per la loro maggiore necessità; riguardano infatti il corpo. Ma l'uomo deve cercare i suoi beni più alti in quella parte di sé con la quale supera sé stesso, cioè nell'anima. Essi sono la dignità, la scienza, la virtù[26]. Chiamo dignità nell'uomo il libero arbitrio, con il quale gli è concesso non solo di superare tutti gli altri esseri viventi[27], ma anche di comandare loro. Chiamo scienza la capacità di riconoscere questa stessa dignità che è in lui ma che non proviene da lui. Infine chiamo virtù il fatto di ricercare assiduamente colui dal quale egli ha ricevuto l'esistenza e di rimanere stretto a lui dopo averlo trovato.

3. Itaque geminum unumquodque trium horum apparet. Dignitatem siquidem demonstrat humanam non solum naturae praerogatiua, sed et potentia dominatus, quod terror hominis super cuncta animantia terrae imminere decernitur. 5 Scientia quoque duplex erit, si hanc ipsam dignitatem uel aliud quodque bonum in nobis, et nobis inesse, et a nobis non esse nouerimus. Porro uirtus et ipsa aeque bifaria cognoscetur, si auctorem consequenter inquirimus, inuentoque inseparabiliter inhaeremus. Dignitas ergo sine scientia non prodest; illa 10 uero etiam obest, si uirtus defuerit, quod utrumque ratio subiecta declarat.

Habere enim quod habere te nescias, quam gloriam habet? Porro nosse quod habeas, sed quia a te non habeas ignorare, habet gloriam, sed non apud Deum. Apud se autem glorianti 15 dicitur ab Apostolo: «Quid habes, quod non accepisti? Si autem accepisti, quid gloriaris, quasi non acceperis?». Non ait simpliciter: «Quid gloriaris?» sed addit: «quasi non acceperis», ut asserat reprehensibilem, non qui in habitis, sed qui tamquam in non acceptis gloriatur. Merito uana gloria nuncu- 20 patur huiusmodi, ueritatis nimirum solido carens fundamento. Veram enim gloriam ab hac ita discernit: «Qui gloriatur», ait, «in domino glorietur», hoc est in ueritate. Veritas quippe Dominus est.

4. Vtrumque ergo scias necesse est, et quid sis, et quod a teipso non sis, ne aut omnino uidelicet non glorieris, aut inaniter glorieris. Denique «si non cognoueris», inquit, «teipsam, egredere post greges sodalium tuorum». Reuera ita fit: homo factus 5 in honore, cum honorem ipsum non intelligit, talis suae ignorantiae merito comparatur pecoribus, uelut quibusdam praesentis suae corruptionis et mortalitatis consortibus. Fit igitur ut sese non agnoscendo egregia rationis munere creatura, irratio-

3. Così ciascuno di questi tre beni presenta un duplice aspetto. Infatti la dignità umana è resa manifesta non solo dal privilegio naturale, ma anche dal potere del dominio, perché è stato decretato che la paura dell'uomo incomba su tutti gli animali della terra[28]. Anche la scienza sarà duplice, se comprenderemo che questa dignità, come ogni altro nostro bene, risiede in noi ma non proviene da noi. Infine la virtù si farà conoscere ugualmente sotto due forme, se ne ricerchiamo per logica conseguenza l'autore e poi, dopo averlo trovato, rimaniamo inseparabilmente uniti a lui. Perciò la dignità senza la scienza non serve a nulla, e questa è addirittura nociva se manca la virtù. Queste due affermazioni sono chiarite dal ragionamento che segue.

Che gloria c'è, in effetti, a possedere un bene senza sapere di possederlo? D'altra parte sapere di possederlo, ma ignorare che non proviene da te, può essere motivo di gloria, ma non dinanzi a Dio[29]. A chi si gloria l'Apostolo dice: «Che cosa hai che tu non abbia ricevuto? E se lo hai ricevuto, perché gloriartene come se non lo avessi ricevuto?»[30]. Non dice semplicemente: «Perché gloriartene?», ma aggiunge: «come se non lo avessi ricevuto» per biasimare non chi si gloria di ciò che possiede, ma chi se ne gloria come se non lo avesse ricevuto. Con ragione questa viene definita vanagloria, dato che manca di un solido fondamento di verità. L'Apostolo la distingue dalla vera gloria dicendo: «Chi si gloria, si glorii nel Signore»[31], cioè nella verità. Perché il Signore è Verità[32].

4. Bisogna dunque che tu sappia entrambe le cose: che cosa sei e che non devi a te stesso ciò che sei: così eviterai o di non gloriarti affatto o di gloriarti vanamente. È detto appunto: «Se non conosci te stessa, procedi dietro il gregge dei tuoi compagni»[33]. E in realtà accade così: l'uomo che è assunto a un onore, ma non comprende l'onore che gli è dato, per questa sua ignoranza è giustamente paragonato alle bestie[34], come a esseri che condividono la sua attuale corruzione e mortalità. Accade infatti che la creatura distinta dal dono della ragione, se non riconosce sé stessa, incomincia ad ag-

nabilium gregibus incipiat aggregari, dum ignara propriae glo-
10 riae, quae ab intus est, conformanda foris rebus sensibilibus, sua ipsius curiositate abducitur, efficiturque una de ceteris, quod se prae ceteris nihil accepisse intelligat. Itaque ualde cauenda haec ignorantia, qua de nobis minus nobis forte sentimus; sed non minus, immo et plus illa, qua plus nobis tribui-
15 mus, quod fit si bonum quodcumque in nobis, esse et a nobis, decepti putemus. At uero super utramque ignorantiam declinanda et exsecranda illa praesumptio est, qua sciens et prudens forte audeas de bonis non tuis tuam quaerere gloriam, et quod certus es a te tibi non esse, inde tamen alterius rapere non ue-
20 rearis honorem. Prior equidem ignorantia gloriam non habet; posterior uero habet quidem, sed non apud Deum. Ceterum hoc tertium malum, quod iam scienter committitur, usurpat et contra Deum. In tantum denique ignorantia illa posteriore haec arrogantia grauior ac periculosior apparet, quo per illam qui-
25 dem Deus nescitur, per istam et contemnitur; in tantum et priore deterior ac detestabilior, ut cum per illam pecoribus, per istam et daemonibus sociemur. Est quippe superbia et delictum maximum, uti datis tamquam innatis, et in acceptis beneficiis gloriam usurpare beneficii.

5. Quamobrem cum duabus istis, dignitate atque scientia, opus est et uirtute, quae utriusque fructus est, per quam ille inquiritur ac tenetur, qui omnium auctor et dator merito glorificetur de omnibus. Alioquin sciens et non faciens digna,
5 multis uapulabit. Quare? Utique quia «noluit intelligere ut bene ageret»; magis autem «iniquitatem meditatus est in cubili suo», dum de bonis, quae a se non esse ex scientiae dono cer-

gregarsi agli animali privi di ragione. Ignara della propria gloria, che viene dal suo intimo[35], è pronta a conformarsi alle realtà sensibili che stanno al di fuori: si lascia così trascinare dalla propria curiosità[36] e si riduce a essere una fra le tante creature, non comprendendo di aver ricevuto[37] più di tutte le altre. Perciò bisogna guardarsi bene da questa ignoranza, che ci fa considerare noi stessi meno di quanto siamo; ma bisogna guardarsi altrettanto, se non di più, dall'ignoranza che ci porta ad attribuirci troppo: il che avviene quando riteniamo, ingannandoci, che ogni bene presente in noi provenga pure da noi. Ma più di queste due ignoranze bisogna evitare ed esecrare la presunzione per la quale, consapevolmente e deliberatamente, osiamo cercare gloria per noi stessi da beni che non ci appartengono e, pur essendo certi che non provengono da noi, non esitiamo ad arrogarci un onore che spetta ad altri. La prima ignoranza non è certamente motivo di gloria; la seconda lo è, ma non dinanzi a Dio[38]. Quanto al terzo male, che si commette in piena coscienza, è una prevaricazione nei confronti di Dio. Questa arroganza si rivela più grave e più pericolosa della seconda ignoranza in quanto, mentre a causa di quella ignoranza si ignora Dio, con l'arroganza si giunge a disprezzarlo. Essa è più rovinosa e detestabile della prima ignoranza in quanto, mentre quella ci associa alle bestie, questa ci fa addirittura entrare in combutta con i demoni[39]. Perché è un atto di superbia, è il più grave dei peccati[40], usare dei beni ricevuti come se fossero innati in noi e, dopo aver ricevuto dei benefici, arrogarsene la gloria.

5. Pertanto, a questi due beni – la dignità e la scienza – bisogna aggiungere anche la virtù, che è il frutto di entrambe; per mezzo di essa si cerca e si raggiunge colui che, essendo l'autore e il dispensatore di tutte le cose, di tutte deve essere a buon diritto glorificato. Altrimenti, chi sa e non agisce di conseguenza riceverà molte percosse[41]. Perché? Proprio perché «non ha voluto comprendere per agire bene»[42], anzi «ha meditato iniquità nel suo letto»[43]: sapendo perfettamente grazie al dono della scienza che i

tissime comperit, boni Domini gloriam seruus impius captare sibi, immo et raptare molitur. Liquet igitur et absque scientia dignitatem esse omnino inutilem, et scientiam absque uirtute damnabilem. Verum homo uirtutis, cui nec damnosa scientia, nec infructuosa dignitas manet, clamat Deo et ingenue confitetur: «Non nobis», inquiens, «Domine, non nobis, sed nomini tuo da gloriam»; hoc est: nil nobis, o Domine, de scientia, nil nobis de dignitate tribuimus, sed tuo totum, a quo totum est, nomini deputamus.

6. Ceterum paene a proposito longe nimis digressi sumus, dum demonstrare satagimus, eos quoque qui Christum nesciunt, satis per legem naturalem ex perceptis bonis corporis animaeque moneri, quatenus Deum propter Deum et ipsi diligere debeant. Nam ut breuiter, quae super hoc dicta sunt, iterentur: quis uel infidelis ignoret, suo corpori non ab alio in hac mortali uita supradicta illa necessaria ministrari, unde uidelicet subsistat, unde uideat, unde spiret, quam ab illo, «qui dat escam omni carni», «qui solem suum oriri facit super bonos et malos, et pluit super iustos et iniustos»? Quis item uel impius putet alium eius, quae in anima splendet, humanae dignitatis auctorem, praeter illum ipsum, qui in Genesi loquitur: «Faciamus hominem ad imaginem et similitudinem nostram»? Quis alium scientiae largitorem existimet, nisi aeque ipsum, qui docet hominem scientiam? Quis rursum munus sibi aliunde uirtutis aut putet datum, aut speret dandum, quam de manu itidem Domini uirtutum? Meretur ergo amari propter seipsum Deus, et ab infideli, qui etsi nesciat Christum, scit tamen seipsum. Proinde inexcusabilis est omnis etiam infidelis, si non «diligit Dominum Deum suum toto corde, tota anima, tota uirtute sua». Clamat nempe intus ei innata, et non ignota ratio-

suoi beni non provengono da lui, medita – come un servitore infedele – di accaparrarsi, e addirittura appropriarsi, la gloria del suo buon Signore. È perciò evidente che senza la scienza la dignità è del tutto inutile e che la scienza senza la virtù è addirittura riprovevole. Invece l'uomo di virtù, cui la scienza non è di danno e per cui la dignità non rimane senza frutto, grida a Dio confessandogli sinceramente: «Non a noi, Signore, non a noi, ma al tuo nome da' la gloria»[44]. Il che vuol dire: nessun merito, Signore, rivendichiamo a noi per la scienza, nessuno per la dignità, ma attribuiamo tutto al tuo nome, dal quale tutto deriva.

6. Ma ci siamo allontanati un poco dal nostro argomento per preoccuparci di dimostrare che anche quelli che non conoscono Cristo sono sufficientemente avvertiti di quanto debbano amare Dio per sé stesso, dato che per la legge di natura sono consapevoli di aver ricevuto da lui i beni del corpo e dell'anima[45]. Infatti, per riprendere brevemente ciò che è già stato detto in proposito: quale uomo, anche privo della fede, può ignorare che i beni di cui ho parlato, necessari per sopravvivere, per vedere, per respirare, non sono forniti al suo corpo, in questa vita mortale, da nessun altro se non da colui che «dà nutrimento a ogni carne»[46], «che fa sorgere il suo sole sui buoni e sui malvagi e manda la pioggia sui giusti e sugli ingiusti»[47]? Allo stesso modo, quale uomo, fosse anche senza religione, può pensare che l'autore della dignità umana che risplende nell'anima non sia proprio colui che dice nella *Genesi*: «Facciamo l'uomo a nostra immagine e somiglianza»[48]? Chi potrebbe immaginare un donatore della scienza che non sia appunto colui che insegna la scienza all'uomo[49]? E chi ancora potrebbe pensare che il dono della virtù gli sia stato dato o sperare che gli sarà dato da altri che dalla mano stessa del Signore delle virtù[50]? Dio merita dunque di essere amato per sé stesso anche dall'infedele che, pur ignorando Cristo, conosce però sé stesso. Pertanto è inescusabile[51], anche se infedele, chiunque non «ama il Signore Dio suo con tutto il suo cuore, con tutta la sua anima, con tutte le sue forze»[52]. Dentro di

ni, iustitia, quia ex toto se illum diligere debeat, cui totum se debere non ignorat. Verum id difficile, immo impossibile est, suis scilicet quempiam liberiue arbitrii uiribus semel accepta a 25 Deo, ad Dei ex toto conuertere uoluntatem, et non magis ad propriam retorquere, eaque sibi tamquam propria retinere, sicut scriptum est: «Omnes quae sua sunt quaerunt», et item: «Proni sunt sensus et cogitationes hominis in malum».

III 7. Contra quod plane fideles norunt, quam omnino necessarium habeant Iesum, et hunc crucifixum: dum admirantes et amplexantes supereminentem scientiae caritatem in ipso, id uel tantillum quod sunt, in tantae dilectionis et digna- 5 tionis uicem non rependere confunduntur. Facile proinde plus diligunt, qui se amplius dilectos intelligunt: cui autem minus donatum est, minus diligit. Iudaeus sane, siue paganus, nequaquam talibus aculeis incitatur amoris, quales Ecclesia experitur, quae ait: «Vulnerata caritate ego sum», et rursum: «Fulci- 10 te me floribus, stipate me malis, quia amore langueo». Cernit «regem Salomonem in diademate, quo coronauit eum mater sua»; cernit Vnicum Patris, crucem sibi baiulantem; cernit caesum et consputum Dominum maiestatis; cernit auctorem uitae et gloriae confixum clauis, percussum lancea, opprobriis satu- 15 ratum, tandem illam dilectam animam suam ponere pro amicis suis. Cernit haec, et suam magis ipsius animam gladius amoris transuerberat, et dicit: «Fulcite me floribus, stipate me malis, quia amore langueo».

Vnde punica

20 Haec sunt quippe mala punica, quae in hortum introducta dilecti sponsa carpit ex ligno uitae, a caelesti pane proprium

lui infatti una giustizia innata e non sconosciuta alla ragione gli grida che deve amare con tutto sé stesso colui al quale non ignora di dovere tutto. Ma è difficile, se non impossibile, che un uomo, con le sue sole forze o con quelle del libero arbitrio, arrivi a indirizzare completamente secondo la volontà di Dio i beni che ha ricevuto una volta per tutte da Dio, e non li devii piuttosto verso la propria volontà tenendoli per sé come beni propri, secondo quanto è scritto: «Tutti badano ai propri interessi»[53], e ancora: «I sensi e i pensieri dell'uomo sono rivolti al male»[54].

III 7. Al contrario, i fedeli sanno perfettamente quanto sia loro assolutamente necessario avere Gesù, e Gesù crocifisso[55]: mentre ammirano e abbracciano in lui la carità che supera la scienza[56], si vergognano di non saper dare, in cambio di tanto amore e considerazione, almeno quel pochissimo che sono. Certo per chi si sa più amato è facile amare di più: colui al quale è stato dato di meno ama di meno[57]. Davvero, il giudeo e il pagano non sono stimolati da aculei d'amore come quelli che sente la Chiesa quando dice: «Sono ferita dalla carità»[58], e ancora: «Sostenetemi con fiori, rianimatemi con mele, perché languo d'amore»[59]. Essa scorge «il re Salomone che porta il diadema di cui lo ha coronato sua madre»[60]; scorge il Figlio unico del Padre che porta la sua croce[61]; scorge il Signore della maestà coperto di percosse e di sputi; scorge l'autore della vita e della gloria trapassato dai chiodi, trafitto dalla lancia[62], coperto di scherni[63], dare infine per i suoi amici la sua vita tanto amata[64]. Scorge tutto questo e la spada dell'amore le trafigge ancor più l'anima[65], tanto che dice: «Sostenetemi con fiori, rianimatemi con mele, perché languo d'amore»[66].

Perché si parla dei melograni?

Queste mele sono in realtà i melograni che la sposa introdotta nel giardino del suo diletto[67] coglie dall'albero della vita[68] e che

mutuata saporem, colorem a sanguine Christi. Videt deinde mortem mortuam, et mortis auctorem triumphatum. Videt de inferis ad terras, de terris ad superos captiuam duci captiuitatem, «ut in nomine Iesu omne genu flectatur, caelestium, terrestrium et infernorum». Aduertit terram, quae spinas et tribulos sub antiquo maledicto produxerat, ad nouae benedictionis gratiam innouatam refloruisse. Et in his omnibus, illius recordata uersiculi: «Et refloruit caro mea, et ex uoluntate mea confitebor ei», Passionis malis, quae de arbore crucis tulerat, cupit iungere et de floribus resurrectionis, quorum praesertim fragrantia sponsum ad se crebrius reuisendam inuitet.

8. Denique ait: «Ecce tu pulcher es, dilecte mi, et decorus; lectulus noster floridus». Quae lectulum monstrat, satis quid desideret aperit; et cum floridum nuntiat, satis indicat unde, quod desiderat, obtinere praesumat: non enim de suis meritis, sed de floribus agri, cui benedixit Dominus. Delectatur floribus Christus, qui in Nazareth et concipi uoluit, et nutriri. Gaudet sponsus caelestis talibus odoramentis, et cordis thalamum frequenter libenterque ingreditur, quod istiusmodi refertum fructibus, floribus respersum inuenerit: ubi suae uidelicet aut Passionis gratiam, aut Resurrectionis gloriam sedula inspicit cogitatione uersari, ibi profecto adest sedulus, adest libens. Monimenta siquidem Passionis, fructus agnosce anni quasi praeteriti, omnium utique retro temporum sub peccati mortisque imperio decursorum, tandem in plenitudine temporis apparentes. Porro autem Resurrectionis insignia, nouos aduerte flores sequentis temporis, in nouam sub gratia reuirescentis aestatem, quorum fructum generalis futura resurrectio in fine parturiet sine fine mansurum. «Iam», inquit, «hiems transiit, imber abiit et recessit, flores apparuerunt in terra nos-

hanno tratto il loro sapore dal pane celeste[69], il loro colore dal sangue di Cristo. Poi essa vede morta la morte e l'autore della morte trascinato dietro il carro del trionfatore. Vede condurre prigioniera la prigionia[70] dall'inferno sulla terra, dalla terra al cielo, «perché nel nome di Gesù si pieghi ogni ginocchio degli esseri celesti, terrestri e infernali»[71]. Si accorge come la terra, che sotto la maledizione antica aveva prodotto spine e triboli[72], sia rifiorita per effetto della grazia rinnovatrice di una nuova benedizione[73]. E in tutto ciò, memore di quel versetto: «La mia carne è rifiorita e con tutta la mia volontà lo celebrerò»[74], essa desidera unire ai melograni della Passione, che aveva colto sull'albero della croce, i fiori della Resurrezione, soprattutto perché il loro profumo induca lo sposo a tornare più spesso a visitarla.

8. Infine dice: «Ecco, tu sei bello, o mio diletto, e leggiadro; il nostro piccolo letto è coperto di fiori»[75]. Mostrando il letto, svela sufficientemente ciò che desidera; e annunciandolo coperto di fiori indica a sufficienza in che modo presume di ottenere ciò che desidera: non con i propri meriti, ma con i fiori del campo benedetto dal Signore[76]. Si compiace dei fiori Cristo, che volle essere concepito e allevato a Nazareth[77]. Lo sposo celeste gode di questi profumi ed entra sovente e volentieri nel talamo di un cuore che trova pieno di frutti e cosparso di fiori simili: cioè si mostra certamente con assiduità, si mostra volentieri nel luogo in cui vede che la grazia della Passione o la gloria della Resurrezione sono oggetto di assidua meditazione. Riconosci le testimonianze della Passione nei frutti dell'anno passato, anzi di tutti i tempi anteriori che sono trascorsi sotto l'impero del peccato e della morte[78] e ora riappaiono nella pienezza dei tempi[79]. Quanto ai simboli della Resurrezione, bisogna scorgerli nei fiori novelli della stagione seguente, che per effetto della grazia rinverdisce in una nuova estate; alla fine dei tempi la futura resurrezione generale produrrà il frutto di questi fiori e lo farà durare in eterno. «Già è trascorso l'inverno», sta scritto, «la pioggia se n'è andata, è cessata; sono apparsi i fiori

20 tra», aestiuum tempus aduenisse cum illo significans, qui de mortis gelu in uernalem quamdam nouae uitae temperiem resolutus: «Ecce», ait, «noua facio omnia»: cuius caro seminata est in morte, refloruit in resurrectione, ad cuius mox odorem in campo conuallis nostrae reuirescunt arida, recalescunt frigi-
25 da, mortua reuiuiscunt.

9. Horum ergo nouitate florum ac fructuum, et pulchritudine agri suauissimum spirantis odorem, ipse quoque Pater in Filio innouante omnia delectatur, ita ut dicat: «Ecce odor filii mei, sicut odor agri pleni, cui benedixit Dominus». Bene ple-
5 ni, de cuius plenitudine omnes accepimus.

Sponsa tamen familiarius ex eo sibi, cum uult, flores legit, et carpit poma, quibus propriae aspergat intima conscientiae, et intranti sponso cordis lectulus suaue redoleat. Oportet enim nos, si crebrum uolumus habere hospitem Christum, corda
10 nostra semper habere munita fidelibus testimoniis, tam de misericordia scilicet morientis quam de potentia resurgentis, quomodo Dauid aiebat: «Duo haec audiui, quia potestas Dei est, et tibi, Domine, misericordia». Siquidem utriusque rei testimonia credibilia facta sunt nimis, Christo utique moriente
15 propter delicta nostra, et resurgente propter iustificationem nostram, et ascendente ad protectionem nostram, et mittente Spiritum ad consolationem nostram, et quandoque redituro ad consummationem nostram. Nempe in morte misericordiam, potentiam in resurrectione, utramque in singulis ex-
20 hibuit reliquorum.

10. Haec mala, hi flores, quibus sponsa se interim stipari postulat et fulciri, credo sentiens facile uim in se amoris posse

sulla nostra terra»[80]. Ciò significa che è giunta l'estate insieme a colui che si è liberato dal gelo della morte per aprirsi a una primavera di nuova vita: «Ecco», dice, «rendo nuove tutte le cose»[81]. La sua carne è stata seminata nella morte ed è rifiorita nella resurrezione[82], al cui profumo nel campo della nostra convalle rinverdisce ciò che era secco, si riscalda ciò che era freddo, rivive ciò che era morto.

9. Allora della novità di questi fiori e di questi frutti, della bellezza del campo che emana un soavissimo profumo, lo stesso Padre si rallegra nel Figlio che rinnova ogni cosa, tanto da dire: «Ecco, il profumo del Figlio mio assomiglia a quello di un campo abbondante, benedetto dal Signore»[83]. Sì, abbondante, perché tutti abbiamo ricevuto qualcosa della sua abbondanza[84].

Ma con maggiore familiarità la sposa, quando vuole, ne coglie per sé i fiori e ne spicca i frutti di cui cosparge il più intimo della sua coscienza, perché spanda un soave effluvio quando lo sposo entra nel letto del suo cuore. Occorre infatti che noi, se vogliamo avere spesso Cristo come nostro ospite, abbiamo sempre il cuore munito di testimonianze della fede, provenienti sia dalla misericordia di colui che muore sia dalla potenza di colui che risuscita, come diceva Davide: «Ho ascoltato queste due verità: che la potenza appartiene a Dio e che tua, o Signore, è la misericordia»[85]. Di entrambe le verità ci sono state date testimonianze assolutamente degne di fede[86] soprattutto per il fatto che Cristo è morto per i nostri peccati, è risorto per la nostra giustificazione[87], è asceso al cielo per la nostra protezione, ha inviato lo Spirito[88] per la nostra consolazione[89] e tornerà un giorno[90] per portare a compimento la nostra salvezza. Perciò nella morte ha mostrato la sua misericordia, nella resurrezione la sua potenza, e in ciascun altro dei suoi atti entrambe le qualità.

10. Questi sono i frutti, questi i fiori con i quali la sposa chiede di essere sostenuta e ristorata in questa vita; la sposa, a mio pare-

tepescere et languescere quodammodo, si non talibus iugiter foueatur incentiuis, donec introducta quandoque in cubiculum, diu cupitis excipiatur amplexibus, et dicat: «Laeua eius sub capite meo, et dextera eius amplexata est me». Sentiet quippe tunc et probabit uniuersa dilectionis testimonia, quae in priori aduentu, tamquam de sinistra dilecti, acceperat, prae multitudine dulcedinis amplexantis dexterae contemnenda, et omnino iam quasi subtus habenda. Sentiet quod audierat: «Caro non prodest quidquam; spiritus est qui uiuificat». Probabit quod legerat: «Spiritus meus super mel dulcis, et hereditas mea super mel et fauum». Quod uero sequitur: «Memoria mea in generatione saeculorum», hoc dicit quia, quamdiu stare praesens cernitur saeculum, in quo generatio aduenit et generatio praeterit, non deerit electis consolatio de memoria, quibus nondum de praesentia plena refectio indulgetur. Vnde scriptum est: «Memoriam abundantiae suauitatis tuae eructabunt», haud dubium, quin hi, quos paulo superius dixerat: «Generatio et generatio laudabit opera tua». Memoria ergo in generatione saeculorum, praesentia in regno caelorum: ex ista glorificatur iam assumpta electio, de illa interim peregrinans generatio consolatur.

IV 11. Sed interest, quaenam generatio ex Dei capiat recordatione solamen. Non enim generatio praua et exasperans, cui dicitur: «Vae uobis, diuites, qui habetis consolationem uestram», sed quae dicere ueraciter potest: «Renuit consolari anima mea». Huic plane et credimus, si secuta adiecerit: «Memor fui Dei, et delectatus sum». Iustum quippe est, ut quos praesentia non delectant, praesto eis sit memoria futurorum, et qui de

re, avverte che la forza dell'amore[91] potrebbe facilmente intiepidirsi e in qualche modo languire se non fosse continuamente riscaldata da tali stimoli, fino a che, dopo essere stata introdotta nella camera nuziale[92], essa riceva gli abbracci a lungo desiderati[93] e dica: «La sua mano sinistra è sotto la mia testa e la sua destra mi ha abbracciata»[94]. Allora comprenderà e si persuaderà che tutte le testimonianze di amore[95] che aveva ricevuto in occasione della prima venuta – quasi dalla mano sinistra del suo diletto – sono da tenere in minimo conto e quasi da considerare di ordine inferiore in confronto con l'infinita dolcezza[96] della destra che l'abbraccia[97]. Comprenderà ciò che aveva ascoltato: «La carne non giova a nulla; è lo spirito che vivifica»[98]. Si persuaderà di ciò che aveva letto: «Il mio spirito è più dolce del miele, la mia eredità lo è più del miele e del favo»[99]. Ciò che segue: «La mia memoria sussisterà nelle generazioni dei secoli»[100] significa che, finché si vede durare il secolo presente, nel quale una generazione si avvicenda all'altra[101], la consolazione che nasce dalla memoria non mancherà agli eletti ai quali non è ancora concesso il completo ristoro che viene dalla presenza. Perciò le parole: «Proclameranno la memoria della tua abbondante soavità»[102] si riferiscono senza dubbio a quelli di cui era stato detto poco sopra: «Le generazioni successive loderanno le tue opere»[103]. La memoria dunque è nelle generazioni dei secoli[104], la presenza nel regno dei cieli: da questa sono glorificati gli eletti ormai assunti in cielo, con quella si consola intanto la generazione in cammino sulla terra.

IV 11. Ma importa sapere qual è la generazione che riceve conforto dal ricordo di Dio. Non certo la generazione malvagia e ostinata[105] alla quale è detto: «Guai a voi, ricchi, che avete la vostra consolazione»[106], ma quella che in tutta verità può dire: «La mia anima ha rinunciato a essere consolata»[107]. A essa crediamo senz'altro anche quando aggiunge subito dopo: «Mi sono ricordata di Dio e ne ho tratto piacere»[108]. Ed è giusto che quelli che non trovano piacere nei beni presenti possano ricorrere alla memoria

rerum fluentium qualibet affluentia despiciunt consolari, recordatio illos delectet aeternitatis. Et «haec est generatio quaeren-
10 tium Dominum, quaerentium non quae sua sunt, sed faciem Dei Iacob». Dei ergo quaerentibus et suspirantibus praesentiam, praesto interim et dulcis memoria est, non tamen qua satientur, sed qua magis esuriant unde satientur. Hoc ipsum de se cibus ipse testatur, ita aiens: «Qui edit me, adhuc esuriet». Et qui eo
15 cibatus est: «Satiabor», inquit, «cum apparuerit gloria tua». Beati tamen iam nunc quod esuriunt et sitiunt iustitiam, quoniam quandoque ipsi, et non alii, saturabuntur. Vae tibi, generatio praua atque peruersa! Vae tibi, popule stulte et insipiens, qui et memoriam fastidis, et praesentiam expauescis! Merito
20 quidem. Nec modo enim liberari uis de laqueo uenantium: siquidem qui uolunt diuites fieri in hoc saeculo, incidunt in laqueum diaboli; nec tunc a uerbo aspero poteris. O uerbum asperum, o sermo durus: «Ite, maledicti, in ignem aeternum!». Durior plane atque asperior illo, qui quotidie nobis de memoria
25 Passionis in Ecclesia replicatur: «Qui manducat carnem meam et bibit sanguinem meum, habet uitam aeternam». Hoc est: qui recolit mortem meam, et exemplo meo mortificat membra sua quae sunt super terram, habet uitam aeternam; hoc est: si compatimini, et conregnabitis. Et tamen plerique ab hac uoce resi-
30 lientes et abeuntes hodieque retrorsum, respondent non uerbo, sed facto: «Durus est hic sermo; quis potest eum audire?». Itaque generatio quae non direxit cor suum, et non est creditus cum Deo spiritus eius, sed magis sperans in incerto diuitiarum, uerbum modo crucis audire grauatur, ac memoriam Passionis
35 sibi iudicat onerosam. Verum qualiter uerbi illius pondus in praesentia sustinebit: «Ite, maledicti, in ignem aeternum, qui paratus est diabolo et angelis eius»? Super quem profecto ceci-

di quelli futuri e che quelli che disdegnano di consolarsi con ogni abbondanza di beni transitori trovino piacere nel ricordo dell'eternità[109]. «Questa è la generazione di coloro che cercano il Signore, che cercano non il loro vantaggio, ma il volto del Dio di Giacobbe»[110]. Così quelli che cercano la presenza di Dio e anelano a essa dispongono in questa vita della sua dolce memoria: non per esserne saziati, ma perché aumenti in loro la fame del cibo che li sazierà[111]. Colui che è il loro cibo lo attesta parlando appunto di sé con queste parole: «Chi si ciba di me avrà ancora fame»[112]. E chi se ne è cibato dichiara: «Mi sazierò quando si sarà manifestata la tua gloria»[113]. Ma beati già ora perché hanno fame e sete di giustizia[114]: a suo tempo saranno loro, e non altri[115], a essere saziati. Guai a te, generazione malvagia e perversa; guai a te, popolo sciocco e insensato[116], che rifiuti la memoria e hai timore della presenza! Ben a ragione. Perché ora non vuoi liberarti dal laccio dei cacciatori[117]: sì, perché quelli che vogliono diventare ricchi in questo secolo cadono nel laccio del diavolo[118]; e allora non potrai sfuggire alla parola severa[119]. O parola severa, o duro linguaggio[120]: «Andate, maledetti, nel fuoco eterno!»[121]. Linguaggio più duro e più severo di quello che ci è rivolto ogni giorno nella Chiesa a proposito della memoria della Passione: «Chi mangia la mia carne e beve il mio sangue ha la vita eterna»[122]. Cioè: chi medita la mia morte e, seguendo il mio esempio, mortifica le sue membra terrestri[123], ha la vita eterna[124]; o anche: se soffrite con me, regnerete anche con me[125]. Eppure anche ai nostri giorni molti, allontanandosi da queste parole e voltandosi indietro[126], rispondono non con parole ma con i fatti: «Questo linguaggio è duro, chi può ascoltarlo?»[127]. Così la generazione che non ha diretto in senso giusto il suo cuore e non ha affidato il suo spirito a Dio[128], ma ha preferito riporre le sue speranze nelle incerte ricchezze[129], non sopporta di ascoltare la parola della croce[130] e giudica troppo pesante per sé la memoria della Passione. Ma come sopporterà in presenza del Signore il peso di queste parole: «Andate, o maledetti, nel fuoco eterno, che è destinato al diavolo e ai suoi angeli»[131]?

derit lapis iste, conteret eum. At uero generatio rectorum benedicetur, qui utique cum Apostolo, «siue absentes, siue praesen-
40 tes, contendunt placere Deo». Denique audient: «Venite, benedicti patris mei», etc. Tunc illa quae non direxit cor suum, sero quidem experietur, quam, in illius comparatione doloris, iugum Christi suaue et onus leue fuerit, cui tamquam graui et aspero duram ceruicem superbe subduxit. Non potestis, o miseri serui
45 mammonae, simul gloriari in cruce Domini nostri Iesu Christi et sperare in pecuniae thesauris, post aurum abire et probare quam suauis est Dominus. Proinde quem suauem in memoria non sentitis, asperum procul dubio in praesentia sentietis.

12. Ceterum fidelis anima et suspirat praesentiam inhianter, et in memoria requiescit suauiter, et donec idonea sit reuelata facie speculari gloriam Dei, crucis ignominia gloriatur. Sic profecto, sic sponsa et columba Christi pausat sibi interim, et
5 dormit inter medios cleros, sortita iam inpraesentiarum de memoria abundantiae suauitatis tuae, Domine Iesu, pennas deargentatas, innocentiae uidelicet pudicitiaeque candorem, et sperans insuper adimpleri laetitia cum uultu tuo, ubi etiam fiant posteriora dorsi eius in pallore auri, quando in splendori-
10 bus sanctorum introducta cum gaudio, sapientiae fuerit plenius illustrata fulgoribus. Merito proinde iam nunc gloriatur et dicit: «Laeua eius sub capite meo, et dextera illius amplexabitur me», in laeua reputans recordationem illius caritatis, qua nulla maior est, quod animam suam posuit pro amicis suis, in
15 dextera uero beatam uisionem, quam promisit amicis suis, et gaudium de praesentia maiestatis. Merito illa Dei et deifica ui-

Sicuramente colui sul quale cadrà questa pietra ne sarà schiacciato[132]. Al contrario, la generazione degli uomini retti sarà benedetta[133], la generazione di coloro che, con l'Apostolo, «si adoperano in ogni modo di piacere a Dio, siano assenti o presenti»[134]. Alla fine essi udranno: «Venite, benedetti dal Padre mio»[135], eccetera. Allora la generazione che non ha diretto in senso giusto il suo cuore[136] comprenderà – ma troppo tardi – quanto, a paragone di quel dolore[137], il giogo di Cristo sarebbe stato dolce e il suo peso leggero[138], mentre essa gli aveva sottratto orgogliosamente la dura cervice[139] come se si trattasse di un pesante e aspro fardello. Non potete, miserabili schiavi di Mammona[140], glorificarvi nella croce di nostro Signore Gesù Cristo[141] e nello stesso tempo porre le vostre speranze nell'accumulazione del denaro, correre dietro all'oro[142] e provare quanto dolce è il Signore[143]. Dato che non ne sentite la dolcezza nella memoria, senza dubbio ne sentirete la severità al momento della presenza.

12. Al contrario, l'anima fedele sospira avidamente la presenza e riposa dolcemente nella memoria; finché non è in grado di contemplare a viso aperto la gloria di Dio[144], si gloria dell'abiezione della croce[145]. Così insomma la sposa e colomba[146] di Cristo si riposa in questa vita e dorme in mezzo alle due eredità[147], dopo aver ricevuto fin d'ora in sorte dalla memoria della tua immensa dolcezza[148], Signore Gesù, delle penne d'argento[149], cioè il candore dell'innocenza e della purezza; spera inoltre di riempirsi di gioia alla vista del tuo volto[150], quando la sua schiena si coprirà del chiarore dell'oro[151] e, introdotta con gioia nello splendore dei santi[152], essa sarà completamente illuminata dal fulgore della sapienza. Con ragione dunque se ne gloria fin d'ora dicendo: «La sua mano sinistra è sotto la mia testa e la sua destra mi abbraccerà»[153]. Con la sinistra essa intende il ricordo di quella carità di cui nessuna è più grande, perché egli ha dato la vita per i suoi amici[154]; con la destra, la visione beata che egli ha promesso ai suoi amici e la gioia suscitata dalla presenza della sua maestà. Giu-

sio, illa diuinae praesentiae inaestimabilis delectatio in dextera deputatur, de qua et delectabiliter canitur: «Delectationes in dextera tua usque in finem». Merito in laeua admirabilis illa
20 memorata et semper memoranda dilectio collocatur, quod, donec transeat iniquitas, super eam sponsa recumbat et requiescat.

13. Merito ergo laeua sponsi sub capite sponsae, super quam uidelicet caput suum reclinata sustentet, hoc est mentis suae intentionem, ne incuruetur et inclinetur in carnalia et saecularia desideria, quia «corpus quod corrumpitur, aggrauat animam,
5 et deprimit terrena inhabitatio sensum multa cogitantem».

Quid namque aliud faciat considerata tanta et tam indebita miseratio, tam gratuita et sic probata dilectio, tam inopinata dignatio, tam inuicta mansuetudo, tam stupenda dulcedo? Quid, inquam, haec omnia faciant diligenter considerata, nisi ut con-
10 siderantis animum, ab omni penitus prauo uindicatum amore, ad se mirabiliter rapiant, uehementer afficiant, faciantque prae se contemnere, quidquid nisi in contemptu horum appeti non potest? Nimirum proinde in odore unguentorum horum sponsa currit alacriter, amat ardenter, et parum sibi amare sic amata
15 uidetur, etiam cum se totam in amore perstrinxerit. Nec immerito. Quid magnum enim tanto et tanti repensatur amori, si puluis exiguus totum se ad redamandum collegerit, quem illa nimirum Maiestas in amore praeueniens, tota in opus salutis eius intensa conspicitur? Denique «sic Deus dilexit mundum, ut
20 Vnigenitum daret», haud dubium quin de Patre dicat; item: «Tradidit in mortem animam suam», nec dubium quod Filium

stamente quella visione di Dio, visione deificante[155], quella gioia incomparabile della presenza divina è riservata alla destra, di cui si canta dilettosamente: «Delizie nella tua destra in eterno»[156]. Giustamente nella sinistra è riposto quel suo meraviglioso amore di cui si fa e si deve fare sempre memoria, perché su di esso si appoggia e riposa la sposa finché non passi il tempo dell'iniquità[157].

13. Giustamente dunque la mano sinistra dello sposo è sotto la testa della sposa: reclinata su di essa, la sposa può sostenere la sua testa, cioè l'attenzione[158] della sua mente, evitando che si curvi[159] e si pieghi verso i desideri carnali e mondani[160], perché «il corpo corruttibile appesantisce l'anima e la dimora terrena abbassa l'intelletto[161] preso da molti pensieri»[162].

Che altro infatti può produrre la considerazione di una misericordia così grande e così immeritata, di un amore così gratuito e così evidente, di una benevolenza così inaspettata, di una bontà così invincibile, di una dolcezza così meravigliosa? Quale altro effetto, dico, può avere l'attenta considerazione di tutte queste qualità, se non quello di liberare completamente l'animo[163] di chi le considera da qualunque amore perverso, poi di rapirlo meravigliosamente a sé, di penetrarlo[164] violentemente e di ispirargli al loro confronto il disprezzo di tutto ciò che può essere desiderato[165] solo se si disprezzano queste qualità? Proprio all'aroma di questi profumi la sposa accorre[166] prontamente, ama con ardore e sentendosi così amata ritiene di amare troppo poco, anche quando si è interamente abbandonata all'abbraccio amoroso[167]. Non a torto. Che cosa di consistente potrebbe dare un granello di polvere[168] in cambio di un amore così grande donato da un così grande amante, anche se si raccogliesse tutto per riamare quella Maestà che lo ha prevenuto nell'amore e che si mostra tutta intenta nell'opera della sua salvezza? Insomma «Dio ha amato il mondo al punto da offrirgli il suo Figlio unigenito»[169]: non vi è dubbio che questa espressione si riferisca al Padre. Così «ha offerto sé stesso alla morte»[170]: e queste parole si riferiscono senza dubbio al Fi-

loquatur. Ait et de Spiritu sancto: «Spiritus Paraclitus, quem mittet Pater in nomine meo, ille uos docebit omnia, et suggeret uobis omnia quaecumque dixero uobis». Amat ergo Deus, et ex 25 se toto amat, quia tota Trinitas amat, si tamen «totum» dici potest de infinito et incomprehensibili, aut certe de simplici.

V 14. Intuens haec, credo, satis agnoscit, quare Deus diligendus sit, hoc est, unde diligi mereatur. Ceterum infidelis non habens Filium, nec Patrem perinde habet, nec Spiritum sanctum. «Qui» enim «non honorificat Filium, non honorificat Patrem 5 qui misit illum», sed nec Spiritum sanctum quem misit ille. Is itaque mirum non est, si quem minus agnoscit, minus et diligit. Attamen et ipse totum ei sese debere non ignorat, quem sui totius non ignorat auctorem. Quid ergo ego, qui Deum meum teneo uitae meae non solum gratuitum largitorem, largissimum 10 administratorem, pium consolatorem, sollicitum gubernatorem, sed insuper etiam copiosissimum redemptorem, aeternum conseruatorem, ditatorem, glorificatorem, sicut scriptum est: «Copiosa apud eum redemptio»? Et item: «Introiuit semel in sancta, aeterna redemptione inuenta». Et de conseruatione: «Non relin- 15 quet sanctos suos; in aeternum conseruabuntur». Et de locupletatione: «Mensuram bonam, et confertam, et coagitatam, et supereffluentem dabunt in sinum uestrum»; et rursum: «Nec oculus uidit, nec auris audiuit, nec in cor hominis ascendit, quae praeparauit Deus diligentibus se». Et de glorificatione: «Salua- 20 torem exspectamus Dominum nostrum Iesum Christum, qui reformabit corpus humilitatis nostrae, configuratum corpori claritatis suae»; et illud: «Non sunt condignae passiones huius temporis ad futuram gloriam, quae reuelabitur in nobis»; et iterum: «Id quod in praesenti est momentaneum et leue tribulatio-

glio. Ma si parla anche dello Spirito Santo: «Lo Spirito Paraclito, che il Padre invierà in mio nome, vi insegnerà ogni cosa e vi ricorderà tutto ciò che vi avrò detto»[171]. Dunque Dio ama e ama con tutto sé stesso, perché è tutta la Trinità ad amare, ammesso che si possa parlare di «tutto» a proposito di ciò che è infinito e incomprensibile o, in ogni modo, semplice.

V 14. Chi considera tutto ciò riconosce a sufficienza, credo, perché si debba amare Dio, cioè per quale ragione egli meriti di essere amato. Ma il miscredente che non ha il Figlio[172] non ha nemmeno il Padre e nemmeno lo Spirito Santo. Infatti «chi non rende onore al Figlio non rende onore al Padre che lo ha inviato»[173] e nemmeno allo Spirito Santo inviato dal Figlio[174]. Non c'è dunque da stupirsi se, conoscendolo meno, lo ama di meno. Eppure nemmeno lui ignora di dovere tutto sé stesso a questo Dio che riconosce come autore di tutto il suo essere. E allora che cosa devo fare io, che considero il mio Dio non solo come gratuito donatore della mia vita e suo prodigo amministratore, come tenero consolatore, sollecito timoniere, ma per di più anche come colui che mi redime con generosità[175], mi conserva, mi arricchisce, mi glorifica per sempre, come sta scritto: «Abbondante è la sua redenzione»[176]? E ancora: «È entrato una volta per sempre nel santuario, perché ha trovato una redenzione eterna»[177]. E a proposito della conservazione: «Non abbandonerà i suoi santi; li conserverà in eterno»[178]. E dell'arricchimento: «Una misura buona, piena, ben agitata e sovrabbondante vi sarà versata nel seno»[179]. E ancora: «L'occhio non ha visto, l'orecchio non ha udito, il cuore dell'uomo non ha intuito ciò che Dio ha preparato per quelli che lo amano»[180]. E a proposito della glorificazione: «Aspettiamo come Salvatore nostro Signore Gesù Cristo, che trasformerà il nostro corpo di miseria per renderlo conforme al suo corpo di splendore»[181]; e altrove: «Le sofferenze di questo tempo non sono paragonabili con la gloria futura che si rivelerà in noi»[182]; e ancora: «Quello che è attualmente il peso leggero e momentaneo delle no-

25 nis nostrae, supra modum in sublimitatem aeternum gloriae pondus operatur in nobis, non contemplantibus quae uidentur, sed quae non uidentur».

15. Quid retribuam Domino pro omnibus his? Illum ratio urget et iustitia naturalis totum se tradere illi, a quo se totum habet, et ex se toto debere diligere. Mihi profecto fides tanto plus indicit amandum, quanto et eum me ipso pluris aestiman-
5 dum intelligo, quippe qui illum non solum mei, sed sui quoque ipsius teneo largitorem. Denique nondum tempus fidei aduenerat, nondum innotuerat in carne Deus, obierat in cruce, prodierat de sepulcro, redierat ad Patrem; nondum, inquam, commendauerat in nobis suam multam dilectionem, il-
10 lam de qua iam multa locuti sumus, cum iam mandatum est homini «diligere Dominum Deum suum toto corde, tota anima, tota uirtute sua», id est, ex omni quod est, quod scit, quod potest. Nec tamen iniustus Deus, suum sibi uindicans opus et dona. Vt quid enim non amaret opus artificem, cum haberet
15 unde id posset? Et cur non quantum omnino posset, cum nihil omnino nisi eius munere posset? Ad haec, quod de nihilo, quod gratis, quod in hac dignitate conditum est, et debitum dilectionis manifestius facit, et exactum iustiorem ostendit. Ceterum quantum putamus adiectum beneficii, cum homines
20 et iumenta saluauit, quemadmodum multiplicauit misericordiam suam Deus! Nos dico, qui mutauimus gloriam nostram in similitudinem uituli comedentis fenum, peccando comparati iumentis insipientibus. Quod si totum me debeo pro me facto, quid addam iam et pro refecto, et refecto hoc modo? Nec
25 enim tam facile refectus, quam factus. Siquidem non solum de me, sed de omni quoque quod factum est, scriptum est: «Dixit, et facta sunt». At uero qui me tantum et semel dicendo

stre tribolazioni prepara in noi, oltre ogni misura, un peso eterno di gloria nell'alto dei cieli, a noi che contempliamo non le realtà visibili ma quelle invisibili»[183].

15. Che cosa renderò al Signore in cambio di tutti questi doni[184]? La ragione e la giustizia naturale stimolano l'uomo a darsi tutto a colui dal quale ha ricevuto tutto ciò che è, e gli fanno sentire il dovere di amarlo con tutto sé stesso. Ma tanto più la fede mi impone di amarlo, quanto meglio io comprendo che egli merita di essere considerato al di sopra di me stesso, convinto come sono che egli non solo mi ha donato me stesso ma anche sé stesso. In fondo, non era ancora giunto il tempo della fede, Dio non si era ancora manifestato nella carne, non era ancora morto sulla croce, uscito dal sepolcro, ritornato al Padre; non aveva ancora, voglio dire, dato prova del suo grande amore per noi[185] – quell'amore di cui abbiamo già parlato a lungo – e già l'uomo aveva ricevuto il comandamento di «amare il Signore Dio suo con tutto il suo cuore, tutta la sua anima, tutte le sue forze»[186], vale a dire con tutto ciò che è, sa e può. Eppure Dio non è ingiusto[187] nel rivendicare la sua opera e i suoi doni. E come potrebbe l'opera non amare chi l'ha fatta, se ha la capacità di farlo? E perché non con tutte le sue forze, se non può assolutamente nulla senza il suo dono? Inoltre il fatto di essere stato creato dal nulla, in modo gratuito, in una tale dignità, rende ancora più palese il dovere dell'amore e rivela più giusto il tributo. E poi, ci pare, quanti benefici ha aggiunto Dio quando ha salvato gli uomini e le bestie, in quale misura Dio ha moltiplicato la sua misericordia[188]! Parlo di noi, che abbiamo svilito la nostra gloria rendendoci simili al vitello che mangia il fieno[189], abbassandoci con il peccato al livello delle bestie irragionevoli[190]. E se sono debitore di tutto me stesso per il fatto di essere stato creato, che cosa posso dare di più per il fatto di essere stato ricreato, e ricreato in questa maniera[191]? Perché ricrearmi non è stato così facile come crearmi. Non solo di me, in realtà, ma di tutto ciò che è stato creato sta scritto: «Disse, e fu creato»[192]. Ma

fecit, in reficiendo profecto et dixit multa, et gessit mira, et pertulit dura, nec tantum dura, sed et indigna. «Quid» ergo «retribuam Domino pro omnibus quae retribuit mihi?» In primo opere me mihi dedit, in secundo se; et ubi se dedit, me mihi reddidit. Datus ergo, et redditus, me pro me debeo, et bis debeo. Quid Deo retribuam pro se? Nam etiam si me millies rependere possem, quid sum ego ad Deum?

Quo modo diligendus sit Deus

VI 16. Hic primum uide, quo modo, immo quam sine modo a nobis Deus amari meruerit, qui, ut paucis quod dictum est repetam, «prior ipse dilexit nos», tantus, et tantum, et gratis tantillos. En tales, et quod in principio dixisse me memini, modum esse diligendi Deum, sine modo diligere. Denique cum dilectio quae tendit in Deum, tendat in immensum, tendat in infinitum – nam et infinitus Deus est et immensus –, quisnam, quaeso, debeat finis esse nostri uel modus amoris? Quid quod amor ipse noster non iam gratuitus impenditur, sed rependitur debitus? Amat ergo immensitas, amat aeternitas, amat supereminens scientiae caritas; amat Deus, cuius magnitudinis non est finis, cuius sapientiae non est numerus, cuius pax exsuperat omnem intellectum: et uicem rependimus cum mensura? «Diligam te, Domine, fortitudo mea, firmamentum meum, et refugium meum, et liberator meus», et meum denique quidquid optabile atque amabile dici potest. Deus meus, adiutor meus, diligam te pro dono tuo et modo meo, minus quidem iusto, sed plane non posse meo, qui, etsi quantum debeo non

colui che mi creò dicendo una sola parola, per ricrearmi ha detto molte parole, compiuto molte azioni meravigliose e patito dure sofferenze: non solo dure, ma anche indegne di lui. «Che cosa», dunque, «renderò al Signore in cambio di tutto ciò che mi ha donato?[193]» Con la sua prima opera mi ha dato a me stesso, con la seconda mi ha dato sé stesso; e dandosi mi ha restituito a me stesso. Dato e poi restituito, sono perciò debitore di me per me, e lo sono due volte. Che cosa renderò a Dio in cambio di lui stesso? Se anche potessi darmi in contraccambio mille volte, che cosa sono io in confronto di Dio?

In quale misura si deve amare Dio?

VI 16. Ora considera in primo luogo in quale misura Dio abbia meritato di essere amato da noi, anzi come abbia meritato di esserlo senza misura, dato che – per riprendere in breve ciò che è stato detto – «egli ci ha amati per primo»[194]: lui così grande ci ha amati tanto, e gratuitamente, noi esseri così piccoli. Ebbene, per esseri simili – come ricordo di aver detto all'inizio – la misura di amare Dio è amarlo senza misura. In fondo, poiché l'amore che si rivolge a Dio si rivolge all'immenso, all'infinito (essendo Dio infinito e immenso), quale mai, te lo chiedo, dovrebbe essere il limite o la misura del nostro amore? Quale, se teniamo presente che il nostro amore non è un'offerta gratuita, ma il rimborso di un debito? Ci ama dunque l'immensità, ci ama l'eternità, ci ama la carità che sorpassa la scienza[195]; ci ama Dio la cui grandezza non ha limiti[196], la cui sapienza non ha misura[197], la cui pace supera ogni intelligenza[198]. E in cambio noi dovremmo offrirgli un amore misurato? «Ti amerò, Signore, mia forza, mio sostegno, mio rifugio, mio liberatore»[199] e, insomma, tutto ciò che da parte mia può essere detto di desiderabile e di amabile. Dio mio, mio soccorso[200], ti amerò per il dono che mi fai, secondo la mia misura: certamente meno di quanto sarebbe giusto, ma non meno di quanto è nelle mie possibilità. Benché non possa

20 possum, non possum tamen ultra quam possum. Potero uero plus, cum plus donare dignaberis, numquam tamen prout dignus haberis. Imperfectum meum uiderunt oculi tui, sed tamen in libro tuo omnes scribentur, qui quod possunt faciunt, etsi quod debent non possunt. Satis, quantum reor, apparet, et 25 quonam modo Deus diligendus sit, et quo merito suo. Quo, inquam, merito suo: nam quanto, cui sane appareat? Quis dicat? Quis sapiat?

VII 17. Nunc quo nostro commodo diligendus sit, uideamus. Sed quantum est et in hoc uidere nostrum ad id quod est? Nec tamen quod uidetur tacendum est, etsi non omnino uidetur ut est. Superius, cum propositum esset, quare et quo- 5 modo diligendus sit Deus, duplicem dixi parere intellectum id quod quaeritur: quare, ut aut quo suo merito, aut quo nostro commodo diligendus sit, utrumlibet quaeri posse perinde uideatur. Dicto proinde de merito Dei, non prout dignum ei, sed prout datum mihi, superest ut de praemio, quod item da- 10 bitur, dicam.

Quod non sine praemio diligitur Deus

Non enim sine praemio diligitur Deus, etsi absque praemii sit intuitu diligendus. Vacua namque uera caritas esse non potest, nec tamen mercenaria est: quippe «non quaerit quae sua 15 sunt». Affectus est, non contractus: nec acquiritur pacto, nec acquirit. Sponte afficit, et spontaneum facit. Verus amor seipso contentus est. Habet praemium, sed id quod amatur.

rendere quanto devo, non posso però andare oltre quello che posso. Potrò fare di più quando ti degnerai di darmi di più, però mai nella misura in cui tu ne sei degno. I tuoi occhi hanno visto la mia imperfezione; ma pure nel tuo libro saranno scritti[201] tutti quelli che fanno quanto possono, anche se non possono fare tutto ciò che devono. Appare abbastanza chiaro, ritengo, in quale misura si debba amare Dio e per quale suo merito. Dico: per quale suo merito; poiché quanto alla grandezza di questo merito, chi potrebbe percepirla? Chi esprimerla? Chi comprenderla?

VII 17. Vediamo adesso per quale nostro vantaggio dobbiamo amare Dio. Ma anche in questo campo, che valore ha il nostro modo di vedere rispetto alla realtà in sé? Non dobbiamo comunque tacere ciò che si vede, anche se non corrisponde del tutto alla realtà. In precedenza, quando ho posto il problema: «Perché e in quale misura si deve amare Dio?», ho detto che questo interrogativo – perché? – può essere inteso in due maniere, a seconda di quale sia l'oggetto dell'indagine: per quale suo merito o per quale nostro vantaggio si debba amarlo. Così, dopo aver parlato del merito di Dio, non in modo degno di lui ma come mi è stato concesso, mi resta da trattare della ricompensa, sempre nella misura in cui mi sarà concesso.

Non senza ricompensa si ama Dio

Non senza ricompensa infatti si ama Dio, anche se si deve amarlo senza aver di mira una ricompensa[202]. Perché la vera carità non può rimanere a mani vuote, anche se non è mercenaria: sicuramente «non cerca il proprio interesse»[203]. È un sentimento[204], non un contratto: non è in virtù di una convenzione che può essere acquisita o che guadagna qualcosa. Ci muove[205] spontaneamente e ci rende spontanei. Il vero amore è soddisfatto di sé stesso. Ha la sua ricompensa, che però è proprio l'oggetto amato. Perché, se anche tu

Nam quidquid propter aliud amare uidearis, id plane amas, quo amoris finis pertendit, non per quod tendit. Paulus non 20 euangelizat ut comedat, sed comedit ut euangelizet, eo quod amet, non cibum, sed Euangelium. Verus amor praemium non requirit, sed meretur. Praemium sane necdum amanti proponitur, amanti debetur, perseueranti redditur. Denique in rebus inferioribus suadendis, inuitos promissis uel praemiis inuita- 25 mus, et non spontaneos. Quis enim munerandum hominem putet, ut faciat quod et sponte cupit? Nemo, uerbi causa, conducit aut esurientem ut comedat, aut sitientem ut bibat, aut certe matrem ut paruulum allactet filium uteri sui. An uero quis putet prece uel pretio quempiam commonendum suam 30 ipsius uel saepire uineam, uel arborem circumfodere, uel structuram propriae domus erigere? Quanto magis Deum amans anima, aliud praeter Deum sui amoris praemium non requirit; aut si aliud requirit, illud pro certo, non Deum diligit.

18. Inest omni utenti ratione naturaliter pro sua semper aestimatione atque intentione appetere potiora, et nulla re esse contentum, cui quod deest, iudicet praeferendum. Nam et qui, uerbi gratia, uxorem habet speciosam, petulanti oculo uel 5 animo respicit pulchriorem, et qui ueste pretiosa indutus est, pretiosiorem affectat, et possidens multas diuitias, inuidet ditiori. Videas iam multis praediis et possessionibus ampliatos, adhuc tamen in dies agrum agro copulare, atque infinita cupiditate dilatare terminos suos. Videas et qui in regalibus domi- 10 bus amplisque habitant palatiis, nihilominus quotidie coniungere domum ad domum, et inquieta curiositate aedificare, diruere, mutare quadrata rotundis. Quid homines sublimatos honoribus? Annon insatiabili ambitione magis ac magis totis

sembri amare una cosa in vista di un'altra, il vero oggetto del tuo amore è quello verso il quale l'amore tende come al proprio fine, non quello che ne rappresenta il tramite. Paolo non evangelizza per mangiare, ma mangia per evangelizzare, in quanto non ama il cibo ma il Vangelo. Il vero amore non cerca una ricompensa, ma la merita. La ricompensa viene proposta a chi non ama ancora, è dovuta a chi ama, è concessa a chi persevera. Così, quando si tratta di convincere qualcuno riguardo a faccende di poco conto, sollecitiamo con promesse di ricompense chi non dimostra interesse, non chi accetta spontaneamente. Chi penserebbe di dover remunerare un uomo perché faccia quello che vuol fare spontaneamente? Nessuno, per esempio, stipendia un affamato perché mangi o un assetato perché beva o addirittura una madre perché allatti il suo bambino, il figlio che lei stessa ha partorito. C'è forse chi ritenga necessario pregare o pagare qualcuno per indurlo a recingere la sua vigna o a zappare la terra intorno a un suo albero o a costruire la propria casa? Quanto più l'anima che ama Dio non cercherà se non Dio come ricompensa del suo amore! Altrimenti, se cerca qualcos'altro, ama certamente quest'altra cosa e non Dio.

18. In tutti coloro che fanno uso della ragione è naturale desiderare[206] sempre ciò che appare preferibile in base al giudizio e alle intenzioni, e non accontentarsi di nulla se ritengono che si debba preferire qualcosa di cui siano privi. Così, per esempio, chi ha una moglie graziosa ne guarda una più bella con occhio e con animo sfacciato, chi indossa un vestito pregiato ne cerca uno più prezioso, chi possiede grandi ricchezze invidia chi è più ricco di lui. Si può vedere gente già in possesso di molti poderi e proprietà continuare giorno dopo giorno ad aggiungere campo a campo[207] e a estendere i loro confini[208] con smisurata cupidigia. Si può vedere anche gente che abita in case regali e in sontuosi palazzi unire ugualmente ogni giorno casa a casa[209] e continuare indefessamente a costruire, ad abbattere, a cambiare ciò che è quadrato in rotondo. Che dire degli uomini elevati ad alti onori? Non li vediamo

uiribus conari ad altiora uidemus? Et horum omnium idcirco
15 non est finis, quia nil in eis summum singulariter reperitur uel
optimum. Et quid mirum si inferioribus et deterioribus contentum non sit, quod citra summum uel optimum quiescere
non potest? Sed hoc stultum et extremae dementiae est, ea
semper appetere, quae numquam, non dico satient, sed nec
20 temperent appetitum, dum quidquid talium habueris, nihilominus non habita concupiscas, et ad quaeque defuerint, semper inquietus anheles. Ita enim fit ut, per uaria et fallacia mundi oblectamenta uagabundus animus inani labore discurrens,
fatigetur, non satietur, dum quidquid famelicus inglutierit, pa-
25 rum reputet ad id quod superest deuorandum, semperque non
minus anxie cupiat quae desunt, quam quae adsunt laete possideat. Quis enim obtineat uniuersa? Quamquam et modicum
id quod quisque cum labore obtinuerit, cum timore possederit, certus quidem non sit quando cum dolore amittat, certus
30 autem quod quandoque amittat. Sic directo tramite uoluntas
peruersa contendit ad optimum, festinat ad id unde possit impleri. Immo uero his anfractibus ludit secum uanitas, mentitur
iniquitas sibi. Si ita uis adimplere quod uis, hoc est, si illud apprehendere uis, quo apprehenso nil iam amplius uelis, quid
35 tentare opus est et cetera? Curris per deuia, et longe ante morieris, quam hoc circuitu peruenias ad optatum.

19. Hoc ergo in circuitu impii ambulant, naturaliter appetentes unde finiant appetitum, et insipienter respuentes unde
propinquent fini: fini dico, non consumptioni, sed consummationi. Quamobrem non beato fine consummari, sed consumi

sforzarsi sempre più e con tutte le loro forze di giungere ancora più in alto, accesi da una insaziabile ambizione? E non c'è mai fine a tutti questi desideri, perché in essi non si può trovare nulla che sia eccelso o ottimo in assoluto. Che cosa c'è da stupirsi se non ci si accontenta delle cose più basse e di minor valore, dato che non si trova appagamento prima di giungere a ciò che è eccelso e ottimo? Eppure è insensato, è il colmo della follia, desiderare sempre cose che non riescano, non dico a saziare, ma nemmeno ad attenuare il desiderio e, quale che sia quella di cui ci si impossessa, continuare ugualmente a bramare quelle non possedute e ad anelare senza posa dietro a tutte quelle che mancano ancora. Accade così che l'animo vagabondo, correndo qua e là inutilmente attraverso i vari e fallaci allettamenti del mondo, si stanchi senza saziarsi: tutto ciò che ingoia famelico, lo considera poco rispetto a ciò che gli resta da divorare e continua a bramare le cose che gli mancano con un'ansia non inferiore alla gioia che gli danno quelle che possiede. Ma chi può ottenere tutto? Anzi quel poco che ciascuno è riuscito a ottenere con fatica e conserva con timore, non può sapere con certezza quando avrà il dolore di perderlo, pur avendo la certezza che un giorno lo perderà. Così per una via diretta la volontà perversa cerca di raggiungere ciò che è ottimo, si affretta verso ciò che possa appagarla. Ma in verità per queste vie tortuose la vanità si prende gioco di sé stessa e la malvagità inganna sé stessa[210]. Se vuoi accontentare in questo modo tutte le tue voglie, cioè se vuoi metter mano su qualcosa che non ti faccia più volere nient'altro, che bisogno hai di impossessarti anche di tutto il resto? Corri per vie traverse e morirai molto prima di giungere, con questi giri viziosi, a quello che desideri.

19. Ecco quali sono i giri viziosi che compiono gli empi[211], desiderando come è naturale ciò che appaghi il loro desiderio ma respingendo insensatamente ciò che li avvicinerebbe al termine: parlo di termine, non nel senso di esaurimento ma di compimento[212]. In questo modo si affrettano non a compiere la loro esisten-

5 uacuo labore accelerant, qui rerum magis specie quam auctore delectati, prius uniuersa percurrere et de singulis cupiunt experiri, quam ad ipsum curent uniuersitatis Dominum peruenire. Et quidem peruenirent, si quandoque uoti compotes effici possent, ut omnia scilicet, praeter omnium principium, unus
10 aliquis obtineret. Ea namque suae cupiditatis lege, qua in rebus ceteris non habita prae habitis esurire, et pro non habitis habita fastidire solebat, mox omnibus quae in caelo et quae in terra sunt obtentis et contemptis, tandem ad ipsum procul dubio curreret, qui solus deesset omnium Deus. Porro ibi quie-
15 sceret, quia sicut citra nulla reuocat quies, sic nulla ultra iam inquietudo sollicitat. Diceret pro certo: «Mihi autem adhaerere Deo bonum est». Diceret: «Quid enim mihi est in caelo, et a te quid uolui super terram?». Et item: «Deus cordis mei, et pars mea Deus in aeternum». Sic ergo, ut dictum est, ad id
20 quod optimum est, quiuis cupidus perueniret, si quidem ante, quod citra cupit, assequi posset.

20. Verum quoniam id omnino impossibile praestruit et uita breuior, et uirtus infirmior, et consors numerosior, longo profecto itinere et casso labore desudant, qui dum quaeque desiderant, attingere uolunt, ad cunctorum desiderabilium ne-
5 queunt pertingere finem. Et utinam attingere uniuersa animo, et non experimento, uellent! Hoc enim facile possent, et non incassum. Nam et animus sensu quidem carnali tanto uelocior, quanto et perspicacior, ad hoc datus est, ut illum ad omnia praeueniat, nihilque audeat contingere sensus, quod animus
10 praecurrens ante utile non probauerit. Hinc enim arbitror dictum: «Omnia probate, quod bonum est tenete», ut uidelicet il-

za con un termine beato, ma a esaurirla con una vana fatica: trovando piacere più nell'apparenza delle cose che nel loro autore, sono bramosi di percorrere tutte le cose e di far esperienza di ciascuna di esse piuttosto che preoccuparsi di giungere al Signore stesso di tutto. Vi giungerebbero certamente, se un giorno potessero ottenere la soddisfazione delle loro brame e se fosse possibile che un solo uomo possedesse ogni cosa, a eccezione del principio di tutto. Perché secondo la legge della sua cupidigia, per la quale in tutte le altre cose era solito provare fame di ciò che gli mancava in confronto a ciò che aveva e disgusto di ciò che aveva in confronto a ciò che gli mancava, senza dubbio quest'uomo – una volta ottenuto e subito disprezzato tutto ciò che si trova in cielo e sulla terra[213] – si precipiterebbe infine verso il solo oggetto che fra tutti gli mancherebbe: Dio. E là finalmente si riposerebbe perché, come al di qua nessuna quiete lo trattiene, così al di là nessuna inquietudine lo può più turbare. Di sicuro direbbe: «È un bene per me stare vicino a Dio»[214]. Direbbe anche: «Che cosa c'è per me in cielo e che cosa ho voluto sulla terra se non te?»[215]. E ancora: «Dio del mio cuore, mia porzione è Dio per l'eternità»[216]. Così dunque, come ho detto, ogni uomo bramoso giungerebbe al bene supremo, se prima potesse ottenere tutto ciò che brama al di qua di Dio.

20. Ma poiché ciò è reso assolutamente impossibile dalla brevità della vita, dalla scarsezza delle forze e dal numero dei concorrenti, coloro che pretendono di raggiungere tutto ciò che desiderano si sfiancano in una vana fatica percorrendo un lungo cammino e non riescono mai a ottenere la soddisfazione di tutti i loro desideri. Se almeno volessero raggiungere tutto con lo spirito[217] e non con la diretta esperienza! Vi riuscirebbero facilmente, e non invano. Perché lo spirito, tanto più rapido quanto più perspicace della sensibilità carnale, ci è stato dato allo scopo di prevenirla in tutti i campi, in modo che i sensi non si azzardino a toccare nulla di cui lo spirito che li precede non abbia prima verificato l'utilità. Per questo credo sia stato detto: «Verificate ogni cosa e tenete solo ciò che è buo-

le huic prouideat, nec is suum uotum, nisi ad illius iudicium consequatur. Alioquin non ascendes in montem Domini nec stabis in loco sancto eius, pro eo quod in uano acceperis ani-
15 mam tuam, hoc est animam rationalem, dum instar pecoris sensum sequeris, ratione quidem otiosa et non resistente in aliquo. Quorum itaque ratio non praeuenit gressus, currunt, sed extra uiam, ac perinde, Apostoli spreto consilio, non sic currunt ut apprehendant. Quando etenim apprehendant, quem
20 apprehendere nisi post omnia nolunt? Distortum iter et circuitus infinitus, cuncta primitus attentare uelle.

21. Iustus autem non ita. Audiens nempe uituperationem multorum commorantium in circuitu – multi enim sunt uiam latam pergentes, quae ducit ad mortem –, ipse sibi regiam eligit uiam, non declinans ad dexteram uel ad sinistram. Denique, at-
5 testante propheta, «semita iusti recta est, rectus callis iusti ad ambulandum». Hi sunt, qui salubri compendio cauti sunt molestum hunc et infructuosum uitare circuitum, uerbum abbreuiatum et abbreuians eligentes, non cupere quaecumque uident, sed uendere magis quae possident et dare pauperibus.
10 «Beati» plane «pauperes, quoniam ipsorum est regnum caelorum.» Omnes quidem currunt, sed inter currentes discernitur. Denique «nouit Dominus uiam iustorum, et iter impiorum peribit». Ideo autem «melius est modicum iusto super diuitias peccatorum multas», quoniam quidem – ut Sapiens loquitur et
15 insipiens experitur –, «qui diligit pecuniam, non saturabitur pecunia; qui» autem «esuriunt et sitiunt iustitiam, ipsi saturabuntur». Iustitia siquidem ratione utentis spiritus cibus est uitalis et naturalis; pecunia uero sic non minuit animi famem, quomodo nec corporis uentus. Denique si famelicum hominem apertis

no»[218], cioè: lo spirito provveda alla sensibilità e questa non assecondi il proprio desiderio se non conformandosi al giudizio dello spirito. Altrimenti non salirai sul monte del Signore e non troverai posto nel suo santo luogo, perché invano avrai ricevuto l'anima tua[219] – cioè un'anima razionale – dato che avrai assecondato i sensi al pari delle bestie, lasciando la tua ragione inattiva e senza capacità di opporre resistenza. Così, quelli che non si fanno guidare dalla ragione corrono sì, ma corrono fuori strada e perciò, in spregio del consiglio dell'Apostolo, non corrono in modo da raggiungere il loro scopo[220]. E quando mai potrebbero raggiungerlo, se lo vogliono solo dopo aver ottenuto tutte le cose? Volersi impossessare prima di tutto il resto è una via tortuosa e un circolo vizioso[221].

21. Il giusto invece non fa così. Infatti, ascoltando i rimproveri rivolti ai molti che si attardano in questo circolo vizioso[222] – perché molti sono quelli che si incamminano sulla via larga, che conduce alla morte[223] –, sceglie per sé la via regia, senza deviare a destra né a sinistra[224]. Insomma, come attesta il profeta, «il sentiero del giusto è diritto, diritta è la strada del giusto per potervi camminare»[225]. Si tratta di coloro che hanno badato a evitare con una salutare scorciatoia questo circolo penoso e infruttuoso, scegliendo questa parola abbreviata[226] e che abbrevia: non bramare tutto ciò che vedono, ma piuttosto vendere ciò che possiedono e darlo ai poveri[227]. Sì, «beati i poveri, perché loro è il Regno dei cieli»[228]. Certo tutti corrono[229], ma fra quelli che corrono bisogna distinguere. Insomma, «Dio conosce la via dei giusti, ma la strada degli empi condurrà alla rovina»[230]. Perciò «è meglio il poco per il giusto che le grandi ricchezze dei peccatori»[231], perché – come dice il Sapiente e come sperimenta l'insensato – «chi ama il denaro non se ne sazierà»[232]; invece «gli affamati e gli assetati di giustizia, quelli sì saranno saziati»[233]. Infatti per chi fa uso della ragione la giustizia è il cibo vitale e naturale dello spirito, mentre il denaro non diminuisce la fame dello spirito più di quanto il vento non plachi quella del corpo. In realtà, se tu vedessi un uomo affamato

20 faucibus uento, inflatis haurire buccis aerem cernas, quo quasi consulat fami, nonne credas insanire? Sic non minoris insaniae est, si spiritum rationalem rebus putes quibuscumque corporalibus non magis inflari quam satiari. Quid namque de corporibus ad spiritus? Nec illa sane spiritualibus, nec isti e regione re-
25 fici corporalibus queunt. «Benedic, anima mea, Domino, qui replet in bonis desiderium tuum.» Replet in bonis, excitat ad bonum, tenet in bono; praeuenit, sustinet, implet. Ipse facit ut desideres, ipse est quod desideras.

22. Dixi supra: causa diligendi Deum, Deus est. Verum dixi, nam et efficiens, et finalis. Ipse dat occasionem, ipse creat affectionem, desiderium ipse consummat. Ipse fecit, uel potius factus est, ut amaretur; ipse speratur amandus felicius, ne in
5 uacuum sit amatus. Eius amor nostrum et praeparat, et remunerat. Praecedit benignior, rependitur iustior, exspectatur suauior. Diues est omnibus qui inuocant eum, nec tamen habet quidquam seipso melius. Se dedit in meritum, se seruat in praemium, se apponit in refectione animarum sanctarum, se in
10 redemptione distrahit captiuarum. «Bonus es, Domine, animae quaerenti te.» Quid ergo inuenienti? Sed enim in hoc est mirum, quod nemo quaerere te ualet, nisi qui prius inuenerit. Vis igitur inueniri ut quaeraris, quaeri ut inueniaris. Potes quidem quaeri et inueniri, non tamen praeueniri.

15 Nam etsi dicimus: «Mane oratio mea praeueniet te», non dubium tamen quod tepida sit omnis oratio, quam non praeuenerit inspiratio. Dicendum iam unde inchoet amor noster, quoniam ubi consummetur dictum est.

spalancare la bocca al vento e aspirare l'aria con le gote gonfie come per soddisfare la sua fame, non lo prenderesti per pazzo? Così è segno di non minore pazzia credere che le realtà corporee, quali che siano, possano saziare lo spirito razionale anziché gonfiarlo. Che rapporto c'è, infatti, fra corpi e spiriti? Né i corpi possono ristorarsi con le realtà spirituali, né gli spiriti trarre nutrimento da quelle corporee. «Anima mia, benedici il Signore, che colma di beni il tuo desiderio.[234]» Colma di beni, stimola al bene, conserva nel bene; previene, sostiene, ricolma. Egli è l'origine del tuo desiderio, egli è l'oggetto del tuo desiderio.

22. Ho detto prima: la causa per cui si deve amare Dio è Dio stesso. Ho detto la verità, perché egli è la causa efficiente e quella finale. È lui a offrire l'occasione, lui a far nascere il sentimento[235], lui ad appagare il desiderio. Egli ha fatto – o meglio si è fatto – in modo da essere amato; suscita in noi la speranza di poterlo amare un giorno più felicemente, perché il nostro amore per lui non sia vano. Il suo amore prepara e ricompensa il nostro. È più benevolo nel precederci, più giusto nel farsi ripagare, più dolce nel farsi attendere. È ricco per tutti quelli che lo invocano[236], pur non avendo da dare nulla meglio di sé stesso. Si è dato per meritare il nostro amore, si conserva come ricompensa per noi, si costituisce come ristoro delle anime sante[237], si offre per riscattare le anime prigioniere. «Tu sei buono, Signore, per l'anima che ti cerca.[238]» Che cosa riserverai dunque a quella che ti troverà? Ma in questo c'è qualcosa di meraviglioso: nessuno è capace di cercarti se prima non ti ha trovato. Perciò vuoi essere trovato per essere cercato, cercato per essere trovato[239]. Certo puoi essere cercato e trovato, ma non puoi essere preceduto.

Perché anche se diciamo: «Al mattino la mia preghiera ti precederà»[240], è però senza dubbio tiepida la preghiera che non sia stata preceduta dalla tua ispirazione. Ma ora, essendo già stato detto dove trovi compimento, è tempo di dire da dove incominci il nostro amore.

VIII 23. Amor est affectio naturalis una de quatuor. Notae sunt: non opus est nominare. Quod ergo naturale est, iustum quidem foret primo omnium auctori deseruire naturae. Vnde et dictum est primum et maximum mandatum: «Diliges Do-
5 minum Deum tuum», etc.

Primus gradus amoris, cum homo diligit se propter se

Sed quoniam natura fragilior atque infirmior est, ipsi primum, imperante necessitate, compellitur inseruire. Et est amor carnalis, quo ante omnia homo diligit seipsum propter se-
10 ipsum. Nondum quippe sapit nisi seipsum, sicut scriptum est: «Prius quod animale, deinde quod spirituale». Nec praecepto indicitur, sed naturae inseritur. Quis nempe carnem suam odio habuit? At uero si coeperit amor idem, ut assolet, esse profusior siue procliuior et, necessitatis alueo minime conten-
15 tus, campos etiam uoluptatis exundans latius uisus fuerit occupare, statim superfluitas obuiante mandato cohibetur, cum dicitur: «Diliges proximum tuum sicut teipsum».

Iustissime quidem, ut consors naturae non sit exsors et gratiae, illius praesertim gratiae, quae naturae insita est. Quod si
20 grauatur homo fraternis, non dico necessitatibus subuenire, sed et uoluptatibus deseruire, castiget ipse suas, si non uult esse transgressor. Quantum uult, sibi indulgeat, dum aeque et proximo tantumdem meminerit exhibendum. Frenum tibi temperantiae imponitur, o homo, ex lege uitae et disciplinae,
25 ne post concupiscentias tuas eas et pereas, ne de bonis naturae hosti seruias animae, hoc est libidini. Quam iustius atque honestius communicas illa consorti, quam hosti, id est proximo?

VIII 23. L'amore è una delle quattro affezioni naturali[241]. Esse sono note: non c'è bisogno di nominarle. Ora, sarebbe giusto mettere ciò che è naturale prima di tutto al servizio dell'Autore della natura. Di qui la formulazione del primo e maggiore comandamento: «Amerai il Signore Dio tuo»[242], ecc.

Primo grado dell'amore: l'uomo ama sé stesso per sé stesso

Ma poiché la natura è troppo fragile e debole, è costretta per necessità a mettersi innanzitutto al servizio di sé stessa. Questo è l'amore carnale[243], con il quale l'uomo ama prima di ogni altra cosa sé stesso per sé stesso. Perché non ha ancora coscienza se non di sé stesso, come sta scritto: «Prima viene ciò che è animale, poi ciò che è spirituale»[244]. Qui non è espresso un comandamento, ma constatato un fatto inerente alla natura. Infatti, chi ha mai odiato la propria carne[245]? Ma se questo amore, come suole accadere, incomincia a diventare troppo gonfio e impetuoso; se, non contentandosi del letto della necessità, tracima e sembra allagare estesamente anche i campi della voluttà, subito lo straripamento è frenato dalla barriera del comandamento che dice: «Ama il prossimo tuo come te stesso»[246].

E in effetti è giustissimo che chi partecipa alla natura non sia escluso dalla grazia, specie da quella grazia che è inerente alla natura. Perché se l'uomo trova gravoso, non dico sovvenire ai bisogni dei suoi fratelli, ma anche occuparsi dei loro piaceri, pensi a reprimere i suoi se non vuole trasgredire la legge. Indulga quanto vuole a sé stesso, purché si ricordi che una eguale indulgenza deve essere mostrata nei confronti del prossimo. Ti è imposto il freno della temperanza, o uomo, secondo la legge della vita e della disciplina[247], perché tu non ti perdi seguendo le tue cupidigie[248], perché tu non metta i beni della natura al servizio del nemico dell'anima, cioè della libidine. Quanto sarebbe più giusto e più onesto far partecipe di questi beni il tuo compagno, cioè il prossi-

Et quidem si ex Sapientis consilio a uoluptatibus tuis auerteris et, iuxta doctrinam Apostoli, uictu uestituque contentus, pau-
30 lisper suspendere non grauaris amorem tuum a carnalibus desideriis, quae militant aduersus animam, sane quod subtrahis hosti animae tuae, consorti naturae puto non grauaberis impertiri. Tunc amor tuus et temperans erit, et iustus, si quod propriis subtrahitur uoluptatibus, fratris necessitatibus non
35 negetur. Sic amor carnalis efficitur et socialis, cum in commune protrahitur.

24. Si autem dum communicas proximo, forte tibi defuerint et necessaria, quid facies? Quid enim, nisi ut cum omni fiducia postules ab eo qui dat omnibus affluenter et non improperat, qui aperit manum suam et implet omne animal benedictione?
5 Dubium siquidem non est, quod adsit libenter in necessariis, qui plerisque et in superfluis non deest. Denique ait: «Primum quaerite regnum Dei et iustitiam eius, et haec omnia adicientur uobis». Sponte daturum se pollicetur necessaria, superflua restringenti et proximum diligenti. Hoc quippe est quaerere reg-
10 num Dei et aduersus peccati implorare tyrannidem, pudicitiae potius ac sobrietatis subire iugum, quam regnare peccatum in tuo mortali corpore patiaris. Porro autem et hoc iustitiae est, cum quo tibi est natura communis, naturae quoque cum eo munus non habere diuisum.

25. Ut tamen perfecta iustitia sit diligere proximum, Deum in causa haberi necesse est. Alioquin proximum pure diligere quomodo potest, qui in Deo non diligit? Porro in Deo diligere non potest, qui Deum non diligit. Oportet ergo Deum diligi
5 prius, ut in Deo diligi possit et proximus. Facit ergo etiam se diligi Deus, qui et cetera bona facit. Facit autem sic: qui naturam condidit, ipse et protegit. Nam et ita condita fuit, ut ha-

mo, anziché il nemico! Certo, se seguendo il consiglio del Sapiente ti distogli dai piaceri[249] e accontentandoti – secondo la dottrina dell'Apostolo – del cibo e del vestito[250] non ti peserà allontanare per un poco il tuo amore dai desideri carnali, che fanno guerra alla tua anima[251], penso proprio che non ti peserà nemmeno spartire con chi ha la tua stessa natura ciò che sottrai al nemico della tua anima. Allora, se ciò che è sottratto ai tuoi piaceri personali non è negato alle necessità del fratello, il tuo amore sarà equilibrato quanto giusto. In tal modo l'amore carnale, estendendosi alla comunità, diventa anche sociale.

24. Ma se per caso, nel momento in cui spartisci i tuoi beni con il prossimo, ti viene a mancare anche il necessario, che cosa farai? Che altro, se non chiedere con piena fiducia[252] a colui che dà a tutti in abbondanza senza rinfacciarlo[253], che apre la mano e colma di benedizioni ogni essere vivente[254]? Non si può certo dubitare, infatti, che sia presente volentieri nelle necessità colui che non rifiuta ai più nemmeno il superfluo. Del resto dice: «Cercate prima di tutto il Regno di Dio e la sua giustizia, e tutto questo vi sarà dato in più»[255]. Egli promette spontaneamente di dare il necessario a chi sa limitare il superfluo e ama il prossimo suo. Cercare il Regno di Dio e invocarlo contro la tirannia del peccato significa proprio piegarsi al giogo del pudore e della sobrietà anziché lasciar regnare il peccato nel corpo mortale[256]. Inoltre è giusto che chi ha la natura in comune con te condivida anche i doni della natura.

25. Tuttavia perché l'amore del prossimo realizzi perfettamente la giustizia è indispensabile che sia coinvolto Dio. E come altrimenti può amare il prossimo in modo disinteressato chi non lo ama in Dio? Ma non può amare in Dio chi non ama Dio. Bisogna dunque prima amare Dio, per poter amare in Dio anche il prossimo. Ora Dio, che è il creatore di tutti gli altri beni, fa anche in modo che possiamo amarlo. Lo fa così: lui che ha creato la natura, se ne assume anche la protezione. Infatti essa fu creata in modo

beat iugiter necessarium protectorem, quem habuit et conditorem, ut quae nisi per ipsum non ualuit esse, nec sine ipso ua-
10 leat omnino subsistere. Quod ne sane de se creatura ignoret, ac perinde sibi, quod absit, superbe arroget beneficia Creatoris, uult hominem idem Conditor, alto quidem salubrique consilio, tribulationibus exerceri, ut cum defecerit homo et subuenerit Deus, dum homo liberatur a Deo, Deus ab homine, ut
15 dignum est, honoretur. Hoc enim dicit: «Inuoca me in die tribulationis: eruam te, et honorificabis me». Fit itaque hoc tali modo, ut homo animalis et carnalis, qui praeter se neminem diligere nouerat, etiam Deum uel propter se amare incipiat, quod in ipso nimirum, ut saepe expertus est, omnia possit,
20 quae posse tamen prosit, et sine ipso possit nihil.

Secundus gradus amoris, cum homo diligit Deum propter se

IX 26. Amat ergo iam Deum, sed propter se interim, adhuc non propter ipsum. Est tamen quaedam prudentia scire quid
5 ex te, quid ex Dei adiutorio possis, et ipsi te seruare infensum, qui te tibi seruat illaesum. At si frequens ingruerit tribulatio, ob quam et frequens ad Deum conuersio fiat, et a Deo aeque frequens liberatio consequatur, nonne, etsi fuerit ferreum pectus uel cor lapideum toties liberati, emolliri necesse est ad gra-
10 tiam liberantis, quatenus Deum homo diligat, non propter se tantum, sed et propter ipsum?

da avere sempre necessariamente come protettore colui che ha avuto come creatore: come senza di lui non avrebbe potuto esistere, così senza di lui non potrebbe assolutamente sussistere. E perché la creatura non ignori questa verità che la riguarda e non si arroghi quindi con superbia – Dio non voglia! – i benefici del Creatore, il Creatore stesso, certo in conformità a un profondo piano salvifico, vuole che l'uomo sia messo alla prova dalle tribolazioni; così, quando soccomberà e Dio gli verrà in soccorso, nel momento in cui sarà liberato da Dio, Dio sarà – come è giusto – onorato dall'uomo. Questo infatti egli dice: «Invocami nel giorno della tribolazione; io te ne libererò e tu mi glorificherai»[257]. Accade così che l'uomo animale e carnale, che non sapeva amare nessuno eccetto sé stesso, incomincia anche ad amare Dio in funzione di sé stesso, perché in lui, come spesso gli ha mostrato l'esperienza, può tutto – o almeno tutto ciò che gli è utile potere – e senza di lui non può nulla[258].

Secondo grado dell'amore: l'uomo ama Dio per sé stesso

IX 26. Perciò quest'uomo ama già Dio, ma solo per sé, non ancora per Dio stesso. Eppure vi è già una certa saggezza nel saper distinguere ciò che si può fare da sé e ciò che si può fare con l'aiuto di Dio, e nel badare a non opporsi a colui che ci preserva da ogni male. Ma se si abbatte di frequente la tribolazione, che provoca frequenti ritorni a Dio e di conseguenza un'altrettanto frequente liberazione da parte sua, non è forse inevitabile che l'uomo così spesso liberato – avesse pure un petto di ferro e un cuore di pietra[259] – si addolcisca di fronte alla grazia del liberatore, fino ad amare Dio non più solo per sé, ma anche per Dio stesso?

Tertius gradus amoris, cum homo diligit Deum propter ipsum

Ex occasione quippe frequentium necessitatum crebris ne-
15 cesse est interpellationibus Deum ab homine frequentari, fre-
quentando gustari, gustando probari quam suauis est Dominus. Ita fit, ut ad diligendum pure Deum plus iam ipsius
alliciat gustata suauitas quam urgeat nostra necessitas, ita ut
exemplo Samaritanorum, dicentium mulieri quae adesse Do-
20 minum nuntiauerat: «Iam non propter tuam loquelam credimus; ipsi enim audiuimus, et scimus quia ipse est uere Saluator
mundi», ita, inquam, et nos illorum exemplo carnem nostram
alloquentes, dicamus merito: «Iam non propter tuam necessitatem Deum diligimus; ipsi enim gustauimus et scimus "quo-
25 niam suauis est Dominus"». Est enim carnis quaedam loquela
necessitas, et beneficia quae experiendo probat, gestiendo re-
nuntiat. Itaque sic affecto, iam de diligendo proximo implere
mandatum non erit difficile. Amat quippe ueraciter Deum,
ac per hoc quae Dei sunt. Amat caste, et casto non grauatur
30 obedire mandato, «castificans magis cor suum», ut scriptum
est, «in obedientia caritatis». Amat iuste, et mandatum iustum
libenter amplectitur. Amor iste merito gratus, quia gratuitus.
Castus est, quia non impenditur uerbo neque lingua, sed opere et ueritate. Iustus est, quoniam qualis suscipitur, talis et red-
35 ditur. Qui enim sic amat, haud secus profecto quam amatus
est, amat, quaerens et ipse uicissim non quae sua sunt, sed
quae Iesu Christi, quemadmodum ille nostra, uel potius nos,
et non sua quaesiuit. Sic amat qui dicit: «Confitemini Domino
quoniam bonus». Qui Domino confitetur, non quoniam sibi

Terzo grado dell'amore: l'uomo ama Dio per Dio stesso

Sì, in occasione delle sue frequenti necessità è inevitabile che l'uomo si rivolga a Dio con ripetute invocazioni, che ripetendole spesso provi il gusto di Dio e che provandone il gusto sperimenti quanto dolce è il Signore[260]. Accade così che ormai il gusto della sua dolcezza ci stimola ad amare Dio in modo disinteressato più di quanto non ci spingano a farlo le nostre necessità, secondo l'esempio dei Samaritani, i quali risposero alla donna che aveva annunciato la presenza del Signore: «Non è più per quanto hai detto che noi crediamo; noi stessi lo abbiamo ascoltato e sappiamo che egli è veramente il Salvatore del mondo»[261]; così, dico, seguendo il loro esempio anche noi finiamo per rivolgerci alla nostra carne dicendo con ragione: «Non è più a causa delle tue necessità che amiamo Dio; noi stessi abbiamo provato il gusto e sappiamo "quanto dolce è il Signore"». La necessità è infatti una sorta di linguaggio della carne: i benefici che essa prova con l'esperienza, li dichiara con i suoi sussulti. Sicché per uno che prova tali sentimenti[262] non sarà più difficile osservare il comandamento di amare il prossimo. Ama veramente Dio e di conseguenza ama anche ciò che appartiene a Dio. Ama con castità e perciò non gli pesa obbedire a un casto comandamento, «rendendo sempre più casto il suo cuore nell'obbedienza della carità»[263], come sta scritto. Ama con giustizia e accetta volentieri un giusto comandamento. Questo amore è gradito perché è gratuito. È casto, perché non si esprime a parole o con la lingua, ma con i fatti e in verità[264]. È giusto, perché come lo si riceve, così lo si rende. Infatti chi ama in questo modo non ama certamente in modo diverso da come è stato amato: anch'egli cerca a sua volta non il proprio interesse ma quello di Gesù Cristo[265], così come Cristo ha cercato il nostro interesse – o meglio ancora noi stessi – e non il proprio. Ama in questo modo chi dice: «Rendete grazie al Signore perché è buono»[266]. Chi rende grazie al Signore non perché è

40 bonus est, sed quoniam bonus est, hic uere diligit Deum propter Deum, et non propter seipsum. Non sic amat de quo dicitur: «Confitebitur tibi cum benefeceris ei». Iste est tertius amoris gradus, quo iam propter seipsum Deus diligitur.

Quartus gradus amoris, cum homo diligit se propter Deum

X 27. Felix qui meruit ad quartum usque pertingere, quatenus nec seipsum diligat homo nisi propter Deum. «Iustitia tua,
5 Deus, sicut montes Dei.» Amor iste mons est, et mons Dei excelsus. Reuera mons coagulatus, mons pinguis. «Quis ascendet in montem Domini?» «Quis dabit mihi pennas sicut columbae, et uolabo et requiescam?» Factus est in pace locus iste, et habitatio haec in Sion. «Heu mihi, quia incolatus meus pro-
10 longatus est!» Caro et sanguis, uas luteum, terrena inhabitatio quando capit hoc? Quando huiuscemodi experitur affectum, ut diuino debriatus amore animus, oblitus sui, factusque sibi ipsi tamquam uas perditum, totus pergat in Deum et, adhaerens Deo, unus cum eo spiritus fiat et dicat: «Defecit caro mea
15 et cor meum; Deus cordis mei, et pars mea Deus in aeternum»? Beatum dixerim et sanctum, cui tale aliquid in hac mortali uita raro interdum, aut uel semel, et hoc ipsum raptim atque unius uix momenti spatio, experiri donatum est. Te enim quodammodo perdere, tamquam qui non sis, et omnino
20 non sentire teipsum, et a temetipso exinaniri, et paene annullari, caelestis est conuersationis, non humanae affectionis. Et si quidem e mortalibus quispiam ad illud raptim interdum, ut dictum est, et ad momentum admittitur, subito inuidet saecu-

buono con lui, ma perché è buono in assoluto, è colui che ama veramente Dio in quanto Dio e non per sé stesso. Invece non ama così colui del quale si dice: «Ti renderà grazie quando gli avrai fatto del bene»[267]. Questo è dunque il terzo grado dell'amore, con cui ormai si ama Dio per Dio stesso.

Quarto grado dell'amore: l'uomo ama sé stesso per Dio

X 27. Beato chi ha meritato di giungere fino al quarto grado, in cui l'uomo non ama più sé stesso se non per Dio. «La tua giustizia, o Dio, è come le montagne di Dio.[268]» Questo amore è un monte, un altissimo monte di Dio. È davvero un monte opimo, un monte fertile[269]. «Chi salirà sul monte del Signore?[270]» «Chi mi darà delle penne come di colomba, tanto che io possa prendere il volo e riposarmi?[271]» Questo luogo è stabilito nella pace, e questa dimora si trova in Sion[272]. «Sventurato me! La mia residenza in paese straniero si prolunga.[273]» La carne e il sangue[274], il vaso di fango[275], la dimora terrena quando potranno accogliere tutto ciò? Quando si può provare un sentimento così profondo da far sì che lo spirito, inebriato dall'amore divino, dimentico di sé e diventato per sé stesso come un vaso gettato nei rifiuti[276], si slanci tutto intero verso Dio e unendosi a Dio diventi un solo spirito con lui[277] e dica: «La mia carne e il mio cuore sono venuti meno, Dio del mio cuore, Dio porzione mia per l'eternità»[278]? Proclamerò beato e santo colui al quale è stato concesso di fare una simile esperienza durante questa vita mortale – magari di rado, o anche una volta sola – e questo fugacemente, per un istante appena[279]. Perché perdere in qualche modo te stesso come se non esistessi, non avere più alcuna coscienza di te, svuotarti di te stesso[280] e quasi annullarti sono cose che appartengono alla condizione celeste, non alla sensibilità umana. E se per caso un mortale è ammesso a questa esperienza – magari fugacemente, come ho detto, e per un istante – subito lo invidia il secolo

lum nequam, perturbat diei malitia, corpus mortis aggrauat,
25 sollicitat carnis necessitas, defectus corruptionis non sustinet, quodque his uiolentius est, fraterna reuocat caritas. Heu! Redire in se, recidere in sua compellitur, et miserabiliter exclamare: «Domine, uim patior; responde pro me», et illud: «Infelix ego homo, quis me liberabit de corpore mortis huius?».

28. Quoniam tamen scriptura loquitur, «Deum omnia fecisse propter semetipsum», erit profecto ut factura sese quandoque conformet et concordet Auctori. Oportet proinde in eumdem nos affectum quandocumque transire, ut quomodo
5 Deus omnia esse uoluit propter semetipsum, sic nos quoque nec nosipsos, nec aliud aliquid fuisse uel esse uelimus, nisi aeque propter ipsum, ob solam ipsius uidelicet uoluntatem, non nostram uoluptatem. Delectabit sane non tam nostra uel sopita necessitas, uel sortita felicitas, quam quod eius in nobis et
10 de nobis uoluntas adimpleta uidebitur, quod et quotidie postulamus in oratione, cum dicimus: «Fiat uoluntas tua, sicut in caelo, et in terra». O amor sanctus et castus! O dulcis et suauis affectio! O pura et defaecata intentio uoluntatis, eo certe defaecatior et purior, quo in ea de proprio nil iam admixtum re-
15 linquitur, eo suauior et dulcior, quo totum diuinum est quod sentitur! Sic affici, deificari est. Quomodo stilla aquae modica, multo infusa uino, deficere a se tota uidetur, dum et saporem uini induit et colorem, et quomodo ferrum ignitum et candens igni simillimum fit, pristina propriaque exutum for-
20 ma, et quomodo solis luce perfusus aer in eamdem transformatur luminis claritatem, adeo ut non tam illuminatus quam ipsum lumen esse uideatur, sic omnem tunc in sanctis humanam affectionem quodam ineffabili modo necesse erit a semetipsa liquescere, atque in Dei penitus transfundi uoluntatem.
25 Alioquin quomodo omnia in omnibus erit Deus, si in homine de homine quidquam supererit? Manebit quidem substantia,

malvagio[281], lo turba la malizia del giorno[282], lo opprime il corpo mortale, lo tormentano le necessità della carne, lo sfinisce la debolezza che lo mina e – cosa più decisiva di tutte – lo richiama la carità fraterna. Ahimè! È costretto a ritornare in sé, a ricadere nelle sue preoccupazioni e a esclamare lamentevolmente: «Signore, soffro violenza; difendimi tu»[283]; e ancora: «Sono un uomo infelice, chi mi libererà da questo corpo di morte?»[284].

28. Tuttavia, poiché la Scrittura dice che «Dio ha fatto tutto per sé»[285], verrà certo un giorno in cui la creatura si conformerà al suo Autore e si accorderà con lui. Occorre perciò che prima o poi noi entriamo in questo stesso sentimento: come Dio ha voluto che tutto fosse per lui, così anche noi dobbiamo volere che né noi stessi né alcun'altra cosa sia stata o sia se non per lui, cioè per la sua sola volontà e non per il nostro piacere. A darci gioia non sarà affatto l'appagamento dei nostri bisogni o il raggiungimento della felicità, quanto invece la constatazione che la sua volontà si è adempiuta in noi e grazie a noi. È ciò che ogni giorno chiediamo nella preghiera, quando diciamo: «Sia fatta la tua volontà, come in cielo, così in terra»[286]. O amore santo e casto! O dolce e soave sentimento! O volontà schietta e purificata, tanto più purificata e schietta in quanto non la intorbida più nulla di personale, tanto più soave e dolce in quanto tutto ciò che si sente è divino! Provare questo sentimento vuol dire essere deificati[287]. Come una minuscola goccia d'acqua versata in una grande quantità di vino sembra perdervisi completamente, assumendo il sapore e il colore del vino; come il ferro messo nel fuoco diventa incandescente e, spogliatosi della forma originaria che gli era propria, si confonde quasi con il fuoco; come l'aria inondata dalla luce del sole si trasforma nel fulgore del suo lume, tanto che non sembra essere illuminata ma sembra la luce stessa[288], così nei santi ogni sentimento umano dovrà dissolversi in una certa ineffabile maniera e riversarsi nel fondo della volontà di Dio. Altrimenti come potrà Dio essere tutto in tutti[289], se nell'uomo rimarrà qualcosa dell'uomo? Certo la sostanza resterà, ma in altra forma, in altra gloria[290] e in altra potenza.

sed in alia forma, alia gloria aliaque potentia. Quando hoc erit? Quis hoc uidebit? Quis possidebit? «Quando ueniam, et apparebo ante faciem Dei?» Domine Deus meus, «tibi dixit 30 cor meum: exquisiuit te facies mea; faciem tuam, Domine, requiram». Putas uidebo templum sanctum tuum?

29. Ego puto non ante sane perfecte impletum iri: «Diliges Dominum Deum tuum ex toto corde tuo, et ex tota anima tua, et ex tota uirtute tua», quousque ipsum cor cogitare iam non cogatur de corpore, et anima eidem in hoc statu uiuificando et 5 sensificando intendere desinat, et uirtus eiusdem releuata molestiis, in Dei potentia roboretur. Impossibile namque est tota haec ex toto ad Deum colligere, et diuino infigere uultui, quamdiu ea huic fragili et aerumnoso corpori intenta et distenta necesse est subseruire. Itaque in corpore spirituali et immortali, in 10 corpore integro, placido placitoque et per omnia subiecto spiritui, speret se anima quartum apprehendere amoris gradum, uel potius in ipso apprehendi, quippe quod Dei potentiae est dare cui uult, non humanae industriae assequi. Tunc, inquam, summum obtinebit facile gradum, cum in gaudium Domini sui 15 promptissime et auidissime festinantem nulla iam retardabit carnis illecebra, nulla molestia conturbabit.

Putamusne tamen hanc gratiam uel ex parte sanctos martyres assecutos, in illis adhuc uictoriosis corporibus constitutos? Magna uis prorsus amoris illas animas introrsum rapuerat, 20 quae ita sua corpora foris exponere et tormenta contemnere ualuerunt. At profecto doloris acerrimi sensus non potuit nisi turbare serenum, etsi non perturbare.

XI 30. Quid autem iam solutas corporibus? Immersas ex toto credimus immenso illi pelago aeterni luminis et luminosae aeternitatis.

Quando avverrà tutto ciò? Chi lo vedrà? Chi lo otterrà? «Quando verrò e mi presenterò al cospetto del Signore?[291]» Signore Dio mio, «il mio cuore ti ha detto: il mio volto ti ha cercato; cercherò, Signore, il tuo volto»[292]. Credi che vedrò il tuo santo tempio[293]?

29. Per parte mia penso che il comandamento: «Amerai il Signore Dio tuo con tutto il tuo cuore, tutta la tua anima e tutte le tue forze»[294] non potrà essere perfettamente osservato fino al momento in cui il cuore non sarà più costretto a pensare al corpo, in cui l'anima smetterà di conservarlo nel suo stato attuale infondendogli vita e sensibilità, in cui la forza – sollevata dai fastidi causati dal corpo – sarà rinvigorita dalla potenza di Dio. Perché è impossibile raccogliere interamente in Dio queste tre facoltà e fissarle nel volto divino finché, attente a questo fragile corpo pieno di affanni e da esso distratte, esse devono ancora prestargli servizio. Perciò solo quando si troverà in un corpo spirituale e immortale, in un corpo integro, pacifico e piacevole, sottomesso in tutto allo spirito, l'anima potrà sperare di raggiungere il quarto grado dell'amore, o piuttosto di essere raggiunta in esso, poiché appartiene alla potenza di Dio dare a chi egli vuole, non è l'umana operosità a conseguire qualcosa. Otterrà, dico, facilmente il grado più alto quando correrà con il massimo slancio e fervore verso la gioia del Signore[295], senza essere più ritardata da alcun allettamento della carne né turbata da alcuna molestia.

Eppure non siamo forse convinti che questa grazia sia stata conseguita, almeno in parte, dai santi martiri mentre si trovavano ancora nei loro corpi vittoriosi? Certo una grande forza d'amore aveva rapito interiormente quelle anime, che in tal modo furono capaci di esporre all'esterno i loro corpi e di disprezzare le torture. Ma la sensazione di un atroce dolore, anche se non riuscì a sconvolgere la loro serenità, non poté sicuramente fare a meno di turbarla.

XI 30. Che cosa accadrà allora alle anime quando saranno sciolte dal corpo? Crediamo che saranno totalmente immerse nell'immenso mare della luce eterna e della luminosa eternità.

Quod nec ante resurrectionem possint

5 Sed si, quod non negatur, uelint sua corpora recepisse, aut certe recipere desiderent et sperent, liquet procul dubio necdum a seipsis penitus immutatas, quibus constat necdum penitus deesse de proprio, quo uel modice intentio reflectatur. Donec ergo absorpta sit mors in uictoria, et noctis undique 10 terminos lux perennis inuadat et occupet usquequaque, quatenus et in corporibus gloria caelestis effulgeat, non possunt ex toto animae seipsas exponere et transire in Deum, nimirum ligatae corporibus etiam tunc, etsi non uita uel sensu, certe affectu naturali, ita ut absque his nec uelint, nec ualeant con- 15 summari. Itaque ante restaurationem corporum non erit ille defectus animorum, qui perfectus et summus est ipsorum status, ne carnis iam sane consortium spiritus non requireret, si absque illa consummaretur.

Enimuero absque profectu animae nec ponitur corpus, nec 20 resumitur. Denique «pretiosa in conspectu Domini mors sanctorum eius». Quod si mors pretiosa, quid uita, et illa uita? Nec mirum si corpus iam gloriae conferre uidetur spiritui, quod et infirmum et mortale constat ipsi non mediocriter ualuisse. O quam uerum locutus est qui dixit «diligentibus Deum omnia 25 cooperari in bonum»! Valet Deum diligenti animae corpus suum infirmum, ualet et mortuum, ualet et resuscitatum: primo quidem ad fructum paenitentiae, secundo ad requiem,

Non potranno ottenere la beatitudine perfetta prima della resurrezione

Ma dato che queste anime, e nessuno lo nega, vorrebbero avere già recuperato i loro corpi – o almeno desidererebbero e spererebbero di recuperarli – è fuor di dubbio che non si sono ancora profondamente trasformate rispetto a quello che erano, essendo chiaro che non si sono ancora spogliate del tutto da quell'interesse per sé che fa deviare, anche se di poco, la loro attenzione[296]. Perciò, fino al momento in cui la morte non sarà ingoiata nella vittoria[297] e la luce eterna non avrà invaso da ogni parte e posto interamente sotto il suo dominio i territori della notte, al punto da far risplendere la gloria celeste anche nei corpi, le anime non possono offrirsi totalmente e passare in Dio: in realtà sono ancora legate ai corpi – anche se non mediante la vita o la sensazione – almeno in virtù di un sentimento naturale, tanto da non volere né poter giungere alla loro piena realizzazione senza di essi. Pertanto prima della restaurazione dei corpi non ci sarà quella dissoluzione degli spiriti che costituisce il loro stato perfetto e supremo, perché lo spirito non ricercherebbe più la compagnia della carne se potesse raggiungere la sua piena realizzazione senza di essa.

In effetti non è senza profitto per l'anima che il corpo viene abbandonato e ripreso. Perché «al cospetto del Signore è preziosa la morte dei santi»[298]. E se la morte è preziosa, quanto più lo sarà la vita e specialmente quella vita? Non c'è da stupirsi se quello che è ormai un corpo di gloria sembra giovare allo spirito, dato che anche quando era ancora debole e mortale gli era servito non poco, come è evidente. Come ha detto la verità chi ha affermato che «tutto concorre al bene per quelli che amano Dio!»[299]. Per l'anima che ama Dio, il corpo ha valore nella propria debolezza, ne ha quando è morto e ne ha quando è risorto: nel primo caso contribuisce al frutto della penitenza[300], nel secondo al riposo, nell'ultimo alla realizzazione. Giustamente questa anima non vuo-

postremo ad consummationem. Merito sine illo perfici non uult, quod in omni statu in bonum sibi subseruire persentit.

31. Bonus plane fidusque comes caro spiritui bono, quae ipsum aut, si onerat, iuuat, aut, si non iuuat, exonerat, aut certe iuuat, et minime onerat. Primus status laboriosus, sed fructuosus; secundus otiosus, sed minime fastidiosus; tertius et 5 gloriosus. Audi et sponsum in Canticis ad profectum hunc trimodum inuitantem: «Comedite», inquit, «amici, et bibite, et inebriamini carissimi». Laborantes in corpore uocat ad cibum; iam posito corpore quiescentes ad potum inuitat; resumentes corpora, etiam ut inebrientur impellit, quos et uocat carissi- 10 mos, nimirum caritate plenissimos. Nam et in ceteris, quos non «carissimos», sed «amicos» appellat, differentia est, ut hi quidem qui in carne adhuc grauati gemunt, cari habeantur pro caritate quam habent, qui uero iam soluti carnis compede sunt, eo sint cariores, quo et promptiores atque expeditiores 15 facti ad amandum. Porro prae utrisque merito nominantur et sunt carissimi, qui, recepta iam secunda stola, in corporibus utique cum gloria resumptis, tanto in Dei feruntur amorem liberiores et alacriores, quanto et de proprio nil iam residuum est, quod eos aliquatenus sollicitet uel retardet. Quod quidem 20 neuter sibi reliquorum statuum uindicat, cum et in priori corpus cum labore portetur, et in secundo quoque non sine aliqua proprietate desiderii exspectetur.

32. Primo ergo fidelis anima comedit panem suum, sed, heu! in sudore uultus sui. In carne quippe manens adhuc ambulat per fidem, quam sane operari per dilectionem necesse est, quia, si non operatur, mortua est. Porro ipsum opus cibus 5 est, dicente Domino: «Meus cibus est, ut faciam uoluntatem Patris mei». Dehinc, carne exuta, iam pane doloris non ciba-

le giungere alla perfezione senza di esso, perché si rende conto che in ogni condizione il corpo è al suo servizio in vista del bene.

31. Una compagna davvero buona e fedele è la carne per uno spirito che sia buono anch'esso: se gli è di peso, gli giova; se non gli giova, smette di pesargli; o infine gli giova senza essergli minimamente di peso. Il primo stato è faticoso, ma fruttuoso; il secondo è inoperoso, ma non crea fastidi; il terzo è addirittura glorioso. Ascolta anche lo sposo che nel *Cantico* ci invita a questo triplice progresso: «Mangiate, amici», dice, «e bevete e inebriatevi, carissimi!»[301]. Quelli che soffrono nel corpo, li invita a mangiare; quelli che riposano dopo aver abbandonato il corpo, li invita a bere; quelli che riprendono il corpo, li incita addirittura a inebriarsi e li chiama carissimi, cioè traboccanti di carità. Anche fra quelli che non chiama «carissimi», ma solo «amici», vi è peraltro una differenza: quelli che sono ancora sotto il peso della carne e gemono[302] sono considerati cari per la carità che possiedono; quelli che sono già liberi dalle pastoie della carne sono più cari perché sono diventati più pronti e solleciti ad amare. Infine, al di sopra degli uni e degli altri, sono chiamati e sono[303] carissimi quelli che, ricevuta ormai la seconda stola[304] quando hanno ripreso i loro corpi nella gloria, sono trasportati nell'amore di Dio con una libertà e uno slancio tanto maggiori in quanto non vi è più alcun residuo personale che possa in qualche modo disturbarli o attardarli. Nessuna delle due precedenti condizioni può rivendicare questo privilegio, dato che nella prima il corpo è sopportato con fatica e anche nella seconda è atteso non senza un certo desiderio di natura personale.

32. Così l'anima del fedele dapprima mangia il suo pane ma, ahimè, col sudore della sua fronte[305]. Infatti rimanendo nella carne cammina ancora grazie alla fede[306], che deve naturalmente operare per mezzo dell'amore[307] poiché la fede senza le opere è morta[308]. Le opere stesse sono il suo cibo, come dice il Signore: «Il mio cibo è fare la volontà del Padre mio»[309]. In seguito, dopo essersi spogliata

tur, sed uinum amoris, tamquam post cibum, plenius haurire permittitur, non purum tamen, sed quomodo sub sponsae nomine ipsa dicit in Canticis: «Bibi uinum meum cum lacte 10 meo». Vino enim diuini amoris miscet etiam tunc dulcedinem naturalis affectionis, qua resumere corpus suum, ipsumque glorificatum, desiderat. Aestuat ergo iam tunc sanctae caritatis potata uino, sed plane nondum usque ad ebrietatem, quoniam temperat interim ardorem illum huius lactis permixtio. Ebrie-15 tas denique solet euertere mentes, atque omnino reddere immemores sui. At non ex toto sui oblita est, quae adhuc de proprio corpore cogitat suscitando. Ceterum hoc adepto, quod solum utique deerat, quid iam impedit a se ipsa quodammodo abire, et ire totam in Deum, eoque penitus sibi dissimillimam 20 fieri, quo Deo simillimam effici donatur? Tum demum ad crateram admissa Sapientiae, illam de qua legitur: «Et calix meus inebrians quam praeclarus est!» quid mirum iam si inebriatur ab ubertate domus Dei, cum, nulla mordente cura de proprio, secura bibit purum et nouum illud cum Christo in domo Pa-25 tris eius?

33. Hoc uero conuiuium triplex celebrat Sapientia, et ex una complet caritate, ipsa cibans laborantes, ipsa potans quiescentes, ipsa regnantes inebrians. Quomodo autem in conuiuio corporali ante cibus quam potus apponitur, quoniam et 5 tali ordine natura requirit, ita et hic. Primo quidem ante mortem in carne mortali labores manuum nostrarum manducamus, cum labore quod glutiendum est masticantes; post mortem uero in uita spirituali iam bibimus, suauissima quadam facilitate quod percipitur colantes; tandem, rediuiuis corpori-

della carne, non si ciba più del pane del dolore[310], ma le è consentito bere in abbondanza, come si fa dopo aver mangiato, il vino dell'amore; non del vino puro, tuttavia, ma simile a quello di cui essa parla nel *Cantico* sotto il nome della sposa: «Ho bevuto il mio vino con il mio latte»[311]. Infatti al vino dell'amore divino mescola ancora la dolcezza di un sentimento naturale, per il quale desidera riprendere il suo corpo, e riprenderlo nel suo stato di gloria. Già avvampa dopo aver bevuto il vino della santa carità, ma non ancora fino all'ebbrezza, perché questo ardore per il momento è moderato dalla mescolanza del latte. Di solito l'ebbrezza sconvolge le menti e le rende completamente dimentiche di sé. E non si è ancora dimenticata del tutto di sé l'anima che continua a pensare alla resurrezione del proprio corpo. Ma una volta che abbia ottenuto quel solo favore che le mancava, che cosa le impedisce più di uscire in certo modo da sé stessa e di entrare tutta intera in Dio, rendendosi così tanto più dissimile da sé quanto più le è concesso di diventare simile a Dio[312]? Soltanto allora è ammessa alla coppa della Sapienza, quella di cui si legge: «Com'è splendido il mio calice inebriante!»[313]. E allora perché stupirsi se si inebria all'abbondanza della casa del Signore[314] quando, non essendo più tormentata da alcuna preoccupazione di sé, beve con sicurezza il vino nuovo e puro insieme a Cristo, nella casa del Padre suo[315]?

33. A celebrare questo triplice banchetto è la Sapienza, che vi fa abbondare i cibi di una sola carità: è lei a dar da mangiare a chi fatica, a dar da bere a chi riposa, a inebriare chi regna[316]. E come nei banchetti terreni si porta prima da mangiare e poi da bere, dato che questa è la successione richiesta dalla natura, così avviene anche qui. Da principio infatti, prima della morte, mentre stiamo nella nostra carne mortale[317], mangiamo le fatiche delle nostre mani[318] masticando faticosamente ciò che dobbiamo inghiottire. Dopo la morte, una volta entrati nella vita spirituale, incominciamo già a bere assorbendo con piacevolissima facilità quello che ci viene servito. Infine, dopo la resurrezione dei nostri corpi, ci ine-

bus, in uita immortali inebriamur, mira plenitudine exuberantes. Haec pro eo quod sponsus in Canticis dicit: «Comedite, amici, et bibite, et inebriamini, carissimi». Comedite ante mortem, bibite post mortem, inebriamini post resurrectionem. Merito iam carissimi, qui caritate inebriantur; merito inebriati, qui ad nuptias Agni introduci merentur edentes et bibentes super mensam illius in regno suo, quando sibi iam exhibet gloriosam Ecclesiam, non habentem maculam neque rugam aut aliquid huiusmodi. Tunc prorsus inebriat carissimos suos, tunc torrente uoluptatis suae potat, quoniam quidem in complexu illo arctissimo et castissimo sponsi et sponsae, fluminis impetus laetificat ciuitatem Dei. Quod non aliud esse arbitror quam Dei Filium, qui transiens ministrat, quemadmodum ipse promisit, ut ex hoc iam iusti epulentur et exsultent in conspectu Dei, et delectentur in laetitia. Hinc illa satietas sine fastidio; hinc insatiabilis illa sine inquietudine curiositas; hinc aeternum illud atque inexplebile desiderium, nesciens egestatem; hinc denique sobria illa ebrietas, uero, non mero ingurgitans, non madens uino, sed ardens Deo. Ex hoc iam quartus ille amoris gradus perpetuo possidetur, cum summe et solus diligitur Deus, quia nec nosipsos iam nisi propter ipsum diligimus, ut sit ipse praemium amantium se, praemium aeternum amantium in aeternum.

Prologus epistolae sequentis

XII 34. Memini me dudum ad sanctos fratres Cartusienses scripsisse epistolam, ac de his ipsis in ea gradibus inter cetera disseruisse. Forte autem alia ibi, etsi non aliena, de caritate locutus sum; et ob hoc quaedam huius huic quoque sermoni sub-

briamo nella vita immortale, traboccando di una meravigliosa pienezza. È questo il significato di ciò che dice lo sposo nel *Cantico*: «Mangiate, amici, e bevete e inebriatevi, carissimi»[319]. Mangiate prima della morte, bevete dopo la morte, inebriatevi dopo la resurrezione. E giustamente sono carissimi, ormai, quelli che si inebriano di carità; giustamente inebriati, quelli che meritano di essere ammessi alle nozze dell'Agnello[320]: mangiano e bevono alla sua tavola nel suo regno[321], quando egli presenta davanti a sé la Chiesa gloriosa, senza macchia o ruga o alcunché di simile[322]. Allora egli inebria veramente i suoi carissimi, allora li fa bere al torrente delle sue delizie[323], perché nell'intimo e castissimo abbraccio dello sposo e della sposa la corrente del fiume allieta la città di Dio[324]. Credo che questo fiume non sia altro che il Figlio di Dio, che passando distribuisce[325] i suoi doni, come aveva promesso, affinché grazie a essi i giusti banchettino, esultino al cospetto di Dio e facciano festa[326]. Di qui viene quella sazietà che non produce disgusto; di qui quella curiosità insaziabile che non genera inquietudine; di qui quel desiderio eterno e inappagabile che non conosce la privazione; di qui infine quella sobria ebbrezza[327] che si riempie di verità e non di vino schietto[328], che non si ubriaca di vino ma arde di Dio[329]. In questo modo si possiede ormai per sempre il quarto grado dell'amore, quando si ama al sommo grado Dio e soltanto lui: infatti non amiamo più noi stessi se non per lui, in modo che egli sia la ricompensa di coloro che lo amano, la ricompensa eterna di coloro che lo amano in eterno.

Introduzione alla lettera che segue

XII 34. Mi ricordo di aver scritto una volta una lettera ai santi fratelli della Certosa e di avervi parlato, fra l'altro, proprio di questi gradi dell'amore. Può darsi che in essa abbia detto cose un po' diverse – pur senza contraddirmi – sulla carità; perciò ritengo non inutile aggiungere al presente trattato qualche stralcio di que-

iungere non inutile duco, praesertim cum facilius ad manum habeam transcribere iam dictata, quam noua iterum dictare.

Incipit epistola de caritate ad sanctos fratres Cartusiae

10 Illa, inquam, uera et sincera est caritas, et omnino de corde puro, et conscientia bona, et fide non ficta, fatenda procedere, qua proximi bonum, aeque ut nostrum, diligimus. Nam qui magis aut certe solum diligit suum, conuincitur non caste diligere bonum, quod utique propter se diligit, non propter 15 ipsum. Et hic talis non potest obedire prophetae, qui ait: «Confitemini Domino, quoniam bonus». Confitetur quidem, quia fortasse bonus est sibi, non autem quoniam bonus est in se. Quapropter nouerit in se dirigi illud ab eodem Propheta opprobrium: «Confitebitur tibi, cum benefeceris ei».

20 Est qui confitetur Domino quoniam potens est, et est qui confitetur quoniam sibi bonus est, et item qui confitetur quoniam simpliciter bonus est. Primus seruus est, et timet sibi; secundus mercenarius, et cupit sibi; tertius filius, et defert patri. Itaque et qui timet, et qui cupit, uterque pro se agunt. Sola 25 quae in filio est caritas, non quaerit quae sua sunt. Quamobrem puto de illa dictum: «Lex Domini immaculata, conuertens animas», quod sola uidelicet sit, quae ab amore sui et mundi auertere possit animum et in Deum dirigere. Nec timor quippe, nec amor priuatus conuertunt animam. Mutant inter30 dum uultum uel actum, affectum numquam. Facit quidem nonnumquam etiam seruus opus Dei, sed quia non sponte, in sua adhuc duritia permanere cognoscitur. Facit et mercenarius, sed quia non gratis, propria trahi cupiditate conuincitur.

sta lettera, specialmente perché mi sarà più facile trascrivere un testo già a mia disposizione che non mettermi a comporne uno nuovo[330].

Incomincia la lettera sulla carità ai santi fratelli della Certosa

Vera e sincera carità, dicevo, carità che si deve considerare come nascente da un cuore puro e da una buona coscienza e da una fede non simulata[331], è quella per la quale amiamo il bene del prossimo al pari del nostro. Infatti chi ama di più o addirittura soltanto il proprio bene dà prova di non amare castamente[332] il bene, perché appunto lo ama per sé e non per il bene stesso. Un uomo simile non può obbedire al profeta, che dice: «Rendete grazie al Signore, perché è buono»[333]. Forse gli rende grazie perché Dio è buono con lui, ma non perché Dio è buono in sé stesso. Sappia perciò che a lui è diretto il rimprovero dello stesso profeta: «Ti renderà grazie quando gli avrai fatto del bene»[334].

Vi è chi rende grazie al Signore perché è potente, chi gli rende grazie perché è buono con lui, chi gli rende grazie semplicemente perché è buono. Il primo è uno schiavo, che teme per sé; il secondo è un mercenario, che brama[335] per sé; il terzo è un figlio, che offre tutto al padre. Sia chi teme sia chi brama agisce per sé stesso. Solo la carità del figlio non ricerca il proprio interesse[336]. Perciò credo che di questa carità sia stato detto: «La legge del Signore è immacolata e converte le anime»[337], perché certo è la sola che può staccare[338] lo spirito dall'amore di sé e del mondo e orientarlo verso Dio. Né il timore né l'amore di sé possono convertire l'anima. Talora cambiano il volto o il comportamento, mai però il sentimento. Certo anche lo schiavo compie qualche volta l'opera di Dio, ma dato che non lo fa spontaneamente mostra di ostinarsi ancora nella sua durezza. La compie anche il mercenario, ma dato che non lo fa per impulso gratuito dà prova di essere spinto dalla sua cupidigia. E

Porro ubi proprietas, ibi singularitas; ubi autem singularitas,
35 ibi angulus; ubi uero angulus, ibi sine dubio sordes siue rubigo. Sit itaque seruo sua lex, timor ipse quo constringitur; sit sua mercenario cupiditas, qua et ipse arctatur, quando tentatur abstractus et illectus. Sed harum nulla, aut sine macula est, aut animas conuertere potest. Caritas uero conuertit animas,
40 quas facit et uoluntarias.

35. Porro in eo eam dixerim immaculatam, quod nil sibi de suo retinere consueuit. Cui nempe de proprio nihil est, totum profecto quod habet, Dei est; quod autem Dei est, immundum esse non potest. Lex ergo Domini immaculata, caritas est,
5 quae non quod sibi utile est, quaerit, sed quod multis. Lex autem Domini dicitur, siue quod ipse ex ea uiuat, siue quod eam nullus, nisi eius dono, possideat. Nec absurdum uideatur, quod dixi etiam Deum uiuere ex lege, cum non alia quam caritate dixerim. Quid uero in summa et beata illa Trinitate sum-
10 mam et ineffabilem illam conseruat unitatem, nisi caritas? Lex est ergo, et lex Domini, caritas, quae Trinitatem in unitate quodammodo cohibet et colligat in uinculo pacis. Nemo tamen me aestimet caritatem hic accipere qualitatem uel aliquod accidens – alioquin in Deo dicerem, quod absit, esse aliquid
15 quod Deus non est –, sed substantiam illam diuinam, quod utique nec nouum, nec insolitum est, dicente Ioanne: «Deus caritas est». Dicitur ergo recte caritas, et Deus, et Dei donum. Itaque caritas dat caritatem, substantiua accidentalem. Vbi dantem significat, nomen substantiae est; ubi donum, qualita-
20 tis. Haec est lex aeterna, creatrix et gubernatrix uniuersitatis. Siquidem in pondere, et mensura, et numero per eam facta sunt uniuersa, et nihil sine lege relinquitur, cum ipsa quoque lex omnium sine lege non sit, non tamen alia quam seipsa, qua et seipsam, etsi non creauit, regit tamen.

dove c'è interesse[339] c'è individualità; dove c'è individualità c'è angolo; dove c'è angolo ci sono senza dubbio sporcizia o ruggine. Si tenga dunque lo schiavo la sua legge, ossia il timore che lo incatena. Si tenga il mercenario la sua cupidigia, che lo stringe quando, adescato e sedotto, ne subisce la tentazione[340]. Ma né l'una né l'altra è senza macchia o capace di convertire le anime[341]. La carità invece converte le anime e le fa agire di loro spontanea volontà[342].

35. Direi inoltre che la carità è immacolata per il fatto che non usa tenere per sé nulla di ciò che è suo. Certamente se uno non ha nulla di proprio, tutto quello che ha è di Dio; e quello che è di Dio non può essere impuro. Perciò la legge immacolata del Signore è la carità che ricerca non il suo utile, ma quello di molti[343]. È chiamata legge del Signore sia perché egli vive di essa, sia perché nessuno la possiede se non per dono suo. E non sembri assurdo ciò che ho detto – che anche Dio vive di una legge – dato che non ho parlato se non della legge della carità. Che cosa infatti se non la carità mantiene la suprema e ineffabile unità nella suprema e beata Trinità[344]? È dunque una legge – la legge del Signore – la carità, che in qualche modo stringe in unità la Trinità e la lega nel vincolo della pace[345]. Nessuno però pensi che io concepisca qui la carità come una qualità o come un qualche accidente – altrimenti affermerei, non sia mai, che in Dio vi è qualcosa che non è Dio; dico invece che è la sostanza stessa di Dio, affermazione certamente non nuova né insolita poiché Giovanni dichiara: «Dio è carità»[346]. Perciò è corretto dire che la carità è insieme Dio e un dono di Dio[347]. Così la Carità dona la carità, quella sostanziale dona quella accidentale. Quando designa il donatore è il nome della sostanza; quando designa il dono è il nome di una qualità[348]. Questa è la legge eterna che crea e governa l'universo. Grazie a essa sono state fatte tutte le cose[349] con peso, misura e numero[350]. Nulla è lasciato senza legge, perché la stessa carità – che è la legge di tutto – non è senza legge: ma una legge che non è altro se non lei stessa, con la quale – pur non essendosi creata – governa sé stessa.

XIII 36. Ceterum seruus et mercenarius habent legem non a Domino, sed quam ipsi sibi fecerunt, ille Deum non amando, iste plus aliud amando. Habent, inquam, legem non Domini, sed suam, illi tamen, quae Domini est, subiectam. Et quidem 5 suam sibi quisque legem facere potuerunt; non tamen eam incommutabili aeternae legis ordini subducere potuerunt. Tunc autem dixerim quemque sibi fecisse suam legem, quando communi et aeternae legi propriam praetulit uoluntatem, peruerse utique uolens suum imitari Creatorem, ut sicut ipse sibi lex 10 suique iuris est, ita is quoque seipsum regeret, et legem sibi suam faceret uoluntatem. Graue utique et importabile iugum super omnes filios Adam, heu! inclinans et incuruans ceruices nostras, adeo ut uita nostra inferno appropinquarit. «Infelix ego homo, quis me liberabit de corpore mortis huius», quo 15 utique premor et paene opprimor, ita ut, «nisi quia Dominus adiuuit me, paulo minus habitasset in inferno anima mea!» Sub hoc onere grauatus gemebat qui dicebat: «Quare posuisti me contrarium tibi, et factus sum mihimetipsi grauis?». Vbi dixit: «Factus sum mihimetipsi grauis», ostendit quod lex ipse 20 sibi esset, nec alius hoc quam sibi ipse fecisset. Quod autem, loquens Deo, praemisit: «Posuisti me contrarium tibi», Dei se tamen non effugisse legem indicauit. Hoc quippe ad aeternam iustamque Dei legem pertinuit, ut qui noluit suauiter regi, poenaliter a seipso regeretur, quique sponte iugum suaue et 25 onus leue caritatis abiecit, propriae uoluntatis onus importabile sustineret inuitus. Miro itaque et iusto modo aeterna lex fugitiuum suum et posuit eidem ipsi contrarium, et retinuit subiectum, dum uidelicet nec iustitiae pro meritis legem euasit, nec tamen cum Deo in sua luce, in sua requie, in sua gloria 30 remansit, subiectus potestati et submotus felicitati. Domine

XIII 36. Del resto lo schiavo e il mercenario hanno una legge che non viene dal Signore ma che si sono fatta da sé, il primo non amando Dio, il secondo amando qualcos'altro più di lui. Hanno, ripeto, una legge che non è quella del Signore, ma la loro, anche se è sottoposta a quella del Signore. Certo hanno potuto farsi ciascuno la propria legge; tuttavia non hanno potuto sottrarla all'ordine immutabile della legge eterna. Direi che ciascuno si è fatto la sua legge nel momento in cui ha preferito la propria volontà alla legge eterna che vale per tutti, nel perverso intento di imitare il proprio Creatore: come Dio è legge a sé stesso e dipende solo da sé stesso, così ciascuno di loro vorrebbe governare sé stesso e fare a sé stesso legge della propria volontà. Pesante e insopportabile giogo su tutti i figli di Adamo[351] che piega e curva[352], ahimè, il nostro collo tanto da far avvicinare la nostra vita all'inferno[353]! «Sono un uomo infelice, chi mi libererà da questo corpo di morte?»[354], da cui sono gravato e quasi schiacciato tanto che «se il Signore non mi avesse aiutato, poco ci sarebbe mancato che la mia anima abitasse all'inferno![355]» Gemeva oppresso da questo peso chi diceva: «Perché mi hai posto in contraddizione con te, tanto che sono diventato di peso a me stesso?»[356]. Quando dice: «Sono diventato di peso a me stesso» mostra di essere diventato legge a sé stesso e di essere stato egli stesso la causa di ciò. Quanto alle parole precedenti, rivolte a Dio: «Mi hai posto in contraddizione con te», indicano che nonostante questo egli non era sfuggito alla legge di Dio. Infatti la giusta ed eterna legge di Dio ha stabilito che chi non vuole essere governato con dolcezza subisca la punizione di governarsi da sé, e chi ha scosso volontariamente da sé il giogo soave e il lieve fardello della carità debba sostenere controvoglia[357] il peso insopportabile della propria volontà. Così, con mirabile giustizia, la legge eterna ha preso per suo avversario chi l'aveva sfuggita e nello stesso tempo lo ha tenuto sotto il suo potere: costui non si è sottratto alla legge della giustizia che meritava di subire e – soggetto al suo potere, ma escluso dalla felicità – non ha potuto rimanere con Dio nella sua luce, nella sua pace,

Deus meus, cur non tollis peccatum meum, et quare non aufers iniquitatem meam, ut, abiecta graui sarcina propriae uoluntatis, sub leui onere caritatis respirem, nec iam seruili timore coercear, nec mercenaria cupiditate illiciar, sed agar Spiritu
35 tuo, spiritu libertatis, quo aguntur filii tui, qui testimonium reddat spiritui meo, quod et ego sim unus ex filiis, dum eadem mihi lex fuerit quae et tibi, et sicut tu es, ita et ipse sim in hoc mundo? Hi siquidem qui hoc faciunt quod ait Apostolus: «Nemini quidquam debeatis, nisi ut inuicem diligatis», procul
40 dubio sicut Deus est, et ipsi sunt in hoc mundo, nec serui aut mercenarii sunt, sed filii.

XIV 37. Itaque nec filii sunt sine lege, nisi forte aliquis aliter sentiat propter hoc quod scriptum est: «Iustis non est lex posita». Sed sciendum quod alia est lex promulgata a spiritu seruitutis in timore, alia a spiritu libertatis data in suauitate.
5 Nec sub illa esse coguntur filii, nec sine ista patiuntur. Vis audire quia iustis non est lex posita? «Non accepistis», ait, «spiritum seruitutis iterum in timore.» Vis audire quod tamen sine lege caritatis non sint? «Sed accepistis», inquit, «spiritum adoptionis filiorum.» Denique audi iustum utrumque de se fa-
10 tentem, et quod non sit sub lege, nec tamen sit sine lege. «Factus sum», inquit, «his qui sub lege erant, quasi sub lege essem, cum ipse non essem sub lege; his qui sine lege erant, tamquam sine lege essem, cum sine lege Dei non essem, sed in lege essem Christi.» Vnde apte non dicitur: «Iusti non habent le-
15 gem», aut: «Iusti sunt sine lege», sed: «Iustis non est lex posita», hoc est non tamquam inuitis imposita, sed uoluntariis eo

nella sua gloria. O Signore Dio mio, perché non togli il mio peccato e non cancelli la mia iniquità[358]? Così, deposto il grave fardello della mia volontà, potrei respirare sotto il peso leggero della carità e non sarei incatenato dal timore dello schiavo né allettato dalla cupidigia del mercenario, ma guidato dal tuo Spirito[359], lo spirito di libertà che guida i tuoi figli e attesta al mio spirito che anch'io sono uno dei figli[360], avendo la tua stessa legge, e che come tu sei, tale sono anch'io in questo mondo[361]. Quelli che fanno ciò che dice l'Apostolo: «Non abbiate debiti con nessuno, se non quello di amarvi a vicenda»[362], senza alcun dubbio sono in questo mondo così come Dio è[363]: non schiavi o mercenari, ma figli.

XIV 37. Pertanto nemmeno i figli sono privi di legge, a meno che non ci sia qualcuno che la pensi diversamente, basandosi su ciò che sta scritto: «La legge non è stata istituita per i giusti»[364]. Ma bisogna sapere che altra è la legge promulgata dallo spirito di servitù in stato di timore[365], altra quella data dallo spirito di libertà nella dolcezza. I figli non sono costretti a subire la prima né accettano di stare senza la seconda. Vuoi sentire perché la legge non è stata istituita per i giusti? «Non avete ricevuto», afferma l'Apostolo, «lo spirito di servitù per essere di nuovo in stato di timore.[366]» E vuoi sentire perché essi non stanno tuttavia senza la legge della carità? «Ma avete ricevuto», egli aggiunge, «lo spirito di adozione dei figli.[367]» Ascolta infine il giusto che riconosce riguardo a sé entrambe le cose: di non essere sottomesso alla legge ma di non essere esente da una legge. «Per quelli che si trovavano sotto la legge», egli dice, «sono diventato come se fossi sotto la legge, pur non essendole soggetto; per quelli che erano privi di legge, sono stato come se non avessi legge, benché non fossi senza la legge di Dio e fossi sotto la legge di Cristo.[368]» Perciò non è esatto dire: «I giusti non hanno legge», né: «I giusti sono privi di legge», ma si deve dire: «La legge non è stata istituita per i giusti»[369], cioè non è stata imposta loro come se non la volessero, ma offerta alla loro volontaria accettazione con tanta maggiore benevolenza in quanto era

liberaliter data, quo suauiter inspirata. Vnde et pulchre Dominus: «Tollite», ait, «iugum meum super uos», ac si diceret: «Non impono inuitis, sed uos tollite, si uultis; alioquin non re-
20 quiem, sed laborem inuenietis animabus uestris».

38. Bona itaque lex caritas, et suauis, quae non solum leuiter suauiterque portatur, sed etiam seruorum et mercenariorum leges portabiles ac leues reddit, quasi utique non destruit, sed facit ut impleantur, dicente Domino: «Non ueni legem sol-
5 uere, sed adimplere». Illam temperat, istam ordinat, utramque leuigat. Numquam erit caritas sine timore, sed casto; numquam sine cupiditate, sed ordinata. Implet ergo caritas legem serui, cum infundit deuotionem; implet et mercenarii, cum ordinat cupiditatem. Porro timori permixta deuotio ipsum non
10 annullat, sed castificat. Poena tantum tollitur, sine qua esse non potuit, dum fuit seruilis; et timor manet in saeculum saeculi castus et filialis. Nam quod legitur: «Perfecta caritas foras mittit timorem», poena intelligenda est, quae seruili, ut diximus, numquam deest timori, illo scilicet genere locutionis,
15 quo saepe causa ponitur pro effectu. Deinde cupiditas tunc recte a superueniente caritate ordinatur, cum mala quidem penitus respuuntur, bonis uero meliora praeferuntur, nec bona nisi propter meliora appetuntur. Quod cum plene per Dei gratiam assecutum fuerit, diligetur corpus, et uniuersa corporis
20 bona tantum propter animam, anima propter Deum, Deus autem propter seipsum.

XV 39. Verumtamen, quia carnales sumus et de carnis concupiscentia nascimur, necesse est cupiditas uel amor noster a carne incipiat, quae si recto ordine dirigitur, quibusdam suis gradibus duce gratia proficiens, Spiritu tandem consum-

ispirata dalla dolcezza. Per questo dice così bene il Signore: «Prendete il mio giogo su di voi»[370], come se dicesse: «Non ve lo impongo controvoglia, ma voi prendetelo, se volete; altrimenti non il riposo, ma la fatica troverete per le vostre anime»[371].

38. Buona insomma, e dolce, è la legge della carità; non solo la si sopporta facilmente e dolcemente, ma essa rende anche sopportabili e leggere le leggi degli schiavi e dei mercenari. Non che le abroghi, ma fa in modo che si compiano, secondo il detto del Signore: «Non sono venuto per abolire la legge, ma per compierla»[372]. La carità modera la legge degli schiavi, dà ordine a quella dei mercenari, le allevia entrambe. Non sarà mai senza timore, ma un timore casto; mai senza brama, ma una brama ben regolata. Infatti la carità adempie la legge dello schiavo, infondendovi il dono di sé[373]; adempie anche quella del mercenario, regolando la brama. Mescolato al timore, il dono di sé non lo elimina, ma lo rende casto. Toglie soltanto la paura del castigo, senza la quale il timore non avrebbe potuto esistere finché era quello dello schiavo[374]; così il timore rimane nei secoli dei secoli[375], casto e filiale. Infatti le parole: «La carità perfetta bandisce il timore»[376] si riferiscono alla paura del castigo che, come abbiamo detto, non manca mai nel timore dello schiavo, con quella frequente figura stilistica che consiste nel dire la causa per l'effetto[377]. Del pari, la brama è ben regolata dall'intervento della carità nel momento in cui il male è radicalmente estirpato, il meglio è preferito al bene e il bene è ricercato solo in vista del meglio. Quando per grazia di Dio questa condizione sarà pienamente raggiunta, il corpo e tutti i beni corporei saranno amati solo per l'anima, l'anima solo per Dio, Dio solo per lui stesso.

XV 39. Tuttavia, dato che siamo fatti di carne[378] e nasciamo dalla concupiscenza della carne[379], è inevitabile che la nostra brama o il nostro amore inizi dalla carne. Ma se è ben diretta, essa progredirà sotto la guida della grazia per alcuni gradi che le sono propri fino a compiersi nello Spirito[380], perché da principio non c'è lo spi-

5 mabitur, quia non prius quod spirituale, sed quod animale, deinde quod spirituale. Et prius necesse est portemus imaginem terrestris, deinde caelestis. In primis ergo diligit seipsum homo propter se: caro quippe est, et nil sapere ualet praeter se. Cumque se uidet per se non posse subsistere, Deum quasi
10 sibi necessarium incipit per fidem inquirere et diligere. Diligit itaque in secundo gradu Deum, sed propter se, non propter ipsum. At uero cum ipsum coeperit occasione propriae necessitatis colere et frequentare, cogitando, legendo, orando, obediendo, quadam huiuscemodi familiaritate paulatim sensim-
15 que Deus innotescit, consequenter et dulcescit; et sic, gustato quam suauis est Dominus, transit ad tertium gradum, ut diligat Deum, non iam propter se, sed propter ipsum. Sane in hoc gradu diu statur, et nescio si a quoquam hominum quartus in hac uita perfecte apprehenditur, ut se scilicet homo diligat
20 tantum propter Deum. Asserant hoc si qui esperti sunt; mihi, fateor, impossibile uidetur. Erit autem procul dubio, cum introductus fuerit seruus bonus et fidelis in gaudium Domini sui, et inebriatus ad ubertate domus Dei: quasi enim miro quodam modo oblitus sui, et a se penitus uelut deficiens, totus
25 perget in Deum, et deinceps adhaerens ei, unus cum eo spiritus erit. Arbitror hoc prophetam sensisse cum diceret: «Introibo in potentias Domini; Domine, memorabor iustitiae tuae solius». Sciebat profecto, cum introiret in spirituales potentias Domini, exutum se iri uniuersis infirmitatibus carnis, ut iam
30 nil de carne haberet cogitare, sed totus in spiritu memoraretur iustitiae Dei solius.

40. Tunc pro certo singula Christi membra dicere poterunt de se, quod Paulus aiebat de capite: «Et si cognouimus secundum carnem Christum, sed nunc iam non nouimus». Nemo

rituale, ma l'animale, e lo spirituale viene solo dopo[381]. E prima bisogna che portiamo l'immagine dell'uomo terrestre, poi quella dell'uomo celeste[382]. In primo luogo, dunque, l'uomo ama sé stesso per sé stesso: è carne e non può gustare[383] nulla al di fuori di sé. Quando si accorge di non poter sussistere da sé, incomincia a ricercare Dio con la fede[384] e ad amarlo in quanto lo sente necessario a sé. Così, nel secondo grado ama Dio; ma in funzione di sé, non per Dio stesso. Ma una volta che, indotto dalla propria necessità, egli incomincia a venerarlo e a frequentarlo, attraverso la meditazione, la lettura, la preghiera e l'obbedienza, Dio entra a poco a poco e gradualmente in una certa familiarità con lui, gli si fa conoscere e di conseguenza gli trasmette la sua dolcezza. Così, dopo aver gustato quanto è dolce il Signore[385], l'uomo passa al terzo grado, quello in cui ama Dio non più per sé, ma per Dio stesso. Certamente si rimane a lungo in questo grado, anzi non so se qualcuno riesca in questa vita a raggiungere perfettamente il quarto, cioè quello in cui l'uomo ama sé stesso solo per Dio. Lo affermino quelli che ne hanno fatto esperienza, se ce ne sono; a me, lo confesso, sembra impossibile[386]. Ciò accadrà invece senza dubbio quando il servo buono e fedele sarà introdotto nella gioia del suo Signore[387] e si inebrierà dell'abbondanza della casa di Dio[388]. Allora, caduto quasi miracolosamente in oblio di sé stesso e annullandosi nel più profondo di sé, si precipiterà tutto in Dio: e poi unendosi a lui, diventerà un solo spirito con lui[389]. Credo che il profeta alludesse a questa esperienza quando diceva: «Entrerò nelle potenze del Signore; Signore, mi ricorderò solo della tua giustizia»[390]. Sapeva certamente che, una volta entrato nelle potenze spirituali del Signore, si sarebbe spogliato di tutte le debolezze della carne, tanto da non dover pensare più alla carne e da poter dedicare tutto il suo spirito a ricordarsi solo della giustizia di Dio.

40. Allora certamente ogni singolo membro di Cristo[391] potrà dire di sé ciò che Paolo diceva della testa: «Anche se abbiamo conosciuto Cristo secondo la carne, ora non lo conosciamo più così»[392].

ibi se cognoscet secundum carnem, quia «caro et sanguis re-
5 gnum Dei non possidebunt». Non quod carnis illic substantia futura non sit, sed quod carnalis omnis necessitudo sit defutura, carnisque amor amore spiritus absorbendus, et infirmae, quae nunc sunt, humanae affectiones in diuinas quasdam habeant commutari. Tunc sagena caritatis, quae nunc tracta per
10 hoc mare magnum et spatiosum ex omni genere piscium congregare non desinit, cum perducta ad littus fuerit, malos foras mittens, bonos solummodo retinebit. Siquidem in hac uita ex omni genere piscium intra sinum suae latitudinis caritatis rete concludit, ubi se pro tempore omnibus conformans, omnium-
15 que in se siue aduersa, siue prospera traiciens, ac sua quodammodo faciens, non solum gaudere cum gaudentibus, sed etiam flere cum flentibus consueuit. Sed cum peruenerit ad littus, uelut malos pisces omne quod triste patitur, foras mittens, sola quae placere et iucunda esse poterunt retinebit.

20 Numquid enim tunc, uerbi gratia, Paulus aut infirmabitur cum infirmis, aut uretur pro scandalizatis, ubi scandala et infirmitas procul erunt? Aut certe lugebit eos qui non agent paenitentiam, ubi certum est nec peccantem fore, nec paenitentem? Absit autem ut uel eos qui ignibus aeternis cum diabolo
25 et angelis eius deputandi sunt, plangat et defleat in illa ciuitate, quam fluminis impetus laetificat, cuius diligit Dominus portas super omnia tabernacula Iacob, quod uidelicet in tabernaculis, etsi quandoque gaudetur de uictoria, laboratur tamen in pugna, et plerumque periclitatur de uita, in illa autem patria nulla
30 prorsus admittatur aduersitas siue tristitia, quemadmodum de illa canitur: «Sicut laetantium omnium habitatio in te», et rursum: «Laetitia sempiterna erit eis». Denique quomodo misericordiae recordabitur, ubi memorabitur iustitiae Dei solius? Proinde ubi iam non erit miseriae locus aut misericordiae tem-
35 pus, nullus profecto esse poterit miserationis affectus.

Allora nessuno si conoscerà secondo la carne, perché «la carne e il sangue non possederanno il Regno di Dio»[393]. Non perché la sostanza della carne non debba entrarvi un giorno, ma perché verrà meno ogni necessità della carne, l'amore della carne dovrà essere assorbito da quello dello spirito e i deboli sentimenti umani[394] di questa vita dovranno trasformarsi, per così dire, in sentimenti divini. Ora la rete della carità, trascinata[395] per la vasta distesa di questo mare[396], non cessa di accumulare ogni sorta di pesci; quando sarà trasportata sulla riva, getterà via i malvagi e conserverà solo i buoni[397]. In effetti, in questa vita la rete della carità racchiude nel suo ampio sacco ogni genere di pesci: adeguandosi a tutti a seconda del momento, trasportando in sé sia le sciagure sia le gioie di tutti e facendole in qualche modo sue, essa è abituata non solo a gioire con chi gioisce, ma anche a piangere con chi piange[398]. Ma quando sarà giunta alla riva, getterà via come pesce cattivo tutto ciò che ha sofferto di triste, per conservare soltanto quello che potrà piacere e dar gioia.

Per fare un esempio, forse che allora Paolo sarà debole con i deboli o brucerà con chi ha ricevuto scandalo[399], quando scandali e debolezza saranno lontani? Oppure piangerà su quelli che non fanno penitenza[400], quando è certo che non ci saranno più né peccatori né penitenza? E non andiamo a pensare che egli possa commiserare e compiangere quelli che hanno meritato il fuoco eterno con il diavolo e con i suoi angeli[401], mentre si trova in quella città che è allietata dalla corrente del fiume[402], le cui porte il Signore ama più di tutte le tende di Giacobbe[403]! Perché sotto le tende, anche se talvolta si festeggia la vittoria, si sta comunque tra le fatiche dei combattimenti e ci si trova il più delle volte in pericolo di vita; in quella patria, invece, non può entrare alcuna sciagura o tristezza, come di essa si canta: «In te è la dimora di tutti quelli che gioiscono»[404], e ancora: «Essi avranno una gioia eterna»[405]. Insomma, come ci si potrà ricordare della misericordia quando si ricorderà soltanto la giustizia di Dio[406]? Perciò quando non ci sarà più posto per la miseria[407] né tempo per la misericordia, non ci potrà essere nemmeno il sentimento della compassione.

COMMENTO

[1] Cfr. *Is.* 2,3.

[2] L'ascesa al monte della contemplazione comporta l'abbandono di ogni preoccupazione terrestre. Nel *de natura et dignitate amoris* (par. 26) Guglielmo esprime l'idea che l'amore di Dio fa morire l'anima all'amore e ai sentimenti mondani e la fa avanzare sulla via del progresso spirituale. Secondo Bernardo, *de diligendo Deo* (X 29), è questa la condizione per raggiungere il quarto e supremo grado dell'amore.

[3] Sono qui elencate le potenze dell'anima o dell'*homo interior*, contrapposte a quelle dell'*homo exterior.* L'attenzione (*intentio*) è l'atto con il quale l'anima si rivolge verso l'oggetto della sua conoscenza e si unisce a esso (cfr. *infra*, parr. 4 e 10). L'intenzione (*intensio*) è il suo sforzo di portarsi tutta dove la dirige la volontà (*uoluntas*). Il pensiero (*cogitatio*) è il risultato di uno sforzo di volontà che riunisce i tre elementi necessari a formarlo: volontà, memoria, intelligenza; Guglielmo fa derivare il termine da *cogere*, «costringere» (cfr. *Epistola ad fratres de Monte Dei* 242). Il pensiero può essere rivolto al male o rivolto al bene, diretto dalla mente razionale (*mens rationalis*) o dalla ragione naturale (*naturalis ratio*), abbandonato a sé stesso o illuminato dalla grazia; quando è rivolto al bene (*ibid.* 248), *uoluntas libero rationis arbitrio de memoria euocat quodcumque opus habet, et intellectum formantem memoriae adhibet, formatumque quicquid illud est intellectus adhibet aciei cogitantis, et sic peragitur negotium cogitationis* («la volontà, per un atto di libero arbitrio della ragione, trae dalla memoria tutto quello di cui ha bisogno. Al contenuto della memoria applica l'intelletto formante; e tutto ciò che così ha preso forma, lo sottopone poi allo sguardo penetrante dello spirito pensante: così si svolge l'attività del pensiero»). La *cogitatio* può dunque essere (come qui, *infra* par. 10) lo stesso atto della contemplazione, di cui resta poi qualche traccia nella mente che vi applica la sua *intentio*. Quanto al termine *affectio*, il suo significato è oscillante nelle opere di Guglielmo. Esso ha il

significato molto ampio di moto dell'anima, sentimento, desiderio, amore in generale: fine della conversione è di «giungere all'amore del vero Bene, in modo che l'intelligenza di Dio a opera della ragione illuminata dalla fede diventi "sentimento dell'anima", sentimento che passerà attraverso tutti i gradi dell'amore: umile desiderio, dilezione, carità» (M.-M. Davy, *Un traité de la vie solitaire. Lettre aux frères du Mont-Dieu de Guillaume de Saint-Thierry*, Paris 1946, *Introduction*, p. 156). Nel *de natura et dignitate amoris* (par. 14) l'*affectio* è definita come una inclinazione che varia a seconda delle circostanze, distinta dall'*affectus* che rimane invece stabile e continuo nella mente: «Una cosa, infatti, è il sentimento (*affectus*) e altra cosa è l'affezione (*affectio*). Il sentimento si impadronisce della mente per una sorta di potenza generale e di forza duratura, ferma e stabile, che ha ottenuto per grazia. Le affezioni, invece, variano a seconda del corso variabile delle cose e dei tempi». Per questo Guglielmo usa spesso le espressioni *affectus amoris* e *affectus caritatis* (cfr. *de natura et dignitate amoris* 21 e 23). Ma altrove *affectio* può indicare un sentimento più spirituale di *affectus*; cfr. *Expositio super Cantica Canticorum* 6: *Agit enim de amore Dei, uel quo Deus amatur, uel quo ipse Deus Amor dicitur; qui utrum «amor» dicatur, an «caritas», an «dilectio», non refert, nisi quod in «amoris» nomine, tener quidam amantis indicari uidetur affectus, tendentis uel ambientis; in nomine uero «caritatis», spiritualis quaedam affectio, uel gaudium fruentis; in «dilectione» autem, rei delectantis appetitus naturalis* («[Il *Cantico*] tratta dell'amore di Dio: amore di cui Dio è oggetto, amore dal quale Dio stesso prende il nome. Che l'uno o l'altro venga chiamato "amore", "carità" o "dilezione" poco importa; con questa precisazione: "amore" sembra indicare un tenero sentimento di chi ama, nel suo sforzo o nella sua ricerca; "carità" un'affezione spirituale o la gioia del possesso; "dilezione" l'appetito naturale dell'oggetto che dà piacere»). Nel *de contemplando Deo* i due termini sembrano usati indifferentemente; di norma *affectus* è reso con «sentimento» e *affectio* con «affezione», «affetto» o «moto interiore».

[4] Cfr. *Gen.* 22,14.

[5] Cfr. *Gen.* 22,4. Tutto il passo allude alla storia di Abramo che salì alla montagna per immolare il figlio Isacco: Guglielmo ne propone un'interpretazione allegorica riferita alla propria esperienza spirituale. L'asino che il Patriarca sellò prima di partire rappresenta il corpo, i servitori che prese con sé e lasciò ai piedi della montagna rappresentano le preoccupazioni e le ansie materiali.

[6] L'intelligenza (*intelligentia* o *intellectus*) è per Guglielmo la funzione naturale di conoscere propria dell'anima, indipendentemente dall'oggetto a cui si applica: essa può quindi essere abbandonata alle sue sole forze oppure, quando è orientata dalla volontà virtuosa, rivolgersi verso il bene e la contemplazione di Dio. In questo caso essa

diventa *ratio*, «ragione», cioè conoscenza che risulta dallo spirito interamente razionalizzato e ha come oggetto Dio e tutto ciò che è divino. Per la sua definizione e la sua distinzione dalla *ratiocinatio*, ved. *infra*, nota 54. Il termine *ratio* ha perciò in Guglielmo pressappoco lo stesso significato di *mens*, di *animus* e anche di *spiritus*, designando la parte superiore per la quale l'uomo si distingue dagli animali e dalle altre parti del suo essere. Ved. anche nota 123 al *de natura et dignitate amoris*.

[7] Sulla brevità dell'esperienza mistica, anticipazione di quella che sarà la beatitudine celeste, Guglielmo ritorna più avanti, parr. 6 e 10. Quanto all'obbligo di tornare fra gli uomini, dettato dalla *ueritas caritatis*, cioè dall'amore del prossimo, il tema è ripreso nel *de natura et dignitate amoris* (par. 22), con riferimento a san Paolo: «Ciò nonostante, benché fosse interamente cittadino dei cieli, Paolo non si rifiutava ogni volta che era necessario di stare accanto agli uomini sulla terra; per questo diceva gemendo: "Desidero morire ed essere con Cristo, è molto meglio" [...]. Così dunque la carità verso Dio lo portava in alto e la carità verso il prossimo lo spingeva in basso, come se avesse avuto un peso al collo. Per questo egli aggiunge: "Ma è necessario che io resti nella carne a causa di voi"».

[8] *Ps.* 79,20. La visione del volto di Dio è la sua diretta conoscenza, la visione *facie ad faciem* che sarà possibile solo nella vita futura; cfr. *Epistola ad fratres de Monte Dei* 267: *Quicquid tamen de uisione et cognitione Dei hic fidelibus impertit, speculum est et aenigma, tantum distans a futura uisione et cognitione, quantum a ueritate distat fides, uel tempus ab aeternitate* («Tutto ciò che [lo Spirito Santo] concede ai fedeli su questa terra nell'ambito della visione e della conoscenza di Dio è specchio ed enigma, tanto lontano dalla visione e dalla conoscenza futura quanto lo sono la fede dalla verità o il tempo dall'eternità»). Cfr. anche *Speculum fidei* 48 e 73. A essa tuttavia aspira già su questa terra chi ama Dio con tutto il suo essere; cfr. *Epistola ad fratres de Monte Dei* 296-7: *Hoc ergo ineffabile, cum nonnisi ineffabiliter uideatur, qui uult uidere cor mundet; quia nulla corporis similitudine dormienti, nulla corporea specie uigilanti, nulla rationis indagine, nisi mundo corde humiliter amantis uideri potest, uel apprehendi. Haec est enim facies Dei, quam nemo potest uidere et uiuere mundo; haec est enim species cui contemplandae suspirat omnis qui affectat diligere Dominum Deum suum in toto corde suo, et in tota anima sua, et in omni mente sua* («E poiché questo Essere ineffabile può essere visto solo in maniera ineffabile, chi vuole vederlo purifichi il suo cuore. Perché non si può vederlo o comprenderlo mediante alcuna somiglianza corporea mentre si dorme, mediante alcuna forma sensibile quando si veglia, mediante alcuna indagine razionale: può vederlo solo l'umile amore di un cuore puro. È quel volto di Dio che nessuno può vedere

e continuare a vivere per il mondo; è quella bellezza che aspira a contemplare chiunque desidera amare il Signore Dio suo con tutto il suo cuore, con tutta la sua anima e con tutta la sua mente»). Alla speranza di vedere il volto di Dio è dedicata la terza delle *Meditatiuae orationes*; cfr. in particolare III 13: *Porro de eo quod erit facie ad faciem dictum est: «Non enim uidebit me homo, et uiuet». Nam et hic qui uidet non uiuet, sed dicet: «Infelix ego homo, quis me liberabit de corpore mortis huius?». Tunc demum sperans se uere uicturum, quando perfecte uisurus. Quid hic sensus, quid imaginatio ualet, quid ratio potest, quid intelligentia rationalis? Nam etsi ratio, Deus, nos ad te mittit, per se tamen te non attingit; nec intelligentia ea quidem quae de inferioribus ex ratione consistit, rationis terminos excedit, nec mensuram habet pertingendi usque ad te* («Inoltre, sulla visione faccia a faccia è stato detto: "L'uomo, infatti, non può vederti e continuare a vivere" [*Ex.* 33,20]. Anche quaggiù chi vede Dio non vivrà più, ma dirà: "Quanto sono sventurato! Chi mi libererà da questo corpo di morte?" [*Ep. Rom.* 7,24]. Egli spera che finalmente avrà vinto quando vedrà perfettamente. Che cosa possono quaggiù i sensi, che cosa l'immaginazione, di che cosa è capace la ragione, di che cosa l'intelligenza razionale? Infatti anche se la ragione, o Dio, ci conduce a te, tuttavia di per sé non è in grado di raggiungerti; quanto all'intelligenza, almeno quella che consiste nel ragionare sulle realtà inferiori, non trascende i limiti della ragione e non ha la capacità di giungere fino a te»). Su tutta la questione ved. anche l'Introduzione al volume.

[9] È la norma in base alla quale tutto ciò che è mutevole va giudicato inferiore a ciò che è immutabile; cfr. Agostino, *Doctr.* I 8,21-5 (Sant'Agostino, *L'istruzione cristiana*, a cura di M. Simonetti, Milano 1994): *Ipsam quippe regulam ueritatis, qua illam clamant esse meliorem, incommutabilem uident nec uspiam nisi supra suam naturam uident, quandoquidem se mutabiles uident* («Del resto, anche la norma di verità, per cui proclamano che quella vita è la migliore, sanno che è essa stessa immutabile e al di sopra della loro natura, perché sanno di essere mutevoli»).

[10] Cfr. *Expositio super Cantica Canticorum* 183: *Dabis mihi aciem oculorum interiorum meorum, ad intendendum tibi, et prouidendum mihi* («Darai anche acutezza ai miei occhi interiori per guardarti e per badare a me»). Sulla dottrina dei «sensi interiori» cfr. anche *infra*, nota 34.

[11] *Ps.* 34,3.

[12] Cfr. *Eu. Io.* 20,16.

[13] *Eu. Marc.* 10,51.

[14] Cfr. *1 Ep. Io.* 2,16.

[15] *Ps.* 26,8-9.

[16] Cfr. *Ps.* 118,114.

[17] Cfr. *Ps.* 28,8.

[18] *Ex.* 23,20.

[19] Cfr. *Eu. Io.* 9,34.

[20] Cfr. *2 Ep. Cor.* 5,15. Sulla morte al mondo e al corpo – equivalente alla purificazione del cuore menzionata in precedenza – come condizione per il progresso spirituale, cfr. *supra*, nota 2. Ved. anche *infra*, parr. 3 e 6, e nota 36.

[21] Cfr. *Ex.* 33,21.

[22] Cfr. *Sap.* 5,17; *Ex.* 33,22. Guglielmo insiste più volte nella sua opera sulla distinzione fra la conoscenza di Dio attraverso la fede e la visione diretta del suo volto. La prima non è una conoscenza completa, ma soltanto *per speculum in aenigmate*; la seconda, come si è visto (cfr. i passi dello *Speculum fidei* e della *Epistola ad fratres de Monte Dei* citati alla nota 8), è possibile soltanto nella vita futura. Nella conoscenza di Dio attraverso la fede egli distingue tre gradi: il primo è fondato sulla semplice autorità, cioè sulla conoscenza delle verità rivelate; il secondo è quello della scienza teologica e comporta una corretta riflessione sui dati della fede; il terzo è quello della fede illuminata, che incomincia già a far passare dalla fede alla visione. A proposito di quest'ultimo grado, Guglielmo scrive in *Aenigma fidei* 41: *Tertius iam gratiae illuminantis et beatificantis est, finiens fidem, seu potius beatificans in amorem, a fide ad speciem transmittens, inchoando cognitionem non eam quae fidei est, et cum fide hic incipit esse in homine fideli, sed de qua Apostolus dicit: «Nunc cognosco ex parte; tunc autem cognoscam sicut et cognitus sum». Illa enim est quam perfecta caritas inchoat in hac uita perficiendam in futura. Haec uero presentis temporis fidei res est, seu potius ipsa fides est, per quam Deus cognoscitur, sicut per fidem cognosci potest; et inquantum creditur, intantum cognoscitur* («Il terzo grado è già quello della grazia illuminante e beatificante: porta a compimento la fede o piuttosto la beatifica trasformandola in amore, facendo passare dalla fede alla vista, perché esso dà avvio alla conoscenza che non è quella della fede e inizia sulla terra con la fede nel fedele, ma quella di cui l'Apostolo dice: "Ora conosco in parte; allora conoscerò come sono conosciuto". È quella che la carità perfetta incomincia in questa vita per perfezionarla nella vita futura. È la realtà della fede del tempo presente, o piuttosto la fede stessa mediante la quale Dio è conosciuto come si può conoscerlo mediante la fede; ed è conosciuto in tanto in quanto è creduto»). Di qui, per Guglielmo, la necessità della fede per gli uomini che desiderano progredire nella conoscenza di Dio quanto è possibile finché si trovano su questa terra. Su questo punto, cfr. M.-M. Davy, *Théologie et mystique de Guillaume de Saint-Thierry*, I. *La connaissance de Dieu*, Paris 1954, pp. 82-92.

[23] *Ex.* 33,23. Guglielmo allude a Mosè che, sul monte Sinai, non

può contemplare direttamente il volto di Dio ma solo i *posteriora Dei*, la sua schiena. Come in Agostino, *Trin.* II 17,28, la «schiena» di Dio è qui interpretata come una figura della «carne» di Cristo, cioè della sua umanità contrapposta alla *facies*, che è la *dei forma*: *Non incongruenter ex persona domini nostri Iesu Christi praefiguratum solet intellegi ut «posteriora» eius accipiantur caro eius in qua de uirgine natus est et mortuus et resurrexit, siue propter postremitatem mortalitatis «posteriora» dicta sint, siue quod eam prope in fine saeculi, hoc est posterius, suscipere dignatus est* («Non senza ragione si suole intendere la "schiena" come una prefigurazione della persona di nostro Signore Gesù Cristo, riferendola alla sua carne, nella quale è nato dalla Vergine, è morto ed è risorto: che la si chiami "schiena" per l'inferiorità della natura mortale o perché egli si è degnato di assumerla quasi alla fine del mondo, cioè posteriormente»).

[24] L'espressione *dispensatio humana* («economia umana») corrisponde alla οἰκονομία dei Padri greci, cioè ai misteri della missione terrena di Cristo. La meditazione su Cristo *secundum carnem* – al pari di ogni riflessione sui simboli e sulle realtà corporee – è presentata da Guglielmo come una semplice tappa nel cammino che porta all'amore; cfr. *Expositio super Cantica Canticorum* 18: *Modus autem hic orandi, formari solet ex forma fidei, uel symbolo, cum de christianae fidei pietate, quod fideliter creditur, ueraciter ac simpliciter amatur, et transit in affectum imaginatio corporearum in Domino Iesu Christo dispensationum* («Questa prima modalità di preghiera si ispira di solito alla formula della fede, al simbolo, quando a causa della pia dolcezza della fede cristiana ciò che fedelmente si crede lo si ama in tutta verità e semplicità, e la rappresentazione degli aspetti corporei dell'economia divina nel Signore Gesù Cristo si trasforma in sentimento profondo»). Più avanti (cfr. *ibid.* 19) Guglielmo aggiunge che tutte le immagini legate al corpo di Cristo saranno superate quando il desiderio di chi ancora sospira si muterà *in intellectum uidentis, uel amore fruentis* («nell'intelletto di chi vede e nell'amore di chi gioisce»). Cfr. anche *Epistola ad fratres de Monte Dei* 174. Ved. inoltre *Meditatiuae orationes* X 5: *Audacter enim dicam, in suaui dispositione sapientiae tuae, hanc ab aeterno prouisam nobis gratiam, et de praecipuis incarnationis tuae causis hanc apud te fuisse non minimam, ut paruuli tui in ecclesia tua lacte adhuc indigentes et non solido cibo, nec spiritualiter et tuo te modo cogitare praeualentes, haberent in te non ignotam sibi formam quam in sacrificio orationum suarum proponerent sibi absque fidei scandalo, non sufficientes adhuc intueri in claritatem illam diuinae maiestatis tuae* («Affermerò non senza audacia che, nella soave disposizione della tua sapienza, questa grazia è stata preparata per noi fin dall'eternità e che fra le cause principali della tua incarnazione questa non è stata la meno importante per te: il fatto, cioè, che i tuoi figlio-

letti, ancora bisognosi di latte nella tua Chiesa e non di cibo solido, ancora incapaci di pensarti spiritualmente e nel modo che a te conviene, trovassero in te una forma non ignota a loro e potessero rappresentarsela nel sacrificio delle loro preghiere, senza scandalo per la fede, non essendo ancora in grado di contemplare lo splendore della tua divina maestà»).

[25] L'episodio della emorroissa, che spera di guarire dal suo male se solo riuscirà a toccare la frangia del mantello di Gesù, è narrato in *Eu. Matth.* 9,20-2.

[26] Il noto episodio dell'incredulità di Tommaso, dopo l'apparizione di Gesù risorto ai discepoli, è narrato in *Eu. Io.* 20,24-9.

[27] Cfr. *Dan.* 9,23.

[28] Cfr. *Gen.* 6,16.

[29] Cfr. *Ep. Hebr.* 9,3-4. La penetrazione fino al cuore di Gesù rappresenta la contemplazione diretta della sua divinità, oltre la mediazione – lo «specchio» e l'«enigma» – della sua umanità. Cfr. *Meditatiuae orationes* VI 20: [...] *ut in latus eius non iam digitum mittamus aut manum, sicut Thomas, sed in apertum ostium toti intremus usque ad cor tuum, Iesu, certam sedem misericordiae, usque ad animam tuam sanctam, plenam omnis plenitudinis Dei, plenam gratiae et ueritatis, salutis et consolationis nostrae* («[...] così che noi, oramai, non mettiamo più soltanto il dito o la mano nel tuo fianco, come Tommaso, ma attraverso la porta aperta penetriamo tutti interi fino al tuo cuore, Gesù, sede sicura della misericordia, fino alla tua anima santa, piena di tutta la pienezza di Dio, piena di grazia e di verità, di salvezza e di consolazione per noi»); cfr. anche *ibid.* VIII 6. Su questo tema ved. P. Verdeyen, *La théologie mystique de Guillaume de Saint-Thierry*, Paris 1990, pp. 189-92.

[30] *Eu. Io.* 20,17.

[31] *Apoc.* 22,15.

[32] Cfr. *Ps.* 103,18. Anche Agostino (*Enarrationes in Psalmos* 103, 3,18) interpreta il riccio come un'immagine del peccatore pentito che si rifugia sulla pietra, simbolo di Cristo.

[33] Cfr. *Sap.* 5,17.

[34] In Guglielmo il verbo *sentire* non si riferisce soltanto alla conoscenza sensibile, ma indica anche per analogia – come qui – la conoscenza spirituale o interiore. Questa accezione del termine implica la teoria dei cinque sensi interiori dell'anima, esposta da Guglielmo nel *de natura et dignitate amoris* 15-20: ai cinque sensi animali o corporei (tatto, gusto, olfatto, udito, vista) corrispondono cinque «sensi spirituali» con i quali la carità vivifica l'anima: *amor carnalis*, *amor socialis*, *amor naturalis*, *amor spiritualis*, *amor Dei*. Al senso più alto, la vista, corrisponde dunque l'amore divino, che è il *sensus amoris*, il «senso

dell'amore». Per un più ampio esame della dottrina, ved. l'Introduzione al volume.

[35] La «grazia illuminante» è un dono che proviene dallo Spirito Santo nel momento più alto dell'esperienza mistica. Esso non consiste in una conoscenza intellettuale dell'essenza divina, che sarà possibile solo nella visione *facie ad faciem*, ma in una sorta di trasporto amoroso verso Dio che ne fa sentire la presenza in modo extra-concettuale, facendo gustare all'anima una gioia senza pari, anticipazione della beatitudine futura: si tratta di quello che Guglielmo chiama *intellectus amoris*. Cfr. in particolare *Expositio super Cantica Canticorum* 99: *Nam per Spiritum Sanctum spiritui hominis, et sensui amoris illuminati, passim, raptim, aliquando illuc attingenti, dulcescit illud quidquid est, et rapit amantem, amatum, potius quam cogitatum, gustatum, quam intellectum; sicque ad tempus, ad horam, afficit amantem, figit tendentem; ut iam non in spe, sed quasi in re, ipsam sperandarum substantiam rerum de uerbo uitae quodam experientis fidei argumento, et uidere oculis, et tenere ac contrectare manibus sibi uideatur* («Sotto l'azione dello Spirito Santo, lo spirito dell'uomo e il senso illuminato dell'amore raggiungono talvolta [una sorta di imitazione dell'unione perfetta con Dio] quasi al volo, in modo fugace. In essi allora genera dolcezza e rapisce l'anima innamorata un non so che di amato piuttosto che di pensato, di assaporato piuttosto che di compreso. E per un certo tempo, per un'ora, attira l'amante e fissa la sua attenzione in modo tale che non più nella speranza, ma quasi nella realtà, a lui sembra ora di vedere con i propri occhi, di tenere e toccare con le proprie mani – quasi con una prova di fede sperimentale – la sostanza stessa di ciò che noi speriamo riguardo al Verbo di vita»). Per la concezione dell'*intellectus amoris* in Guglielmo, si rinvia all'Introduzione.

[36] Cfr. *2 Ep. Cor.* 3,18. La morte a sé stessi per vivere in Cristo (cfr. *supra*, par. 3) è la condizione per poter incominciare a vedere il volto di Dio: questa visione non può essere ancora perfetta in questa vita, ma lo diventerà solo in cielo. Cfr. *Aenigma fidei* 4: *Nemo autem se dicat uelle Deum uidere, qui mundando cordi curam tantae rei dignam noluerit impendere. Nemo enim ualet Deum uidere et uiuere; quia necesse est abstrahi ad hac uita mentem, quae in illius uisionis ineffabilitatem assumitur. Alterius namque et potioris uitae est uisio illa, quae in futuro promittitur, sed iam hic in cunctis filiis gratiae inchoatur* («Che nessuno dica di voler vedere Dio se non si sforza di purificare il suo cuore con una cura degna di una simile azione. Nessuno, infatti, può vedere Dio e continuare a vivere, perché la mente che si eleva fino all'ineffabilità di questa visione deve essere necessariamente staccata da questa vita. La visione di una vita diversa e migliore è promessa per la vita futura, ma è già incominciata sulla terra in tutti i figli della grazia»); ed *Expositio super Cantica Canticorum* 20: *Cum enim*

iuxta promissum Domini ad diligentem se, uenire incipit, et mansionem facere dignatio diuinitatis, aliquatenus innotescit ei; et quoniam non potest homo faciem eius uidere et uiuere, hoc est plenam eius cognitionem in hac uita apprehendere, collocat in sensu amantis, et commendat aliquam cognitionis suae effigiem, non praesumpti phantasmatis, sed piae cuiusdam affectionis; quam uiuens adhuc in carne, capere possit homo uel sustinere («Infatti quando, secondo la promessa del Signore, la divinità condiscendente incomincia a discendere in colui che la ama e a fissarvi la propria dimora, essa si fa in una certa misura conoscere da lui. E dato che l'uomo non può vedere il volto di Dio e continuare a vivere – ossia raggiungere, in questa vita, una piena conoscenza di Dio – la divinità depone nel cuore dell'amante e gli dà in custodia una certa effigie della sua conoscenza: non un immaginario fantasma, ma una pia disposizione che l'uomo ancora vivente nella carne possa afferrare e sostenere»).

[37] Si è reso qui con «trasformare» (in altri casi con «attirare», «modificare», «colpire», «muovere», «disporre» ecc.) il verbo *afficere* (da cui anche i sostantivi *affectus* e *affectio*). Esso «esprime la modificazione subita e sperimentata dall'anima quando essa è resa partecipe dell'Amore increato» (cfr. Guillaume de Saint-Thierry, *La contemplation de Dieu*, introduction, texte latin et traduction par J. Hourlier, Paris 1999, p. 67 nt. 1; 1ª ed. 1959). Anche questa affermazione va situata nel contesto dell'analogia fra sensi corporei e sensi spirituali (cfr. *supra*, nota 34). Per Guglielmo, così come i sensi corporei possono conoscere solo se si trasformano in un certo modo in ciò che sentono, non vi può essere conoscenza o visione spirituale se chi vede non si trasforma in qualche misura nell'oggetto della visione; in particolare, dato che l'amore è il «senso dell'anima», non vi è amore se non nella misura in cui l'amante si trasforma nell'amato (per una analisi dei numerosi testi di Guglielmo che sviluppano quest'idea, cfr. Davy, *Théologie et mystique* cit., pp. 192-9).

[38] Cfr. *Ps.* 131,5; *Ep. Hebr.* 8,5.

[39] Cfr. *Ex.* 25,40.

[40] *Ps.* 26,8.

[41] Cfr. *Is.* 52,10.

[42] Cfr. *1 Ep. Io.* 4,20. Il problema è ripreso e sviluppato in *Meditatiuae orationes* III 1-8; cfr. Davy, *Théologie et mystique* cit., pp. 181-6.

[43] Gli *amabilia* («cose degne di essere amate», «attrattive») di Dio sono i suoi attributi – potenza, gloria, maestà, bontà, beatitudine ecc. –, attraverso i quali egli si manifesta in un primo momento e che conducono la Sposa verso lo Sposo, l'anima verso il divino Amante; cfr. *Expositio super Cantica Canticorum* 35 ed *Epistola ad fratres de Monte Dei* 274.

[44] Per il significato di *intentio* e *intensio*, cfr. *supra*, nota 3.

[45] Cfr. *Ps.* 76,7. Nel testo originale, gioco di parole fra *scobo* (forma mediolatina per *scabo*, con il senso di «grattare», «scavare» e quindi «esaminare a fondo») e *scopo*, «esaminare», «scrutare» (il verbo usato nel passo del Salmo).

[46] Cfr. *Iob* 7,20 e la celebre dichiarazione di Agostino dopo la morte dell'amico d'infanzia, *Conf.* IV 4,9 (Sant'Agostino, *Confessioni*, a cura di M. Simonetti, traduzione di G. Chiarini, I-V, Milano 1992-97): *Factus eram ipse mihi magna quaestio et interrogabam animam meam, quare tristis esset et quare conturbaret me ualde, et nihil ualde nouerat respondere mihi* («Ero diventato un grande enigma a me stesso e chiedevo alla mia anima perché fosse così triste e perché mi turbasse tanto, e non sapeva cosa rispondermi»).

[47] Cfr. *Ier.* 32,41; *Eu. Matth.* 22,37.

[48] Guglielmo intende dire che, quando ama l'amore, l'uomo non ama con lo stesso sentimento con cui ama una persona o un oggetto qualsiasi ma, dato che Dio è *caritas*, ama Dio stesso dentro di sé o – per usare la formula di Bernardo (cfr. *de diligendo Deo* X 27) – «sé stesso per Dio».

[49] Cfr. *Ps.* 33,3.

[50] Queste dichiarazioni vanno intese alla luce della concezione dell'uomo come essere creato «a immagine e somiglianza» di Dio. Seguendo le orme di Gregorio Nisseno (cfr. J.-M. Déchanet, *Guillaume de Saint-Thierry. Aux sources d'une pensée*, Paris 1978, pp. 77-97), Guglielmo ritiene che il compito spirituale dell'uomo sia quello di recuperare la somiglianza con l'immagine di Dio impressa nel suo essere al momento della creazione e perduta in seguito al peccato di Adamo. La perdita di questa immagine – che è l'immagine della Trinità (cfr. *de natura et dignitate amoris* 4 e nota 26) – ha provocato la caduta nella «terra della dissomiglianza», ha cioè inaugurato una nuova forma di vita, lontana dalla perfezione originaria e tutta volta verso gli istinti carnali e i piaceri dei sensi: una vita, perciò, profondamente innaturale. Abbandonando questa tendenza verso il basso e orientando la sua volontà verso Dio, l'uomo ristabilisce gradualmente questa somiglianza, per giungere infine a quella che Guglielmo definisce *unitas spiritus*, «unità di spirito» con Dio, e che implica, se non una unità sostanziale, una somiglianza con lo Spirito Santo – e perciò con Dio – nell'amore (cfr. *infra*, note 65 e 91). Ved. su questo tema R. Javelet, *Image et ressemblance au douzième siècle. De Saint Anselme à Alain de Lille*, I-II, Strasbourg 1967. Le espressioni *amare amorem* e *desiderare desiderium*, di origine biblica (cfr. *Ps.* 118,20), sono spesso usate da Agostino (cfr. p.es. *Trin.* IX 2,2 e VIII 8,12; *Enarrationes in Psalmos* 118,8,10; *Ciu.* XI 28).

[51] Quando, dopo il peccato, Adamo ed Eva aprirono gli occhi e si videro nudi: cfr. *Gen.* 3,7.

[52] Cfr. *Ps.* 62,3; *Ex.* 33,18.

[53] Cfr. *2 Ep. Cor.* 5,15.

[54] Cfr. *Ps.* 35,9. Per la distinzione fra *ratio* e *ratiocinatio* in Guglielmo, ved. *Epistola ad fratres de Monte Dei* 203-4: *Ratio uero, sicut diffinitur a diffinientibus, uel describitur a describentibus, aspectus animi est, quo per seipsum, non per corpus, uerum intuetur; aut ipsa ueri contemplatio; aut ipsum uerum quod contemplatur; aut uita rationalis, uel rationabile obsequium, in quo contemplatae ueritati conformatur. Ratiocinatio uero est rationis inquisitio, hoc est aspectus eius motio, per ea quae aspicienda sunt. Ratiocinatio quaerit, ratio inuenit* («La ragione, secondo la definizione o la descrizione degli esperti, è lo sguardo grazie al quale l'animo vede il vero direttamente e non mediante il corpo. È anche la contemplazione del vero o il vero stesso che è contemplato o la vita razionale o la sottomissione razionale con la quale ci si conforma alla verità contemplata. Il ragionamento, invece, è la ricerca della ragione, cioè il movimento del suo sguardo attraverso le realtà che si devono vedere. Il ragionamento cerca, la ragione trova»). Qui non si tratta perciò della ragione naturale, ma della *ratio fidei*, della «ragione della fede», ossia della scienza teologica, il secondo dei tre gradi dell'intelligenza di Dio – fede, scienza teologica, amore di Dio – distinti da Guglielmo in *Aenigma fidei* 40: *Tribus enim intelligentiae gradibus proficiendi fidei ascendendum est ad Deum, et ad cognitionem eius. Primus gradus est diligenter inuestigatum habere, quid sit de Domino Deo suo credendum; secundus, quomodo de eo quod recte creditur, recte nihilominus ei cogitandum sit et loquendum; tertius, ipsa iam rerum experientia est in sentiendo de Domino in bonitate, sicut sentiunt qui in simplicitate cordis quaerunt illum* («Per tre gradi di intelligenza la fede che progredisce deve innalzarsi verso Dio e verso la sua conoscenza. Il primo grado consiste nel cercare con diligenza ciò che si deve credere riguardo al Signore Dio nostro; il secondo grado consiste nel cercare in che modo si debba pensare e parlare in modo corretto di ciò che rettamente si crede; il terzo è già l'esperienza delle cose e consiste nell'avere sentimenti di bontà nei confronti di Dio, come quelli che provano coloro che lo cercano nella semplicità del cuore»); cfr. anche *ibid.* 41. Questa *ratio fidei* si arresta così alla soglia del terzo e ultimo grado dell'ascesa nell'intelligenza di Dio, quello della «grazia illuminante» (cfr. *supra*, nota 22), che è un dono dello Spirito Santo. Secondo Guglielmo non costituisce un passaggio obbligato verso questo traguardo, perché il «semplice» può ottenere direttamente, senza passare per il tormento della ricerca, l'illuminazione dello Spirito; fra questi due modi della conoscenza di Dio – attraverso la *ratio fidei* e attraverso la *caritas* – vi è a suo giudizio separazione più che continuità (*Aenigma* 42): *Duae enim istae cognitiones tantum ad inuicem sunt differentes, quantum differt a Deo in eo*

quod ipse in semetipso est, quicquid homo secundum hominem de Deo seu cogitando seu loquendo sentire potest («Queste due conoscenze differiscono l'una dall'altra tanto quanto Dio, nella sua più intima essenza, differisce da tutto ciò che l'uomo in quanto uomo può conoscere di Dio sia con il pensiero sia con la parola»). Per tutta la questione, cfr. Davy, *Théologie et mystique* cit., pp. 82-92.

[55] Cfr. *Eu. Luc.* 15,9.

[56] Cfr. *Eu. Matth.* 17,4 e paralleli: *Domine, bonum est nos hic esse: si uis, faciamus hic tria tabernacula, tibi unum, Moysi unum, et Eliae unum.*

[57] Cfr. *Eu. Luc.* 9,33.

[58] Cfr. *Is.* 65,14; *Eccl.* 1,14. Sulla brevità dell'esperienza mistica, cfr. *supra*, nota 7.

[59] Cfr. *Ps.* 12,2.

[60] Cfr. *Gen.* 6,3.

[61] Cfr. *Eu. Io.* 3,8.

[62] Allusione all'interpretazione cristiana tradizionale del ritorno in patria degli Ebrei dopo la cattività di Babilonia come allegoria del ritorno degli uomini, dopo la morte, alla loro Patria celeste (cfr. p.es. Agostino, *Enarrationes in Psalmos* 64,2,1-58 e 3,1-36; 136,2,3-24).

[63] Cfr. *Ps.* 125,1-2.

[64] Cfr. *Ps.* 119,5-6 e *Cant.* 1,4. Gli abitanti di Cedar (ebraico Qedar), sinonimo nel salmo di «barbari», erano una tribù beduina del deserto siriano. In uno dei suoi *Sermones super Cantica Canticorum* (26,1) – che si apre con la citazione del versetto 1,4: *Sicut tabernacula Cedar, sicut pelles Salomonis* – Bernardo spiega le tende di Cedar (*quod interpretatur tenebrae*) come un simbolo dei nostri corpi nei quali andiamo peregrinando sulla terra: non la casa di un cittadino o di un indigeno dunque, ma la tenda di un combattente o la locanda di un viaggiatore: *Quid enim tabernacula, nisi nostra sunt corpora in quibus peregrinamur?* [...] *Est ergo hoc habitaculum nostri corporis, non ciuis mansio aut indigenae domus, sed aut tabernaculum militantis aut stabulum uiatoris*. Per Guglielmo (cfr. *Expositio super Cantica Canticorum* 48), che fornisce la stessa *interpretatio nominis*, le tende di Cedar designano invece le «tenebre della coscienza o della ragione oscurata» (*tenebras conscientiae, uel rationis caligantis*).

[65] La distinzione fra *uti* e *frui* che si può osservare nel lessico di Guglielmo è di origine agostiniana; cfr. *de doctrina christiana* IV 4,4: *Frui est enim amore inhaerere alicui rei propter se ipsam. Vti autem, quod in usum uenerit, ad id quod amas obtinendum referre, si tamen amandum est* («Godere significa aderire con amore a qualcosa per sé stessa; usare invece significa indirizzare ciò di cui facciamo uso al conseguimento di ciò che amiamo, purché sia degno di essere amato»). Anche in Guglielmo *uti* («usare», «servirsi di») si riferisce ai

mezzi che l'uomo deve usare non come fini a sé stessi – il che porterebbe al disordine del peccato – ma per tendere verso Dio, suo fine supremo: per esempio il corpo, la casa e ogni altro bene esterno. *Frui* («godere») si riferisce invece ai fini stessi e in particolare a quello supremo, Dio. Questo godimento coincide dunque con la *caritas* perfetta, con quella *unitas spiritus* con Dio che si raggiunge nel momento in cui è ristabilita la perfetta «somiglianza» con lui (cfr. *supra*, nota 50 e *infra*, nota 91); ved. in proposito *Epistola ad fratres de Monte Dei* 252 e 265. È questo anche il bacio o l'amplesso fra lo Sposo e la Sposa, partecipazione – in virtù della grazia dello Spirito Santo – all'unione consustanziale del Padre e del Figlio; cfr. *Epistola ad fratres de Monte Dei* 263: *Dicitur autem haec unitas spiritus, non tantum quia efficit eam, uel afficit ei spiritum hominis Spiritus sanctus, sed quia ipsa est Spiritus sanctus, Deus caritas; cum qui est amor Patris et Filii, et unitas et suauitas, et bonum et osculum, et amplexum et quicquid commune potest esse amborum* [...] *suo modo fit ad Deum, quod consubstantiali unitate, Filio est ad Patrem, uel Patri ad Filium; cum in amplexu et osculo Patris et Filii, mediam quodammodo se inuenit beata conscientia; cum modo ineffabili, incogitabili, fieri meretur homo Dei, non Deus, sed tamen quod est Deus: homo ex gratia quod Deus ex natura* («Essa è chiamata "unità di spirito" non solo perché lo Spirito Santo la realizza o perché vi dispone lo spirito dell'uomo, ma perché è effettivamente lo Spirito Santo stesso, il Dio-carità. Essa si realizza infatti quando colui che è l'amore del Padre e del Figlio, la loro unità, la loro soavità, il loro bene, il loro bacio, il loro abbraccio e tutto ciò che può essere comune a entrambi [...] diventa – a suo modo – per l'uomo rispetto a Dio ciò che in virtù della loro unione consustanziale egli è per il Figlio rispetto al Padre e per il Padre rispetto al Figlio; quando la coscienza beata si trova stretta nell'abbraccio e nel bacio del Padre e del Figlio; quando – in modo ineffabile, inimmaginabile – l'uomo di Dio merita di diventare, certo non Dio, ma ciò che Dio è: l'uomo per grazia ciò che Dio è per natura»). Cfr. anche *Expositio super Cantica Canticorum* 99, 132 e 179. Questo bacio è una imitazione o anticipazione di quell'*osculum perfectionis* che unirà per sempre lo Sposo e la Sposa nella vita futura, *cum osculo ad osculum, amplexu ad amplexum plena fiet et perpetua fruitio* (*Expositio super Cantica Canticorum* 98). All'*amor fruitionis* si giunge dopo che la volontà, abbandonate le inclinazioni inferiori e «convertitasi» verso il bene, abbia percorso tutte le tappe della sua ascesa verso Dio, qui indicate come *desiderium*, *uisio*, *fruitio* – cui segue infine la *perfectio*. Nella *Epistola ad fratres de Monte Dei* (par. 257) sono indicati – in termini leggermente diversi da questi – quattro «gradini» nella scala dell'amore: *amor, dilectio, caritas, unitas spiritus*: *sic enim diligendus est Deus. Magna enim uoluntas ad Deum, amor est; dilectio, adhaesio siue coniunc-*

tio; caritas, fruitio. Vnitas uero spiritus cum Deo, homini sursum cor habenti, proficientis in Deum uoluntatis est perfectio, cum iam non solummodo uult quod Deus uult, sed sic est non tantum affectus, sed in affectu perfectus, ut non possit uelle nisi quod Deus uult («Questi sono infatti i gradi secondo i quali bisogna amare Dio. Una volontà fortemente tesa verso Dio è l'amore; la dilezione è il congiungimento, l'unione; la carità è il godimento. Quanto all'unità di spirito con Dio, per l'uomo dal cuore elevato è la perfezione della volontà che ascende verso Dio, quando non solo egli vuole ciò che Dio vuole, ma tale è il suo sentimento d'amore, anzi la perfezione di questo sentimento, che non può volere altro se non ciò che vuole Dio»). Ancora diversa è la definizione delle forme dell'amore in *Expositio super Cantica Canticorum* 6, dove sono distinti *amor* (sentimento dell'amante che tende verso l'oggetto amato), *caritas* (affezione spirituale o gioia del possesso) e *dilectio* (desiderio naturale dell'oggetto amato). Per tutta la questione, ved. l'Introduzione al volume.

[66] Cfr. *Ruth* 2,13.

[67] Cfr. *2 Ep. Cor.* 11,22.

[68] Cfr. *Act. Ap.* 1,4.

[69] Cfr. *Ep. Phil.* 3,12.

[70] Cfr. *1 Ep. Io.* 4,10.

[71] Cfr. *Ps.* 41,3.

[72] Cfr. *Prou.* 30,15-6. Il problema posto in questo capitolo è il seguente: potrà mai giungere l'anima a un tale grado di perfezione nell'amore da non poter andare oltre? E se in paradiso (negli stessi angeli) vi sono diversi gradi di visione e amore di Dio, come è possibile che chi è «minore» non desideri giungere a un grado di amore più elevato? Se così non fosse, non sarebbe forse «ingiusto» verso Dio, al quale è dovuto tutto l'amore di cui si è capaci? Ma se così fosse, come potrebbe essere beato continuando a desiderare ciò che non può ottenere? La soluzione viene indicata nell'unità dell'amore: sul piano delle realtà spirituali, ciò che si ama non è tanto questo o quell'oggetto, ma l'amore stesso (cioè Dio). In cielo amare e co-amare, godere e con-godere insieme a chi è spiritualmente più «grande» fa partecipare della stessa beatitudine. Non vi è dunque contraddizione fra perfezione dell'amore e desiderio di amare di più: la sazietà non diminuisce il desiderio, ma lo aumenta. Il tema è più volte ripreso nella *Expositio super Cantica Canticorum*; cfr. p.es. par. 56: *Et in consolationem mutabilitatis suae, reuelari sibi orat diem aeternitatis* [...]*; ubi in aeterna beatitudine pascit de seipso tam angelorum, quam sanctorum hominum satietatem, semper plenam ob perfectionem beatitudinis; semperque in eum respicere desiderantem, ob pietatem et dulcedinem amoris* («Per consolare la sua mutevolezza [la Sposa] implora che le sia rivelato il giorno dell'eternità [...]; il giorno in cui, nella beatitudi-

ne eterna, Dio pasce di sé stesso sia gli angeli sia gli uomini santi, sempre sazi a causa della perfezione della beatitudine, e sempre desiderosi di contemplarlo a causa della pietà e della dolcezza dell'amore»).

[73] Cfr. *1 Ep. Cor.* 6,9.

[74] È la spiegazione del termine fornita dallo pseudo Dionigi Areopagita; se ne veda la traduzione latina di Giovanni Scoto Eriugena, *Expositiones in ierarchiam coelestem* XV 174-6: *Et ait theologia ipsos excelsissimos Seraphim caelitus seipsos significare ardentes esse ex cognominatione sua. Seraphim quippe incendentes uel ardentes sunt* («La rivelazione divina afferma che il nome degli eccelsi serafini significa che essi sono ardenti. Infatti i serafini sono infiammati o ardenti»). Cfr. anche Isidoro, *Etymologiae* VII 5,24: *Seraphin quoque similiter multitudo est angelorum, qui ex Hebraeo in Latinum ardentes uel incendentes interpretantur* («I serafini, del pari, sono una moltitudine di angeli il cui nome ebraico significa in latino "ardenti" o "infiammati"»).

[75] Cfr. *1 Ep. Pet.* 1,12.

[76] Cfr. *Ep. Eph.* 1,18.

[77] Cfr. *Ep. Rom.* 8,31.

[78] Cfr. *1 Reg.* 3,10.

[79] Quelli che Guglielmo chiama qui i *coamantes* e i *congaudentes* sono coloro che, pur essendo «più piccoli» nel Regno dei Cieli, amano e gioiscono «per partecipazione» con i «più grandi» nella *amoris unitas*.

[80] Cfr. *Ps.* 35,9.

[81] *2 Ep. Cor.* 3,18.

[82] Cfr. *Ps.* 35,10.

[83] Cfr. *Ps.* 111,3.

[84] *Ps.* 138,24.

[85] *Ep. Phil.* 3,12-5 (con qualche taglio). Nello *Speculum fidei* (par. 7) e nell'*Epistola ad fratres de Monte Dei* (par. 40) questo testo è riferito al progresso spirituale durante questa vita, in particolare a quello del monaco nella sua cella.

[86] Nel testo *afficeris*, «sei mosso», «sei disposto», «sei attirato», cioè in qualche modo mutato, trasformato. Cfr. *supra*, nota 37 e *infra*, nota 129.

[87] Nel testo *afficimur*. Cfr. nota precedente.

[88] Mentre nell'uomo *esse* e *esse bonum* sono distinti e dunque l'uomo può anche *esse et male esse*, in Dio essere e amore coincidono perché «Dio è amore». L'idea è più volte espressa da Agostino: cfr. *de natura boni* 1; *Enarrationes in Psalmos* 117,2 ecc. Ved. poi Bernardo, *de diligendo Deo* XII 35: «È dunque una legge – la legge del Signore – la carità, che in qualche modo stringe in unità la Trinità e la lega nel vincolo della pace. Nessuno però pensi che io concepisca qui la carità

come una qualità o come un qualche accidente – altrimenti affermerei, non sia mai, che in Dio vi è qualcosa che non è Dio; dico invece che è la sostanza stessa di Dio, affermazione certamente non nuova né insolita poiché Giovanni dichiara: "Dio è carità"».

[89] Sulla dottrina dell'immagine in Guglielmo, cfr. *supra*, nota 50.

[90] Nel testo *affici*. Cfr. *supra*, nota 86.

[91] Cfr. *Ep. Eph.* 1,3. Quella dell'*unitas spiritus* è una nozione fondamentale nella teologia mistica di Guglielmo, come in quella di Bernardo. Nella Trinità, lo Spirito Santo è l'Amore che unisce il Padre e il Figlio: esso è dato all'uomo perché ami Dio come Dio stesso si ama, cioè perché lo ami nella *caritas*. In tal modo la *Caritas* di Dio (che è egli stesso *Caritas*, secondo la capitale affermazione di *1 Ep. Io.* 4,16) diventa la *caritas* dell'uomo per Dio: cioè l'uomo ama Dio con la stessa carità con la quale Dio ama sé stesso, partecipando così del mistero della Trinità. È a questo punto che – come dice qui Guglielmo – l'uomo, essendo ormai assimilato all'amore divino, non ama più sé stesso come qualcosa di distinto da Dio ma come Dio stesso lo ama, si ama nell'amore stesso di Dio. Così è definita nella *Epistola ad fratres de Monte Dei* 262 questa *unitas spiritus* fra uomo e Dio nella carità: *Super hanc autem alia adhuc est similitudo Dei; haec de qua iam aliquanta dicta sunt, in tantum proprie propria, ut non iam similitudo, sed unitas spiritus nominetur; cum fit homo unum cum Deo, unus spiritus, non tantum unitate idem uolendi, sed expressiore quadam ueritate uirtutis, sicut iam dictum est, aliud uelle non ualendi* («Al di sopra di questa, tuttavia, vi è ancora un'altra somiglianza con Dio, della quale abbiamo già detto qualcosa; essa è talmente particolare in ciò che ha di proprio che non è più chiamata somiglianza, ma unità di spirito. Si ha quando l'uomo diventa una sola cosa, un solo spirito con Dio, non solo in virtù di un'unità del volere ma anche per non so quale più vera espressione di una virtù che – come è stato già detto – non è più capace di voler altro»). Nei suoi scritti più tardi Guglielmo sembra stabilire una perfetta identità fra Spirito Santo e carità (cfr. p.es. il passo di *Epistola ad fratres de Monte Dei* 263 citato alla nota 65); nel *de natura et dignitate amoris* (par. 12) Guglielmo distingue tuttavia la carità come *substantia* in colui che dona (cioè lo Spirito Santo) e come *qualitas* nel dono stesso, anche se *per emphasim* il dono della carità può essere chiamato Dio (nella formula di Giovanni *Deus caritas est*). La stessa distinzione è formulata in maniera ancora più esplicita da Bernardo nel *de diligendo Deo* XII 35. Per tutta la questione si vedano Davy, *Théologie et mystique* cit., pp. 156-86 (dove sono anche discusse le tesi di Déchanet, *Guillaume de Saint-Thierry* cit.; cfr. nt. 2, pp. 165-8) e Verdeyen, *La théologie mystique* cit., pp. 234-72. Ved. inoltre l'Introduzione al volume.

[92] Questa condizione corrisponde al terzo e al quarto grado del-

l'amore descritti da Bernardo nel *de diligendo Deo*: quelli, rispettivamente, in cui «l'uomo ama Dio per sé stesso» e in cui «l'uomo ama sé stesso per Dio» (cfr. IX 26 e X 27).

[93] *Eu. Io.* 17,20-1 (con qualche modifica).

[94] Cfr. *Eu. Matth.* 24,21 e *Ep. Rom.* 14,17.

[95] Cfr. *Apoc.* 8,1.

[96] Cfr. *Apoc.* 8,1.

[97] Cfr. *Ps.* 75,11. I «residui di questo pensiero» sono le tracce della beatitudine celeste che si possono recuperare attraverso la meditazione (cfr. anche *infra*, nota 207). Per la brevità dell'esperienza mistica in questa vita, cfr. *supra*, nota 7.

[98] *Eu. Matth.* 25,21.

[99] Nel testo *fruitio*. Cfr. *supra*, nota 65.

[100] Cfr. *2 Ep. Io.* 2,16.

[101] Nel testo *affectui*, qui e nelle righe seguenti nel senso generico di «moto dell'animo», «desiderio». Cfr. *supra*, nota 3.

[102] Cfr. *Sap.* 4,3.

[103] Nel testo, bisticcio fra *concreatus* e *concretus*. Il termine *concreatus* è così spiegato da Agostino, a proposito della creazione dal nulla, nelle *Conf.* (XIII 33,48): *De nihilo enim a te, non de te facta sunt, non de aliqua non tua uel quae antea fuerit, sed de concreata, id est simul a te creata materia, quia eius informitatem sine ulla temporis interpositione formasti* («Dal nulla le hai fatte, non da te, non da una materia non tua o comunque preesistente, bensì concreata, cioè da te creata insieme con esse, poiché hai dato forma alla loro assenza di forma senza alcun intervallo di tempo»).

[104] Cfr. *Ep. Gal.* 5,19-21.

[105] La definizione è tratta, con leggere modifiche, da Giovanni Scoto Eriugena (*Periphyseon* I 3306-8): *Amor est naturalis motus omnium rerum quae in motu sunt finis quietaque statio, ultra quam nullus creaturae progreditur motus* («L'amore è il moto naturale di tutte le cose che sono in movimento e un fine o una quieta stasi, oltre la quale non va alcun movimento della creazione»). Cfr. Déchanet, *Guillaume de Saint-Thierry* cit., p. 53.

[106] Nel testo *affectibus*. Cfr. *supra*, nota 101.

[107] Cfr. *Eccl.* 12,13.

[108] Cfr. *Eu. Luc.* 10,27.

[109] Cfr. *Ps.* 85,10.

[110] Cfr. *Ps.* 3,9.

[111] Nei paragrafi 12-7 Guglielmo definisce rispettivamente il ruolo di Cristo e dello Spirito Santo nel cammino dell'uomo verso la salvezza. In Cristo si incontra la «forma esatta della fede»: nella *humanae dispensationis euangelica historia* («racconto evangelico del piano realizzato nella vita umana») del Salvatore, cioè nelle sue azioni e nelle sue

parole, l'uomo può trovare la piena espressione della rivelazione divina (cfr. *Speculum fidei* 28). Si tratta comunque ancora di una semplice tappa nel cammino verso l'amore di Dio (cfr. *supra*, nota 24). Quanto allo Spirito Santo, come si è visto (cfr. *supra*, nota 91), egli è la *Caritas* che unisce il Padre al Figlio: inabitando con la sua grazia nell'uomo, lo rende partecipe dell'amore che unisce la prima e la seconda Persona della Trinità e realizza così in lui la *unitas spiritus* con Dio.

[112] Cfr. *Ps.* 79,18.

[113] *Eu. Matth.* 1,21.

[114] *Act. Ap.* 4,12.

[115] Cfr. *Ep. Phil.* 2,8.

[116] Cfr. *Eu. Io.* 13,1.

[117] Cfr. *Ps.* 57,2.

[118] *1 Ep. Io.* 4,10. Al testo biblico Guglielmo aggiunge, seguendo la Vulgata Clementina, l'aggettivo *prior*, «per primo». Il tema, con riferimento allo stesso testo paolino, è sviluppato da Bernardo nel *de diligendo Deo* (I 1): «Se nel cercare la ragione per la quale amare Dio si cerca quale sia il suo merito, il principale è questo: "Ci ha amati per primo"». E prosegue spiegando, come qui Guglielmo, che questo atto di amore gratuito è consistito nel sacrificare il suo Figlio unigenito per la salvezza degli uomini.

[119] Cfr. *Ep. Hebr.* 1,1-2.

[120] Cfr. *Ps.* 32,6.

[121] Cfr. *Ps.* 18,6.

[122] Cfr. *Ep. Rom.* 8,32.

[123] Cfr. *Ep. Gal.* 2,20.

[124] Cfr. *Sap.* 18,14-5.

[125] Cfr. *Ps.* 9,5.

[126] Cfr. *Ep. Rom.* 3,19.

[127] Cfr. *Ep. Rom.* 9,15.

[128] *1 Ep. Io.* 4,10.

[129] Intraducibili, in questo passo, sono i rapporti fra il termine *affectus* (tradotto con «sentimento») e le forme passive del verbo *afficere* (tradotto ora con «provare» ora con «modificare»); cfr. in proposito *supra*, nota 37. Mentre nell'uomo l'*affectus amoris* è un dono di Dio – più precisamente dello Spirito Santo – dal quale l'anima è *affecta*, cioè «toccata», «attirata», «trasformata», in Dio l'amore non proviene da alcun *affectus*, cioè da alcuna modificazione che intervenga in un determinato momento, ma è perfettamente gratuito ed eterno: l'amore di Dio, infatti, è lo Spirito Santo «che procede dal Padre e dal Figlio».

[130] Cfr. *Gen.* 1,2.

[131] Guglielmo interpreta l'immagine della *Genesi* come un simbolo dello Spirito Santo che fa discendere la sua grazia sopra le *mentes*

fluitantes (= le acque) degli uomini. Cfr. *Speculum fidei* 108: *Etenim pauperum spiritu amori indigo et egeno, et ad id quod amant anxio, superfertur Spiritus Sanctus amor Dei, hoc est facit opera sua in eis, non per indigentiae necessitatem, sed per abundantiam gratiae et beneficientiae suae. Hoc significabat cum «superferebatur super aquas», quaecumque fuerint aquae illae* («Infatti lo Spirito Santo, amore di Dio, sorvola l'amore bisognoso e indigente dei poveri di spirito, quell'amore ansioso di avere ciò che essi amano: cioè compie in essi le sue opere, non per un obbligo determinato da questa indigenza, ma per l'abbondanza della sua grazia e della sua beneficenza. Questo simboleggiava quando "sorvolava le acque" [*Gen.* 1,2], quali che fossero queste acque»).

[132] Cfr. *Ep. Rom.* 8,11.

[133] Cfr. *Ep. Rom.* 5,8.

[134] La definizione è ripresa da Agostino, *Trin.* XV 21,41: *Voluntatem nostram uel amorem seu dilectionem quae est uoluntas ualentior* («La nostra volontà o amore oppure dilezione, che è una volontà più forte»). Cfr. Agostino, *Ep.* 257,1-7.

[135] Cfr. *Eu. Io.* 15,26.

[136] È il termine (greco ὁμοούσιος, «della stessa sostanza», «consustanziale») che indica nel linguaggio dei Padri l'identità di sostanza o di essenza nelle Persone della Trinità. Cfr. Agostino, *Ep.* 238,28.

[137] Cfr. *Ep. Gal.* 4,6 e *Ep. Rom.* 8,15.

[138] Cfr. *Ps.* 9,11.

[139] Cfr. *Ps.* 5,12.

[140] Cfr. *Ep. Rom.* 8,15.

[141] Cfr. *Ep. Iac.* 1,17.

[142] Cfr. *Ep. Hebr.* 3,14.

[143] *Eu. Io.* 17,21-2.

[144] Cfr. *Act. Ap.* 17,28-9. Il «pagano» è il poeta cilicio Arato (cfr. *Phaenomena* 5).

[145] Cfr. *Ps.* 81,6.

[146] È la formula che precede il *Pater* nel messale romano.

[147] La discesa negli uomini dello Spirito Santo, cioè dell'amore fra il Padre e il Figlio, comporta la nostra «adozione» come figli di Dio e perciò la nostra appartenenza alla «stirpe» del Signore. Cfr. *Speculum fidei* 106: *Ea uera cognitio quae mutua est Patris et Filii, ipsa est unitas amborum, qui est Spiritus sanctus; nec aliud eis est cognitio qua se mutuo cognoscunt, et substantia qua sunt id quod sunt. Hac uero cognitione «nemo nouit Patrem nisi Filius, et nemo nouit Filium nisi Pater, uel cui ipsi uoluerint reuelare». Verba haec Domini sunt. Aliquibus ergo reuelant; scilicet quibus uolunt, quibus innotescunt, hoc est quibus largiuntur Spiritum sanctum, qui communis notitia, uel communis uoluntas est amborum. Quibus ergo reuelat Pater et Filius, hii cognoscunt, si-*

cut Pater et Filius se cognoscunt, quia habent in semetipsis notitiam mutuam eorum; quia habent in semetipsis unitatem amborum, et uoluntatem uel amorem, quod totum Spiritus sanctus est («Quanto alla mutua conoscenza del Padre e del Figlio, è la loro unità stessa, cioè lo Spirito Santo; e la conoscenza con la quale si conoscono a vicenda non è altro che la sostanza per la quale sono ciò che sono. Ora con questa conoscenza "nessuno conosce il Padre se non il Figlio; e nessuno conosce il Figlio se non il Padre o colui al quale avranno voluto rivelarlo" [*Eu. Matth.* 11,27]. Sono parole del Signore. Il Padre e il Figlio rivelano dunque tali cose ad alcuni, a coloro ai quali vogliono e ai quali si fanno conoscere, cioè a coloro ai quali concedono lo Spirito Santo, che è la conoscenza comune o la volontà comune di entrambi. Perciò coloro che hanno ricevuto la rivelazione del Padre e del Figlio conoscono come si conoscono il Padre e il Figlio, perché hanno in essi la loro mutua conoscenza, perché hanno in essi l'unità di entrambi e anche la loro volontà e il loro amore: tutto questo infatti è lo Spirito Santo»). Cfr. *Speculum fidei* 21; ved. anche *infra*, par. 17.

[148] *Eu. Io.* 17,21.

[149] *Eu. Io.* 17,22.

[150] *Prou.* 8,18; cfr. *Ps.* 111,3.

[151] *Ps.* 143,15.

[152] *Ps.* 3,9.

[153] Cfr. *Ep. Phil.* 1,19.

[154] Cfr. *Ep. Rom.* 8,11.

[155] Cfr. *Eu. Io.* 3,8.

[156] Cfr. *Ep. Eph.* 2,10.

[157] Cfr. *Speculum fidei* 111: *Et haec est mira Creatoris ad creaturam dignatio* [...]*: in amplexu et osculo Patris et Filii, qui Spiritus sanctus est, hominem quodammodo inuenire se medium, et ipsa caritate Deo uniri qua Pater et Filius unum sunt; in ipso sanctificari, qui sanctitas est amborum* («E tale è la meravigliosa condiscendenza del Creatore verso la sua creatura [...]: l'uomo si trova in qualche maniera in mezzo al bacio e all'abbraccio del Padre e del Figlio, che è lo Spirito Santo; si vede unito a Dio mediante la stessa carità per la quale il Padre e il Figlio sono una sola cosa, santificato in colui che è la santità di entrambi»). Cfr. anche *Epistola ad fratres de Monte Dei* 263.

[158] È qui già chiaramente abbozzata la fondamentale dottrina dell'*intellectus amoris*, dell'amore-intellezione, per cui cfr. l'Introduzione al volume.

[159] Nel testo *afficitur*, «toccato», «mosso», «attirato». Cfr. *supra*, note 37 e 129.

[160] Cfr. *Ep. Rom.* 5,5.

[161] Cfr. *Ps.* 125,1.

[162] Nel testo bisticcio tra *affectu* («con il sentimento», «affettiva-

mente», che richiama il precedente *animae nostrae* [...] *affectiones*) ed *effectu* («effettivamente», «realmente», «con efficacia», che annuncia il successivo *unum nos in te efficiens*, «rendendoci una sola cosa in te»). Cfr. anche *supra*, nota 129.

[163] *Eu. Matth.* 11,27. Cfr. *supra*, nota 147.

[164] Cfr. *2 Ep. Cor.* 4,16.

[165] Cfr. *1 Ep. Cor.* 6,17.

[166] *Eccl.* 12,13.

[167] Cfr. *Ps.* 103,30

[168] Cfr. *Ps.* 31,6.

[169] Cfr. *Eccli.* 39,28.

[170] Cfr. *Gen.* 8,1.

[171] Cfr. *Ier.* 17,5-6.

[172] Cfr. *Gen.* 1,9.

[173] Cfr. *Apoc.* 21,6.

[174] Cfr. *Gen.* 8,8.

[175] Cfr. *Gen.* 15,11.

[176] Cfr. *Gen.* 8,11. In questo passo il vento (*spiritus*) che asciugò la terra sommersa dal diluvio e la colomba che ne annunciò la fine dopo che Noè aveva scacciato i corvi discesi sui cadaveri («il tenebroso uccello», immagine del diavolo che si avventa sui peccatori) simboleggiano lo Spirito Santo che reca la pace e l'unione con Dio; il diluvio rappresenta la confusione degli affetti o dei sentimenti (*affectionum*); la salsedine lasciata dalle acque, infine, è figura del peccato (*antiquae damnationis*).

[177] Cfr. *1 Ep. Io.* 4,8. Ved. Agostino, *Trin.* VI 5,7: *Spiritus ergo sanctus commune aliquid est patris et filii, quidquid illud est, aut ipsa communio consubstantialis et coeterna; quae si amicitia conuenienter dici potest, dicatur, sed aptius dicitur caritas; et haec quoque substantia quia deus substantia et «deus caritas» sicut scriptum est* («Lo Spirito Santo è qualcosa di comune fra il Padre e il Figlio, qualunque cosa sia, o la loro stessa comunione consustanziale ed eterna. Se questa può essere detta con ragione amicizia, lo sia pure; ma in modo più esatto è detta carità. Anch'essa è una sostanza, perché Dio è sostanza e "Dio è carità" [*1 Ep. Io.* 4,8], come sta scritto»).

[178] Agostino, *Conf.* IX 23,34: *Itaque propter eam rem oderunt ueritatem, quam pro ueritate amant. Amant eam lucentem, oderunt eam redarguentem. Quia enim falli nolunt et fallere uolunt, amant eam, cum se ipsa indicat, et oderunt eam, cum eos ipsos indicat* («Odiano dunque la verità a causa di ciò che amano in luogo della verità. L'amano se splende, l'odiano se confuta. Poiché non vogliono essere ingannati ma vogliono ingannare, l'amano quando si scopre e la odiano quando li scopre»).

179 Nuovo bisticcio tra *affectus* («sentimento») ed *effectus* («fatto», «efficacia»).

180 Cfr. nota precedente.

181 Orazio, *Ep.* I 16,52.

182 Cfr. *Is.* 64,6. Secondo la legislazione ebraica (cfr. *Leu.* 15,22) è impuro ogni oggetto su cui siede o giace la donna durante le mestruazioni.

183 Cfr. *Ep. Gal.* 5,6, dove si legge *per caritatem* anziché *per dilectionem*.

184 Guglielmo sembra distinguere qui, come nel passo della *Epistola ad fratres de Monte Dei* (parr. 256-7) citato alla nota 65, *amor* e *dilectio* come due tappe successive nel cammino verso l'*unitas spiritus* con Dio: secondo le parole della *Epistola*, l'*amor* sarebbe una «volontà fortemente tesa verso Dio» (*magna* [...] *uoluntas ad Deum*), mentre la *dilectio* sarebbe già «il congiungimento, l'unione» con lui (*adhaesio siue coniunctio*). Secondo Marie-Madeleine Davy, «non è il caso di distinguere, nel pensiero di Guglielmo, la volontà-amore dalla volontà-dilezione, perché egli non nomina sempre quest'ultima fra le tappe della volontà; e d'altra parte, anche la volontà-amore si trova sotto la mozione della grazia. Là dove Guglielmo nomina la dilezione dopo l'amore si tratta molto probabilmente di una semplice ripetizione verbale» (Davy, *Un traité de la vie solitaire* cit., p. 160). Tuttavia in questo passo del *de contemplando Deo* lo scrittore sembra indicare con *dilectio* un sentimento rettamente guidato dalla fede cristiana, mentre l'*amor* sarebbe la semplice rettitudine morale che ha portato a compiere opere buone anche coloro che non possedevano la fede (*non enim habebant fidem quae per dilectionem operatur*).

185 *Eu. Io.* 14,6.

186 *Eu. Io.* 15,9-10. Nella citazione da Giovanni e nel commento che segue abbiamo reso il verbo *diligere* con «amare» e i termini *dilectio* e *dilectus*, rispettivamente, con «diletto» e «dilezione».

187 *Ps.* 67,13.

188 Cfr. *Eu. Io.* 3,35.

189 Cfr. *Eu. Io.* 15,10.

190 Cfr. Agostino, *de libero arbitrio* II 19,50: *Virtutes igitur quibus recte uiuitur, magna bona sunt: species autem quorumlibet corporum, sine quibus recte uiui non potest, minima bona sunt: potentiae uero animi sine quibus recte uiui non potest, media bona sunt. Virtutibus nemo male utitur: caeteris autem bonis, id est, mediis et minimis, non solum bene, sed etiam male quisque uti potest* («Pertanto le virtù per le quali si vive rettamente sono dei grandi beni; le varie specie di corpi senza i quali si può vivere rettamente sono beni minimi; le potenze dell'animo senza le quali non si può vivere rettamente sono beni intermedi. Delle virtù nessuno fa cattivo uso; degli altri beni, cioè di

quelli intermedi e minimi, ciascuno può non solo fare buon uso, ma anche cattivo uso»).

[191] Cfr. Agostino, *Retractationes* I 9,6: *Bonus usus liberae uoluntatis, quae uirtus est* («Il buon uso della libera volontà, che è la virtù»).

[192] Cfr. Agostino, *de libero arbitrio* II 19,50: *Opus uirtutis est bonus usus istorum, quibus etiam non bene uti possumus* («L'atto virtuoso è il buon uso di quelle cose che possiamo anche usare non bene»).

[193] Cfr. *Eu. Matth.* 22,37 e 39.

[194] Cfr. *Gen.* 3,7.

[195] Cfr. *3 Reg.* 17,9-24. La sapiente di Sarepta è la vedova che, mentre sta raccogliendo due legni alla porta della sua città, incontra il profeta Elia e gli offre il pugno di farina e il goccio d'olio che le restavano, una volta tornata a casa, per nutrire sé stessa e il figlioletto prima di morire (*En colligo duo ligna ut ingrediar et faciam illum mihi et filio meo, ut comedamus, et moriamur*). Ma il vaso della farina e l'orcio dell'olio non si esauriscono mai, secondo la profezia di Dio. Del racconto biblico Guglielmo suggerisce qui un'applicazione allegorica alla propria ricerca spirituale.

[196] Cfr. *Ps.* 131,3.

[197] Cfr. *Ps.* 117,17.

[198] Cfr. *Os.* 8,9.

[199] Cfr. *Iob* 39,6.

[200] Cfr. *Ier.* 2,24.

[201] Cfr. *Ps.* 118,131.

[202] Cfr. *Eu. Matth.* 12,34.

[203] L'immagine deriva da Agostino, *Conf.* X 40,65: *Et aliquando intromittis me in affectum multum inusitatum introrsus ad nescio quam dulcedinem, quae si perficiatur in me, nescio quid erit quod uita ista non erit* («Talvolta mi introduci in un sentimento interiore del tutto inusitato, nel quale raggiungo un'indefinibile dolcezza che, se toccasse il culmine, non so cosa sarebbe, non sarebbe comunque questa vita»). Il tema del «gusto» come metafora dell'intelligenza dei misteri divini è ripreso e sviluppato nel *de natura et dignitate amoris* ai parr. 29 sgg.: Cristo, che è quasi la nostra bocca e che assapora questi misteri grazie alla sua natura divina, li trasmette a noi facendoci assaporare «il gusto della contemplazione divina».

[204] Cfr. *Ep. Tit.* 1,2.

[205] *Eu. Io.* 3,8.

[206] *Ibid.*

[207] Cfr. *Ps.* 35,10. Nella *Expositio super Cantica Canticorum* (parr. 20-1) Guglielmo spiegherà che l'esperienza dell'incontro mistico con Dio deposita nell'intimo del contemplante «una certa effigie della sua conoscenza» (*aliquam cognitionis suae effigiem*; cfr. *supra*, nota 36). Tuttavia questa effigie non può essere recuperata a proprio piacimen-

to nella memoria, ma resta affidata alla grazia di Dio che può farla riaffiorare alla coscienza: quanto più frequente è il ritorno alla fonte, cioè alla visione di Dio, tanto più nettamente si imprime nella memoria questa immagine. In ciò non interviene comunque alcuna *phantastica imaginatio*: a operare nella conoscenza di Dio è semplicemente il *sensus illuminatis amoris*, il «senso o intendimento dell'amore illuminato». Anche se in questo caso la differenza fra immagine impressa nella memoria e realtà è troppo grande, la grazia della conoscenza divina, deposta nel *sensus* o *intellectus illuminati amoris*, arricchisce e beatifica colui che la possiede al di sopra di ogni conoscenza, scendendo fino a lui ed elevandolo fino a sé (par. 21: *Sed rursum, diuinae gratia illa cognitionis, quae sicut dictum est non fit nisi in sensu, uel intellectu illuminati amoris, super omnes cognitationes rerum ditat de se, et beatificat cognitorem suum, condescendens ei, ac subleuans eum ad se*).

[208] Cfr. *Ps.* 70,9.

[209] Cfr. *Ps.* 30,21.

[210] È ripresa qui l'immagine iniziale dell'asino come simbolo del corpo, provvisoriamente abbandonato per gustare la dolcezza dell'estasi (cfr. par. 1); i «bambini» sono le preoccupazioni, le ansie e le fatiche che erano state lasciate «ai piedi della montagna».

[211] Qui Guglielmo cita quasi alla lettera un passo dell'epilogo del *de praedestinatione* di Giovanni Scoto Eriugena (*PL* 122, 438A): *Ecce unum Deum colo, unum omnium principium et sapientiam, qua sapiens est quaecumque anima sapiens est, et ipsum munus quo beata sunt quaecumque beata sunt*. Cfr. Déchanet, *Guillaume de Saint-Thierry* cit., p. 38.

[212] Cfr. *Eu. Luc.* 10,27.

[213] Cfr. *Eu. Io.* 15,4.

[214] Cfr. *1 Ep. Cor.* 1,24.

[215] Cfr. Agostino, *de uera religione* LV 113: *Vnum Deum quo creatore uiuimus, per quem reformati sapienter uiuimus, quem diligentes et quo fruentes beate uiuimus* («Dio unico, creatore grazie al quale viviamo, grazie al quale – riacquistata la nostra forma originaria – viviamo con sapienza, amando e godendo il quale viviamo beati»).

[216] Cfr. *Ep. Rom.* 16,27. Queste righe finali sono tratte dalla conclusione del *de uera religione* LV 113.

GUGLIELMO DI SAINT-THIERRY NATURA E DIGNITÀ DELL'AMORE

[1] Quella dell'amore è l'arte per eccellenza in quanto, come dirà Guglielmo poco più avanti, l'amore è «un'energia dell'anima che, quasi per un peso naturale, la porta verso il luogo o il fine che le sono propri», cioè Dio. Ma, benché quest'arte sia insegnata da Dio e dalla natura stessa, la corruzione dello spirito – conseguente al peccato – può deviare l'amore dal suo fine naturale e trascinarlo verso il basso, cioè verso le cose corporee e transeunti. Di qui, aggiunge ancora Guglielmo, la necessità di «un maestro» che, istruendo l'uomo su questo fine, «gli insegni dove, come, in quale luogo e per quale via» si debba cercarlo (cfr. *infra*, par. 2). È questo l'oggetto del trattato, che si presenta come una vera e propria risposta cristiana al trattato per eccellenza sull'amore carnale, l'*Ars amatoria* di Ovidio (cfr. *infra*, par. 2 e nota 12). Sull'educazione della nostra facoltà amorosa, cfr. Verdeyen, *La théologie mystique* cit., pp. 216-24.

[2] Nel testo *adulterinis* [...] *affectibus.* L'immagine è ripresa e illustrata in *Expositio super Cantica Canticorum* 66, dove Guglielmo invita la *Sponsa Christi*, cioè l'anima, a dimenticare i desideri e le dilettazioni suscitate dalle realtà corporee, che la portano in qualche modo fuori di sé stessa, e a riconoscere invece dentro di sé l'immagine di Dio: *O imago Dei, recognosce dignitatem tuam; refulgeat in te auctoris effigies. Tu tibi uilis es, sed pretiosa res es. Quantum ab eo defecisti cuius imago es, tantum alienis imaginibus infecta es. Sed cum in id quod creata es, respirare coeperis, si fortiter apprehenderis disciplinam, superductos adulterarum imaginum fucos, nec satis inhaerentes, cito excuties, cito effugies* («O immagine di Dio, riconosci la tua dignità; risplenda in te l'effigie del tuo Creatore. Ti consideri vile, ma sei una cosa preziosa. Di quanto ti sei allontanata da colui del quale sei l'immagine, di tanto sei stata infettata da immagini estranee. Ma se incominci a respirare nell'atmosfera in cui sei stata creata e abbracci con forza la disciplina, presto scuoterai via, presto fuggirai gli abbellimenti che coprono – senza però restarvi attaccati a sufficienza – queste

immagini adulterine»). L'idea del peccato come *adulterium* è tradizionale nel pensiero cristiano. Una esemplare formulazione è quella che si legge nella omelia 20 sui *Numeri* di Origene. Citando san Paolo (*1 Ep. Cor.* 6,17), Origene scrive che l'anima è sempre unita o al «Signore» o alla «meretrice»; se si abbandona agli amplessi del suo Sposo legittimo, da questa unione nasceranno tutte le virtù; se invece «l'anima sventurata ha abbandonato i sacri amplessi con il Verbo divino e, ingannata dalle lusinghe, si è data agli abbracci adulterini del diavolo e degli altri demoni, senza dubbio genererà anch'essa dei figli, ma quei figli di cui sta scritto: "I figli degli adulteri saranno imperfetti, e il seme di un accoppiamento illegittimo sarà sterminato" [*Ps.* 3,16]. Perché tutti i peccati sono figli dell'adulterio e figli della fornicazione» (*Homiliae in Numeros* 20,2). Cfr. anche Agostino, *Serm.* XV 3,3. Per il significato di *affectus* e *affectio* nella terminologia di Guglielmo, ved. nota 3 al *de contemplando Deo*.

[3] Cfr. *Eu. Io.* 6,45.

[4] La concezione (risalente alla fisica greca; cfr. in particolare Aristotele, *de caelo* I 2 e IV 4-5) secondo la quale ogni corpo tende a occupare il posto che gli spetta nell'ordine naturale è desunta da Agostino (il «filosofo» qui evocato), che istituisce anche il paragone con l'amore di Dio (*Conf.* XIII 9,10): *In bona uoluntate pax nobis est. Corpus pondere suo nititur ad locum suum. Pondus non ad ima tantum est, sed ad locum suum. Ignis sursum tendit, deorsum lapis. Ponderibus suis aguntur, loca sua petunt. Oleum infra aquam fusum super aquam attollitur, aqua supra oleum fusa infra oleum demergitur: ponderibus suis aguntur, loca sua petunt* [...]. *Pondus meum amor meus; eo feror, quocumque feror* («Nella volontà buona è per noi la pace. Ogni corpo col suo peso tende verso il luogo che gli è proprio. Un peso però non tende solo verso il basso, ma al luogo che gli è proprio. Il fuoco tende verso l'alto, la pietra verso il basso. Sono spinti dal loro peso e cercano il luogo che gli è proprio. L'olio versato sotto l'acqua riemerge sull'acqua, l'acqua versata sull'olio s'immerge sotto l'olio: sono spinti dal loro peso e cercano il luogo che gli è proprio [...]. Il mio peso è il mio amore; è lui che mi porta, dovunque vado»). Cfr. anche *de Genesi ad litteram* IV 18,34; *Ciu.* XI 28; *in Iohannis Euangelium* III 3; *Enarrationes in Psalmos* 29,10; 30,3,8; 70,1,5; *Serm.* 298,3 ecc.

[5] Cfr. *Gen.* 3,19.

[6] *Eccl.* 12,7.

[7] La formazione dei corpi a partire dall'armoniosa combinazione dei quattro elementi e la loro dissoluzione quando tale equilibrio si altera sono illustrate nel *de natura corporis et animae*, *CCM* LXXXVIII, pp. 3,29-5,67.

[8] Non è chiaro a quale sua precedente affermazione Guglielmo si riferisca. Secondo R. Thomas (Guillaume de Saint-Thierry, *Nature et*

dignité de l'amour, traduit et présenté par R. Thomas, «Collection Pain de Cîteaux» XXIV, Chambarand 1965, p. 13 nt. 1), egli potrebbe alludere all'espressione di san Paolo (*2 Ep. Tim.* 4,6): *Tempus resolutionis meae instat* («Il tempo del mio scioglimento è imminente»).

[9] Nel testo *resolutio*. Guglielmo riferisce lo stesso termine – ma in accezione legale: «rescissione di un contratto» – alla dissoluzione del corpo in *Epistola ad fratres de Monte Dei* 74: *Foedus enim quod habemus cum corpore, non quandocumque uolumus, possumus abrumpere, sed legitimam eius resolutionem patienter nos exspectare oportet, et interim quae legitimi foederis sunt obseruare* («Il patto che abbiamo stretto con il nostro corpo non possiamo romperlo quando vogliamo, ma dobbiamo attendere pazientemente la sua rescissione legale e, nel frattempo, rispettare tutte le clausole del contratto»).

[10] *Ps.* 143,15.

[11] Cfr. *Os.* 4,6.

[12] Si tratta naturalmente di Ovidio, che nella sua *Ars amatoria* si proclama due volte (vv. 744 e 812) maestro d'amore: *Naso magister erat* («Nasone era maestro»). Il trattato di Guglielmo si presenta perciò, come ha suggerito G. Dumeige (*Richard de Saint-Victor et l'idée chrétienne de l'amour*, Paris 1952, p. 32), come una sorta di «*Anti-Naso* destinato a opporsi a quello che troppi monaci consideravano come il maestro d'amore di quel tempo».

[13] Allusione ai *Remedia amoris*, il poema scritto successivamente da Ovidio come una medicina per coloro che erano stati delusi o traditi dall'amore. Cfr. vv. 41-4 (Publio Ovidio Nasone, *Opere* I, a cura di A. Della Casa, Torino 1982): *Ad mea, decepti iuuenes, praecepta uenite, / quos suus ex omni parte fefellit amor. / Discite sanari, per quem didicistis amare; / una manus uobis uulnus opemque feret* («Venite alle mie lezioni, o giovani delusi, sotto qualsiasi forma l'amore vi ha tradito. Da chi avete imparato ad amare, ora imparate a guarire: sarà così una sola la mano che vi apporterà ferita e rimedio»).

[14] Dal momento che l'amore è un dono di natura che porta l'uomo verso Dio, la sua *beatitudo*, non vi è secondo Guglielmo reale opposizione fra amore spirituale e amore carnale: quest'ultimo è semplicemente la conseguenza di un «disordine», di una deviazione del desiderio dal suo fine naturale. La concezione è chiaramente ispirata da Origene; cfr. *Homiliae in Canticum Canticorum* II 1: *Omnes animae motiones uniuersitatis conditor Deus creauit ad bonum, sed pro usu nostro fit saepe, ut res, quae bonae sunt per naturam, dum male eis abutimur, nos ad peccata deducant. Vnus de animae motibus amor est, quo bene utimur ad amandum, si sapientiam amemus et ueritatem; quando uero amor noster in peiora corruerit, amamus carnem et sanguinem. Tu igitur, ut spiritalis, audi spiritaliter amatoria uerba cantari et disce motum animae tuae et naturalis amoris incendium ad meliora transferre*

(«Tutti i moti dell'anima, Dio, autore di tutte le cose, li ha creati per il bene; ma in pratica avviene spesso che le cose – buone per natura – ci conducano al peccato quando ne facciamo cattivo uso. Uno dei moti dell'anima è l'amore: ne facciamo buon uso per amare, se amiamo la sapienza e la verità; ma quando il nostro amore si getta su cose inferiori, amiamo la carne e il sangue. Tu, che sei spirituale, ascolta dunque spiritualmente cantare queste parole d'amore e impara a innalzare verso ciò che è migliore il moto della tua anima e la fiamma del tuo amore naturale»). Cfr. *Expositio super Cantica Canticorum* 2: *Cum enim amamus quacumque creaturam, non ad utendum ad te, sed ad fruendum in se, fit amor iam non amor, sed cupiditas, uel libido, siue aliquid huiusmodi, cum damno libertatis, perdens etiam gratiam nominis; et comparatur miser homo iumentis insipientibus, et similis eis efficitur* («Quando infatti amiamo una qualunque creatura non come un mezzo per giungere a te, ma come un oggetto di godimento in sé, l'amore non è già più amore, ma cupidigia, passione o qualcosa del genere: con la rovina della sua libertà, perde anche la grazia del suo nome; e l'uomo infelice si abbassa al livello degli animali senza ragione, diventando simile a loro»). Ved. anche *infra*, par. 4 e nota 29. Sull'*ordo caritatis* secondo Guglielmo, cfr. *Expositio super Cantica Canticorum* 127-9.

[15] *Ps.* 48,13.

[16] *Gen.* 6,3.

[17] *Ps.* 21,15. Ved. poco oltre l'interpretazione letterale – quasi fisiologica – che Guglielmo propone di questo versetto.

[18] Questa immagine dell'*arx*, «rocca» o «cittadella», è riferita più volte nel trattato alle facoltà più alte dell'uomo: cfr. par. 3 (memoria); par. 20 (vista); par. 28 (sapienza).

[19] *Appetitus* ha in Guglielmo il senso generale di «desiderio», «attrazione» verso un bene materiale o spirituale, «inclinazione naturale». Cfr. Davy, *Un traité de la vie solitaire* cit., p. 156.

[20] Cfr. *Ep. Rom.* 1,24 e 26.

[21] Cfr. *Apoc.* 2,13.

[22] Distinguendo i quattro gradi o le quattro tappe successive nel progresso dell'amore, Guglielmo disegna qui il piano dell'intero trattato. Leggermente diversi sono i gradi indicati nel *de contemplando Deo* 7 (*desiderium*, *uisio*, *fruitio*, *perfectio*) e nella *Epistola ad fratres de Monte Dei* 256-7 (*amor*, *dilectio*, *caritas*, *unitas spiritus*); ved. nota 65 al *de contemplando Deo*. Qui essi sono associati alle età successive dell'uomo, con accentuazione del loro aspetto evolutivo: all'infanzia corrisponde la volontà che, illuminata dalla grazia, si orienta verso il bene; all'adolescenza, l'apprendimento e lo sviluppo dell'amore; alla maturità, la piena conquista della carità; alla vecchiaia, infine, il godimento dei frutti di tutto il cammino percorso. Nell'ultimo capitolo

del trattato, però, Guglielmo preciserà che questi gradi non sono da intendersi come i gradini di una scala, nel senso cioè che i diversi *affectus* o sentimenti siano necessari solo nel momento al quale corrispondono durante il progresso dell'anima: anche se in ogni fase ciascuno di essi svolge un ruolo specifico, «tutti concorrono e collaborano fra di loro, tutti si precedono e si seguono» (par. 45).

[23] Cfr. *Ep. Eph.* 2,19. Ved. anche nota 64 al *de contemplando Deo.*

[24] Cfr. *Gen.* 2,7.

[25] Con «soffio» e «alito» abbiamo reso, rispettivamente, i termini *spiratio* e *spiraculum* usati da Guglielmo.

[26] L'idea secondo la quale le tre facoltà spirituali dell'uomo – memoria, ragione, volontà – rispecchiano, nella loro unicità e triplicità, le tre persone della Trinità, deriva da Agostino; cfr. *Trin.* XIV 8,11: *Ecce enim mens meminit sui, intellegit se, diligit se. Hoc si cernimus, cernimus trinitatem, nondum quidem deum sed iam imaginem dei. Non forinsecus accepit memoria quod teneret, nec foris inuenit quod aspiceret intellectus sicut corporis oculus, nec ista duo uelut formam corporis et eam quae inde facta est in acie contuentis uoluntas foris iunxit. Nec imaginem rei quae foris uisa est quodam modo raptam et in memoriam reconditam cogitatio cum ad eam conuerteretur inuenit, et inde informatus est recordantis obtutus iungente utrumque tertia uoluntate* («Ecco quindi che la mente si ricorda di sé, si comprende e si ama. Se noi riusciamo a vedere questo, vediamo una trinità; certamente non Dio, ma già un'immagine di Dio. La memoria non ha ricevuto dall'esterno ciò che deve ricordare e nemmeno l'intelletto ha ricevuto dal di fuori ciò che deve conoscere, come accade per l'occhio corporeo; e questi due principî la volontà non li fonde dal di fuori allo stesso modo in cui essa fonde la forma del corpo esteriore alla forma che la riproduce nello sguardo di chi la vede. E quando il pensiero si è rivolto alla memoria, non vi ha trovato l'immagine di una cosa vista fuori e portata in qualche modo nel segreto della memoria, per informare lo sguardo di colui che ricorda; è la volontà che interviene come terza per unire l'immagine allo sguardo»); cfr. anche IX 2,2; 12,18; X 11,17-9; 12,19; XIV 12,15. Questa concezione è ripresa anche da Giovanni Scoto, *Periphyseon* II 2595-607. Essa ha il suo presupposto nella concezione secondo cui l'uomo, dal momento in cui Dio alitò sul suo volto (cfr. *Gen.* 2,7), fu creato «a sua immagine e somiglianza» (ved. in proposito nota 50 al *de contemplando Deo* e *supra*, nota 2); le tre facoltà che ne sono nate costituiscono – nella loro natura e nelle loro reciproche relazioni – una sorta di «trinità umana», specchio di quella divina: la memoria, che racchiude in sé il fine verso il quale si deve tendere, ha generato da sé stessa la ragione, che ne comprende il motivo; dalla memoria e dalla ragione insieme procede la volontà, che è l'atto stesso del tendere. Per Guglielmo non si tratta

di una semplice analogia: ciascuna delle tre persone della Trinità prende realmente possesso delle facoltà dell'anima. Osserva Déchanet (*Oeuvres choisies de Guillaume de Saint-Thierry*, Paris 1944, p. 251): «Informate, per così dire, da un principio superiore, queste si scoprono ordinate, prima di tutto e al di sopra di tutto, ma non unicamente, a un fine soprannaturale. Per l'uomo, pensare, comprendere, amare sarà innanzitutto e soprattutto conservare in fondo al cuore il ricordo vivente di Dio, applicare l'intelligenza alla conoscenza di Dio, tendere verso Dio con tutto il suo essere. Del resto, le facoltà dell'anima, in qualche modo deificate, agiranno *diuino modo*, saranno quasi trasportate nel movimento trinitario: il Padre rivendica per sé la memoria intellettuale, il Figlio l'intelligenza, lo Spirito la volontà dell'uomo, e ciascuno di loro fa produrre a ciò che porta la sua impronta delle operazioni in rapporto con la propria vitalità». Cfr. anche É. Gilson, *La théologie mystique de Saint-Bernard*, Paris 1986[5], pp. 220-3.

[27] Cfr. *de contemplando Deo* 14 e relativa nota 134.

[28] Idee analoghe sono espresse anche in *de contemplando Deo* 19.

[29] Come Guglielmo spiega nella *Epistola ad fratres de Monte Dei* (199-200) la volontà umana è libera: quello che egli chiama *arbitrium*, cioè *iudicium rationis in iudicando et discernendo* («capacità propria della ragione di determinarsi quando si deve giudicare e scegliere») è una facoltà della ragione che distingue l'uomo da ogni altra creatura e che non si perde nemmeno quando la volontà è trascinata verso il male e il peccato. La *uoluntas* può dunque dirigersi sia verso Dio sia verso il corpo (parr. 234-7): *Voluntas naturalis quidam animi appetitus est, alius ad Deum, et circa interiora sua, alius circa corpus et exteriora corporalia* («La volontà è un appetito naturale dell'animo, diverso quando tende verso Dio e si interessa ai beni interiori che gli sono propri da quando si disperde intorno al corpo e alle realtà corporee esteriori»). Quando la volontà tende verso l'alto, prosegue Guglielmo, è amore; quando è nutrita dalla grazia, è dilezione (*dilectio*); quando perviene al godimento, è carità (*caritas*) e unità di spirito (*unitas spiritus*): è addirittura Dio, poiché «Dio è carità». Quando invece tende verso il basso, essa diventa «concupiscenza della carne». Certo, se si limita a desiderare ciò che è necessario alla vita, resta un «appetito naturale dell'animo»: *Cum uero in appetendo semper ad ulteriora progreditur, ipsum se prodit, quia iam non tam uoluntas quam uitium uoluntatis est, auaritia, uel cupiditas, uel aliquid huiusmodi* («Se al contrario nella sua appetizione si porta sempre oltre, questo appetito tradisce sé stesso, perché ormai non è più tanto volontà quanto piuttosto vizio della volontà, avarizia, cupidigia o qualche passione dello stesso genere»). Per le nozioni di *uoluntas* e di *arbitrium* in Guglielmo, cfr. Davy, *Un traité de la vie solitaire* cit., pp. 155 e 157-9.

[30] Si tratta della lettera Y, che rappresenta le due vie che l'uomo può seguire, quella della virtù e quella del vizio.

[31] *Iob* 28,28 secondo la versione dei Settanta: Ἰδοὺ ἡ θεοσέβειά ἐστιν σοφία.

[32] Cfr. *Ps.* 38,7. Letteralmente «che passano nell'immagine», cioè i fatui, i superficiali; questo versetto è nuovamente citato – ma con altro significato – al par. 44.

[33] Cfr. *Ps.* 48,13.

[34] *Ez.* 23,20.

[35] *2 Ep. Cor.* 5,13.

[36] *Ex.* 32,31-2. Il «libro» è il Libro della Vita, dal quale Mosè chiede a Dio di essere cancellato se non verrà perdonato il peccato che gli Ebrei avevano commesso adorando il vitello d'oro.

[37] *Ep. Rom.* 9,3.

[38] Nel testo *bene affectae*, «disposta in modo virtuoso». Per il significato di *afficere* in Guglielmo, cfr. nota 37 al *de contemplando Deo.*

[39] Nel testo, bisticcio intraducibile tra *effectu* («nei fatti», «effettivamente») e *affectu* («nel sentimento», «nell'animo»). Analogo bisticcio nel *de contemplando Deo* 17 (e ved. relativa nota 162).

[40] Cfr. *Act. Ap.* 2,1-13. Si tratta naturalmente del giorno di Pentecoste.

[41] *Act. Ap.* 26,24. L'episodio cui allude Guglielmo è quello del processo cui viene sottoposto Paolo a Gerusalemme davanti al procuratore Festo e al re Agrippa II. Dopo che l'Apostolo ha raccontato la sua conversione e dichiarato la propria fede, Festo lo interrompe gridando: «Sei impazzito, Paolo: la troppa cultura ti fa sragionare!».

[42] In realtà, non è il re Agrippa ma il procuratore Festo a pronunciare la frase.

[43] Cfr. *Ps.* 67,28. Le parole del Salmo sono divenute nel linguaggio dei mistici medioevali – con riferimento in realtà a *2 Ep. Cor.* 5,13 (*mentis excedimus*) e ad *Act. Ap.* 10,10 e 11,5 (*mentis excessus*, *in excessu mentis*) – un'espressione tecnica per indicare il venir meno della ragione nell'esperienza estatica. Cfr. Gilson, *La théologie mystique* cit., pp. 40-1, e Dumeige, *Richard de Saint-Victor* cit., pp. 143-7.

[44] Nel testo *excessit* (letteralmente «è uscito»), con riferimento all'*excessus mentis* sopra evocato.

[45] Virgilio, *Buc.* III 36.

[46] Questa fase della vita spirituale corrisponde al primo dei tre stati definiti nella *Epistola ad fratres de Monte Dei* (parr. 46-51): quello della *animalitas* o degli *incipientes*, cioè lo stato in cui l'anima vive ancora interamente asservita ai sensi del corpo. Se si distoglie da Dio, la *animalitas* porta alla follia; se invece si converte a Dio, essa diventa *sancta simplicitas*, volontà semplice e buona interamente rivolta verso

Dio, quasi la *informis materia* dalla quale nascerà il futuro uomo buono. Cfr. *Epistola ad fratres de Monte Dei* 49: *Vel simplicitas, sola est ad Deum uoluntas, scilicet nondum ratione formata, ut amor sit, id est formata uoluntas, nondum illuminata, ut sit caritas, hoc est amoris iocunditas* («La semplicità è la volontà orientata unicamente verso Dio, cioè non ancora formata dalla ragione sì da divenire amore, ossia volontà formata; non ancora illuminata così da divenire carità, cioè gioia d'amore»).

[47] Nel testo *discretiones* e, poco oltre, *discretionum dispensationes*: qui nel senso di «eccezioni», «indulgenze», «dispense».

[48] Anche nella *Epistola ad fratres de Monte Dei* (par. 53) Guglielmo afferma che il primo passo degli *incipientes* sulla via del bene è quello della perfetta obbedienza: *Perfecta uero oboedientia est, maxime in incipiente, indiscreta; hoc est non discernere quid uel quale praecipitur; sed ad hoc tantum niti, ut fideliter et humiliter fiat, quod a maiore praecipitur* («La perfetta obbedienza, specie nel novizio, non ammette discussione: esclude ogni giudizio sull'oggetto e la ragione del comando ricevuto e tutti i suoi sforzi si limitano a eseguire fedelmente e umilmente l'ordine dato dal superiore»).

[49] Nel testo *discretio*; cfr. *supra*, note 47 e 48, e nota seguente.

[50] Cfr. *1 Ep. Cor.* 4,10. Guglielmo ribadisce nella *Epistola ad fratres de Monte Dei* (par. 54) la stessa esortazione al principiante: *Stultus fiat, ut sit sapiens. Et hoc omnis sit eius discretio, ut in hoc nulla ei sit discretio. Haec omnis eius sapientia sit, ut in hac parte nulla ei sit* («Si faccia stolto per diventare sapiente. E tutto il suo discernimento, in questa materia, sia di non avere alcun discernimento. Tutta la sua sapienza consista su questo punto, nel non averne affatto»).

[51] Cfr. anche *infra*, par. 26.

[52] *1 Ep. Pet.* 1,22.

[53] *Ep. Rom.* 12,2.

[54] Cfr. *Eu. Io.* 6,38.

[55] Cfr. *2 Ep. Tim.* 4,3.

[56] Tutte queste direttive riguardanti la vita del novizio (comportamenti, cibo, sonno, letture, preghiera ecc.) sono illustrate minuziosamente in *Epistola ad fratres de Monte Dei* 70-139.

[57] Nel testo *uoluntates*. Come si è visto (cfr. *supra*, nota 29), la *uoluntas* può essere buona se si dirige verso Dio (cfr. *infra*) e cattiva se si rivolge alle realtà corporee (come in questo caso, dove abbiamo reso il termine con «voglia»).

[58] Nel testo *adulterinis*. Sul peccato come adulterio, cfr. *supra*, nota 2.

[59] Cfr. *1 Ep. Io.* 2,16.

[60] Cfr. *1 Ep. Cor.* 9,24-6.

[61] Cfr. *Eu. Io.* 3,8, riferito allo *spiritus*.

[62] Lo stesso paragone è svolto in *Meditatiuae orationes* XI 4 (ma con riferimento all'uomo guidato da Dio verso la verità).

[63] Cfr. *Ep. Hebr.* 12,11.

[64] Nel testo *in affectu*. Finché i virtuosi comportamenti non saranno penetrati *in affectu*, nel più profondo del suo cuore, e non saranno diventati quasi una seconda natura, trasformandosi in comportamenti spontanei, il principiante dovrà assoggettarvisi con la volontà e con la ragione (cfr. *Epistola ad fratres de Monte Dei* 91-2, dove è citato lo stesso passo della *Lettera ai Romani* riportato più avanti).

[65] *Ps.* 118,20.

[66] Cfr. *Eu. Matth.* 25,23.

[67] *Ep. Rom.* 6,19.

[68] *Ps.* 62,5-6.

[69] *Ep. Rom.* 8,13.

[70] *Ep. Eph.* 4,23-4.

[71] Cfr. *2 Ep. Cor.* 4,16.

[72] Cfr. *2 Ep. Cor.* 3,18.

[73] Nel testo *theophaniae*. Il termine, che significa «manifestazioni divine», deriva dal lessico della teologia mistica orientale (in greco ϑεοφανία), e in particolare da quella dello pseudo Dionigi Areopagita, attraverso la mediazione di Giovanni Scoto Eriugena; Guglielmo lo usa, insieme al sinonimo *theoria* (greco ϑεωρία) anche in *Expositio super Cantica Canticorum* 153: *Sic ergo Sponsus apud Sponsam similis habetur capreae hinnuloque ceruorum, cum de huiusmodi quibusdam «theoriis», siue «theophaniis», esurientem pascit, reficit afflictam; quae non nisi cum uultu eius laetitia adimpletur* («Così dunque lo Sposo accanto alla Sposa assomiglia a una capra e a un cerbiatto, quando per mezzo di "visioni" o di "teofanie" di questo genere la nutre quando è affamata e la conforta quando è afflitta: lei, che solo il volto dello Sposo può riempire di gioia»). Il concetto è ampiamente illustrato, anche se il termine *theophania* non vi compare, in *Epistola ad fratres de Monte Dei* 268-70.

[74] Cfr. *Sap.* 6,17.

[75] *Iob* 36,32-3.

[76] Nel testo *affectiunculas*, «piccole consolazioni», «piccole emozioni spirituali». Per la distinzione tra *affectus* e *affectio*, cfr. *infra*, par. 14.

[77] Nel testo *affectiones*. Cfr. nota precedente.

[78] Cfr. *Gen.* 41,52.

[79] *Cant.* 5,1.

[80] Cfr. *1 Ep. Cor.* 11,29.

[81] Lo stesso tema è svolto in *Epistola ad fratres de Monte Dei* 186, dove è citato lo stesso passo del salmo 80: *In quo, proh dolor, plurimi falluntur, quia cum pascuntur pane filiorum, iam se filios esse arbitran-*

tur, et deficientes unde proficere debebant, ex uisitante gratia euanescunt a conscientia sua, et arbitrantes se aliquid esse cum nichil sint, et de bonis Domini non emendantur, sed indurantur («In questo, ahimè, molti si ingannano: nutriti del pane dei figli, si credono già figli. Desistendo nel momento in cui dovevano incominciare a progredire, proprio in seguito alla visita della grazia si sottraggono alla loro coscienza e, pensando di essere qualcosa mentre non sono nulla, dai doni del Signore non traggono occasione per correggersi, ma per indurire i loro cuori»).

[82] *Ps.* 80,16-7.

[83] Nel testo *sacramentorum*. Si tratta qui della *res sacramenti*, cioè della «realtà del sacramento», distinta dal semplice rito del *sacramentum*. Essa è riservata soltanto a chi ne è degno; cfr. *Epistola ad fratres de Monte Dei* 118: *Nam et sacramentum, sicut accipit ad uitam dignus, sic ad mortem suam et iudicium temerare potest indignus; rem uero sacramenti, nemo percipit, nisi dignus et idoneus. Sacramentum enim sine re sacramenti sumenti mors est; res uero sacramenti, etiam praeter sacramentum, sumenti uita aeterna est* («Il sacramento, come colui che ne è degno lo riceve per vivere, così l'indegno può profanarlo, per la propria morte e la propria condanna. La realtà del sacramento, nessuno può riceverla se non ne è degno e capace. Infatti, il sacramento senza la realtà del sacramento porta la morte a chi lo riceve; invece la realtà del sacramento, anche senza il sacramento stesso, porta a chi la riceve la vita eterna»). La *res sacramenti* è a disposizione di chi «rumina» la parola divina nella sua cella (cfr. *ibid.* 119). Sulla complementarità fra eucaristia e meditazione «ruminante», ved. Verdeyen, *La théologie mystique* cit., pp. 175-7. Cfr. inoltre M. Rougé, *Doctrine et expérience de l'eucharistie chez Guillaume de Saint-Thierry*, Paris 1999.

[84] Si tratta della fase in cui si passa dal *caecus amor* all'*amor illuminatus*, ossia alla *caritas* (cfr. *infra*, par. 12). L'amore è «illuminato» quando la grazia dello Spirito Santo fa sentire sperimentalmente all'anima la presenza divina e la inonda di una gioia che «trasfonde in Dio il fedele amante» (*Expositio super Cantica Canticorum* 94: *in Deum transfundens fidelem amantem*); ved. in proposito l'ampia analisi di Davy, *Théologie et mystique* cit., pp. 233-48. Cfr. anche nota 35 al *de contemplando Deo.*

[85] La citazione combina, con qualche adattamento, *Ep. Hebr.* 6,4-5 e 10,29.

[86] *Ep. Hebr.* 6,7-8.

[87] *Ep. Hebr.* 6,9.

[88] *Ep. Eph.* 4,13.

[89] Nel testo *affectum*. Cfr. *supra*, nota 2.

[90] *1 Ep. Io.* 4,16.

[91] Ved. nota 91 al *de contemplando Deo.*

[92] *1 Ep. Cor.* 12,31; 13,8 e 13.
[93] Cfr. *Eu. Matth.* 11,30.
[94] *Eu. Io.* 15,15.
[95] *Eu. Matth.* 5,21; *Eu. Luc.* 18,20.
[96] *1 Ep. Io.* 3,16.
[97] Per questa immagine, cfr. Cassiodoro, *Expositio in Canticum Canticorum* 6, *PL* 70, col. 1093, e Ruperto di Deutz, *Commentarium in Habacuc* 3, *PL* 168, coll. 635-6.
[98] Nel testo, come altrove, vi è un bisticcio tra *affectum* («sentimento») ed *effectum* («risultato», «realizzazione effettiva»).
[99] *Ps.* 118,104.
[100] Cfr. *de contemplando Deo* 9 e relativa nota 88.
[101] *1 Ep. Cor.* 13,8.
[102] Ved. in proposito nota 22 al *de contemplando Deo.*
[103] Nel testo *titubat.* Secondo Agostino è la fede a *titubare* quando vacilla l'autorità delle Scritture; cfr. *Doctr.* I 37,41: *«Per fidem enim ambulamus, non per speciem»; titubabit autem fides, si diuinarum scripturarum uacillat auctoritas* («"Camminiamo infatti sorretti dalla fede, non guidati da chiara visione" [*2 Ep. Cor.* 5,7]; ma la fede si indebolirà se vacilla l'autorità delle Scritture»).
[104] I termini *affectio* («affezione», a sua volta accostato – come poco sopra – a *effectus*, «opera», «realizzazione concreta») e *affectus* («sentimento», «realtà profonda, interiore») sono qui distinti e contrapposti. La loro definizione è illustrata all'inizio del paragrafo seguente (par. 14); ved. nota 3 al *de contemplando Deo.*
[105] *Ep. Rom.* 7,24.
[106] *Ep. Rom.* 7,25.
[107] *Ep. Rom.* 7,17.
[108] Cfr. *Eu. Io.* 3,3-8. Ved. quanto scrive Origene nel *Commentarium in Canticum Canticorum, prol.* 2,46 (Origene, *Commento al Cantico dei Cantici*, a cura di M. Simonetti, Roma 1976): *Hunc ergo amorem loquitur praesens scriptura, quo erga Verbum Dei anima beata uritur et inflammatur, et istud epithalamii carmen per Spiritum canit, quo ecclesia sponso caelesti Christo coniungitur ac sociatur, desiderans misceri ei per Verbum, ut concipiat ex eo, et saluari possit per hanc castam «filiorum generationem, cum permanserint in fide et sanctitate cum sobrietate» utpote concepti ex semine quidem Verbi Dei, editi uero genitique uel ab immaculata ecclesia, uel ab anima nihil corporeum, nihil materiale requirente, sed solo Verbi Dei amore flagrante* («Di tale amore parla il nostro testo: da tale amore è infiammata e arde l'anima beata per il Verbo di Dio e canta questo canto nuziale ispirata dallo Spirito Santo, per mezzo del quale la chiesa si accosta a Cristo, lo sposo celeste, desiderando unirsi con lui per mezzo della parola, per concepire lui. Così essa si può salvare grazie

a questa casta "generazione di figli, se essi persevereranno nella fede e nella santità con temperanza" [*1 Ep. Tim.* 2,15], in quanto concepiti dal seme del Verbo di Dio e generati dalla immacolata chiesa o anima, che non cerca alcunché di corporeo e di materiale ma arde solo di amore per il Verbo di Dio»). I. Gobry (*Guillaume de Saint-Thierry. Maître en l'art d'aimer*, Paris 1998, p. 131) osserva che la temeraria concezione di Guglielmo secondo cui chi possiede la carità non commette peccato nel suo «uomo interiore», anche se vi cade esteriormente per la debolezza della carne, ci conduce «sulla china del pietismo, la dottrina secondo cui, per i cristiani giunti al culmine della virtù, l'anima salda nella sua relazione con Dio ignora i peccati commessi dal corpo e non incorre così nella minima colpa». A questa teoria, peraltro attribuita a Bernardo, rispose Tommaso d'Aquino nella *Summa theologiae* (II IIa, q. 24, art. 12,2).

[109] *1 Ep. Io.* 3,9.

[110] Cfr. *Ep. Rom.* 7,25.

[111] Cfr. *Eu. Matth.* 26,69-75 e paralleli.

[112] Guglielmo si riferisce qui al peccato commesso da Davide quando giacque con Betsabea, moglie di Uria l'Hittita, e fece poi uccidere lo stesso Uria. Al peccato e alla punizione di Dio, che fece morire il bambino nato dalla relazione, seguì il pentimento di Davide e il perdono divino, con la nascita di un secondo figlio, Salomone (cfr. *2 Reg.* 11,1-27 e 12,1-25).

[113] *2 Reg.* 12,13.

[114] L'idea che nella carità si fondano e raggiungano la loro perfezione le altre virtù teologali – fede e speranza – è fondamentale nel pensiero di Guglielmo. Se la forma propria della fede è quella di credere alla rivelazione di Dio e la forma propria della speranza è quella di desiderare la beatitudine promessa, solo la carità – purificando il nostro cuore da tutte le affezioni «adulterine» e amando Dio come Dio stesso si ama – può rendere veramente efficaci in noi queste virtù. Non che la carità si sostituisca alla fede e alla speranza, ma essa in qualche modo le illumina e le rafforza. Quando lo Sposo si allontana, scrive Guglielmo nella *Expositio super Cantica Canticorum* (par. 182), *languet fides, spes palpitat, caritas lassescit* («la fede langue, la speranza vacilla, la carità si spossa»); quando invece egli ritorna *illuminatur fides, spes confortatur, caritas ordinatur* («la fede si illumina, la speranza si riconforta, la carità si mette in ordine»). Il tema si ricollega perciò direttamente alla nozione di «fede illuminata» che, trasformandosi in amore, offre già una primizia della visione futura (ved. in proposito nota 22 al *de contemplando Deo*). Come osserva la Davy (che studia approfonditamente la questione in *Théologie et mystique* cit., pp. 149-55), in Guglielmo la connessione delle tre virtù teologali è intesa in senso funzionale: esse si fondono in una

sola energia tutta tesa verso Dio, riducendosi così a unità. Ved. la chiara illustrazione di questa dottrina in *Speculum fidei* 52-3: *In tantum ut, sicut iam supra dictum est, fidei cognitio, et spes, et amor, licet intelligantur tria quaedam in ipsa fide diuidua, in uirtute tamen fidei ipsius, quodam coniunctionis argumento, ex tribus una fiat, in sensu credentis, sperandarum rerum substantia indiuidua, cum quod creditur, credendo etiam cognoscitur; quod uero cognoscitur, ex cognitione boni sui speratur; et speratum et cognitum amatur. Quod de fide, spe et caritate, semper debet esse fideli animae in fide, tametsi non semper esse possit in intellectu* («Così, come abbiamo già detto prima, la conoscenza che viene dalla fede, la speranza e l'amore – benché noi li conosciamo come tre realtà distinte nella fede – diventano tuttavia nella virtù della fede, per una qualche forza della loro unione, all'interno dello spirito del credente, una sola e indivisibile sostanza delle cose che si devono sperare. Ciò avviene quando si conosce ciò che si conosce nell'atto stesso di crederlo; quando si spera ciò che si conosce per il fatto di conoscerne la bontà; quando si ama ciò che si spera e si conosce. Ciò che è oggetto di fede, di speranza e di carità deve essere sempre presente all'anima fedele nella fede, anche se non sempre può trovarsi nell'intelletto»).

[115] Inizia qui l'ampia trattazione (parr. 15-20) sui cinque sensi spirituali o sensi dell'anima («amore carnale», «amore sociale», «amore naturale», «amore spirituale», «amore di Dio») corrispondenti ai cinque sensi del corpo. Su questa dottrina, ved. l'Introduzione al volume; per la sua origine e i suoi sviluppi medioevali, cfr. K. Rahner, *La doctrine des sens spirituels*, «RAM» XIV 1933, pp. 263-99.

[116] *Ep. Rom.* 12,2.

[117] Cfr. *Ep. Col.* 3,10.

[118] Cfr. *Ep. Rom.* 6,4.

[119] Cfr. *Ep. Eph.* 1,9.

[120] *Eu. Luc.* 14,26.

[121] *Ps.* 132,1.

[122] *Ps.* 132,3.

[123] L'aggettivo *animalis* deve essere riferito qui alla nozione di *anima*. Nel II libro del *de natura corporis et animae* (*CCM* LXXXVIII, pp. 108, 1305-115, 1403) Guglielmo distingue sette gradi progressivi dell'attività dell'anima, che vanno da quello (il primo) in cui essa è principio vitale del corpo fino a quello (il settimo) in cui contempla la Verità suprema, grado che non è già più un grado ma un luogo di riposo al quale gli altri conducono. Altrove, in particolare nell'*Epistola ad fratres de Monte Dei*, sembra delinearsi una distinzione fra *anima* e *animus*, che tuttavia sono spesso usati come sinonimi. L'*anima* in senso proprio, o *anima animalis*, è definita nell'*Epistola* (par. 260) come la *similitudo* di Dio che l'uomo ha conservato anche dopo aver per-

duto con il peccato originale una più preziosa e più nobile *similitudo* con il suo Creatore. Essa è un dono naturale posseduto da ogni uomo e tale da renderlo superiore a ogni altra creatura, ne sia egli consapevole o no; in quanto principio vivificatore del corpo, essa «opera costantemente, con azione sempre identica, effetti molto diversi sia nei sensi corporei sia nei moti del cuore» (*in sensibus tamen corporis, et in cogitationibus cordis, indissimiliter operatur assidue dissimilia*). Pertanto essa corrisponde ai primi tre gradi distinti nel *de natura corporis et animae*, quelli in cui è rispettivamente descritta come principio vitale del corpo (1°), facoltà – comune anche agli animali – che opera attraverso i sensi (2°), e memoria o intelligenza – propria solo dell'uomo – che presiede alle arti e ai prodotti dell'ingegno (3°). L'*animus* o *anima rationalis* manifesta invece una seconda *similitudo*, più vicina a Dio perché comporta un intervento della volontà: esso cerca quasi di imitare, con la sua virtù, la grandezza e l'immutabilità del supremo Bene (cfr. *Epistola ad fratres de Monte Dei* 261,1-6). Corrisponde dunque agli ultimi quattro gradi descritti nel *de natura corporis et animae*, quelli in cui l'*anima* incomincia a distaccarsi dal corpo e dalle realtà materiali (4°), a riposare stabilmente nel bene (5°), a fissare il proprio sguardo nella visione e nella contemplazione di Dio (6°) e a godere la beatitudine di questa contemplazione (7°). In un altro passo dell'*Epistola* (par. 198) così sono distinti *anima* e *animus*: *Anima est res incorporea, rationis capax, uiuificando corpori accomodata. Haec animales constituit homines, quae carnis sunt sapientes, sensibus corporis inhaerentes. Quae ubi perfectae rationis incipit esse, non tantum capax, sed et particeps, continuo abdicat a se notam generis feminini, et efficitur animus particeps rationis, regendo corporis accomodatus, uel seipsum habens spiritus. Quamdiu enim anima est, cito in id quod carnale est effeminatur; animus uero, uel spiritus, non nisi quod uirile est et spirituale meditatur* («L'anima è una sostanza incorporea, capace di ragione, atta a vivificare il corpo. Essa rende "animali" gli uomini che provano gusto per le cose della carne e si sottomettono ai sensi del corpo. Quando questa anima incomincia a essere non solo capace ma anche partecipe di una perfetta ragione, rifiuta immediatamente la marca del genere femminile e diventa "animo" partecipe della ragione e atto a dirigere il corpo, o spirito che possiede sé stesso. Infatti finché resta "anima", si effemina volentieri inclinando verso ciò che è carnale; una volta che è "animo", invece, ovvero spirito, non si sofferma più a meditare se non ciò che è virile e spirituale»).

[124] *Ps.* 132,2-3.

[125] Guglielmo riecheggia qui la nota espressione di Terenzio, *Heautontimoroumenos* I 25.

[126] Nel testo *afficit*, «tocca», «impressiona», «modifica».

[127] *Eu. Matth.* 5,44-5.

[128] Cfr. *Ps.* 44,11 e 33,9.
[129] *Ep. Eph.* 3,15.
[130] Cfr. *Eu. Luc.* 1,49.
[131] *Sap.* 7,25.
[132] *Eu. Luc.* 10,27.
[133] Cfr. *Eu. Io.* 16,15.
[134] Cfr. *Ep. Rom.* 8,28.
[135] Cfr. *Eu. Io.* 16,15; *1 Ep. Cor.* 3,22; *Ep. Rom.* 8,28.
[136] Cfr. *1 Ep. Cor.* 3,22.
[137] *Cant.* 4,9. Guglielmo espone qui uno dei punti cardinali della sua teologia mistica, la teoria dei due occhi della contemplazione. Secondo questa teoria – che è ripresa anche in *Expositio super Cantica Canticorum* 92 e 136 e si ricollega direttamente alla nozione fondamentale di *intellectus amoris* – non è possibile progredire nella visione di Dio se non ci si avvale contemporaneamente di due occhi: la ragione (*ratio*), che avanza per sentieri sicuri ma non potrà mai giungere a scoprire l'essenza divina, e l'amore, che invece procede grazie alla sua ignoranza; riesce in tal modo ad avvicinarsi maggiormente a Dio e a provare la beatitudine dell'unione con Lui. Nell'esporre queste due vie della conoscenza di Dio, Guglielmo riecheggia la distinzione – formulata dallo pseudo Dionigi Areopagita e ripresa in ambito occidentale da Giovanni Scoto Eriugena – fra teologia catafatica o affermativa (quella che predica di Dio ciò che Egli «è») e teologia apofatica o negativa (che predica di Dio ciò che Egli «non è»). Su tutta la questione ved. l'Introduzione al volume.
[138] *Prou.* 14,10.
[139] Cfr. *Cant.* 8,6.
[140] *Gen.* 5,24. Guglielmo allude al misterioso rapimento in cielo del patriarca antidiluviano Enoc da parte di Dio.
[141] Cfr. *Ps.* 16,5.
[142] *Prou.* 10,29.
[143] *Ep. Gal.* 6,14. Su questo tema ved. anche *de contemplando Deo* 3 e relativa nota 36.
[144] Cfr. *Ep. Phil.* 3,20.
[145] *Ep. Phil.* 1,23.
[146] *Eu. Matth.* 28,20.
[147] *Ep. Phil.* 1,24. Sull'obbligo di tornare fra gli uomini che costringe il mistico a interrompere l'estasi, ved. anche *de contemplando Deo* 1.
[148] Cfr. *Ps.* 16,2. L'idea che la contemplazione del volto di Dio insegni a comportarsi in maniera virtuosa ricorre più volte, con riferimento al salmo 16, nelle opere di Guglielmo. Ved. p.es. *Expositio super Cantica Canticorum* 131: *Beata conscientia, quae siue prospera, siue aduersa habeat in mundo, exemplar utendi et uitae modum trahit e cae-*

lo; et quodcumque se uertit, de uultu tuo Deus iudicium eius procedit; et semper tibi iungatur similitudine idem uolendi, a quo non receditur, nisi dissimilitudine uolendi («Anima beata, che – si trovi al mondo nella prosperità o nella sventura – riceve dal cielo un modello per usarne bene e un modo di vita. Dovunque si volga, il suo giudizio o Dio emana dal tuo volto; così essa ti rimane sempre unita dalla somiglianza di un identico volere, mentre da te ci si allontana solo per la dissomiglianza del volere»). Cfr. anche *Meditatiuae orationes* III 3.

[149] Cfr. *Ep. Rom.* 12,2.

[150] Cfr. *Apoc.* 22,19.

[151] Sull'unità della volontà umana con quella divina, che presuppone la restaurazione della nostra *similitudo* con lui e corrisponde alla *unitas spiritus*, ved. *Epistola ad fratres de Monte Dei* 257: *Vnitas uero spiritus cum Deo, homini sursum cor habenti, proficientis in Deum uoluntatis est perfectio, cum iam non solummodo uult quod Deus uult, sed sic est non tantum affectus, sed in affectu perfectus, ut non possit uelle nisi quod Deus uult* («L'unità di spirito con Dio, per l'uomo che ha il cuore rivolto verso l'alto, è la perfezione della volontà nel suo progresso verso Dio, quando non solo l'anima vuole ciò che Dio vuole, ma tale è il suo trasporto – anzi la perfezione di questo trasporto – da non poter volere se non ciò che vuole Dio»).

[152] Cfr. *Ps.* 103,15.

[153] Cfr. *Ex.* 34,29. Guglielmo si riferisce all'episodio in cui Mosè, discendendo dal monte Sinai con le due tavole della Testimonianza, ha il volto nimbato di raggi (nella Vulgata si legge che la sua faccia era *cornuta*). Nella *Vita Bernardi* (I 29) egli descrive il santo che discendeva dalle vette della contemplazione con *cornuta facies*, circonfuso dalla luce divina.

[154] Nel *de natura corporis et animae* (*CCM* LXXXVIII, p. 90, 1092-100) Guglielmo spiega che, benché apparentemente opposte, la collera e la carità hanno in comune il fatto di essere infiammate (*feruor in ira, feruor in caritate est*); oltre a una collera insensata, vi è anche una collera intelligente, che ha due aspetti: lo zelo e la disciplina. La disciplina ha la funzione di instillare nel cuore l'odio del vizio, come ordina di fare l'amore di Dio e degli uomini, ed è perciò quasi l'altra faccia della collera-carità.

[155] Cfr. *Ez.* 1,21. Questa immagine rappresenta gli uomini santi o perfetti; cfr. Gregorio Magno, *Homiliae in Ezechielem* I 7,1-17.

[156] Cfr. *1 Ep. Cor.* 9,19.

[157] Cfr. *1 Ep. Cor.* 10,24 ed *Ep. Phil.* 2,21.

[158] Cfr. *2 Ep. Cor.* 1,22 e 5,5.

[159] Cfr. *Ep. Rom.* 8,15; 19 e 23.

[160] *Ep. Phil.* 2,1.

[161] Cfr. *Ps.* 132,3.

[162] *Eu. Luc.* 12,32.
[163] Cfr. *Eu. Luc.* 24,49.
[164] Cfr. *Act. Ap.* 4,32 e 11,46.
[165] Cfr. *Is.* 56,7; *Eu. Luc.* 19,46; *Eu. Matth.* 21,13; *Eu. Marc.* 11,17.
[166] Cfr. *Ps.* 123,8 e 128,8.
[167] Cfr. *Ier.* 40,10. Le parole che Godolia, reggente della Giudea a nome del re di Babilonia, rivolge al popolo ebraico sono riferite allegoricamente da Guglielmo alla vita nel chiostro.
[168] In *Gen.* 21,6 si legge che Sarah, dopo la nascita del figlio Isacco, esclamò: *Risum fecit mihi Deus* («Un sorriso ha fatto per me Dio!»).
[169] Cfr. *Gen.* 21,10; *Ep. Gal.* 4,28-31.
[170] Cfr. *Ep. Gal.* 5,22.
[171] Nel testo *affectus*, «sentimenti», «piaceri intimi».
[172] Cioè il riposo della contemplazione. Sul sabato, come riposo spirituale dell'anima riunita a Dio («sabato perfetto» o «sabato dei sabati»), ved. Aelredo, *Speculum Caritatis* III 6,17-9.
[173] Anche nella *Epistola ad fratres de Monte Dei* (par. 31) il chiostro è paragonato al paradiso, sulla base di una presunta parentela linguistica tra *cella* (la «cella» del monaco) e *caelum* («cielo»): *Propter hoc secundum formam propositi uestri, habitantes in caelis potius quam in cellis, excluso a uobis toto saeculo, totos uos inclusistis cum Deo. Cellae siquidem et caeli habitatio cognatae sunt; quia sicut caelum ac cella ad inuicem uidentur habere aliquam cognationem nominis, sic etiam pietatis. A celando enim et caelum et cella nomen habere uidentur. Et quod celatur in caelis, hoc et in cellis; quod geritur in caelis, hoc et in cellis. Quidnam hoc est? Vacare Deo, frui Deo* («Per questo, conformemente alla vostra professione, abitanti di cieli piuttosto che di celle, avete escluso da voi il mondo intero e avete rinchiuso tutti voi stessi con Dio. Davvero la dimora celeste e quella della cella sono apparentate: come "cielo" e "cella" mostrano di avere una certa parentela nel nome, così ce l'hanno anche nella pietà. Sia "cielo" sia "cella" derivano, a quanto pare, da "celare". E quello che si "cela" nei cieli, lo si "cela" anche nelle celle; quello che si fa nei cieli, lo si fa anche nella cella. Ma che cos'è? È dedicarsi a Dio, godere di Dio»).
[174] Cfr. *Gen.* 2,17.
[175] Orazio, *Serm.* II 3,321: *Adde poemata nunc, hoc est, oleum adde camino...* («Aggiungi ora i poemi, cioè, aggiungi olio al fuoco...»).
[176] Cfr. *Ep. Rom.* 12,10.
[177] Cfr. *Ep. Hebr.* 10,24; *Ep. Rom.* 15,7.
[178] *Eccl.* 4,10.
[179] Cfr. *Ps.* 102,22.
[180] Guglielmo riprende qui l'idea, espressa nei primi capitoli del trattato, secondo cui l'amore – pur essendo insegnato da Dio e dalla

natura stessa – richiede un maestro che insegni a purificarlo, a farlo progredire e a consolidarlo (par. 2). La sua scuola speciale è il monastero – sia esso benedettino, cistercense o certosino: come il maestro del vero amore si contrappone a quel falso maestro che è Ovidio (cfr. *ibid.*), così il chiostro si contrappone alle scuole profane dove si studia la falsa dottrina dell'amore. Filiale e continuatrice della Scuola di Gerusalemme fondata dai primi Apostoli o di quella di Antiochia dove insegnarono Paolo e Barnaba, questa scuola è definita nell'*Exordium magnum* dell'Ordine cistercense – sulla scorta della *Regula* benedettina – *schola primitiuae Ecclesiae*, «scuola della Chiesa primitiva». In essa il monaco deve essere rieducato al vero amore, dopo aver abbandonato la «dissomiglianza» da Dio in cui lo aveva precipitato il peccato: «E questa rieducazione», scrive Davy (*Un traité de la vie solitaire* cit., p. 101), «deve trovare mezzi efficaci che sostengano e allenino la volontà interiore di liberazione. Tali mezzi sono costituiti dalla cornice della vita monastica con la reclusione solitaria nella cella, le osservanze regolari, la mortificazione nel cibo e nel sonno, la povertà della veste e della dimora, il lavoro manuale, cui si aggiungono gli esercizi spirituali dello studio, della meditazione e della preghiera, la pratica della vita comunitaria e della carità fraterna». Il programma della «scuola di carità», sintetizzato in queste pagine del *de natura et dignitate amoris*, sarà dettagliatamente illustrato da Guglielmo nell'*Epistola ad fratres de Monte Dei*. Oltre alle pagine di Davy (*ibid.*, pp. 101-21), ved. in proposito Gilson, *La théologie mystique* cit., pp. 78-107 e 217-20.

[181] Per la distinzione fra *ratio* e *ratiocinatio* in Guglielmo, ved. nota 54 al *de contemplando Deo.*

[182] Cfr. *1 Reg.* 30,21-4. Guglielmo allude qui a un episodio della vita di Davide, che viene interpretato allegoricamente: il re, in marcia contro Nabal, aveva lasciato duecento uomini a custodire i bagagli, mentre con gli altri aveva affrontato la battaglia. Dopo la vittoria egli dovette intervenire perché anche coloro che avevano fatto la guardia ai bagagli avessero parte del bottino, che alcuni combattenti volevano rifiutare loro.

[183] Cfr. *Ps.* 128,3.

[184] Si tratta naturalmente dei confratelli di cui il superiore deve occuparsi.

[185] *2 Ep. Cor.* 7,5.

[186] Cfr. *2 Ep. Cor.* 11,28.

[187] Cfr. *1 Chron.* 16,41-2. Idito è il cantore prescelto da Davide per celebrare Dio nel Tempio; è qui il simbolo del religioso tutto dedito alla lode di Dio nel chiostro, senza che lo gravi alcun impegno pratico.

[188] All'inizio del *de contemplando Deo* (par. 1) la contemplazione è descritta come un'ascesa *ad montem Domini*.

[189] Cfr. *Is.* 2,3.

[190] Cfr. Giovenale, *Saturae* XIV 47: *Maxima debetur puero reuerentia* («Al bambino si deve il massimo rispetto»).

[191] Cfr. *Eu. Matth.* 25,21 e 23.

[192] Cfr. *ibid.*

[193] *Eu. Luc.* 10,27. Cfr. *Deut.* 6,5; *Eu. Matth.* 22,17; *Eu. Marc.* 12,30.

[194] Guglielmo ricollega qui il termine *mens* ai verbi *meminisse* («ricordare», cui è in effetti legato etimologicamente) ed *eminere* («sovrastare», «sporgere sopra»), in quanto – rispettivamente – è sede della memoria e rappresenta la facoltà più elevata dell'anima, conformemente ad Agostino, *Trin.* XV 7,11: *Non igitur anima sed quod excellit in anima mens uocatur* («Pertanto non l'anima, ma la parte più elevata dell'anima è chiamata mente») e *Ciu.* XIV 19, dove è detto che l'*animus* o *mens* hanno sede *uelut in arce quadam* («in una sorta di rocca») dell'anima umana. Nel lessico di Guglielmo *mens* – corrispondente al νοῦς dei Padri greci – è di norma un sinonimo di *animus*, termine che designa l'anima purificata dai desideri corporei e ormai rivolta alla contemplazione di Dio (cfr. *supra*, nota 123): *Nullum uero dignius et utilius exercitium est homini eam habenti* (egli scrive nella *Epistola ad fratres de Monte Dei* 206) *quam in eo quod melius habet, et in quo caeteris animalibus, et caeteris partibus suis praeminet, quae est ipsa mens uel animus* («Per l'uomo dotato di ragione, nessuna attività può essere più degna o più utile di quella che si svolge nella sua parte migliore, per la quale egli è superiore a tutti gli altri esseri viventi e alle altre parti del suo essere: la mente stessa o animo»). Essa è dunque l'*intellectus a gratia illuminatus* («intelletto illuminato dalla grazia») contrapposto a quello *sibi relictus* («abbandonato a sé stesso») e perciò sovente corrotto dal vizio (cfr. *ibid.* 244-5). Un altro sinonimo di *mens* è, per lo più, *spiritus*.

[195] Cfr. *Epistola ad fratres de Monte Dei* 287: *Haec enim quia sapiunt sapienti, sapiens est* («Poiché queste cose hanno un sapore per chi le gusta, costui è "sapiente"»).

[196] *Ps.* 33,9.

[197] Cfr. *Ep. Hebr.* 6,5. La metafora del «gusto» come intelligenza delle cose divine, ampiamente sfruttata nei capitoli successivi, è presente anche nel *de contemplando Deo* (par. 20; e ved. relativa nota 203) e nella *Epistola ad fratres de Monte Dei* 43 e 287 (cfr. anche *supra*, nota 195).

[198] Guglielmo premette la stessa avvertenza alla parte della *Epistola ad fratres de Monte Dei* (par. 195) in cui tratta del passaggio dallo «stato animale» allo «stato razionale»: *Primo scire debemus quia sa-*

pientia, sicut in libro nominis eius legitur, preoccupat eos qui se concupiscunt, et occurrit eis, et ostendit se in uiis hilariter, sicut in proficiendo, sic et in meditando et in tractando, attingens ubique, propter suam munditiam («Per prima cosa dobbiamo sapere che la sapienza – come è scritto nel libro che porta il suo nome – previene quelli che la desiderano, va loro incontro e si mostra loro gioiosamente lungo il cammino, penetrando dovunque per la sua purezza, sia che in essa si progredisca sia che la si faccia oggetto di meditazione o di indagine»).

[199] Per questa espressione, di origine agostiniana, cfr. *supra*, nota 194.

[200] Cfr. *Sap.* 6,17.

[201] Si allude qui naturalmente alle quattro tappe dell'amore distinte al par. 3.

[202] Questa descrizione della Chiesa come manifestazione definitiva del Verbo divino si legge in varie opere di Origene (cfr. *Comm. in Iohannem* 10; *Comm. in Romanos* 4,7; *Comm. in Matthaeum series* 79), che sviluppa la dottrina paolina del corpo mistico (*1 Ep. Cor.* 12,12-31). Seguendo un altro schema di Origene, quello dei sensi spirituali (ma in termini diversi da quelli dei parr. 15-20), Guglielmo paragona con una lambiccata allegoria la testa di questo corpo alla Chiesa primitiva, cioè la Chiesa che esiste fin dagli inizi del genere umano, in quanto comunione dei santi: gli occhi sono gli angeli, le orecchie sono i patriarchi, le narici sono i profeti, il tatto è la facoltà comune a tutti. Prima dell'avvento di Cristo questi sensi languivano nella testa, in quanto tutto il resto del corpo era morto. Cristo è simile al gusto che – collocato nella gola, al confine fra la testa e il corpo – ha trasmesso a tutto il resto del corpo l'energia vitale degli altri sensi, cioè la piena intelligenza di tutto ciò che era stato rivelato nel Vecchio Testamento: come il gusto nel corpo umano, Cristo ha dunque un ruolo di mediatore, essenziale per la salvezza degli uomini (cfr. *infra*, par. 28 sgg.). Sui modelli origeniani di questa concezione, ved. Verdeyen, *La théologie mystique* cit., pp. 177-80.

[203] Cfr. *Ps.* 8,6; *Ep. Hebr.* 6,5.

[204] *Eu. Matth.* 5,39.

[205] Attraverso il mistero della sua «economia» terrena, Cristo assimila tutti i cibi spirituali validi del Vecchio Testamento: comprendendo nella propria persona il messaggio della Legge e dei profeti, egli ci insegna il significato spirituale della Scrittura, così come ci ha lasciato il suo corpo e il suo sangue spirituali. Cfr. Verdeyen, *Théologie et mystique* cit., pp. 180-9. Il tema si ricollega a quello della «ruminazione» del cibo spirituale ricevuto da Cristo, che Guglielmo sviluppa nel *de contemplando Deo* 20 (e ved. relativa nota 203).

[206] *1 Ep. Cor.* 1,30.

[207] *Eu. Io.* 8,56.

208 *1 Ep. Io.* 1,1.
209 *Ep. Iac.* 1,17.
210 Cfr. *Eccli.* 15,5; *Is.* 11,2.
211 Il termine *sacramentum* non si riferisce qui e nelle righe seguenti solo ai sacramenti istituiti da Gesù Cristo, ma ha il significato più largo – attribuitogli da Agostino e dalla tradizione esegetica cristiana – di «simbolo», «segno sacro». Come ricorda J. Pépin («"Mysteria" et "symbola" dans le commentaire de Jean Scot sur l'évangile de Jean», in *The Mind of Eriugena*, Dublin 1973, p. 22), «la più frequente differenza semantica tra *sacramentum* e *mysterium* è quella di segno e significato, di figura e di realtà figurata; è così che il "mistero" è presentato come contenuto del "sacramento"». Su questa distinzione in Agostino, cfr. anche C. Couturier, *"Sacramentum" et "mysterium" dans l'oeuvre de saint Augustin*, «EA», Paris 1953, pp. 269-74. Vi sono perciò *sacramenta* del Vecchio Testamento e *sacramenta* del Nuovo: si tratta in definitiva, come spiega qui Guglielmo, di tutte quelle forme di rivelazione indiretta dei misteri divini – *per speculum in aenigmate* – che quaggiù sono necessarie agli uomini e che saranno sostituite in cielo dalla visione *facie ad faciem*. Il tema è più ampiamente illustrato da Guglielmo in *Expositio super Cantica Canticorum* 176: *Et tunc omnes omnino umbrae uanitatis saeculi huius inclinabuntur; hoc est ab aestimationis suae statu deiicientur. Tunc sicut olim nouae gratiae sacramenta finem imposuerunt ueteribus sacramentis, res ipsa sacramentorum omnium finem imponet omnibus omnino sacramentis. In sacramentis quippe Noui Testamenti coepit aspirare nouae gratiae dies; in illo uero omnis consumptionis fine erit meridies, ubi non erit speculum et aenigma, et ex parte, sed uisio faciei ad faciem, et summi boni plenitudo* («Allora tutte le ombre della vanità di questo mondo si dissolveranno completamente, cioè saranno scacciate dal piedestallo della loro stima. Allora, come i nuovi sacramenti della grazia misero fine un tempo ai vecchi sacramenti, così la realtà stessa che i sacramenti velano metterà fine a tutti i sacramenti indistintamente. Certo nei sacramenti del Nuovo Testamento ha incominciato a respirare il giorno della nuova grazia; ma in quella fine di ogni fine brillerà un meriggio nel quale non vi sarà più né specchio né enigma, nessuna visione parziale, ma la visione faccia a faccia e la pienezza del sommo Bene»).
212 Nel testo *sensum*, qui sinonimo di *intellectus*. Cfr. anche *infra*, nota 161 al *de diligendo Deo* di Bernardo.
213 *Eu. Luc.* 24,45.
214 Cfr. *Sap.* 1,1.
215 Cfr. *1 Ep. Io.* 2,27.
216 Cfr. *Ps.* 50,14.
217 *Ps.* 4,7.

[218] *Eu. Io.* 17,3.
[219] *Ep. Eph.* 3,8-12.
[220] *Ep. Eph.* 3,14-8.
[221] Cfr. *Ps.* 93,20.
[222] Così abbiamo reso *scrupulus* (da cui il nostro «scrupolo»): alla lettera il sassolino puntuto che, entrando nella scarpa, disturba il cammino.
[223] Cfr. *2 Ep. Thess.* 2,10.
[224] *Ep. Eph.* 3,18, con leggere modifiche.
[225] *Ep. Eph.* 1,15-20, con leggere modifiche.
[226] Cfr. *Ep. Eph.* 4,4.
[227] Cfr. *1 Ep. Cor.* 2,15.
[228] Cfr. *Ep. Eph.* 2,3.
[229] Cfr. *1 Ep. Cor.* 1,25.
[230] In questo paragrafo e nei successivi (34-8) Guglielmo sviluppa il tema della mediazione di Cristo come uno degli aspetti essenziali nell'opera di redenzione che ci permette di acquisire la vera sapienza e di «gustare» Dio.
[231] Variante di *Ps.* 32,11.
[232] La «regione della dissomiglianza» è quella che l'uomo abita da quando, commesso il peccato originale, ha perduto la «somiglianza» con Dio che possedeva in origine: è lo stato in cui – come spiega qui Guglielmo – nulla segue il suo ordine naturale e tutto è confuso e in disordine. Cfr. *Meditatiuae orationes* IV 9: *O bone Creator! Quam bene me creaueras! Quam gloriose formaueras! Quam feliciter locaueras!* [...]. *Formaueras me ad imaginem et similitudinem tuam, et locaueras in paradiso uoluptatis tuae, ut operarer et custodirem illum, operarer bonorum studiorum exercitiis, custodirem ne serpens irreperet. Serpens irrepsit. Euam meam seduxit, et per eam me praeuaricatorem constituit. Propter quod expulsus de paradiso bonae conscientiae, exsul factus sum in terra aliena, in regione dissimilitudinis* («O buon Creatore! Come era stata buona la tua creazione! Come era stata gloriosa la mia formazione! In quale luogo beato mi avevi collocato! [...] Mi avevi formato a tua immagine e somiglianza e mi avevi collocato nel paradiso del tuo godimento, perché lo coltivassi e lo custodissi, lo coltivassi con la pratica delle buone disposizioni e lo custodissi dalle insidie del serpente. Ma il serpente vi si è insinuato. Ha sedotto la mia Eva e per suo tramite ha fatto di me un trasgressore. Per questo, dopo essere stato cacciato dal paradiso della buona coscienza, sono stato esiliato in una terra straniera, nella regione della dissomiglianza»). L'espressione, di origine platonica (*Pol.* 273d), è stata ripresa da Agostino nelle *Conf.* VII 10,16: *Et inueni longe me esse a te in regione dissimilitudinis* («E mi scoprii lontano da te in una plaga di totale diversità»), che le assicurò una grande fortuna (cfr. P. Courcelle, *Les Confessions*

de saint Augustin dans la tradition littéraire. Antécédents et postérité, Paris 1963, pp. 623-40). Ma Guglielmo potrebbe averla tratta anche direttamente dalle *Enneadi* di Plotino, di cui mostra di conoscere – probabilmente attraverso una versione latina – alcuni testi; cfr. *Enneadi* I 8,13: «Salendo al di sopra della virtù si trova il bello e il bene, e discendendo al di sotto del vizio si trova il male in sé, sia che ci si limiti a contemplarlo – e quale che sia la natura di questa contemplazione – sia che si diventi malvagi partecipandovi; ci si trova allora completamente nella regione della dissomiglianza (ἐν τῷ τῆς ἀνομοιότητος τόπῳ)». Sull'influsso di Plotino su Guglielmo, ved. Déchanet, *Guillaume de Saint-Thierry* cit., pp. 115-46.

[233] *Is.* 14,13-4.

[234] *Gen.* 3,5.

[235] Cfr. *Ep. Hebr.* 1,3.

[236] Cfr. *Gen.* 1,26-7.

[237] Cfr. *Is.* 53,3.

[238] *Eu. Matth.* 11,29.

[239] Cfr. Agostino, *Serm.* 130,1.

[240] *Is.* 11,1-3.

[241] Cfr. *Ps.* 18,6.

[242] Cfr. *1 Ep. Pet.* 3,2.

[243] Cfr. *Eu. Io.* 4,34.

[244] *Ps.* 85,11.

[245] La stessa idea è sviluppata da Guglielmo nel *de contemplando Deo* 12 e da Bernardo nel *de diligendo Deo* I 1.

[246] Cfr. *Eu. Matth.* 14,23.

[247] Cfr. *Eu. Matth.* 22,43.

[248] Cfr. *Eu. Matth.* 22,44.

[249] Cfr. *Eu. Io.* 17,1.

[250] Guglielmo cerca di adattare al contesto *Eu. Matth.* 12,29: *Aut quomodo potest quisquam intrare in domum fortis, et uasa eius diripere, nisi prius alligauerit fortem? Et tunc domum illius diripiet*. Nell'adattamento di Guglielmo, il «forte» rappresenta il diavolo e il «più forte» Cristo; ma a chi si riferiscono le parole *non diripiet uasa eius*? Anche se logica vorrebbe che il saccheggiatore fosse colui che ha «legato», cioè il diavolo, il testo sembra identificarlo – con qualche incongruenza – con il «più forte» che sopraggiunge, cioè Cristo.

[251] Cfr. *Ps.* 143,7.

[252] Cfr. *Ps.* 17,18.

[253] Cfr. *Apoc.* 7,12.

[254] *Eu. Io.* 12,28.

[255] Cioè Satana.

[256] Cfr. *1 Ep. Cor.* 2,8.

[257] *Eu. Io.* 6,57-9.

[258] Cfr. *Eu. Matth.* 27,6.
[259] Cfr. *Ps.* 84,13 e 66,7.
[260] Cfr. *Ep. Hebr.* 9,14.
[261] Cfr. *ibid.*
[262] Cfr. *Ps.* 98,4.
[263] Cfr. *3 Reg.* 3,28.
[264] Cfr. *Ep. Hebr.* 9,4.
[265] Cfr. *Ps.* 77,24-5.
[266] Cfr. *Eccl.* 9,11.
[267] Cfr. *supra*, nota 83.
[268] Cfr. *1 Ep. Cor.* 6,19.
[269] Sulla distinzione tra *uti* («usare») e *frui* («godere»), ved. nota 65 al *de contemplando Deo*. L'immagine dei bagagli, le realtà materiali e corporee, era stata sviluppata nei parr. 26-7 (cfr. *supra*, nota 182).
[270] Cfr. *Ps.* 132,2.
[271] *Ep. Phil.* 2,23. Guglielmo gioca qui sul significato della preposizione *circa* (che nel passo di san Paolo significa propriamente «riguardo a», «a proposito di»), intendendola nel senso letterale di «intorno a».
[272] L'immagine del corpo come *tunica carnis* – di origine neoplatonica – è presente nell'esegesi gnostica, con riferimento a *Gen.* 3,21 (cfr. *Excerpta ex Theodoto* 55,1), ma anche in Origene (cfr. *Selecta in Genesim*, *PG* 12, col. 101), da cui la desunsero altri scrittori cristiani come Girolamo, Metodio di Olimpo, Gregorio Nazianzeno e Gregorio Nisseno. In ambito latino essa fu ripresa da Giovanni Scoto Eriugena (cfr. *Periphyseon* II 1870-5: *Vbi non incongrue intelligimus non aliud per tunicas pellicias significari praeter mortalia corpora*, «Dove per "tuniche di pelle" intendiamo che siano simboleggiati nient'altro che i corpi mortali»), probabile fonte diretta di Guglielmo.
[273] *1 Ep. Cor.* 2,6.
[274] *Ibid.*
[275] Cfr. *Sap.* 7,30: *Sapientiam autem non uincit malitia.*
[276] Cfr. *supra*, par. 28 e nota 195.
[277] Cfr. *Iob* 5,13 e *1 Ep. Cor.* 3,19.
[278] *1 Ep. Cor.* 2,6-7.
[279] Cfr. *ibid.*
[280] Nel testo *affectata* (da *affectare*), qui in senso peggiorativo.
[281] Cfr. *1 Ep. Cor.* 8,1.
[282] Cfr. Bernardo, *Sermones super Cantica Canticorum* 36,2: *Sed et scio ubi legerim: «Scientia inflat», et rursum: «Qui apponit scientiam, apponit et dolorem». Vides quia differentia est scientiarum, quando alia inflans, alia contristans est. Tibi uero uelim scire quaenam harum tibi uideatur utilior seu necessarior ad salutem* [...]. *Est autem, quod in se est, omnis scientia bona, quae tamen ueritate subnixa sit; sed tu*

qui cum timore et tremore tuam ipsius operari salutem pro temporis breuitate festinas, ea scire amplius priusque curato, quae senseris uiciniora saluti («Ma so dove ho letto: "La scienza gonfia" [*1 Ep. Cor.* 8,1]. E anche: "Chi aumenta la scienza aumenta il dolore" [*Eccl.* 1,18]. Puoi dunque vedere che ci sono diverse scienze: una gonfia e un'altra rattrista. Ma io vorrei sapere quale delle due ti sembra più utile o necessaria per la tua salvezza [...]. Di per sé, ogni scienza è buona se si fonda sulla verità; ma tu, che per la brevità del tempo ti affretti a realizzare la tua salvezza con timore e tremore, cerca di sapere preferibilmente le cose che ti sembrano riguardare più da vicino la salvezza»).

[283] *Ps.* 101,11.

[284] Cfr. *Ep. Rom.* 1,19.

[285] Cfr. *Ep. Rom.* 1,20.

[286] I tre gradi della conoscenza filosofica qui distinti – etica, fisica, teologia – riflettono lo schema dei sensi scritturali formulato da Giovanni Scoto Eriugena in varie sue opere, sul modello dei Padri greci, da Clemente Alessandrino a Massimo il Confessore (cfr. A. Méhat, *Étude sur les "Stromates" de Clément d'Alexandrie*, Paris 1966, pp. 71-95 e 507-22, ed É. Jeauneau, *Appendice III*, in Jean Scot, *Homélie sur le Prologue de Jean*, introduction, texte critique, traduction et notes de É. Jeauneau, Paris 1969, pp. 327-8). Ved. *Omelia* 14: *Diuina siquidem scriptura mundus quidam est intelligibilis, suis quattuor partibus, ueluti quattuor elementis, constitutus. Cuius terra est ueluti in medio imoque, instar centri, historia; circa quam, aquarum similitudine, abyssus circumfunditur moralis intelligentiae, quae a Graecis* ἠθική *solet appellari. Circa quas, historiam dico et ethicam, ueluti duas praefati mundi inferiores partes, aer ille naturalis scientiae circumuoluitur: quam, naturalem dico scientiam, Graeci uocant* φυσικήν. *Extra autem omnia et ultra, aethereus ille igneusque ardor empyrii caeli, hoc est, superae contemplationis diuinae naturae, quam Graeci teologiam nominant, circumglobatur; ultra quam nullus egreditur intellectus* («La santa Scrittura è un mondo intelligibile composto da quattro parti, come il mondo sensibile è composto da quattro elementi. La sua terra, posta quasi in mezzo e più in basso come al centro di questo mondo intelligibile, è la storia. Intorno ad essa, a immagine dell'acqua che circonda la terra, vi è l'abisso dell'intelligenza morale, che i Greci chiamano "etica". Intorno a entrambe, la storia e l'etica, come intorno alle due parti inferiori del mondo intelligibile di cui abbiamo detto, si estende l'aria della scienza naturale, scienza naturale che i Greci chiamano "fisica". Al di fuori e al di là di tutto questo vi è la sfera ardente, eterea e ignea del cielo empireo, cioè della eccelsa contemplazione della natura divina che i Greci chiamano "teologia": al di là di essa nessun intelletto può avventurarsi»). Analoghe suddivisioni dei

sensi biblici si leggono anche in *Periphyseon* III 3579-86 e in *Expositiones in ierarchiam coelestem* II 5. Il termine *philosophia* ha qui – come in *de contemplando Deo* 19 – il significato di «sapienza» in generale, comprendente la «scienza delle cose umane» e la «scienza delle cose divine».

[287] *Ep. Rom.* 1,21-2.

[288] *Ep. Rom.* 1,23.

[289] *Ep. Rom.* 1,24.

[290] *Ep. Rom.* 1,28.

[291] *Sap.* 8,3.

[292] *Sap.* 8,1.

[293] Cfr. *supra*, nota 2.

[294] Cfr. *Ps.* 118,121.

[295] Nel testo *affecta* («attirata», «disposta», «trasformata»), che rinvia per opposizione ai precedenti *alieni affectus*.

[296] Cfr. Cicerone, *Fin.* V 12.

[297] *Sap.* 7,25-6.

[298] *Eccl.* 8,1.

[299] *Eccl.* 2,14.

[300] Guglielmo descrive il processo della vista nel *de natura corporis et animae* (*CCM* LXXXVIII, p. 40, 483-91): lo spirito visivo (*spiritus uisionis*) esce dal cervello e, dopo aver irradiato l'occhio con la propria luminosità e aver attraversato il cristallino, esce all'esterno dove incontra l'aria, piena dei colori delle cose; dopo essersi mescolato a essa ed essere stato compenetrato dalla sua luminosità, torna al cristallino che ne informa il cervello, consentendo così alla mente (*mens*) di percepire colore, forma, grandezza e movimento delle cose.

[301] *Sap.* 6,26.

[302] Il «filosofo» è Platone. Cfr. *Resp.* V 473cd: «A meno che, feci io, i filosofi non regnino negli stati o coloro che oggi sono detti re e signori non facciano genuina e valida filosofia, e non si riuniscano nella stessa persona la potenza politica e la filosofia e non sia necessariamente chiusa la via alle molte nature di coloro che attualmente muovono solo a una delle due, non ci può essere, caro Glaucone, una tregua di mali per gli stati e, credo, nemmeno per il genere umano» (trad. di F. Sartori in Platone, *Opere*, II, Bari 1974, pp. 297-8). Cfr. anche Valerio Massimo, *Facta et dicta memorabilia* VII 2 *ext.* 4; Boezio, *de consolatione philosophiae* I, *prosa* 4; Giovanni di Salisbury, *Policraticus* IV 7.

[303] Cfr. *Eccl.* 10,16.

[304] Cfr. *Ps.* 44,8; *Ep. Hebr.* 1,9.

[305] Cfr. *1 Ep. Cor.* 13,1.

[306] È qui descritta la condizione del sapiente, cioè di colui che – avendo raggiunto attraverso lente e faticose tappe una perfetta *unitas*

spiritus con Dio – pregusta già in questa vita la beatitudine della vita futura, anche se non può ancora godere della piena visione *facie ad faciem*. Il possesso della sapienza produce nell'uomo non solo l'unificazione di tutte le sue facoltà intellettuali in funzione dell'amore di Dio, ma lo unifica anche dal punto di vista affettivo e morale, generando in lui tutte le virtù: si ha così una sintesi di azione e di contemplazione. Il tema, oltre che nel *de natura et dignitate amoris*, è sviluppato in altre opere di Guglielmo; ved. p.es. *Expositio super Cantica Canticorum* 153: *Mirabili enim condescensione gratiae sapientia Dei aduениens, intellectum hominis sibi subiungit et conformat; sicque ex illuminante gratia, et illuminata intelligentia, modo quodam ineffabili, fit quasi quaedam composita sapientia, complectens omnes uirtutes; ut feratur in Deum homo Dei per illuminatum intellectum, nec tamen animus uirtutum, in exteriora et inferiora sanctitatis suae, deneget effectus. Ibi ergo uidet, hic currit, cum nequaquam posset impleri in uno homine uniformitas tam diuersa, nisi fieret ex Verbi Dei et intelligentiae humanae, ex gratiae Dei et humanae pietatis, amica quadam et efficaci conformitate* («Per una mirabile condiscendenza della grazia, la Sapienza di Dio, giungendo nell'anima, sottomette l'intelligenza dell'uomo e la rende conforme a essa. L'unione della grazia illuminante e dell'intelligenza illuminata genera, in modo ineffabile, una sorta di sapienza composita che racchiude in sé tutte le virtù. In tal modo l'uomo di Dio è trasportato in Dio dall'intelligenza illuminata, senza che l'animo rinunci alla realizzazione delle virtù nelle azioni esterne e più umili della santità. Nella contemplazione vede, nell'azione corre: mai potrebbe compiersi in un solo uomo una uniformità così piena di contrasti, se non provenisse da una amorosa ed efficace conformità del Verbo di Dio e dell'intelligenza umana, della grazia di Dio e dell'umana pietà»). Cfr. anche *Epistola ad fratres de Monte Dei* 276-8 e 286-7. Sulla *sapientia* in Guglielmo, cfr. Davy, *La théologie mystique* cit., pp. 271-95.

[307] Cfr. *Epistola ad fratres de Monte Dei* 30: *Cum quo enim Deus est, numquam minus est solus quam cum solus est. Tunc enim libere fruitur gaudio suo; tunc ipse suus sibi est, ad fruendum Deo in se, et se in Deo* («Infatti chi ha Dio per compagno non è mai meno solo di quando è solo. Allora gode liberamente della sua gioia, allora davvero appartiene a sé stesso, per godere di Dio in sé e di sé in Dio»).

[308] *2 Ep. Cor.* 12,10.

[309] Cfr. *Act. Ap.* 4,32.

[310] Per il significato che ha qui il termine *sacramentum*, cfr. *supra*, nota 211.

[311] Cfr. *Ps.* 38,7. Il passare *in imagine* è qui collegato da Guglielmo al tema della visione *per speculum in aenigmate*, della conoscenza umana che – non potendo vedere Dio *facie ad faciem* – ha bisogno di

simboli corporei. Nello stesso senso il versetto del salmo è citato in *Speculum fidei* 73.

[312] Per questa etimologia, cfr. Lattanzio, *Diu. Inst.* IV 28 (*PL* 6, col. 536A), che fa appunto derivare *religio* da *religare* e non da *relegere*, come voleva Cicerone (cfr. *Nat. deor.* II 28) seguito anche da Agostino (*Ciu.* X 3,2): *Hoc uinculo pietatis obstricti et religati sumus; unde ipsa religio nomen accepit, non ut Cicero interpretatus est, a relegendo.*

[313] *Cant.* 2,16. Il versetto è ampiamente commentato in *Expositio super Cantica Canticorum* 170-2. Cfr. anche i *Sermones super Cantica Canticorum* 67-70 di Bernardo.

[314] *Ps.* 72,25-6.

[315] Cfr. *Ex.* 12,11. La Vulgata glossa infatti il termine ebraico (*pesah*) attribuendogli il significato di «passaggio»: *Est enim Phase (id est transitus) Domini.*

[316] Cfr. *Ps.* 41,5.

[317] Nel par. 1.

[318] Cfr. *Gen.* 2,7 e 3,19.

[319] *Ps.* 81,6.

[320] Cfr. *Ps.* 136,6.

[321] Cfr. *1 Ep. Io.* 2,27.

[322] Cfr. *Ps.* 83,6 e 8.

[323] Cfr. *Sap.* 8,1.

[324] Cfr. *ibid.*

[325] Cfr. *Ps.* 30,21.

[326] Questi *affectus* sono quelli che caratterizzano i quattro gradi dell'amore distinti nel par. 3: *uoluntas*, *amor*, *caritas*, *sapientia* (cfr. *supra*, nota 22).

[327] Cfr. *Eu. Matth.* 20,16.

BERNARDO DI CLAIRVAUX
L'AMORE DI DIO

[1] Questi titoli latini figurano in un antico manoscritto di Oxford appartenuto al monastero benedettino di Durham (Biblioteca Bodleiana, *Laud. Misc.* 344) e sono stati inseriti da J. Leclercq nella sua edizione critica del trattato.

[2] Il dedicatario del trattato è il cardinale e cancelliere della Chiesa Aimerico, personaggio storico ben conosciuto. Di origine borgognona, dopo essere stato canonico regolare di San Giovanni in Laterano, fu nominato nel 1220 cardinale diacono da Callisto II e più tardi divenne cancelliere della Chiesa romana, funzione che conservò fino alla morte. Bernardo gli inviò il suo trattato fra il 18 maggio 1123, quando Aimerico datò la sua prima bolla papale, e il 28 maggio 1141, giorno della sua morte. Aimerico svolse un ruolo di grande rilievo soprattutto dopo l'elezione di Innocenzo II (1130) e dell'antipapa Anacleto II: insieme allo stesso Bernardo egli sostenne sempre Innocenzo, che decise di esiliarsi in Francia sperando di farsi riconoscere dal re Luigi il Grosso. In cambio del suo appoggio, Bernardo ottenne dal papa importanti privilegi per l'abbazia di Clairvaux, specie con la bolla *Aequitatis ratio* (1131), datata da Aimerico. È possibile che a essa alluda con discrezione lo scrittore quando scrive poco oltre nella Prefazione: «Mi piace però, lo ammetto, che chiediate cose spirituali in cambio di beni materiali». Se così fosse, il 1132 costituirebbe un *terminus post quem* per la datazione del trattato; e poiché è probabile che esso fosse già terminato prima che Bernardo incominciasse la redazione dei suoi *Sermones super Cantica Canticorum* (1135), il *de diligendo Deo* andrebbe datato fra il 1132 e il 1135.

[3] Si tratta di una formula di modestia: Bernardo era veramente abate di Clairvaux.

[4] Cfr. *Ep. Rom.* 14,8.

[5] Nel testo *quaestiones*. La *quaestio* è un «tema da trattare», una «trattazione»; cfr. in proposito F. Châtillon, *Notes pour l'interpréta-*

tion de la préface du «De diligendo Deo» de saint Bernard, «RMAL» XX 1964, pp. 98-105.

[6] Altra formula di modestia, sulla quale ved. E.R. Curtius, *Letteratura europea e Medio Evo latino*, trad. it., Firenze 1992, pp. 453-9 (ed. orig. Bern 1948). Cfr. anche J. Leclercq, «Les prologues de saint Bernard et sa psychologie d'auteur», in Id., *Recueil d'études sur saint Bernard et le texte de ses écrits*, I-IV, Roma 1962-87, III, pp. 13-31. Affermando, poco oltre, che la pratica non corrisponde a quanto gli è prescritto, Bernardo intende dire che, pur essendo un monaco, non prega abbastanza.

[7] Cfr. *1 Ep. Cor.* 9,11.

[8] Allusione alla formula proverbiale: *Si tacuisses, philosophus fuisses* («Se avessi taciuto, saresti stato filosofo»), che deriva da Boezio, *de consolatione philosophiae* II, *prosa* 7. Una persona dotata di garbata ironia, racconta Boezio, voleva burlarsi di un tale che si arrogava il titolo di filosofo per pura vanagloria e gli disse che lo avrebbe davvero considerato un filosofo se avesse sopportato pazientemente e serenamente le sue ingiurie. Quello, dopo averle sopportate per un poco, gli chiese a un certo punto con tono trionfale: «Allora ti sei finalmente reso conto che sono un filosofo?». Ma l'altro gli rispose: «Me ne sarei reso conto se tu avessi taciuto» (*Intellexeram, inquit, si tacuisses*). Cfr. in proposito Châtillon, *Notes* cit., pp. 105-12.

[9] Poiché la richiesta di Aimerico non ci è pervenuta, non sappiamo quali fossero le altre questioni da lui sollevate.

[10] Nel testo *quod de diligendo Deo* (alla lettera «ciò che riguarda il dovere di amare Dio»), espressione da cui la tradizione ha ricavato il titolo del trattato; cfr. Goffredo di Auxerre, *Vita Bernardi* III 8,29. Nei *Sermones super Cantica Canticorum* 51,4, Bernardo lo cita però come *Liber de dilectione Dei* («Libro sull'amore di Dio»).

[11] Nel testo *modus, sine modo diligere*, dove il termine *modus* ha sia il significato di «modo», «maniera», sia quello di «misura». La formula deriva da una lettera di Severo di Milevi ad Agostino; cfr. *Ep.* 109,2, *CSEL* 34/2, p. 637: *In quo iam nullus nobis amandi modus imponitur, quando ipse ibi modus est sine modo amare* («Nell'amore di Dio non ci viene prescritta alcuna misura, poiché tale misura è di amare senza misura»). Ved. in proposito Gilson, *La théologie mystique* cit., p. 48.

[12] Cfr. *Ep. Rom.* 1,14.

[13] Cfr. *Ep. Gal.* 1,4.

[14] *1 Ep. Io.* 4,10. Il tema è ampiamente trattato anche da Guglielmo di Saint-Thierry nel *de contemplando Deo* 12; come Guglielmo, Bernardo aggiunge costantemente al testo di Giovanni l'aggettivo *prior*, «per primo».

[15] Cfr. *1 Ep. Io.* 4,2.

[16] *Ps.* 15,2.

[17] Cfr. *1 Ep. Cor.* 13,5.

[18] Nel testo *tanta puritas*, letteralmente «una così grande purezza».

[19] *Ep. Rom.* 5,10.

[20] *Eu. Io.* 3,16.

[21] *Ep. Rom.* 8,32.

[22] *Eu. Io.* 15,13. Nel citare questo versetto Bernardo usa a volte *caritatem* (come qui), a volte *dilectionem.*

[23] Cfr. *Ep. Rom.* 5,6-7.

[24] Il termine indica qui e in seguito «coloro che non hanno la fede cristiana» e si riferisce specialmente agli ebrei e ai musulmani.

[25] Cfr. *2 Ep. Cor.* 9,10.

[26] Questi tre concetti – *dignitas*, *scientia*, *uirtus* – sono fondamentali nell'antropologia di Bernardo, che ne tratta ampiamente nel *de gratia et libero arbitrio*. La *dignitas* dell'uomo consiste nel suo libero arbitrio, che è la facoltà di «consentire» o di «dissentire» senza alcuna costrizione (*de gratia et libero arbitrio* III 6): *Sola ergo uoluntas, quoniam pro sui ingenita libertate aut dissentire sibi aut praeter se in aliquo consentire, nulla ui, nulla cogitur necessitate, non immerito iustam uel iniustam, beatitudine seu miseria dignam ac capacem creaturam constituit, prout scilicet iustitiae iniustitiaeue consenserit* («Per la sua innata libertà, dunque, solo la volontà non è costretta da alcuna forza né da alcuna necessità a opporsi a sé stessa o a consentire suo malgrado a qualcosa; per questo, non senza ragione è tale da rendere la creatura giusta o ingiusta, degna e capace di beatitudine o di miseria, a seconda che abbia consentito alla giustizia o all'ingiustizia»). È il libero arbitrio a rendere l'uomo superiore agli altri esseri: esso sussiste anche nel peccatore che sceglie il male o nel dannato che vi aderisce per sempre, in quanto è principalmente ciò per cui noi siamo creati a immagine di Dio (cfr. Gilson, *La théologie mystique* cit., pp. 64-70, e P. Delfgaauw, *Saint Bernard. Maître de l'Amour divin*, Paris 1994, pp. 162-70). La stessa concezione è presente in Guglielmo di Saint-Thierry: ved. nota 29 al *de natura et dignitate amoris*. Questa *dignitas*, come Bernardo spiega nei capitoli seguenti, sarebbe però incompleta senza la *scientia* e la *uirtus* (cfr. anche Gilson, *La théologie mystique* cit., pp. 49-50).

[27] Cfr. *Gen.* 1,26.

[28] Cfr. *Gen.* 9,2.

[29] Cfr. *Ep. Rom.* 4,2.

[30] *1 Ep. Cor.* 4,7.

[31] *1 Ep. Cor.* 1,31.

[32] Cfr. *Eu. Io.* 14,6.

[33] *Cant.* 1,6-7. Come Guglielmo di Saint-Thierry e seguendo l'esempio di Ambrogio e di Gregorio Magno, Bernardo interpreta questi versetti del *Cantico dei Cantici* in riferimento al precetto di co-

noscere sé stessi, nel quadro di quello che è stato definito un «socratismo cristiano» (cfr. Gilson, *La théologie mystique* cit., p. 49 e nt. 1). Nel *Commentarius in Cantica Canticorum* raccolto dagli scritti di Ambrogio (cfr. Guglielmo di Saint-Thierry, *Commento ambrosiano al Cantico dei Cantici*, introduzione, traduzione e note di G. Banterle, Milano-Roma 1993), Guglielmo scrive a proposito di *Cant.* 1,6 (I 33 e 36): *Nosce teipsum, homo, tuae animae dicitur, nisi cognoueris te formosam in mulieribus. Cognosce te, anima, quia non de terra, non de luto es, quia insufflauit in te Deus et fecit in animam uiuentem* [...]. *Quid est se noscere nisi ut sciat unusquisque hominem se ad imaginem et similitudinem Dei factum, rationis capacem, qui terram suam excolere tanquam bonus agricola debeat aratro quodam et falce sapientiae; ut uel dura findantur uel luxuriantia recidantur, qui inferiorem sui portionem animi imperio debeat gubernare?* («Uomo, conosci te stesso, si dice alla tua anima, nel caso che tu non ti conosca bellissima tra le donne. Conosci te stessa, o anima, conosci che non sei di terra, non sei di fango, perché Dio ha alitato su di te e ti ha trasformato in essere vivente [...]. Che cosa significa conoscersi se non sapere ciascuno di essere un uomo fatto a immagine e somiglianza di Dio, dotato di ragione, che deve coltivare la propria terra come un buon agricoltore, per così dire, con l'aratro e la falce della sapienza, affinché le dure zolle siano spaccate o le piante troppo lussureggianti siano potate, e che deve governare la propria parte inferiore con l'autorità dell'intelletto?»). Analoga la sua interpretazione nella *Expositio super Cantica Canticorum* (par. 64): *«Si», inquit, «ignoras te, egredere», hoc est ideo a temetipsa egrederis quia ignoras te. Sed conosce te, quia imago mea es, et sic poteris nosse me, cuius imago es, et penes te, inuenies me. In mente tua, si fueris mecum, ibi cubabo tecum, et inde pascam te* («"Se non ti conosci, esci" significa: esci da te stessa perché non ti conosci. Conosciti dunque, perché sei la mia immagine: così potrai conoscere me, di cui sei l'immagine; presso di te tu mi troverai. Nella tua mente, se resti con me, io giacerò con te e ti nutrirò»). Per Guglielmo questa immagine divina che si trova nella mente dell'uomo e che Dio vi ha insufflato al momento della creazione è costituita dalle sue tre facoltà spirituali: memoria, ragione e volontà. Esse sono infatti – nella loro unità e triplicità – una sorta di «trinità umana», specchio di quella divina (cfr. *de natura et dignitate amoris* 4 e relativa nota 26). La concezione di Bernardo si differenzia in parte da quella di Guglielmo, in quanto per Bernardo la conoscenza di sé significa essenzialmente prendere coscienza di essere un'immagine divina sfigurata a causa del peccato (cfr. p.es. *de diuersis, sermo* 12,2). Come scrive Gilson, «Miseria dell'uomo: aver perduto la somiglianza divina; grandezza dell'uomo: aver conservato l'immagine divina; spogliarsi della somiglianza estranea di cui il peccato lo ha rivestito, questo è ciò che il

novizio impara prima di tutto a Cîteaux» (*La théologie mystique* cit., p. 93).

[34] Cfr. *Ps.* 48,13.

[35] Cfr. *Ps.* 44,14.

[36] Nel *de gradibus humilitatis et superbiae* (II 10) Bernardo colloca la *curiositas* al primo dei dodici gradi della superbia, indicando così in essa il punto di partenza della degradazione dell'anima. Essa consiste nel rivolgere la propria attenzione verso ciò che si trova fuori di noi e che non ha alcuna utilità in vista della ricerca della salvezza: si contrappone quindi a quella conoscenza di sé che genera invece tutti gli altri gradi dell'umiltà (ved. *supra*, nota 33). Come osserva Gilson (*La théologie mystique* cit., p. 182), «di fronte a questi due metodi, siamo come davanti alla biforcazione iniziale delle due vie, una delle quali conduce alla salvezza mediante la conoscenza di sé e l'altra alla perdizione mediante la curiosità».

[37] Cfr. *1 Ep. Cor.* 4,6-7.

[38] Cfr. *Ep. Rom.* 4,2.

[39] Cfr. *1 Ep. Cor.* 10,20.

[40] Cfr. *Ps.* 18,14. Cfr. *supra*, nota 36.

[41] Cfr. *Eu. Luc.* 12,47-8.

[42] *Ps.* 35,4.

[43] *Ps.* 35,5.

[44] *Ps.* 113,9.

[45] Bernardo allude qui agli *infideles* menzionati nel par. 2. Citando lo *ut sint inexcusabiles* di san Paolo, egli sviluppa il tema della conoscenza naturale di Dio, accessibile a tutti gli uomini. Scrive Gilson (*La théologie mystique* cit., p. 51): «Il *Nosce te ipsum* è una prescrizione valida per tutti. Ciascuno, cristiano o no, può e deve conoscersi come libero – questa è la sua grandezza, essere libero e sapere di esserlo – ma deve anche comprendere di non aver ricevuto da sé né il proprio essere né la propria libertà né la scienza di entrambi. Di qui risulta, sempre per ogni uomo, l'obbligo di amare Dio con tutta l'anima, con tutte le forze e al di sopra di ogni cosa, sia egli cristiano o no. Non è necessario conoscere Cristo per rendersi conto di questo dovere, basta conoscere sé stessi».

[46] *Ps.* 135,25.

[47] *Eu. Matth.* 5,45.

[48] *Gen.* 1,26.

[49] Cfr. *Ps.* 93,10.

[50] Cfr. *Ps.* 23,10.

[51] Cfr. *Ep. Rom.* 2,1.

[52] *Eu. Matth.* 22,39 e paralleli; cfr. *Deut.* 6,5.

[53] *Ep. Phil.* 2,21.

[54] *Gen.* 8,21.

[55] Cfr. *1 Ep. Cor.* 2,2.
[56] Cfr. *Ep. Eph.* 3,19.
[57] Cfr. *Eu. Luc.* 7,47.
[58] *Cant.* 2,5.
[59] *Ibid.*
[60] *Cant.* 3,11.
[61] Cfr. *Eu. Io.* 19,17.
[62] Cfr. *Eu. Io.* 19,34.
[63] Cfr. *Lam.* 3,30.
[64] Cfr. *Ier.* 12,7; *Eu. Io.* 15,13.
[65] Cfr. *Eu. Luc.* 2,35.
[66] *Cant.* 2,5.
[67] Cfr. *Cant.* 6,10. Muovendo da una associazione fra le «mele» (*mala*) di *Cant.* 2,5 e i «melograni» (*mala punica*) di *Cant.* 6,10 (non citato esplicitamente, ma parafrasato), Bernardo propone in questo capitolo e nei successivi una serie di interpretazioni allegoriche del *Cantico dei Cantici*, in parte diverse da quelle sviluppate nei *Sermones super Cantica Canticorum*. Riguardo a *Cant.* 2,5 – dove i fiori sono interpretati come simboli della fede e delle buone opere, che riusciranno gradite allo Sposo assente – egli osserva in *Sermones* 51,4: *Scio me hunc locum in libro de dilectione Dei plenius explicuisse, et sub alio intellectu: potiorine an deteriori, lector iudicet, si cui utrumque uidere placuerit. Non sane a prudente de diuersitate sensuum iudicabor, dummodo ueritas utrobique nobis patrocinetur, et caritas, cui Scripturas seruire oportet, eo aedificet plures, quo plures ex eis in opus suum ueros eruerit intellectus* («So di aver spiegato questo passo in maniera più ampia nel libro su *L'amore di Dio*, dandogli un'altra interpretazione: il lettore che abbia la compiacenza di confrontarle giudichi quale delle due sia migliore o peggiore. Nessuna persona sensata mi condannerà per questa diversità di interpretazioni, purché in entrambi gli scritti la verità ci giustifichi e la carità, al cui servizio sono le Scritture, edifichi un numero tanto maggiore di uomini quanto più numerosi sono i significati veri che avrà ricavato da esse a suo profitto»).
[68] Cfr. *Gen.* 2,9.
[69] Cfr. *Eu. Io.* 6,32.
[70] Cfr. *Ep. Eph.* 4,8.
[71] *Ep. Phil.* 2,10.
[72] Cfr. *Gen.* 3,18; *Ep. Hebr.* 6,8.
[73] Cfr. *Ps.* 27,7.
[74] *Ps.* 27,7.
[75] *Cant.* 1,15. Questo versetto è riferito all'unione mistica fra l'anima e Cristo anche nei *Sermones super Cantica Canticorum* 45,6-10 e 46,1-2. Analoga è l'interpretazione sviluppata da Guglielmo di Saint-Thierry in *Expositio super Cantica Canticorum* 95 sgg. Il «letto» co-

perto di fiori è interpretato da Bernardo (*Sermones* 46, 2) come un simbolo del «chiostro» o del «monastero», in cui si vive in pace, lontano dalle preoccupazioni e dagli affanni mondani, una vita ornata dagli esempi dei Padri come da fiori profumati (*Et in Ecclesia quidem «lectum» in quo quiescitur, claustra existimo esse et monasteria, in quibus quiete a curis uiuitur saeculi et sollicitudinibus uitae. Atque is lectus floridus demonstratur, cum exemplis et institutis Patrum, tamquam quibusdam bene olentibus respersa floribus, fratrum conuersatio et uita refulget*).

[76] Cfr. *Gen.* 27,27; *Is.* 40,6.

[77] Cfr. *Eu. Luc.* 1,26 sgg.; *Eu. Luc.* 2,39. In *Sermones super Cantica Canticorum* 58,8, come in altri scritti, Bernardo spiega che il nome Nazareth significa «fiore»: *Ipse, inquam, «flos campi et lilium conuallium» Iesus, «ut putabatur filius Ioseph a Nazareth», quod interpretatur flos* («Lui, dico, Gesù, "che è il fiore dei campi e il giglio delle valli" [*Cant.* 2,1], lui che "era ritenuto il figlio di Giuseppe di Nazareth" [*Eu. Luc.* 3,23], nome che significa "fiore"»). Questa *interpretatio* era tradizionale: cfr. Girolamo, *Liber interpretationis Hebraicorum nominum*, *CCL* LXXII, p. 137,24.

[78] Cfr. *Ep. Rom.* 5,21; *Ep. Hebr.* 2,14.

[79] Cfr. *Ep. Gal.* 4,4.

[80] *Cant.* 2,11-2.

[81] *Apoc.* 21,5.

[82] Cfr. *Eu. Matth.* 11,5.

[83] *Gen.* 27,27.

[84] Cfr. *Eu. Io.* 1,16.

[85] *Ps.* 61,12-3.

[86] Cfr. *Ps.* 92,5.

[87] Cfr. *Ep. Rom.* 4,25.

[88] Cfr. *Eu. Io.* 16,7.

[89] Cfr. *Act. Ap.* 9,31.

[90] Cfr. *Act. Ap.* 1,11.

[91] Cfr. *Cant.* 2,5.

[92] Cfr. *Cant.* 3,4.

[93] Cfr. *Prou.* 7,18.

[94] *Cant.* 2,6.

[95] Nel testo *dilectionis*, legato al successivo *dilecti* («diletto»).

[96] Cfr. *Ps.* 30,20.

[97] Le argomentazioni che seguono sono costruite a partire dalla contrapposizione fra *memoria* – la memoria della venuta di Cristo sulla terra, qui simboleggiata dalla «mano sinistra» dello Sposo che sostiene la testa della Sposa – e *praesentia* – la sua presenza nel Regno dei Cieli, qui raffigurata dalla «mano destra» che abbraccia la Sposa. In particolare, come risulta già dal par. 7, si tratta qui della *memoria*

passionis (cfr. *infra*, IV 11), della meditazione sulle sofferenze che Cristo ha voluto patire per gli uomini e che dovrebbero suscitare nei fedeli un amore più forte di quello innato in tutti gli uomini nei confronti del loro Creatore. Questa interpretazione di *Cant.* 2,6 è ripresa nei *Sermones super Cantica Canticorum* 51,5: *Et super hoc quoque in praefato opusculo memini uberius disputatum; sed signemus sermonis ordinem. Liquet denuo adesse sponsum, credo, ut sua praesentia languentem erigat. Quomodo enim non in praesentia sua conualescet, quam absentia consternarat? Ergo non sustinet dilectae molestiam: adest, neque enim moram facere potest tantis desideriis euocatus. Et quia illam compererat, donec absens fuit, fidelem ad opera et sollicitam ad lucra, in eo nimirum, quod flores sibi et fructus praeceperat adunari, etiam cum propensiori hac uice remuneratione gratiae est reuersus. Denique uno brachiorum suorum sustentat caput iacentis, alterum ad amplexandum parans, ut sinu foueat. Felix anima quae in Christi recumbit pectore, et inter Verbi brachia requiescit!* («Ricordo di aver commentato anche questo passo in modo più ampio nel sopracitato opuscolo; ma osserviamo l'ordine del discorso. È chiaro, mi pare, che lo sposo è ritornato per rianimare con la sua presenza la sposa che languiva. Infatti, come potrebbe non farla ristabilire la sua presenza, se la sua assenza la aveva abbattuta? Egli non può sopportare la sofferenza della sua diletta: torna da lei, non potendo tardare al richiamo di un così intenso desiderio. E poiché l'aveva trovata, mentre era assente, fedele alle buone opere e attenta ai profitti spirituali, dato che aveva chiesto di essere circondata di fiori e di frutti, questa volta è tornato con una più generosa ricompensa di grazia. Perciò sostiene con un braccio la testa di lei che giace, e con l'altro si prepara ad abbracciarla stringendola al petto. Felice l'anima che si appoggia sul petto di Cristo e riposa fra le braccia del Verbo!»). Una diversa interpretazione delle due mani dello Sposo è proposta da Guglielmo di Saint-Thierry in *Expositio super Cantica Canticorum* 132-7. Il tema teologico sviluppato da Bernardo in queste pagine del *de diligendo Deo* è alla base del celebre componimento poetico *Iesu dulcis memoria*, che – pur non essendo opera dello stesso Bernardo – rivela chiaramente il suo influsso; cfr. *infra*, IV 11: «Così quelli che cercano la presenza di Dio e anelano a essa dispongono in questa vita della sua dolce memoria». Come scrive Gilson, *La théologie mystique* cit., p. 105, la poesia «descrive il movimento con il quale l'anima si innalza dal ricordo della passione di Cristo all'unione mistica, in attesa di unirsi a lui per sempre nell'eternità». Sulla opposizione tra *memoria* e *praesentia* nel pensiero di Bernardo, cfr. *ibid.*, pp. 103-5.

[98] *Eu. Io.* 6,64.

[99] *Sap.* 24,27.

[100] *Sap.* 24,28.

[101] Cfr. *Eccl.* 1,4.
[102] *Ps.* 144,7.
[103] *Ps.* 144,4.
[104] Cfr. *Sap.* 24,28.
[105] Cfr. *Ps.* 77,8.
[106] *Eu. Luc.* 6,24.
[107] *Ps.* 76,3.
[108] *Ps.* 76,4.
[109] La «memoria» e il «ricordo», come è detto nel paragrafo precedente, sono quelli dello Sposo assente; essi consolano su questa terra l'anima che attende di incontrarlo nuovamente e per sempre nel regno dei cieli.
[110] *Ps.* 23,6; cfr. *Ep. Phil.* 2,21.
[111] Cfr. *Eu. Matth.* 5,6.
[112] *Eccli.* 24,29.
[113] *Ps.* 16,15.
[114] Cfr. *Eu. Matth.* 5,6.
[115] Cfr. *Iob* 19,27.
[116] Cfr. *Deut.* 32,5-6.
[117] Cfr. *Ps.* 90,3.
[118] Cfr. *1 Ep. Tim.* 6,9 e 17.
[119] Cfr. *Ps.* 90,3.
[120] Cfr. *Eu. Io.* 6,61.
[121] *Eu. Matth.* 25,41.
[122] *Eu. Io.* 6,55.
[123] Cfr. *Ep. Col.* 3,5.
[124] Cfr. *Eu. Io.* 6,55.
[125] Cfr. *Ep. Rom.* 8,17; *2 Ep. Tim.* 2,12.
[126] Cfr. *Eu. Io.* 6,67 e 18,6.
[127] *Eu. Io.* 6,61.
[128] Cfr. *Ps.* 77,8.
[129] Cfr. *1 Ep. Tim.* 6,17.
[130] Cfr. *1 Ep. Cor.* 1,10.
[131] *Eu. Matth.* 25,41.
[132] Cfr. *Eu. Matth.* 21,44.
[133] Cfr. *Ps.* 111,2.
[134] *2 Ep. Cor.* 5,9.
[135] *Eu. Matth.* 25,34.
[136] Cfr. *Ps.* 77,8.
[137] Cfr. *Sap.* 7,9.
[138] Cfr. *Eu. Matth.* 11,30.
[139] Cfr. *Deut.* 9,13.
[140] Cfr. *Eu. Matth.* 6,24.
[141] Cfr. *Ep. Gal.* 6,14.

[142] Cfr. *Eccli.* 31,8.
[143] Cfr. *Ps.* 33,9.
[144] Cfr. *2 Ep. Cor.* 3,18.
[145] Cfr. *Ep. Gal.* 6,14.
[146] Cfr. *Cant.* 5,2.
[147] Cfr. *Ps.* 67,14. Questo versetto è commentato anche in *Sermones super Cantica Canticorum* 51,10, dove le due «eredità» – pure collegate alle due mani dello Sposo – sono interpretate rispettivamente come figure del «timore» e della «sicurezza»; tra di essi sta la «speranza» nella quale dolcemente riposano la mente e la coscienza, sopra il morbido tappeto della carità (*spes, in qua mens et conscientia, molli nimirum supposito caritatis stratu, suauissime requiescit*). Nei capitoli 1-11 del *de auibus* o *Auiarium* (1122-5) di Ugo di Fouilloy, priore dei conventi agostiniani di Saint-Nicolas de Regny e di Saint-Laurant-au-Bois presso Amiens (cfr. W.B. Clark, *The Medieval Book of Birds. Hugh of Fouilloy's Aviarium*, Binghamton N.Y. 1992), la colomba dalle penne argentate del salmo è interpretata come un simbolo tanto della Chiesa quanto della *fidelis et simplex anima*, in particolare di quella del contemplativo; i *cleros* o le *sortes* – in riferimento all'anima – sono qui «timore» e «speranza», «amore» e «desiderio» (cfr. *Auiarium* 3). Ved. in proposito F. Ohly, «Probleme der mittelalterlichen Bedeutungsforschung und das Taubenbild des Hugo de Folieto», in Id., *Schriften zur mittelalterlichen Bedeutungsforschung*, Darmstadt 1977, pp. 32-92, e F. Zambon, «La colomba argentata», in Id., *L'alfabeto simbolico degli animali. I bestiari del medioevo*, Roma 2001, pp. 95-130.
[148] Cfr. *Ps.* 144,7.
[149] Cfr. *Ps.* 67,14.
[150] Cfr. *Ps.* 15,10.
[151] Cfr. *Ps.* 67,14.
[152] Cfr. *Ps.* 109,3.
[153] *Cant.* 2,6.
[154] Cfr. *Eu. Io.* 15,13.
[155] Il tema della *deificatio* è ripreso e sviluppato più avanti, al par. 28, dove Bernardo illustra il quarto e supremo grado dell'amore.
[156] *Ps.* 15,10.
[157] Cfr. *Ps.* 56,2.
[158] Nel testo *intentionem.* Per il significato del termine, ved. nota 3 al *de contemplando Deo* di Guglielmo di Saint-Thierry.
[159] Bernardo allude qui all'immagine dell'*anima curua*, illustrata nell'adagio medievale – spesso attribuito allo stesso Bernardo, ma già corrente presso i Padri della Chiesa – *anima in se curua est (quia ad se reflectitur)* («l'anima è in sé stessa curva, perché ritorna a sé stessa»). Nella teologia bernardiana questa immagine non va ricondotta all'idea di una «curvatura» o inclinazione «naturale» dell'anima verso

sé stessa, ma deve essere intesa come una metafora per indicare un atteggiamento conseguente al peccato, che in qualche modo piega l'anima verso il basso, verso le realtà materiali. «Pesante e insopportabile giogo su tutti i figli di Adamo che piega e curva, ahimè, il nostro collo tanto da far avvicinare la nostra vita all'inferno!», dirà più avanti Bernardo (XIII 36). In questo suo atteggiamento perverso – che ci rende simili alle bestie irragionevoli (cfr. *infra*, V 15) – la nostra anima si pone in contrasto con il corpo, che ha conservato anche dopo il peccato la sua posizione eretta, rivolta verso l'alto. Sulla dottrina dell'*anima curua* in Bernardo, cfr. Gilson, *La théologie mystique* cit., pp. 72-3, e Delfgaauw, *Saint Bernard* cit., pp. 105-7.

[160] Cfr. *Ep. Gal.* 5,16; *Ep. Tit.* 2,12.

[161] Nel testo della Vulgata *sensum*, che qui come in altri casi Bernardo interpreta come sinonimo di *intellectus*, «senso interiore», «intelletto». Ved. p.es. *infra*, VI 16, dove nella citazione di *Ep. Phil.* 4,7 egli sostituisce – con numerosi Padri – il *sensum* della Vulgata con *intellectum*.

[162] *Sap.* 9,15.

[163] Come in Guglielmo di Saint-Thierry, l'*animus* è l'*anima rationalis*, sinonimo di *mens* o *spiritus* (il νοῦς dei Padri greci); essa è distinta dall'*anima animalis*, cioè dall'anima in quanto principio di vita per il corpo. Per questa distinzione, ved. nota 123 al *de natura et dignitate amoris*.

[164] Nel testo *afficiant*. Per il significato di questo verbo, cfr. *infra*, nota 204.

[165] Nel testo *appeti*. Per il significato di *appetitus*, *appetere* ved. nota 19 al *de natura et dignitate amoris* di Guglielmo di Saint-Thierry e *infra*, nota 206.

[166] Cfr. *Cant.* 1,3. Il sermone 22 sul *Cantico dei Cantici* è interamente dedicato all'interpretazione allegorica di questi *unguenta* dello Sposo, che sono la sapienza, la giustizia, la santificazione e la redenzione (*Sermones super Cantica Canticorum* 22,6): *Sapientia in praedicatione, iustitia in absolutione peccatorum, sanctificatio in conuersatione quam habuit cum peccatoribus, redemptio in passione quam sustinuit pro peccatoribus. Vbi ergo haec a Deo factus est, tunc Ecclesia odorem sensit, tunc cucurrit* («Sapienza nella predicazione, giustizia nell'assoluzione dei peccati, santificazione nella sua frequentazione dei peccatori, redenzione nella Passione che sopportò per loro. Quando fu fatto tutto questo per volontà di Dio, la Chiesa sentì il suo profumo e si mise a correre»).

[167] Bernardo allude qui all'*amplexus* mistico, cioè al congiungimento spirituale dell'anima con Dio: la *deificatio*.

[168] Cfr. *Is.* 40,15.

[169] *Eu. Io.* 3,16.

[170] *Is.* 53,12.
[171] *Eu. Io.* 14,26.
[172] Cfr. *Eu. Io.* 5,12.
[173] *Eu. Io.* 5,23.
[174] Cfr. *1 Ep. Io.* 15,26.
[175] Cfr. *Ps.* 129,7.
[176] *Ps.* 129,7. È ripresa qui e nel paragrafo successivo la considerazione secondo cui il cristiano deve a Dio un amore più grande di quello che gli devono i non credenti, ignari del sacrificio di Cristo per la redenzione degli uomini (cfr. *supra*, par. 7).
[177] *Ep. Hebr.* 9,12.
[178] *Ps.* 36,28.
[179] *Eu. Luc.* 36,28.
[180] *1 Ep. Cor.* 2,9.
[181] *Ep. Phil.* 3,20-1.
[182] *Ep. Rom.* 8,18.
[183] *2 Ep. Cor.* 4,17-8.
[184] Cfr. *Ps.* 115,12.
[185] Cfr. *Ep. Rom.* 5,8.
[186] *Eu. Marc.* 12,30 e paralleli.
[187] Cfr. *Ep. Hebr.* 6,10.
[188] Cfr. *Ps.* 35,7-8.
[189] Cfr. *Ps.* 105,20.
[190] Cfr. *Ps.* 48,13 e 21.
[191] Questa *refectio* è naturalmente la redenzione, grazie alla quale l'uomo diventa capace di riacquistare l'originaria *similitudo* con Dio, perduta in seguito al peccato.
[192] *Ps.* 148,5.
[193] *Ps.* 115,12.
[194] *1 Ep. Io.* 4,10 e *supra*, nota 14.
[195] Cfr. *Ep. Eph.* 3,19.
[196] Cfr. *Ps.* 144,3.
[197] Cfr. *Ps.* 146,5.
[198] Cfr. *Ep. Phil.* 4,7.
[199] *Ps.* 17,2-3.
[200] Cfr. *Ps.* 17,3.
[201] Cfr. *Ps.* 138,16.
[202] Bernardo fornisce qui la seconda parte della risposta alla domanda sul modo in cui si deve amare Dio: oltre che *sine modo* («senza misura»), egli deve essere amato senza aver di mira un *praemium*, una «ricompensa», cioè in modo puro. Nei primi decenni del XII secolo il problema della ricompensa dell'amore di Dio è al centro di una intensa riflessione teologica, alla quale partecipano Pietro Abelardo, Guglielmo di Saint-Thierry e lo stesso Bernardo. Secondo

Abelardo (*Commentaria in Epistulam Pauli ad Romanos*, *CCM* XI, pp. 200,461-204,594), l'uomo deve amare Dio per sé stesso (*propter se*) e in modo del tutto disinteressato (*pure ac sincere*), non in vista della beatitudine che può sperare di riceverne, altrimenti si tratterebbe di un sentimento «mercenario». Qualunque cosa Dio faccia nei nostri confronti – perfino se non ci amasse – bisognerebbe amarlo ugualmente perché egli è buono (*quoniam bonum est, nihil aliud nisi quia bonum est*) e perciò tale da essere amato sopra ogni cosa. La posizione di Abelardo esemplifica quella che P. Rousselot (*Pour l'histoire du problème de l'amour au moyen âge*, Paris 1981, p. 74; ed. orig. 1933) definisce come la «concezione estatica» dell'amore nel Medioevo: egli «elimina e sopprime, per quanto gli è possibile, tutte le ragioni per amare Dio che hanno le loro radici nella nostra "natura" e nel nostro "essere"». Radicalmente diversa è la concezione di Guglielmo di Saint-Thierry (*de contemplando Deo* 16), che ritiene inseparabili amore di Dio e beatitudine: «Ma che cosa c'è di più assurdo che essere uniti a Dio nell'amore e non nella beatitudine? In effetti, sono veramente e unicamente beati – perfettamente beati – coloro che ti amano veramente e perfettamente: non c'è nessuno che sia in alcun modo beato se non ti ama». La posizione di Bernardo si ricollega in una certa misura a quella di Abelardo, superandone tuttavia la prospettiva razionalistica. Dato che per lui l'amore puro è essenzialmente un'esperianza mistica – quella dell'*excessus* che unisce l'anima a Dio – esso non è un fatto razionale, ma un sentimento, un *affectus*: «è un sentimento, non un contratto», afferma qui Bernardo. O addirittura un *amplexus*. Osserva Gilson, *La théologie mystique* cit., p. 168: «Pertanto, o c'è calcolo razionale, e allora non siamo più in presenza di un semplice *affectus*, di un amore che è soltanto amore; esso non merita quindi più alcuna ricompensa, o meglio è impossibile che la riceva, dato che questa ricompensa è appunto il semplice abbraccio amoroso: se non c'è, come potrebbe esserci ricompensa? Oppure non sussiste più alcuna idea della ragione, alcun calcolo contrattuale, ma solo il sentimento puro di un'anima che ama e non "sa" nient'altro; la ricompensa allora le è dovuta, o meglio è esso stesso questa ricompensa, perché è l'*amplexus*: più che abbraccio di Dio da parte dell'anima, abbraccio dell'anima da parte di Dio». Su tutta la questione ved. *ibid.*, pp. 183-9.

[203] Cfr. *1 Ep. Cor.* 13,5.

[204] Nel testo *affectus*. Il significato di questo termine fondamentale del vocabolario teologico di Bernardo (e in lui equivalente ad *affectio*) è analogo a quello che possiede in Guglielmo di Saint-Thierry (cfr. nota 3 al *de contemplando Deo*). Più avanti (cfr. VIII 23) Bernardo allude alla distinzione tradizionale fra le quattro *affectiones* (corrispondenti alle quattro passioni degli Stoici): si tratta dei moti dell'ani-

ma e principalmente della volontà. Il più importante di questi moti è l'amore, *affectio naturalis* (cfr. *ibid.*) che riconduce l'anima – se non è disordinata – verso Dio, il suo Creatore. Si tratta dunque di una nozione di natura essenzialmente spirituale: gli *affectus* – e in primo luogo l'amore – sono il dinamismo stesso della volontà, il movimento interiore che la trasporta verso Dio. Al tempo stesso si tratta di una nozione di carattere sperimentale: l'*affectus* genera nell'anima una inclinazione che la spinge a realizzare la sua unione con lo Sposo, a trasformarsi in lui. Dio stesso è talvolta definito da Bernardo come *affectio* in senso sostanziale e in quanto tale immutabile; l'uomo è invece da lui *affectus* nel senso passivo della parola (dal verbo *afficere*, che anche qui come in Guglielmo di Saint-Thierry significa «toccare», «muovere», «trasformare», «penetrare», «disporre»): nell'anima dell'uomo dunque gli *affectus* o le *affectiones* – e *in primis* l'amore – sono soggetti a mutamenti. Scrive Delfgaauw (*Saint Bernard* cit., p. 87): «L'*affectio* allo stato di pura natura sarà perciò di ordine spirituale: non è essenzialmente il moto della sensibilità. Nell'uomo decaduto e immerso nei sensi, però, gli *affectus* sono necessariamente impressionati dagli oggetti sensibili; e ciò comporta la loro degradazione. È a questo punto che avrà origine il loro ordinamento. *Affectus carnalis* non è tuttavia una *affectio* scatenata dalla carne: *affectio quam caro gignit* («affezione generata dalla carne»), ma semplicemente un *affectus* riferito a un oggetto sensibile, che può essere anche l'umanità di Cristo. L'opera della grazia consisterà così nel rettificare l'*affectus infirmus* (carnale) e nel trasformarlo in *affectus fortis* (spirituale). Un simile intervento è spesso caratterizzato anche dai termini *affici*, *affectari* ecc.». Per un approfondito esame delle nozioni di *affectus* e *affectio* nell'opera di Bernardo, cfr. Delfgaauw, *Saint Bernard* cit., pp. 75-88.

[205] Nel testo *afficit*, per il cui significato ved. nota 202. La «spontaneità» (*sponte*, *spontaneus*) di questo *affectus* indica il suo carattere naturale e perciò essenzialmente spirituale (ved. in proposito *infra*, nota 342).

[206] Nel testo *appetere*. Qui e in seguito abbiamo reso *appetere* con «desiderare» e *appetitus* con «desiderio»; come in Guglielmo di Saint-Thierry (ved. nota 19 al *de natura et dignitate amoris*), *appetitus* è in generale il desiderio, che può essere rivolto verso le realtà materiali o verso quelle spirituali. Il termine *cupiditas* (reso con «cupidigia») con i verbi *cupere* e *concupiscere* (resi con «bramare») indicano invece il desiderio che – oltrepassati i limiti della necessità naturale, con i bisogni che genera – insegue piaceri inutili, ricercati per sé stessi e in quanto piaceri, e provoca una completa inversione dell'ordine dei valori: *cupiditas* è un *appetitus* o un *amor* deviato dal suo fine naturale che è Dio; come è detto più avanti (VII 21), «egli è l'origine del tuo desiderio, egli è l'oggetto del tuo desiderio». Questa deviazione del desiderio dal suo fine è

per Bernardo conseguente al peccato e propria di quella *regio dissimilitudinis* – la terra in cui abbiamo perduto la somiglianza con Dio – nella quale esso ci ha esiliati. Ved. in proposito Gilson, *La théologie mystique* cit., pp. 56-62.

[207] Cfr. *Is.* 5,8.

[208] Cfr. *Ex.* 34,24; *Am.* 1,13.

[209] Cfr. *Is.* 5,8.

[210] Cfr. *Ps.* 26,12.

[211] Cfr. *Ps.* 11,9.

[212] Nel testo, bisticcio fra *consumptioni* («esaurimento», «consunzione», «distruzione») e *consummationi* («compimento», «consumazione»).

[213] Cfr. *Ep. Eph.* 1,10.

[214] *Ps.* 72,28.

[215] *Ps.* 72,25.

[216] *Ps.* 72,26.

[217] Nel testo *animo*, che qui come nelle righe seguenti è stato reso con «spirito». Per il significato di *animus* e *spiritus*, ved. note 123 e 194 al *de natura et dignitate amoris* di Guglielmo di Saint-Thierry.

[218] *1 Ep. Thess.* 5,21.

[219] Cfr. *Ps.* 23,3-4.

[220] Cfr. *1 Ep. Cor.* 9,24.

[221] Per definire la perenne inquietudine e insoddisfazione della *cupiditas*, Bernardo riprende l'espressione *in circuitu* dei salmi 11 e 30 (citati rispettivamente in apertura dei parr. 19 e 21). È il circolo vizioso di un eccesso di amore che non può appagarsi di nessun bene finito, perché solo il Bene infinito – Dio – può soddisfarlo (cfr. Gilson, *La théologie mystique* cit., pp. 61-2). A essa Bernardo contrappone la *uia regia*, il *rectus callis* del giusto, coincidente con quella sorta di scorciatoia, di *uerbum abbreuiatum* che è Cristo (cfr. *infra*, note 224 e 226).

[222] Cfr. *Ps.* 30,14.

[223] Cfr. *Eu. Matth.* 7,13.

[224] Cfr. *Num.* 20,17 e 21,22. Il tema della *uia regia* è ricorrente nella letteratura monastica del Medioevo. Nel versetto dei *Numeri* (20,17) citato da Bernardo, come scrive J. Leclercq (*Cultura umanistica e desiderio di Dio. Studio sulla letteratura monastica del Medio Evo*, trad. it., Firenze 1983, pp. 136-8; ed. orig. Paris 1957), «queste parole designano una via pubblica in opposizione a una strada privata, ma anche una via dritta e diretta, a differenza dei sentieri, che sono più o meno tortuosi». E prosegue: «L'espressione "via regale", intesa in questo senso, corrisponde a una nozione e a una immagine precisa, molto diffuse nel mondo antico e specialmente in Egitto. La nozione qui supposta è quella delle strade di stato che conducono tutte, e senza tortuosità, verso la capitale del regno, dove risiede il re; esse non

servono i villaggi presso i quali passano; non comportano alcuna deviazione; sono comode, senza pericoli, conducono sicuramente al fine [...]. Per san Bernardo la via regale che non devia né a destra né a sinistra, è quella su cui camminano coloro che, volendo evitare i giri viziosi, le tortuosità, le cause di dissipazione che derivano dal possesso di beni temporali, vendono ciò che possiedono per unirsi a Dio solo».

225 *Is.* 26,7.

226 Cfr. *Ep. Rom.* 9,28 e *Is.* 10,22. L'espressione biblica *uerbum abbreuiatum et abbreuians* serve a designare in Bernardo la spogliazione e la volontaria umiliazione del Figlio di Dio che si è fatto uomo; cfr. V. Lossky, *Études sur la terminologie de Saint Bernard*, «ALMA» XVII 1942, pp. 87-90.

227 Cfr. *Eu. Matth.* 19,21.

228 *Eu. Matth.* 5,3.

229 Cfr. *1 Ep. Cor.* 9,24.

230 *Ps.* 1,6.

231 *Ps.* 36,16.

232 *Eccl.* 5,9.

233 *Eu. Matth.* 5,6.

234 *Ps.* 102,1 e 5.

235 Nel testo *affectionem*, per il cui significato ved. *supra*, nota 204.

236 Cfr. *Ep. Rom.* 10,12.

237 Cfr. *Sap.* 3,13.

238 *Lam.* 3,25.

239 Cfr. Agostino, *Trin.* XV 2,2: *Nam et quaeritur ut inueniatur dulcius, et inuenitur ut quaeratur auidius* («Perché lo si cerca per trovarlo in modo più dolce, e lo si trova per cercarlo con maggiore avidità»).

240 *Ps.* 87,14.

241 Sulle quattro *affectiones* naturali cfr. *supra*, nota 204. Nelle sue opere Bernardo le nomina spesso, con qualche leggera variante. Per lo più esse sono *amor*, *laetitia*, *timor*, *tristitia*; talvolta ad *amor* è sostituita *cupiditas* e *ira* prende il posto di *tristitia*. Ved. le fonti in Delfgaauw, *Saint Bernard* cit., pp. 75-6.

242 *Eu. Matth.* 22,37. Inizia qui la descrizione dei quattro gradi dell'amore, che occuperà i parr. 23-8 del trattato. Sono i gradi attraverso i quali l'uomo riconquista progressivamente quella *similitudo* con Dio che aveva perduto con il peccato, restaurando in sé stesso la *imago* del suo Creatore. Scrive Delfgaauw (*Saint Bernard* cit., p. 175): «Avendo ricevuto mediante la creazione tale immagine nel suo spirito (è il suo *uelle*, la sua *affectio*, il suo *amor* o anche la sua *cupiditas*, nel senso generico della parola), l'uomo – sotto l'influsso della grazia – deve dirigere verso Dio questo dinamismo naturale del suo essere spirituale, questa infinita inquietudine esistente nel profondo della sua

anima, fino a diventare – in una perfetta somiglianza – uno con la sua Volontà». È ciò che Bernardo, alludendo a *Cant.* 2,4 (*Ordinauit in me caritatem*), definisce la *ordinatio caritatis*, cioè essenzialmente la conversione dell'amore carnale in amore spirituale o amore di Dio (cfr. in particolare i *Sermones super Cantica Canticorum* 49-50). Il primo grado – il più basso – è quello in cui l'uomo ama sé stesso per sé stesso: pur essendo un amore ancora egoistico, esso ci fa scoprire per primo questo *affectus* dentro di noi e costituisce quindi il germe dal quale nasceranno tutte le altre forme di amore. Finché esso rimane nell'alveo della necessità è un sentimento naturale; per evitare che esca da questo alveo è necessario che si sviluppi in amore del prossimo. Ma non è possibile amare in modo disinteressato il prossimo se non lo si ama in Dio e perciò se non si ama Dio stesso. È questo il secondo grado, quello che si raggiunge quando l'uomo ama Dio in funzione di sé stesso, cioè per i benefici che ne può avere: si tratta ancora di un amore egoistico, ma ormai aperto verso il superamento di sé. Esso infatti fa progredire verso il terzo grado, quello in cui l'uomo ama Dio per Dio stesso, cioè in modo disinteressato e non più legato alle proprie necessità: questo stadio si raggiunge quando si sperimenta o si gusta personalmente «quanto dolce è il Signore» e lo si ama perché è buono in assoluto. A esso fa seguito il quarto e ultimo grado, in cui l'uomo ama sé stesso per Dio. È l'esperienza dell'estasi, della *deificatio*, della perfetta *unitas spiritus* con Dio, allorché – svuotati di ogni *proprium*, di ogni *affectus* carnale – ci si trasforma e quasi ci si dissolve nell'Amato: un'esperienza riservata alla vita futura e alla quale solo rare persone, e solo per pochi istanti, sono ammesse in questa vita. Per un ampio esame dei quattro gradi dell'amore nella dottrina di Bernardo cfr. Delfgaauw, *Saint Bernard* cit., pp. 175-94. Ved. inoltre l'Introduzione al volume.

[243] L'espressione *amor carnalis* non ha dunque necessariamente in Bernardo un valore peggiorativo: quando si applica a un oggetto carnale, l'*amor* o l'*affectus* diventa *amor* o *affectus carnalis*. Se «ordinato», infatti, l'amore carnale non solo si estende al prossimo e diventa *amor socialis*, ma conosce anche un'altra *extensio*: quella verso l'umanità di Cristo, la cui incarnazione – il farsi carne dello spirito – aveva proprio lo scopo di innalzare verso lo spirito gli uomini carnali (cfr. in proposito Delfgaauw, *Saint Bernard* cit., pp. 177 e 183-4). Su questo tema ved. anche Guglielmo di Saint-Thierry, *de contemplando Deo* 3 e relativa nota 24.

[244] *1 Ep. Cor.* 15,46.

[245] Cfr. *Ep. Eph.* 5,29.

[246] *Eu. Matth.* 22,39.

[247] Cfr. *Sap.* 45,6.

[248] Cfr. *Sap.* 18,30.

[249] Cfr. *ibid.*
[250] Cfr. *1 Ep. Tim.* 6,8.
[251] Cfr. *1 Ep. Pet.* 2,11.
[252] Cfr. *Act. Ap.* 4,29 e 28,31.
[253] Cfr. *Ep. Iac.* 1,5.
[254] Cfr. *Ps.* 144,16.
[255] *Eu. Luc.* 12,31.
[256] Cfr. *Ep. Rom.* 6,12.
[257] *Ps.* 49,15.
[258] Cfr. *Eu. Io.* 15,5.
[259] Cfr. *Ez.* 11,19 e 36,26.
[260] Cfr. *Ps.* 33,9.
[261] *Eu. Io.* 4,42.
[262] Nel testo *sic affecto*, cioè «mosso», «disposto», «trasformato» (da Dio) «in questo modo». Cfr. *supra*, nota 204.
[263] Cfr. *1 Ep. Pet.* 1,22.
[264] Cfr. *1 Ep. Io.* 3,18. L'aggettivo *castus* ha per Bernardo, che si ispira qui soprattutto ad Agostino, il significato di «gratuito», «disinteressato». Ved. in proposito Gilson, *La théologie mystique* cit., pp. 45-6 nt. 1 e p. 135.
[265] Cfr. *Ep. Phil.* 2,21.
[266] *Ps.* 117,1.
[267] *Ps.* 48,19.
[268] *Ps.* 35,7.
[269] Cfr. *Ps.* 67,16.
[270] *Ps.* 23,3.
[271] *Ps.* 54,7.
[272] Cfr. *Ps.* 75,3.
[273] *Ps.* 119,5.
[274] Cfr. *Eu. Matth.* 16,17.
[275] Cfr. *Sap.* 9,15.
[276] Cfr. *Ps.* 30,13.
[277] Cfr. *1 Ep. Cor.* 6,17.
[278] *Ps.* 72,26.
[279] Più avanti, nell'estratto della lettera ai Certosini che egli include nel trattato e dove è abbozzata la dottrina dei quattro gradi dell'amore, Bernardo scrive (XV 39): «Certamente si rimane a lungo in questo grado [il terzo], anzi non so se qualcuno riesca in questa vita a raggiungere perfettamente il quarto, cioè quello in cui l'uomo ama sé stesso solo per Dio. Lo affermino quelli che ne hanno fatto esperienza, se ce ne sono; a me, lo confesso, sembra impossibile». Questa dichiarazione parrebbe in contraddizione con quanto si legge qui: forse, come ipotizza P. Verdeyen (in Bernard de Clairvaux, *L'amour de Dieu. La grâce et le libre arbitre*, introductions, traductions, notes et

index par F. Callerot – J. Cristophe – M.-I. Huille – P. Verdeyen, Paris 1993, p. 129 nt. 3), negli anni intercorsi fra la composizione dei due testi «Bernardo ha cambiato idea perché è stato favorito da grazie mistiche». In ogni caso, dal momento che il più alto grado dell'amore – l'estasi mistica – presuppone la completa liberazione da ogni condizionamento carnale, esso può realizzarsi pienamente solo nella condizione celeste: quaggiù è possibile al massimo per qualche attimo furtivo: *raro et hoc ipsum raptim atque unius uix momenti spatio* (cfr. Delfgaauw, *Saint Bernard* cit., pp. 191-2). Sulla brevità dell'esperienza mistica in questa vita, cfr. anche Guglielmo di Saint-Thierry, *de contemplando Deo* 1; 6; 10, e *de natura et dignitate amoris* 22.

[280] Cfr. *Ep. Phil.* 2,7.

[281] Cfr. *Ep. Gal.* 1,4.

[282] Cfr. *Eu. Matth.* 6,34.

[283] *Is.* 38,14.

[284] *Ep. Rom.* 7,24.

[285] *Prou.* 16,4.

[286] *Eu. Matth.* 6,10.

[287] Nel testo *sic affici, deificari est*, cioè essere disposti, trasformati in questo modo, provare un tale *affectus*, significa essere deificati, uniti a Dio. Il termine *deificatio* (greco θέωσις), usato raramente da Bernardo, deriva dalla teologia mistica orientale – da Origene fino allo pseudo Dionigi Areopagita e a Massimo il Confessore – attraverso la mediazione di scrittori latini come Agostino, Giovanni Scoto Eriugena e Remigio di Auxerre, che lo usano in alcuni dei loro scritti (cfr. in proposito M. Lot-Borodine, *La doctrine de la «déification» dans l'Église grecque jusqu'au XI*e *siècle*, «RHR» CV 1932, pp. 5-43; CVI 1932, pp. 525-74; CVII 1933, pp. 8-55; inoltre V. Lossky, *La teologia mistica della Chiesa d'Oriente*, trad. it., Bologna 1967, pp. 189-209; ed. orig. Paris 1944). Non si tratta in Bernardo di un totale annullamento dell'anima in Dio o di una completa dissoluzione della sua individualità; si notino le sue attenuazioni: *tamquam qui non sis, paene annullari.* Al contrario, unendosi a Dio, l'uomo si distacca completamente da tutto ciò che è *proprium* (cioè carnale e «dissomigliante» da lui) per ritrovare il proprio vero io, la *imago* divina impressa nel più profondo del suo essere (cfr. in proposito Delfgaauw, *Saint Bernard* cit., p. 189). Nei *Sermones super Cantica Canticorum* 71,7, così è distinta l'unione tra Dio e l'uomo da quella tra il Padre e il Figlio: *Non possunt dici unus Pater et Filius, quia ille Pater et ille Filius est; unum tamen dicuntur et sunt, quod una omnino illis, et non cuique sua, substantia est. Quo contra homo et Deus, quia unius non sunt substantiae uel naturae, unum quidem dici non possunt; unus tamen spiritus certa et absoluta ueritate dicuntur, si sibi glutino amoris inhaereant. Quam quidem unitatem non tam essentiarum cohaerentia facit, quam con-*

niuentia uoluntatum («Non si può dire che il Padre e il Figlio siano una stessa cosa, perché uno è il Padre e uno è il Figlio; ma sono detti e sono una stessa cosa, perché hanno assolutamente la stessa sostanza e non ciascuno una propria. Al contrario, fra l'uomo e Dio né la sostanza né la natura sono identiche: perciò non si può dire che siano una stessa cosa; tuttavia si può dire in tutta certezza e con assoluta verità che sono un solo spirito, se sono uniti fra loro con il mastice dell'amore. Questa unità non risulta tanto da una coesione delle essenze, quanto da una connivenza delle volontà»). Commenta Gilson (*La théologie mystique* cit., p. 148): «Parole cariche di significato che definiscono mirabilmente la posizione di san Bernardo: la deificazione di cui il *de diligendo Deo* contiene la promessa non è niente di meno, ma niente di più, del perfetto accordo fra la volontà della sostanza umana e quella della sostanza divina, in una rigorosa distinzione delle sostanze e delle volontà». Questa interpretazione è confermata, poco oltre, dalle tre similitudini della goccia d'acqua, del ferro incandescente e dell'aria illuminata dal sole (cfr. anche nota seguente): la goccia d'acqua non cessa di essere acqua pur diluendosi nel vino, il ferro resta ferro anche quando diventa incandescente e l'aria illuminata sembra soltanto – ma non è – luce. E Bernardo conclude affermando esplicitamente (X 28) che anche nell'unione con Dio «certo la sostanza [dell'uomo] resterà, ma in altra forma, in altra gloria e in altra potenza». Ved. in proposito A.M. Piazzoni, *Introduzione a* San Bernardo di Chiaravalle, *Il dovere di amare Dio*, introduzione e note di A.M. Piazzoni, traduzione di E. Paratore, Milano 1990, pp. 94-5.

288 Queste tre similitudini erano tradizionali nella letteratura cristiana: cfr. p.es. Massimo il Confessore, *Ambigua ad Iohannem*, *CCG* XVIII, p. 25,125-6; Giovanni Scoto Eriugena (che cita Massimo), *Periphyseon* I 331-6 (similitudine dell'aria) e I 377-90 (similitudine del ferro); quella del ferro è ripresa anche da Riccardo di San Vittore nel *de IV gradibus* par. 39 (cfr. J. Pépin, «*Stilla aquae modica multo infusa vino, ferrum ignitum, luce perfusus aer*. L'origine des trois comparaisons familières à la théologie mystique médiévale», in *Miscellanea André Combes*, I, Roma 1967, pp. 341-74).

289 Cfr. *1 Ep. Cor.* 15,28.

290 Cfr. *1 Ep. Cor.* 15,40.

291 *Ps.* 41,3.

292 *Ps.* 26,8.

293 Cfr. *Ion.* 2,5.

294 *Eu. Marc.* 12,30.

295 Cfr. *Eu. Matth.* 25,21 e 23.

296 Nelle pagine seguenti (parr. 30-3) Bernardo cerca di conciliare la sua dottrina della *deificatio* con quella della resurrezione dei corpi: egli afferma che gli uomini non potranno godere della visione beatifi-

ca prima di essersi ricongiunti ai loro corpi di resurrezione. La sua concezione è così illustrata da Delfgaauw (*Saint Bernard* cit., p. 193): «Una perfetta visione di Dio non è possibile senza una perfetta carità (per san Bernardo: *uidere Deum* è *inhaerere Deo*). Ora, la carità non è perfetta, non è pienamente *uoluntas communis*, finché sussiste nell'anima una "tendenza naturale verso il corpo", che è ancora un *proprium*. Perciò, non vi è visione di Dio prima che questo desiderio naturale sia compiuto, cioè prima della resurrezione dei corpi». La dottrina di Bernardo fu condannata nel 1336 da papa Benedetto XII con la costituzione *Benedictus Deus*. Sulla nozione di *proprium*, cfr. *infra*, nota 339.

[297] Cfr. *1 Ep. Cor.* 15,54.

[298] *Ps.* 115,15.

[299] *Ep. Rom.* 8,28.

[300] Cfr. *Eu. Matth.* 3,8.

[301] *Cant.* 5,1.

[302] Cfr. *2 Ep. Cor.* 5,4.

[303] Cfr. *1 Ep. Io.* 3,1.

[304] La seconda stola è il corpo risorto. Cfr. pseudo Remigio di Auxerre, *Enarrationes in Psalmos* 5, *PL* CXXXI, col. 170: *Et fideles prius laetantur de resurrectione animae, quae est prima stola, et post plenarie gaudent de resurrectione corporis, quae est secunda stola* («I fedeli si rallegrano prima della resurrezione dell'anima, che è la prima stola; poi raggiungono una gioia completa con la resurrezione del corpo, che è la seconda stola»). Ma mentre per Remigio la prima stola è la resurrezione dell'anima, per Bernardo è il corpo mortale. Cfr. Piazzoni, *Introduzione* cit., p. 85.

[305] Cfr. *Gen.* 3,19.

[306] Cfr. *2 Ep. Cor.* 5,6-7.

[307] Cfr. *Ep. Gal.* 5,6.

[308] Cfr. *Ep. Iac.* 2,20.

[309] *Eu. Io.* 4,34.

[310] Cfr. *Ps.* 126,2.

[311] *Cant.* 5,1. In realtà nel *Cantico dei Cantici* la frase è pronunciata dallo sposo.

[312] Si tratta dell'*excessus mentis* (per cui ved. nota 43 al *de natura et dignitate amoris* di Guglielmo di Saint-Thierry). Bernardo distingue nelle sue opere due *excessus*: il primo (un uscire *non longe*, «non lontano») consiste nella liberazione dal peccato e nella conversione della volontà a Dio; il secondo (un uscire *longe*, «lontano») comporta invece l'abbandono di tutto il sensibile e coincide con la carità perfetta: è il quarto grado dell'amore. Scrive Delfgaauw (*Saint Bernard* cit., p. 127) a proposito di questo duplice *excessus*: «Egli lo chiama anche una duplice morte, una duplice liberazione della volontà, la rinuncia

a un duplice *proprium* dell'uomo: la cupidigia (amor proprio), e la regione del sensibile e della miseria, entrambe essenziali alla *carne*. L'*excessus* sarà allora la riaffermazione dello spirito in noi, e ciò costituisce insieme la restaurazione dell'immagine divina e il ritorno dell'anima verso il suo Principio, il suo rimpatrio. L'*excessus* dalla cupidigia si mantiene al livello dell'ascesi: l'uomo vi coopera ancora con la grazia; l'*excessus mentis* è riservato a Dio: vi opera soltanto la grazia. Eppure, malgrado il suo carattere di pura "grazia", anche quest'ultimo *excessus* è, in un certo senso, naturale all'uomo, perché ristabilisce la sua natura nella sua perfezione angelica».

[313] *Ps.* 22,5.

[314] Cfr. *Ps.* 35,9.

[315] Cfr. *Eu. Matth.* 26,29.

[316] Ossia chi si è riunito al suo corpo di gloria nel Regno dei Cieli.

[317] Cfr. *2 Ep. Cor.* 4,11.

[318] Cfr. *Ps.* 127,2.

[319] *Cant.* 5,1.

[320] Cfr. *Apoc.* 19,9.

[321] Cfr. *Eu. Luc.* 22,30.

[322] Cfr. *Ep. Eph.* 5,27.

[323] Cfr. *Ps.* 35,9.

[324] Cfr. *Ps.* 45,5.

[325] Cfr. *Eu. Luc.* 12,37.

[326] Cfr. *Ps.* 67,4.

[327] Questa *sobria ebrietas* è la condizione dell'anima che, infiammata dalla *caritas*, dimentica ogni paura e ogni rispetto nei confronti di Dio e osa desiderare il bacio dell'unione mistica. Cfr. *Sermones super Cantica Canticorum* 7,3: *Amat ardenter, quae ita proprio debriatur amore, ut maiestatem non cogitet. Quid enim? «Respicit terram, et facit eam tremere», et ista se ab eo postulat osculari? Ebriane est? Ebria prorsus* [...]. *O quanta uis amoris! Quanta in spiritu fiducia libertatis! Quid manifestius, quam quod perfecta caritas foras mittit timorem?* («[L'anima] ama con ardore, tanto inebriata dal proprio amore che non pensa alla maestà di Dio. Ma come? "Egli guarda la terra e la fa tremare" [*Ps.* 103,32], e lei gli chiede un bacio? È forse ubriaca? Sì, certamente [...]. Quanto grande è la forza dell'amore! Quanta fiducia infonde lo spirito di libertà! Che cosa è più evidente delle parole: "La carità perfetta scaccia il timore?" [*1 Ep. Io.* 4,18]»). Ved. in proposito Gilson, *La théologie mystique* cit., pp. 135-6.

[328] Nel testo bisticcio fra *mero* (vino puro, schietto) e *uero* (verità).

[329] Cfr. *Ep. Eph.* 5,18.

[330] Come egli stesso dichiara, Bernardo inserisce qui buona parte di una lettera da lui precedentemente inviata ai monaci della Grande Certosa e dedicata anch'essa al tema della *caritas*. Nella parte finale di

questa lettera (par. 39), scritta nel 1124 o nel 1125, egli abbozza in maniera già abbastanza compiuta la dottrina dei quattro gradi dell'amore, poi sviluppata nei parr. 23-8 del *de contemplando Deo.* Nei paragrafi precedenti, invece, propone una descrizione diversa – ma non contrastante, egli dice: *alia ibi, etsi non aliena* – degli atteggiamenti amorosi, distinguendo tre tipi di amore per Dio: quello dello «schiavo», quello del «mercenario» e quello del «figlio». L'amore servile è caratterizzato dalla paura, quello mercenario dalla cupidigia, quello filiale dalla libertà o dalla spontaneità. Tutti e tre questi atteggiamenti hanno come fine la realizzazione della volontà di Dio, ma il mercenario e lo schiavo si sono fatti una legge propria, che si sono imposti da sé e che non coincide con la legge alla quale sottostanno tutte le cose: quella dell'amore. Entrambi hanno sostituito il «peso insopportabile» della loro volontà al «giogo soave» e al «lieve fardello» della carità. Tema centrale dello scritto è appunto la legge della *caritas*, che «converte le anime e le fa agire di loro spontanea volontà». Essa «lega» perfino Dio, in quanto costituisce la stessa sostanza divina: è il vincolo d'amore che unisce la Trinità. Per questo è una legge che non costringe ma rende liberi: in quanto dono proveniente dalla grazia divina – *caritas* accidentale donata dalla *Caritas* sostanziale – essa stabilisce fra Dio e l'uomo un rapporto simile a quello tra Padre e Figlio, restaurando nella creatura l'immagine divina che era stata deformata dal peccato.

[331] Cfr. *1 Ep. Tim.* 1,5.

[332] Il significato di *castus*, come si è visto (cfr. IX 26 e nota 264), è «disinteressato», «gratuito»: l'aggettivo definisce quello che era stato indicato in precedenza come terzo grado dell'amore.

[333] *Ps.* 117,1.

[334] *Ps.* 48,19.

[335] Per il significato di *cupere*, *cupiditas*, cfr. *supra*, nota 206.

[336] Cfr. *1 Ep. Cor.* 13,4-5.

[337] *Ps.* 18,8.

[338] Nel testo *auertere*, contrapposto a *conuertere*. La *conuersio* è propriamente il passaggio dall'*affectus carnalis* – che è necessariamente interessato – all'*affectus spiritualis* – che è necessariamente disinteressato – cioè alla *caritas*; come dice Bernardo alla fine di questo paragrafo: *caritas conuertit animas*. Essa corrisponde quindi al terzo dei gradi precedentemente definiti da Bernardo, quello dell'amore *purus* o *castus*.

[339] I termini *proprietas*, *proprium* designano ogni attaccamento a ciò che è individuale, personale, egoistico: quell'*affectus carnalis*, quella *cupiditas*, quella *uoluntas propria* che sono legati alla condizione di «dissomiglianza» conseguente al peccato e, più in generale, alla dimora nella carne. Alla ricerca del *proprium* si contrappone la *uoluntas*

communis, che è la legge fondamentale della *caritas* e di cui sono sinonimi termini come *adhaesio* («unione», «congiungimento»), *conformitas* («conformità»), *consensus* («consenso», «comunione nella volontà»), *similitudo* («somiglianza»): cioè l'amore-comunione, la comunione fra uomo e Dio nella *caritas*. Compito dell'anima che voglia restaurare in sé la *imago* divina è la *conuersio* dal *proprium* al *commune*, realizzata – come dice qui Bernardo citando il salmo 18 – dalla *lex immaculata* di Dio, la legge dell'amore alla quale egli stesso è sottoposto. Scrive Gilson (*La théologie mystique* cit., p. 138): «Stabilendosi nell'anima, la carità ha eliminato il *proprium* e gli ha sostituito una volontà comune all'uomo e a Dio. Il *proprium* è la dissomiglianza. L'amore di Dio ha quindi come effetto immediato quello di restaurare nell'anima la somiglianza divina perduta». Ciò avviene attraverso l'*excessus*, che però non potrà mai realizzarsi pienamente sulla terra e nemmeno in cielo, finché non sarà avvenuta la resurrezione dei corpi (cfr. *supra*, XI 32 e nota 296): fino a quel momento infatti sussisterà ancora un *proprium* che distoglierà l'uomo dal desiderio di Dio e perciò anche dalla visione beatifica. Ved. in proposito anche Delfgaauw, *Saint Bernard* cit., pp. 109-19 e *supra*, nota 242.

340 Cfr. *Ep. Iac.* 1,14.

341 Cfr. *Ps.* 18,8.

342 *Voluntaria* è l'anima che, ormai purificata, ama Dio «spontaneamente». La *spontaneitas*, nozione centrale nella teologia mistica di Bernardo, è il risultato della liberazione della volontà dai condizionamenti del timore e della cupidigia: essa è raggiunta quando la volontà, avendo scelto il solo oggetto che possa essere desiderato per sé stesso e cioè Dio, tende a esso con un movimento diretto – per un *rectus callis* – cioè senza tortuosità o circoli viziosi. Spiega Gilson (*La théologie mystique* cit., p. 112): «Intendiamo per "spontaneo" un moto la cui spiegazione non faccia intervenire alcun elemento esterno a questo stesso moto, ma che contenga invece in sé stesso la sua piena giustificazione. Desiderare una cosa per paura di un'altra non è un moto spontaneo; desiderare una cosa per ottenerne un'altra è ancora un moto determinato dal di fuori; amare, invece, è volere ciò che si ama perché lo si ama, e in questo consiste la spontaneità. Perciò se la spontaneità è la manifestazione della volontà nella sua forma pura, si può dire che rendendola spontanea l'amore la rende volontaria, la restituisce a sé stessa, la fa ridiventare una volontà». All'uomo *spontaneus* o *uoluntarius* si contrappone quello *inuitus* (cfr. *infra*, XIII 36 e XIV 37), condannato a volere qualcosa solo per paura o per cupidigia.

343 Cfr. *1 Ep. Cor.* 10,33.

344 La *caritas*, intesa in senso sostanziale (cfr. *infra*, nota 348), non è altro che lo Spirito Santo, legame d'amore fra il Padre e il Figlio. In quanto tale, lo Spirito Santo è dunque nella dottrina di Bernardo an-

che il legame fra l'anima e Dio. Questa concezione è assai vicina a quella espressa da Guglielmo di Saint-Thierry nel *de contemplando Deo* (parr. 14-5), anche se la formulazione appare indipendente: secondo Guglielmo, nella misura in cui lo Spirito Santo – che è amore fra il Padre e il Figlio – inabita in noi e vi suscita la carità di Dio, Dio ama sé stesso in noi e ci rende così di «stirpe divina». Osserva Gilson (*La théologie mystique* cit., pp. 117-8 nt. 1): «In assenza di dati cronologici certi che ci permettano di situare i trattati di Guglielmo rispetto a quelli di Bernardo, non si può formulare alcuna ipotesi sulla loro possibile filiazione. Nonostante il notevole accordo dei loro punti di vista, non sono riuscito a individuare la minima traccia di una reciproca influenza nei ragionamenti o nella redazione. Resto convinto, fino a prova contraria, della loro totale indipendenza».

[345] Cfr. *Ep. Eph.* 4,3.

[346] *1 Ep. Io.* 4,8.

[347] Cfr. *Ep. Eph.* 2,8.

[348] Per la distinzione fra *caritas* come sostanza e *caritas* come qualità o accidente, cfr. Guglielmo di Saint-Thierry, *de natura et dignitate amoris* 12, e *de contemplando Deo*, nota 91.

[349] Cfr. *Eu. Io.* 1,3.

[350] Cfr. *Sap.* 11,21.

[351] Cfr. *Sap.* 40,1.

[352] Sulla nozione di «curvatura» dell'anima ved. *supra*, nota 159.

[353] Cfr. *Ps.* 87,4.

[354] *Ep. Rom.* 7,24.

[355] *Ps.* 93,17.

[356] *Iob* 7,20.

[357] Nel testo *inuitus*. Cfr. *supra*, nota 342.

[358] Cfr. *Iob* 7,21.

[359] Cfr. *Ep. Rom.* 8,14.

[360] Cfr. *Ep. Rom.* 8,16.

[361] Cfr. *1 Ep. Io.* 4,17.

[362] *Ep. Rom.* 13,18.

[363] Cfr. *1 Ep. Io.* 4,17. Una espressione analoga (*fieri meretur homo Dei, non Deus, sed quod est Deus*) è riferita da Guglielmo di Saint-Thierry a chi ha raggiunto l'*unitas spiritus* con Dio (cfr. *Epistola ad fratres de Monte Dei* 263, passo citato nella nota 65 al *de contemplando Deo*).

[364] *1 Ep. Tim.* 1,9.

[365] Cfr. *Ep. Rom.* 8,15.

[366] *Ibid.*

[367] *Ibid.* Sulla nostra «adozione» come figli di Dio, ved. Guglielmo di Saint-Thierry, *de contemplando Deo* 15 e relativa nota 147.

[368] *1 Ep. Cor.* 9,20-1.

[369] *1 Ep. Tim.* 1,9.
[370] *Eu. Matth.* 11,29.
[371] Cfr. *ibid.*
[372] *Eu. Matth.* 5,17.
[373] Nel testo *deuotionem* (come, qualche riga più avanti, *deuotio*): «sacrificio», «offerta di sé», «devozione verso qualcuno».
[374] Finché il timore era servile («quello dello schiavo»), non poteva essere esente dalla paura del castigo; la carità conserva bensì il timore, ma lo rende «casto e filiale», senza alcuna paura del castigo.
[375] Cfr. *Ps.* 18,10.
[376] *1 Ep. Io.* 4,18.
[377] Cioè la metonimia. Qui la causa è la paura e l'effetto è il castigo.
[378] Cfr. *Gen.* 6,3 e *Ep. Rom.* 7,14.
[379] Cfr. *Eu. Io.* 1,13.
[380] Cfr. *Ep. Gal.* 3,3.
[381] Cfr. *1 Ep. Cor.* 15,46.
[382] Cfr. *1 Ep. Cor.* 15,49. In questo paragrafo è abbozzata la descrizione dei quattro gradi dell'amore, più ampiamente illustrata nei parr. 23-8; cfr. *supra*, nota 330. Rispetto alla precedente descrizione – in realtà scritta successivamente – Bernardo omette soltanto di indicare la *extensio* dell'amore di sé in amore del prossimo, evoluzione che permette il passaggio dal primo al secondo grado.
[383] Nel testo *sapere*, nel senso di «comprendere», «avere coscienza».
[384] Cfr. *Ep. Hebr.* 11,6.
[385] Cfr. *Ps.* 33,9.
[386] Cfr. *supra*, X 27 e nota 279.
[387] Cfr. *Eu. Matth.* 25,21.
[388] Cfr. *Ps.* 35,9.
[389] Cfr. *1 Ep. Cor.* 6,17.
[390] *Ps.* 70,16.
[391] Cfr. *1 Ep. Cor.* 6,15.
[392] *2 Ep. Cor.* 5,16.
[393] *1 Ep. Cor.* 15,50.
[394] Nel testo *infirmae* [...] *humanae affectiones*, contrapposte a quelle *diuinae*. Si tratta dunque della trasformazione o «conversione» dell'*affectus carnalis* o *infirmus* in *affectus spiritualis*; ved. in proposito *supra*, note 204 e 338.
[395] Cfr. *Eu. Matth.* 13,47-8.
[396] Cfr. *Ps.* 103,25.
[397] Cfr. *Eu. Matth.* 13,47-8.
[398] Cfr. *Ep. Rom.* 12,15.
[399] Cfr. *2 Ep. Cor.* 11,29.
[400] Cfr. *2 Ep. Cor.* 12,21.
[401] Cfr. *Eu. Matth.* 25,41.

[402] Cfr. *Ps.* 45,5.
[403] Cfr. *Ps.* 86,2.
[404] *Ps.* 86,7.
[405] *Is.* 61,7.
[406] Cfr. *Ps.* 70,16.
[407] Nel progresso della libertà Bernardo distingue nel *de gratia* (III 6 sgg.) tre tappe: la *libertas a necessitate, a peccato, a miseria.* La prima – che noi possediamo per natura – è il libero arbitrio che Dio ha concesso all'uomo e che ne fa un essere superiore a tutti gli altri, creato a immagine di Dio (cfr. *supra*, nota 26); la seconda – detta anche *libertas gratiae* – trasforma la *uoluntas* in *bona uoluntas* e ordina il nostro *affectus* verso Dio; infine, la *libertas a miseria* – detta *libertas uitae uel gloriae* e il cui pieno raggiungimento è riservato alla vita futura – affranca completamente la volontà dalla corruzione e dalle miserie legate alla nostra condizione corporea. Ved. in proposito Delfgaauw, *Saint Bernard* cit., pp. 164-9.

«Scrittori greci e latini»

Con questa collana, la Fondazione Lorenzo Valla e l'editore Mondadori intendono fornire al pubblico italiano – quello degli studiosi e quello, più vasto, dei semplici lettori colti – l'autorevole raccolta di classici che esso non ha mai posseduto. Da un lato, si desidera pubblicare dei libri che entrino stabilmente a far parte della biblioteca di ogni studioso, come fondamentali opere di consultazione: testi e commenti, che raccolgano tutta la tradizione degli studi filologici e storici e che offrano interpretazioni nuove, attraverso le quali debba passare la strada della scienza. Ma, al tempo stesso, ognuno di questi libri potrà restare tra le mani di tutti coloro che non conoscono o conoscono poco il greco e il latino; di tutti coloro che leggono Eraclito e Virgilio, Gerolamo e Procopio mossi da uno slancio della fantasia e dell'intelligenza, o da un bisogno di apprendere non sorretto da una preparazione scientifica; e che quindi debbono venire soccorsi nel loro rapporto con un testo antico.

Il programma della collana comprende testi di ogni specie: poetici e storici, filosofici e religiosi, teatrali e scientifici, narrazioni e viaggi: libri che sono il simbolo stesso della classicità, come l'*Odissea* e l'*Eneide*, e libri mai tradotti in italiano, ignoti al pubblico colto, o inediti. L'arco storico della raccolta è vastissimo: dai documenti micenei fino alle ultime testimonianze della grecità pagana, dalla letteratura latina arcaica a Boezio: capolavori della patristica greca e latina, vite dei santi, libri storici del primo e tardo Medioevo latino, e quella letteratura bizantina di cui il pubblico italiano ignora la ricchezza.

Ogni volume della collana comprende: un'introduzione; una bibliografia; il testo originale, accompagnato da un apparato critico; la traduzione italiana; un commento, che chiarisce tutti gli elementi (d'ordine storico e filologico, archeologico e religioso,

filosofico e simbolico, linguistico e stilistico) necessari alla comprensione e all'interpretazione del testo; indici e sussidi.
I curatori sono scelti tra i maggiori studiosi dell'antichità classica e cristiana, della civiltà bizantina e del Medioevo latino, oggi attivi in ogni paese. Vengono pubblicati in media quattro volumi ogni anno.

VOLUMI PUBBLICATI

Omero, *Odissea*

vol. I: LIBRI I-IV, a cura di Alfred Heubeck e Stephanie West; [X ED.]

vol. II: LIBRI V-VIII, a cura di John Bryan Hainsworth; [XI ED.]

vol. III: LIBRI IX-XII, a cura di Alfred Heubeck; [XI ED.]

vol. IV: LIBRI XIII-XVI, a cura di Arie Hoekstra; [VIII ED.]

vol. V: LIBRI XVII-XX, a cura di Joseph Russo; [VIII ED.]

vol. VI: LIBRI XXI-XXIV, a cura di Manuel Fernández-Galiano, Alfred Heubeck e Joseph Russo. [VIII ED.]

Traduzione di G. Aurelio Privitera.

Arcana Mundi
a cura di Georg Luck.

vol. I: MAGIA, MIRACOLI, DEMONOLOGIA; [IV ED.]

vol. II: DIVINAZIONE, ASTROLOGIA, ALCHIMIA. [III ED.]

Inni omerici
a cura di Filippo Càssola. [VIII ED.]

Le religioni dei misteri
a cura di Paolo Scarpi.

vol. I: ELEUSI, DIONISISMO, ORFISMO; [V ED.]

vol. II: SAMOTRACIA, ANDANIA, ISIDE, CIBELE E ATTIS, MITRAISMO. [IV ED.]

Eraclito, *I frammenti e le testimonianze*
a cura di Carlo Diano e Giuseppe Serra. [VI ED.]

Pindaro, *Le Odi*
5 volumi

vol. II: LE PITICHE, a cura di Bruno Gentili, Paola Angeli Bernardini, Ettore Cingano e Pietro Giannini; [IV ED.]

vol. IV: LE ISTMICHE, a cura di G. Aurelio Privitera. [IV ED.]

Empedocle, *Poema fisico e lustrale*
a cura di Carlo Gallavotti. [VI ED.]

Sofocle, *Filottete*
introduzione e commento di Pietro Pucci, testo critico a cura di Guido Avezzù, traduzione di Giovanni Cerri. [II ED.]

Erodoto, *Le Storie*
9 volumi

vol. I: LIBRO I: LA LIDIA E LA PERSIA
a cura di David Asheri, traduzione di Virginio Antelami; [VII ED.]

vol. II: LIBRO II: L'EGITTO
a cura di Alan B. Lloyd, traduzione di Augusto Fraschetti; [VI ED.]

vol. III: LIBRO III: LA PERSIA
a cura di David Asheri e Silvio M. Medaglia,
traduzione di Augusto Fraschetti; [IV ED.]

vol. IV: LIBRO IV: LA SCIZIA E LA LIBIA
a cura di Aldo Corcella e Silvio M. Medaglia,
traduzione di Augusto Fraschetti; [IV ED.]

vol. V: LIBRO V: LA RIVOLTA DELLA IONIA
a cura di Giuseppe Nenci; [III ED.]

vol. VI: LIBRO VI: LA BATTAGLIA DI MARATONA
a cura di Giuseppe Nenci; [III ED.]

vol. VIII: LIBRO VIII: LA VITTORIA DI TEMISTOCLE
a cura di David Asheri e Aldo Corcella,
traduzione di Augusto Fraschetti; [I ED.]

vol. IX: LIBRO IX: LA BATTAGLIA DI PLATEA
a cura di David Asheri e Aldo Corcella,
traduzione di Augusto Fraschetti. [I ED.]

Aristofane, *Le Nuvole*
a cura di Giulio Guidorizzi, introduzione e traduzione di Dario Del Corno. [III ED.]

Aristofane, *Gli Uccelli*
a cura di Giuseppe Zanetto, introduzione e traduzione di Dario Del Corno. [VI ED.]

Aristofane, *Le Donne alle Tesmoforie*
a cura di Carlo Prato, traduzione di Dario Del Corno. [I ED.]

Aristofane, *Le Rane*
a cura di Dario Del Corno. [VI ED.]

Aristofane, *Le Donne all'assemblea*
a cura di Massimo Vetta, traduzione di Dario Del Corno. [IV ED.]

Platone, *Fedro*
a cura di Giovanni Reale, testo critico di John Burnet. [III ED.]

Platone, *Simposio*
a cura di Giovanni Reale, testo critico di John Burnet. [II ED.]

Platone, *Lettere*
a cura di Margherita Isnardi Parente, traduzione di Maria Grazia Ciani. [I ED.]

Aristotele, *Dell'arte poetica*
a cura di Carlo Gallavotti. [X ED.]

LE STORIE E I MITI DI ALESSANDRO

Curzio Rufo, *Storie di Alessandro Magno*
a cura di John E. Atkinson e Tristano Gargiulo.

vol. I: LIBRI III-V [IV ED.] vol. II: LIBRI VI-X. [III ED.]

Arriano, *Anabasi di Alessandro*
a cura di Francesco Sisti e Andrea Zambrini.

vol. I: LIBRI I-III [III ED.] vol. II: LIBRI IV-VII. [II ED.]

Il Romanzo di Alessandro
3 volumi, a cura di Richard Stoneman, traduzione di Tristano Gargiulo.

vol. I: LIBRO I. [I ED.]

Alessandro nel Medioevo occidentale
a cura di Piero Boitani, Corrado Bologna, Adele Cipolla, Peter Dronke, Mariantonia Liborio. [II ED.]

La leggenda di Roma
3 volumi, a cura di Andrea Carandini, traduzioni di Lorenzo Argentieri.

vol. I: DALLA NASCITA DEI GEMELLI ALLA FONDAZIONE DELLA CITTÀ
morfologia e commento di Paolo Carafa e Maria Teresa D'Alessio,
appendici di Paolo Carafa, Maria Teresa D'Alessio e Carlo de Simone. [II ED.]

Catullo, *Le poesie*
a cura di Francesco Della Corte. [XI ED.]

Virgilio, *Eneide*
a cura di Ettore Paratore, traduzione di Luca Canali.

vol. I: LIBRI I-II [VII ED.] vol. IV: LIBRI VII-VIII [V ED.]
vol. II: LIBRI III-IV [VII ED.] vol. V: LIBRI IX-X [V ED.]
vol. III: LIBRI V-VI [VII ED.] vol. VI: LIBRI XI-XII. [IV ED.]

Tibullo, *Le elegie*
a cura di Francesco Della Corte. [VI ED.]

Ovidio, *L'arte di amare*
a cura di Emilio Pianezzola, con la collaborazione di Gianluigi Baldo e Lucio Cristante. [VII ED.]

Ovidio, *Metamorfosi*
6 volumi, a cura di Alessandro Barchiesi; testo critico basato sull'edizione oxoniense di Richard Tarrant.

vol. I: LIBRI I-II, con un saggio introduttivo di Charles Segal, traduzione di Ludovica Koch, commento di Alessandro Barchiesi; [I ED.]

vol. II: LIBRI III-IV, traduzione di Ludovica Koch, commento di Alessandro Barchiesi e Gianpiero Rosati. [I ED.]

Manilio, *Il poema degli astri (Astronomica)*
introduzione e traduzione di Riccardo Scarcia, testo critico a cura di Enrico Flores, commento a cura di Simonetta Feraboli e Riccardo Scarcia.

vol. I: LIBRI I-II [II ED.] vol. II: LIBRI III-V. [I ED.]

Seneca, *Ricerche sulla natura*
a cura di Piergiorgio Parroni. [II ED.]

Le parole dimenticate di Gesù
a cura di Mauro Pesce. [VIII ED.]

La preghiera dei cristiani
a cura di Salvatore Pricoco e Manlio Simonetti. [II ED.]

L'Apocalisse di Giovanni
a cura di Edmondo Lupieri. [IV ED.]

L'Anticristo
3 volumi, a cura di Gian Luca Potestà e Marco Rizzi.

vol. I: IL NEMICO DEI TEMPI FINALI. TESTI DAL II AL IV SECOLO. [I ED.]

Flavio Giuseppe, *La Guerra giudaica*
a cura di Giovanni Vitucci.
Con un'appendice sulla traduzione in russo antico a cura di Natalino Radovich

vol. I: LIBRI I-III [IX ED.] vol. II: LIBRI IV-VII. [IX ED.]

Plutarco, *Le vite di Teseo e di Romolo*
a cura di Carmine Ampolo e Mario Manfredini. [IV ED.]

Plutarco, *Le vite di Licurgo e di Numa*
a cura di Mario Manfredini e Luigi Piccirilli. [V ED.]

Plutarco, *Le vite di Temistocle e di Camillo*
a cura di Carlo Carena, Mario Manfredini e Luigi Piccirilli. [III ED.]

Plutarco, *Le vite di Cimone e di Lucullo*
a cura di Carlo Carena, Mario Manfredini e Luigi Piccirilli. [III ED.]

Plutarco, *Le vite di Nicia e di Crasso*
a cura di Maria Gabriella Angeli Bertinelli, Carlo Carena, Mario Manfredini e Luigi Piccirilli. [I ED.]

Plutarco, *Le vite di Demetrio e di Antonio*
a cura di Luigi Santi Amantini, Carlo Carena e Mario Manfredini. [II ED.]

Plutarco, *Le vite di Lisandro e di Silla*
a cura di Maria Gabriella Angeli Bertinelli, Mario Manfredini, Luigi Piccirilli e Giuliano Pisani. [I ED.]

Plutarco, *Le vite di Arato e di Artaserse*
a cura di Mario Manfredini, Domenica Paola Orsi e Virginio Antelami. [IV ED.]

Plutarco, *La vita di Solone*
a cura di Mario Manfredini e Luigi Piccirilli. [V ED.]

Anonimo, *Origine del popolo romano*
a cura di Giovanni D'Anna, corredo iconografico a cura di Carlo Gasparri. [III ED.]

Il Cristo

vol. I: TESTI TEOLOGICI E SPIRITUALI DAL I AL IV SECOLO
a cura di Antonio Orbe e Manlio Simonetti; [VI ED.]

vol. II: TESTI TEOLOGICI E SPIRITUALI IN LINGUA GRECA DAL IV AL VII SECOLO, a cura di Manlio Simonetti; [V ED.]

vol. III: TESTI TEOLOGICI E SPIRITUALI IN LINGUA LATINA DA AGOSTINO AD ANSELMO DI CANTERBURY, a cura di Claudio Leonardi; [III ED.]

vol. IV: TESTI TEOLOGICI E SPIRITUALI IN LINGUA LATINA DA ABELARDO A SAN BERNARDO, a cura di Claudio Leonardi; [III ED.]

vol. V: TESTI TEOLOGICI E SPIRITUALI DA RICCARDO DI SAN VITTORE A SANTA CATERINA DA SIENA, a cura di Claudio Leonardi. [IV ED.]

Atti e Passioni dei Martiri
a cura di A.A.R. Bastiaensen, A. Hilhorst, G.A.A. Kortekaas, A.P. Orbán, M.M. van Assendelft; traduzioni di Gioacchino Chiarini, G.A.A. Kortekaas, Giuliana Lanata, Silvia Ronchey. [VI ED.]

Testi gnostici in lingua greca e latina
a cura di Manlio Simonetti. [IV ED.]

Pausania, *Guida della Grecia*
10 volumi, a cura di Domenico Musti e Mario Torelli.
Testo, traduzione e commento di L. Beschi, G. Maddoli, M. Moggi, D. Musti, M. Nafissi, M. Osanna, V. Saladino, M. Torelli.

vol. I: LIBRO I: L'ATTICA
a cura di Domenico Musti e Luigi Beschi; [VII ED.]

vol. II: LIBRO II: LA CORINZIA E L'ARGOLIDE
a cura di Domenico Musti e Mario Torelli; [V ED.]

vol. III: LIBRO III: LA LACONIA
a cura di Domenico Musti e Mario Torelli; [V ED.]

vol. IV: LIBRO IV: LA MESSENIA
a cura di Domenico Musti e Mario Torelli; [IV ED.]

vol. V: LIBRO V: L'ELIDE E OLIMPIA
a cura di Gianfranco Maddoli e Vincenzo Saladino; [IV ED.]

vol. VI: LIBRO VI: L'ELIDE E OLIMPIA
a cura di Gianfranco Maddoli, Massimo Nafissi e Vincenzo Saladino; [II ED.]

vol. VII: LIBRO VII: L'ACAIA
a cura di Mauro Moggi e Massimo Osanna; [III ED.]

vol. VIII: LIBRO VIII: L'ARCADIA
a cura di Mauro Moggi e Massimo Osanna. [II ED.]

Claudio Tolomeo, *Le previsioni astrologiche (Tetrabiblos)*
a cura di Simonetta Feraboli. [V ED.]

Apollodoro, *I miti greci (Biblioteca)*
a cura di Paolo Scarpi, traduzione di Maria Grazia Ciani. [IX ED.]

Inni orfici
a cura di Gabriella Ricciardelli. [II ED.]

Il viaggio dell'anima
a cura di Manlio Simonetti, Giuseppe Bonfrate e Piero Boitani. [II ED.]

Origene, *Il Cantico dei cantici*
a cura di Manlio Simonetti. [II ED.]

Giuliano Imperatore, *Alla Madre degli dei (e altri discorsi)*
introduzione di Jacques Fontaine, testo critico a cura di Carlo Prato, traduzione e commento di Arnaldo Marcone. [VII ED.]

Anonimo, *Le cose della guerra*
a cura di Andrea Giardina. [III ED.]

Basilio di Cesarea, *Sulla Genesi*
a cura di Mario Naldini. [III ED.]

Gregorio di Nissa, *La vita di Mosè*
a cura di Manlio Simonetti. [III ED.]

Il Manicheismo
4 volumi, a cura di Gherardo Gnoli.

vol. I: MANI E IL MANICHEISMO
introduzione e cura di Gherardo Gnoli con la collaborazione di Luigi Cirillo, Serena Demaria, Enrico Morano, Antonello Palumbo, Sergio Pernigotti, Elio Provasi, Alberto Ventura, Peter Zieme. [III ED.]

vol. II: IL MITO E LA DOTTRINA. I TESTI MANICHEI COPTI E LA POLEMICA ANTIMANICHEA
introduzione e cura di Gherardo Gnoli con la collaborazione di Carlo G. Cereti, Riccardo Contini, Serena Demaria, Sergio Pernigotti, Andrea Piras, Alberto Ventura. [I ED.]

Sant'Agostino, *Commento ai Salmi*
a cura di Manlio Simonetti. [VII ED.]

Sant'Agostino, *Confessioni*
testo criticamente riveduto a cura di Manlio Simonetti, traduzione di Gioacchino Chiarini.

vol. I: LIBRI I-III, a cura di Jacques Fontaine, José Guirau, Marta Cristiani, Luigi F. Pizzolato, Paolo Siniscalco; [IV ED.]

vol. II: LIBRI IV-VI, a cura di Patrice Cambronne, Luigi F. Pizzolato, Paolo Siniscalco; [III ED.]

vol. III: LIBRI VII-IX, a cura di Goulven Madec, Luigi F. Pizzolato; [III ED.]

vol. IV: LIBRI X-XI, a cura di Marta Cristiani, Aimé Solignac; [III ED.]

vol. V: LIBRI XII-XIII, a cura di Jean Pépin, Manlio Simonetti. [II ED.]

Sant'Agostino, *L'istruzione cristiana*
a cura di Manlio Simonetti. [III ED.]

Orosio, *Le Storie contro i pagani*
a cura di Adolf Lippold, traduzioni di Aldo Bartalucci e Gioacchino Chiarini.

vol. I: LIBRI I-IV [IV ED.] vol. II: LIBRI V-VII. [IV ED.]

VITE DEI SANTI DAL III AL VI SECOLO
sotto la direzione di Christine Mohrmann

Vita di Antonio
introduzione di Christine Mohrmann, testo critico e commento
a cura di G.J.M. Bartelink, traduzione di Pietro Citati e Salvatore Lilla; [VIII ED.]

Palladio, *La Storia Lausiaca*
introduzione di Christine Mohrmann, testo critico e commento
a cura di G.J.M. Bartelink, traduzione di Marino Barchiesi; [VI ED.]

Vita di Cipriano, Vita di Ambrogio, Vita di Agostino
introduzione di Christine Mohrmann, testo critico e commento
a cura di A.A.R. Bastiaensen, traduzioni di Luca Canali e Carlo Carena; [IV ED.]

Vita di Martino, Vita di Ilarione, In memoria di Paola
introduzione di Christine Mohrmann, testo critico e commento
a cura di A.A.R. Bastiaensen e J.W. Smit, traduzioni di Luca Canali
e Claudio Moreschini. [V ED.]

La Regola di san Benedetto e le Regole dei Padri
a cura di Salvatore Pricoco. [V ED.]

Gregorio Magno, *Storie di santi e di diavoli (Dialoghi)*
introduzione e commento a cura di Salvatore Pricoco,
testo critico e traduzione a cura di Manlio Simonetti.

vol. I: LIBRI I-II [II ED.] vol. II: LIBRI III-IV. [I ED.]

Beda, *Storia degli Inglesi (Historia ecclesiastica gentis Anglorum)*
2 volumi, a cura di Michael Lapidge, traduzione di Paolo Chiesa.

vol. I: LIBRI I-II. [I ED.]

Paolo Diacono, *Storia dei Longobardi*
a cura di Lidia Capo. [VIII ED.]

Giovanni Scoto, *Omelia sul Prologo di Giovanni*
a cura di Marta Cristiani. [IV ED.]

Rodolfo il Glabro, *Cronache dell'anno Mille*
a cura di Guglielmo Cavallo e Giovanni Orlandi. [VIII ED.]

Michele Psello, *Imperatori di Bisanzio (Cronografia)*
a cura di Salvatore Impellizzeri, Ugo Criscuolo, Silvia Ronchey; introduzione di Dario Del Corno.

vol. I: LIBRI I-VI 75 [V ED.] vol. II: LIBRI VI 76-VII. [V ED.]

Trattati d'amore cristiani del XII secolo
a cura di Francesco Zambon.

vol. I, [II ED.] vol. II. [I ED.]

Niceta Coniata, *Grandezza e catastrofe di Bisanzio (Narrazione cronologica)*
3 volumi, a cura di Alexander P. Kazhdan, Jan-Louis van Dieten, Riccardo Maisano e Anna Pontani.

vol. I: LIBRI I-VIII [I ED.] vol. II: LIBRI IX-XIV. [II ED.]

La letteratura francescana
4 volumi, a cura di Claudio Leonardi.

vol. I: FRANCESCO E CHIARA D'ASSISI
introduzione e cura di Claudio Leonardi; traduzioni di Claudio Leonardi, Luigi G.G. Ricci, Emore Paoli, Daniele Solvi; commento di Daniele Solvi; [II ED.]

vol. II: LE VITE ANTICHE DI SAN FRANCESCO
introduzione e cura di Claudio Leonardi; traduzioni di Roberto Gamberini, Claudio Leonardi, Daniele Solvi, Francesco Stella;
commento di Daniele Solvi. [I ED.]

Rolandino, *Vita e morte di Ezzelino da Romano (Cronaca)*
a cura di Flavio Fiorese. [III ED.]

La caduta di Costantinopoli
testi greci, latini, italiani, francesi, slavi..., a cura di Agostino Pertusi.

vol. I: LE TESTIMONIANZE DEI CONTEMPORANEI; [VI ED.]

vol. II: L'ECO NEL MONDO. [VI ED.]

Lorenzo Valla, *L'arte della grammatica*
a cura di Paola Casciano. [III ED.]

Questo volume è stato impresso
nel mese di settembre dell'anno 2008
presso la Grafica Veneta S.p.A.
Stabilimento di Trebaseleghe (PD)
per conto della Mondadori Printing S.p.A.

Stampato in Italia – Printed in Italy